S0-BBX-078

Jacques et Raïssa Maritain
LES MENDIANTS DU CIEL
Biographies croisées

Du même auteur

Le Seigneur Chat - Philippe Berthelot, biographie, Plon.

Jean-Luc Barré

Jacques et Raïssa Maritain

Les mendiants du Ciel

Biographies croisées

Stock

Pour Michel Monredon,
en témoignage d'une grande amitié.

«Une fois qu'une âme d'homme a été
touchée au passage par cette aile brûlante,
elle devient partout étrangère. Elle peut
tomber amoureuse des choses, jamais elle
ne se reposera en elles.»

Jacques MARITAIN.

«Au-dedans de nous, notre foi, notre
amour, nos vices : et la grande forêt
humaine à l'entour pour nourrir tout cela.»

François MAURIAC,
Lettre à Daniel Guérin, 1925.
Nouvelles lettres d'une vie.

Première Partie

LES DESPERADOS

« L'homme bâtit sur les ruines
de ses "moi" antérieurs. »

Henry MILLER,
Big Sur et les oranges de Jérôme Bosch.

Une enfance perdue

« J'affirme que c'est l'enfant qui m'a vu en vous. »

Jean COCTEAU,
Lettre à Jacques Maritain.

Aux rares destinataires du livre, il avait demandé de garder un secret absolu. C'étaient, un peu partout dans le monde, choisis un à un, des amis de toutes sortes, qu'il savait aptes à « comprendre ». La première édition du *Journal de Raïssa*, dont la couverture blanche portait la mention « hors commerce », circula clandestinement durant l'année 1962 en France et à l'étranger, imprimée et diffusée dans l'ombre par Jacques Maritain. Il s'agissait à ses yeux d'un livre à part, dont la publication ne pouvait être immédiate, ni dépourvue de précautions. Tout y était dit, à nu, presque crûment, du fond même de leur destinée commune. La nécessité, l'urgence de révéler le sens profond de leur vie s'étaient imposées à lui, après la mort de Raïssa, comme un devoir de vérité. « Ce qui a été ainsi vécu doit être connu [...]. Tout a été brisé, qu'est-ce qui reste pour soi? Les lois ordinaires de discrétion à l'égard de la vie intérieure ont été brisées, elles aussi, du même coup[1]... » Mais une longue expérience de la contemplation, jalonnée d'imperceptibles retraites, chez une femme qui n'avait cessé dans le même temps de se mêler au monde, cette union à Dieu sans retour qui avait mené Raïssa « jusqu'à la plus dure mort à soi-même » serait-elle reçue, admise comme telle ? Lui-même était sorti de cette lecture « un peu égaré ». Maritain ne se décida qu'après plusieurs mois à rompre le silence exigé de ses proches, rendant public alors l'engagement le plus privé qui soit, l'intimité qui témoignait de leur parcours véritable. La publication du *Journal de Raïssa* serait le « genre de folie », assurait-il, sans lequel il n'eût jamais rien entrepris, et sa « dernière bataille » pour atteindre les âmes isolées [2].

« C'est dans l'invisible que se produit l'essentiel », confiait sobrement Jacques Maritain. Il comparait l'existence qu'il avait partagée avec Raïssa, et ce qui s'était accompli autour d'eux, à la poussée d'un arbre dont on n'aperçoit, dans la profusion des branches, que « quelques fruits utiles sans doute, mais d'arrière-saison », sans rien voir des profondeurs où il s'enracine. Tout s'était fait dans l'urgence, entre prières et combats, entre errances et ruptures, dans un chassé-croisé permanent d'affrontements, d'échanges et d'amitiés. Tout s'était joué comme à l'arraché – aventures souvent sans lendemain qu'il fallait toujours reprendre, renouer, réviser. Établis nulle part, sollicités de tous côtés, les Maritain s'étaient frayé à travers la mêlée d'improbables pistes. Passeurs, messagers, instigateurs ? Ils n'avaient rien fondé, ni école ni système ou doctrine, suscitant « un mode de pleine liberté dans la foi » qui reposait sur l'amitié, « l'influence de personne à personne », le hasard des rencontres, « ce que chacun rapporte, dans le fond de son cœur, de son passage dans une maison où il a été aimé, de la paix de Dieu qu'il y a sentie et dont il n'avait peut-être pas l'idée [3]... ». Ce qui se passait là, et qui ne relevait d'aucune institution, ne renvoyait à aucun modèle connu, avait été la cible de multiples controverses, la proie d'autant de quiproquos et de malentendus.

Il manquait sans doute, pour bien comprendre l'œuvre du couple dans cette autonomie conjointe où elle s'était élaborée, de pouvoir restituer le cheminement d'une vie à première vue éparse, dispersée, indiscernable, d'une cohérence extrême en réalité dans sa double exigence de solitude intérieure et d'engagement public.

Découvrant le journal de Raïssa, Maritain avait compris que rien d'eux-mêmes ne leur appartenait en propre, et que ces secrets devaient être portés à la lumière. Mais il lui avait fallu en quelque sorte l'impulsion de Raïssa pour s'y résoudre, sans d'ailleurs y céder pour ce qui le concernait directement, trop conscient de la vanité des inventaires. Lui qui avait découragé, voire rabroué ses premiers biographes, ne tolérant que quelques synthèses autorisées, n'en avait pas moins accueilli avec faveur, quelque temps plus tôt, la première étude d'ensemble qui lui fût consacrée, le *Maritain en notre temps* de Henry Bars. Livre d'un disciple, il est vrai, et qui avait soumis chaque page à sa critique, visant avant tout à « refléter aussi fidèlement, aussi librement que possible, une pensée jaillissante dans une autre pensée amicale et questionneuse[4] ». Ce qui touchait à la vie de Maritain proprement dite restait ici en suspens... Et l'on attendrait en vain que surgît, à côté du *Journal de Raïssa*, le témoignage libre et exhaustif d'un Jacques Maritain par lui-même, comme si Raïssa était seule détentrice de leur mémoire, seule à même de la transmettre. « J'ai perdu, depuis que Raïssa a quitté cette terre, la mémoire de tout le tissu concret de ma vie... », écrirait-il.

Lorsqu'il s'efforce de rassembler quelques souvenirs dans son *Carnet de notes*, en 1965, c'est comme en écho au livre de celle qu'il entoure d'une exaltation éperdue. « S'il m'arrive de toucher dans ces notes

quelques-uns des sujets d'ordre purement personnel
[…], ce sera d'une manière extrinsèque, et simplement
documentaire » prévient-il. Sommaire et hâtif quand
il ne s'agit que de lui, minimisant son propre rôle
jusqu'à l'effacement, il célèbre longuement Raïssa et
sa sœur Véra, avec une tendresse sans fin et presque
ingénue, fusionnant tous trois dans une relation
unique, hors de laquelle, écrit-il, il n'y aurait pas eu
de Jacques Maritain. Mais le *Carnet de notes* ne
montre son auteur qu'en filigrane : instantanés, raccourcis autobiographiques comme autant d'esquives
et d'échappatoires… Reconstruit, recomposé après un
demi-siècle, amputé de toutes parts, ce journal de
bord est celui d'un déraciné, d'un homme de passage,
voyageur clandestin partout en transit, en quête permanente de destinations et de filiations nouvelles, en
constante sécession avec son passé, et qui trouvait un
« goût de mort » à la connaissance de soi. Maritain
ouvre le *Carnet de notes* par une récusation sans appel
de ses origines et de son enfance. « Mes plus anciens
carnets ont été détruits par moi », annonce-
t-il en préambule. S'est-il agi pour lui de brouiller les
pistes, de dissuader fouineurs et autres biographes de
s'aventurer trop loin ? Ou de régler enfin avec lui-
même, hors des regards, une vieille affaire personnelle ? Toutes attaches rompues avec sa jeunesse,
affranchi de la moindre hérédité, il n'aura de
mémoire et d'histoire que celles dont il se sera après
coup librement doté. Œuvre et vie ne tendront chez
lui qu'à éveiller, à féconder l'autonomie de l'être dans
son aventure singulière au cœur du monde.

Formée dans le siècle comme un archipel sur la
mer, son œuvre fait corps avec sa destinée. L'auteur
d'*Humanisme intégral* privilégie sur la réflexion solitaire les nécessités de l'engagement, la solidarité avec
les justes, l'écoute des égarés, les vertus de l'échange.

L'aspiration à une vie d'oraison s'accorde en lui au besoin parfois violent d'agir, de rompre des lances, de descendre dans la rue parmi les hommes qui souffrent. À l'opposé d'une pensée qui suit sa pente une fois définie et s'élabore d'elle-même, la sienne, prise dans le courant du siècle, entraînée par une sensibilité toujours en alerte, rebondit sur l'imprévu, se nourrit d'intuitions neuves, de mutations incessantes qui recoupent une vie d'errances et de migrations. Qu'il se cherche ou se fuie, c'est l'homme des grandes amitiés dont on décèle le plus souvent, à l'arrière-plan de ses livres, la présence fugace, nerveuse et multiple. Le *Court traité de l'existence et de l'existant*, quelques pages de *La Philosophie morale*, sans parler de la *Réponse à Jean Cocteau*, en disent plus long sur lui que les souvenirs escamotés du *Carnet de notes*. Et tel portrait d'un saint Benoît Labre, « chercheur de Dieu sur les routes de la terre [5] », tel autre de Léon Bloy ou de Kierkegaard, ne sont-ils pas autant de saisies de sa propre image ? Kierkegaard, porteur de masques et de pseudonymes, qui s'écarte des miroirs et s'oublie dans l'objet pour mieux respecter « son propre abîme », relève Maritain [6].

L'histoire de ce « hors-de-place » accablé de secrets de famille, de ce dissident soucieux de son mystère, il se reconnaît en elle au point de s'y confondre. Maritain se retrouve dans la « singularité blessée » de Kierkegaard, de cette conscience autonome et rebelle, et laisse percer à travers elle ses hantises les plus intimes, éclater une révolte venue du plus profond de sa vie. « Tous les morts enfouis dans mon hérédité pèsent en moi sur mon destin, leurs rêves et leurs poisons qui fermentent en moi sont le mal caché qui me perd, écrit-il. Car dans toute lignée héréditaire, il y a un déséquilibre et un désordre particuliers qui, pour autant que le déterminisme de la matière est en jeu, poussent inexorablement l'infortuné vivant vers l'abîme. Seul à la pointe de cette chevauchée maudite, il y a dans son âme immortelle le libre arbitre et la grâce comme unique chance de se définir et d'entrer un jour en possession de son vrai nom, et de son véritable soi. Alors il courra dans les voies de la vérité, et il laissera la mort enterrer les morts [7]. » Protestation dont la véhémence ne fait alors qu'amplifier celle qui jaillit du *Court traité* contre « la lumière stérile et sans fin questionneuse de la mémoire des morts » et confirmer le sentiment obsédant, qui court en lui depuis sa jeunesse, que toute existence humaine est une partie faussée d'avance. À dix-sept ans, avec l'assurance narquoise qu'il affiche en ce temps-là, il démontre à Ernest Psichari, né lui aussi « sous le signe de la fatalité », comment leur amitié « existait déjà depuis des milliards de siècles, en puissance, fatale, admirable », le présent et l'avenir étant « prédéterminés inéluctablement dès l'origine [8] ». En quête de lui-même, Maritain se voudra fils de personne, chat de Kipling qui prend ses risques seul.

« Enfant, je détestais l'idée de ressembler, comme les amis de la famille se plaisaient à le faire gentiment remarquer, au buste de mon grand-père qui ornait la cheminée du salon de ma mère. Ce n'était pas seulement orgueil ni révolte de n'être pas "seulement moi-même". J'avais le pressentiment d'une sorte d'élément fatal, et de ce qu'il y avait de violence et d'amertume, mêlé à beaucoup de grandeur et de générosité, dans ma lignée héréditaire [9]. » Maritain n'en dira guère davantage sur son enfance, sujet clos, épuisé, sur lequel il ne reviendra plus, sinon entre les lignes d'où jailliront parfois quelques éclats d'une colère mal contenue. Enfance perdue, manquée, dont il tentera de dissiper toute trace autour de lui, et plus encore en lui, dans une volonté d'exorcisme implacable. En quoi ce déracinement fut aussi une manière d'exil, c'est ce qu'on ne cessera de vérifier tout au long de sa vie. Dans le rejet de son milieu d'origine, il refoule une part de lui-même, moins sans doute les valeurs dans lesquelles il a été élevé que l'histoire dont il est issu, ce remous d'unions contraires, d'amours impossibles, d'espérances blessées. Réfutant Jules Favre, l'aïeul illustre, statufié, idolâtré, le modèle qui a peuplé sa jeunesse, il récuse le destin qu'on lui a tracé d'avance dans le sillage du grand homme, et marque avec éclat sa différence. « Trahison de tous ses espoirs, et de son rêve de me voir continuer Jules Favre », notera-t-il le 3 mars 1907 après avoir informé sa mère de ses nouveaux choix de vie.

« Il se voulait sans référence à un passé qui lui avait été étranger », écrit sa nièce Éveline Garnier [10]. Ainsi s'abstiendra-t-il même de faire mention du seul parmi ses ancêtres dont il eût pu se réclamer. Premier compagnon d'Ignace de Loyola avec lequel il fonda la Société de Jésus, ami de François-Xavier, Pierre Favre fut de ces vagabonds de Dieu, de ces missionnaires avides de savoir et de découvertes qui tentèrent de propager dans l'Église du XVIe siècle un idéal de pureté et d'humanisme. Ordonné en 1534, il fut le premier prêtre d'une cohorte d'ermites et d'aventuriers vouée à se déployer partout dans le monde. À Pierre Favre échoit une terre de missions presque imprenable, l'Europe germanique, où il s'efforce, cheminant à pied, à dos de mulet comme le recommande Loyola, de contenir les conquêtes de la Réforme. Contre l'hérésie, il préconise non l'usage des armes ou du bûcher, mais la conduite des premiers chrétiens. Il a conscience d'arriver tard. À sa mort en 1546 à Rome, où le pape Paul III l'a appelé pour des « entretiens théologiques [11] » en plein concile de Trente, l'Allemagne a basculé dans le protestantisme. Pèlerin lucide et tolérant, qui sut aussi bien tendre une main pacifique aux luthériens qu'appeler l'Église catholique à se purifier pour survivre, préférant « gagner les esprits » que les heurter, doté dans l'approche de l'autre d'un charme, d'un pouvoir de séduction – « une rare et délicieuse douceur de rapports que je n'ai trouvée chez personne à ce degré », rapporte l'un de ses compagnons –, et d'une sensibilité à vif, Pierre Favre préfigure à s'y méprendre le style, le ton, l'abord de l'homme de Meudon. Mais seule Raïssa Maritain s'est arrêtée dans *Les Grandes Amitiés* sur l'existence de ce lointain parent, tandis qu'à l'écart Jacques poursuivait résolument sa propre route.

Après quels parcours ou quelles alliances subtiles à travers le temps, cette famille est-elle passée du premier des pères jésuites à un président du Sénat de Savoie qui accompagna saint François de Sales négocier le mariage du prince de Piémont avec Christine de France, sœur de Louis XIII, puis d'un drapier de Clermont-Ferrand à un avocat de Lyon ? Lignées empreintes d'un même catholicisme libéral, et de fortune discrète, d'ambition tempérée, entre Savoie et Auvergne, entre Saône et Rhône, dont est venu Jules Favre, au début du XIXe siècle.

Mort dans « une sorte d'obscurité [12] » en janvier 1880, deux ans avant la naissance de Jacques, très meurtri par les suites de la guerre de 1870, sénateur et académicien couvert d'honneurs mais écarté des affaires, Jules Favre sera pris de vitesse par l'Histoire. Le défenseur mémorable des canuts de Lyon et des opprimés du régime impérial, l'avocat de haute stature, à la barbe de juste, empreint d'une gravité puritaine, qui pourfendait l'arbitraire dans les procès politiques du règne de Napoléon III et ne cessait de provoquer, d'interpeller le pouvoir, voit son prestige s'épuiser en quelques mois. Le 4 septembre 1870, il proclame en hâte la République par crainte des débordements révolutionnaires. Ministre des Affaires étrangères dans le gouvernement de Défense nationale, il engage avec Bismarck les vains pourparlers de Ferrières. C'est à lui de nouveau que revient peu après la tâche humiliante de négocier la capitulation de Paris et l'armistice, enfin la paix de Francfort le 10 mai 1871, qui laisse la France exsangue et avide de revanche. Son hostilité à la Commune porte à son comble l'impopularité du député de Paris. Sa fille Geneviève évoque « l'incurable souffrance patriotique » de son père à cette époque. Conscience blessée de la République issue de la débâcle, il se retire en silence parmi les six mille livres de sa bibliothèque, ne réapparaissant à la tribune du Sénat que pour stigmatiser les tentatives de restauration monarchique. Tandis que la carrière de ses pairs, celle de Grévy, de Ferry, va culminer dans l'opportunisme pour s'achever dans le scandale, la sienne est faite jusqu'au bout d'une fidélité à soi-même mélancolique et passionnée, d'un idéalisme inquiet et immuable. Son secrétaire Paul Maritain décrit un homme « éminemment impressionnable », prompt à l'exaltation, « pessimiste par excès de bonté, de dévouement, d'affection », tremblant pour ses proches comme pour « les croyances auxquelles il avait consacré sa vie » [13]. Précurseur de la laïcité, franc-maçon, pacifiste et libre penseur, l'ancien avocat de Lamennais se réclame d'un Dieu de justice et de raison, qu'il identifiera de moins en moins à la religion catholique.

« Avant tout, je me sentais vexé de tenir de lui certains traits héréditaires, notamment, il fallait bien me l'avouer, un certain goût détestable pour le don quichottisme et les causes perdues », assenait Jacques Maritain. Eût-il été si résolu à s'affranchir de la tutelle des siens, s'il n'avait dû se reconnaître par la force des

choses en quelques traits de famille? Un tempérament subversif et utopique, intransigeant et aventu-
reux, une passion exacerbée du défi et du risque, du
juste et du vrai, que la mère de Jacques, Geneviève
Favre, incarne avec une fougue sans égale. Âme de la
tribu, esprit du lieu, présence de feu, elle tiendra la
dynastie comme une place forte. La fille préférée de
Jules Favre, enfant naturelle d'un couple contraint de
vivre en situation irrégulière pendant vingt ans, a
grandi en vase clos, dans la vénération de ses parents,
la conscience d'une naissance marginale et ce climat
de semi-clandestinité où l'on n'existe qu'entre soi. La
législation interdisant le divorce, Jules Favre ne put
jamais épouser la mère de ses enfants, Jeanne
Charmont, qui s'était séparée très jeune de son mari.
À la naissance de Geneviève, il avait « perdu la tête »,
selon ses propres mots, et faussé les papiers d'état
civil pour protéger sa famille. Il était alors un homme
public très exposé, toujours à la merci d'une arrestation. « J'ai présenté mon enfant avec l'indication de sa
paternité, dut-il raconter devant un tribunal, dénoncé
plus tard par un de ses anciens avoués; et quand cet
enfant fut baptisé, son père et sa mère furent désignés
comme mariés [14]. » À la mort de Jeanne Charmont, en
juin 1870, le faire-part de décès présenta celle-ci
comme « Madame Jules Favre ». « C'est pendant notre
enfance que se forge la résistance de notre âme »,
écrira Geneviève. Petite, blonde, d'une intelligence
acérée et « raisonneuse », elle exerce très tôt un sens
de l'observation décapant. Fascinée, troublée par la
ferveur religieuse de sa mère, près de laquelle Geneviève passe de longues heures dans les églises, elle ne
quitte pas du regard la croyante plongée dans d'inlas-
sables prières, « transfigurée, en extase, rayonnante
d'une beauté qui m'impressionnait étrangement ».
Pourquoi cette religion exige-t-elle tant d'artifices, de

discipline, d'obéissance passive? « Il fallait incliner la tête en arrière, avec méthode, apprendre à ne point effleurer de ses dents l'hostie [15]... » Après la disparition de sa mère, Geneviève rompt brutalement avec le catholicisme. « Brusquement un jour, les joues en feu, je surgis dans le cabinet de travail de mon père et lui dis ma révolte contre les questions impudiques qui venaient de m'obliger à fuir le confessionnal [...]. Il s'agissait de sauver en moi l'essentiel, l'indépendance de mon âme. » À dix-sept ans...

Sous l'impulsion de Julie Velten, la fille d'un pasteur alsacien, qu'il épouse à la fin de sa vie, Jules Favre se rallie au protestantisme et entraîne Geneviève dans son sillage. Celle-ci se voudra néanmoins jusqu'à la fin farouchement « dégagée de toute religion » et ennemie jurée des prêtres dont elle ne cessera de stigmatiser la propension à peser sur les consciences...

Brûlant les étapes, bravant préjugés et conventions, c'est de son destin tout entier que Geneviève Favre entend désormais décider. Elle a été élevée par son père dans l'idée de la supériorité morale des femmes. Avec la liberté d'esprit d'une George Sand aux mœurs plus réservées, cette future confidente de Charles Péguy et de Romain Rolland ne se plaira jamais qu'à parfaire sa vie, à se donner une mission supérieure, à cultiver son identité de femme libre. À trente ans, elle a déjà fait le tour du mariage comme de la religion, s'émancipant de l'un et de l'autre avec la même ambition farouche de s'accomplir.

Lorsqu'elle épouse le plus proche collaborateur de Jules Favre, Paul Maritain, qui est en outre un cousin germain de sa mère, Geneviève ne s'éloigne guère du cercle de famille. A-t-elle cherché à s'y ancrer davantage encore au moment où une rivale lui dispute l'amour exclusif de son père ? Julie Velten est de toute évidence une femme supérieure. Grande lectrice d'Emerson et auteur de traités d'éducation féminine, elle prendra la direction en 1880, à la demande de Jules Ferry, de la nouvelle École normale supérieure de Sèvres destinée à l'enseignement des jeunes filles. Geneviève souffre de l'emprise que Julie Velten exerce sur son père. Quel réflexe de dépit précipite alors son mariage avec Paul Maritain ? Ils échoueront l'un vers l'autre comme pris dans un funeste jeu de circonstances, n'ayant par avance à peu près rien en commun.

Esthète sceptique et jouisseur, Paul Maritain aime la vie facile, les soirées de célibataires conclues au petit matin, la compagnie insouciante des femmes du monde. La politique, les idées ne servent pour lui qu'à occuper les conversations de fin de repas comme l'érudition à tromper l'ennui. Avocat sans ambition qui prospère dans le confort prestigieux d'un cabinet de renom, il n'apprécie rien tant que la fréquentation des brocanteurs pour la satisfaction momentanée d'ajouter une pièce rare aux collections de son château de Bussières. C'est un de ces dilettantes qui, à quarante ans, n'attendent déjà plus de leur vie qu'un reste de plaisir. Dans le visage épais, barbu, un air satisfait et ombrageux, un regard éteint de notable du prétoire.

Quel couple formèrent en réalité Geneviève et Paul Maritain ? Disparate, à première vue, et survivant à coups d'armistices. Comme on s'échange un territoire, cette protestante de conversion récente et ce catholique de tradition prendront chacun leur part du baptême de leurs enfants. Ainsi Jeanne est-elle née dans la religion de son père et Jacques dans celle de sa mère. Mais dans les mois qui suivent la mort de Jules Favre, l'entente du ménage vole en éclats. Paul Maritain chasse sa femme du domicile conjugal peu après la naissance de leur fils. Le 12 janvier 1883, Geneviève dépose une première requête en séparation de corps, puis se rétracte sous la pression de son entourage. Mais la rupture est irréversible. Lorsque, le 8 décembre 1885, Geneviève Maritain saisit le juge de paix d'une déclaration de réintégration du domicile conjugal, son mari déclare lui avoir retiré sa confiance et son affection. Sa présence lui serait intolérable. Aussi résolus l'un que l'autre à en finir, ils ne cherchent pas même à sauver les apparences du conformisme bourgeois le mieux établi, qui ferait de l'adultère tranquille la meilleure parade au scandale. Au risque de se marginaliser tout à fait, Geneviève engage de sa propre initiative et à ciel ouvert une procédure que la plupart de ses semblables tiennent encore pour sacrilège. La loi rétablissant le divorce a été votée en juillet 1884 pour prendre effet un an et demi plus tard, malgré la violente opposition des catholiques. Geneviève Favre sera l'une des premières divorcées de France. Le jugement lui confie la garde de Jeanne et de Jacques, qui devront passer tout au plus deux jours par mois près de leur père. Paul Maritain n'a cherché ni à faire valoir ses raisons ni à contester celles de sa femme. Il s'éloigne de sa famille en même temps qu'il renonce à la carrière que la succession de Jules Favre lui assurait à Paris, et s'inscrit au barreau de Mâcon, renouant avec l'existence lente, provinciale, indifférente qui fut celle de sa jeunesse à Bussières, dans les parages de Lamartine.

Destiné à son fils lorsqu'il aurait atteint sa majorité, c'est un étrange dossier que Paul Maritain confectionna en août 1899 dans la solitude de Bussières. Le dossier d'une affaire classée : sa vie. Quelques « contes gaulois », une pièce, *Le Bonnet de coton*, un texte sur « le droit à l'usage des femmes » y étaient rassemblés comme autant de relents d'une

existence manquée. Ce qui retenait surtout l'attention
était des *Souvenirs de la première communion*, confession lucide et mélancolique d'une longue dérive : « Je
ne tardai pas à m'affranchir d'une certaine retenue
qui n'avait pas été sans influence sur ma conduite,
écrivait Paul Maritain. Je cessai de m'observer avec la
même sévérité qu'auparavant […] et je devins un
enfant en tout semblable aux autres, je veux dire à
ceux qui, lorsqu'ils ne sont pas soumis à une sur-
veillance directe et coercitive au besoin, roulent
d'autant plus facilement sur la pente du vice qu'ils
n'ont rien à attendre d'une force morale réagissant en
sens contraire. »

« Il est un temps pour croire aux enseignements de
l'Église, ce temps ne dure que les jours de la pieuse
enfance […] ; il est un temps pour aimer une femme
et ce temps passe comme le reste ; il est un temps
pour éprouver les ardeurs généreuses de l'ambition et
l'ambition se dissipe à son tour comme une vapeur
légère ; il est un temps où règne la foi et cette foi nous
abandonne enfin sans espoir de retour. Que reste-t-il
de cet amas de ruines ? La curiosité et le souvenir.
Quand un homme a bu à toutes les fontaines, quand il
a joué tous les rôles, que lui reste-t-il ? »

« Demain, je reprendrai le cours de ma curiosité
en attendant l'heure, trois fois bénie, où la mort, cette
amie suprême, risquera de prendre pitié de moi [16]. »

Lorsqu'il découvrit ces textes, tardivement semble-
t-il, Jacques Maritain se borna à brûler « quelques
rabelaiseries impies et déplorables », ainsi qu'il l'indi-
qua dans une note jointe au dossier en date du 7 avril
1911. Il laissa le reste en l'état, abandonnant à elle-
même une destinée dont pour lui le mystère ne fut
sans doute jamais élucidé. Sa propre personnalité
s'était-elle affirmée avec d'autant plus d'assurance et
de précocité qu'il fut le seul homme de la tribu,

comblant la désertion du père et investi d'emblée d'une autorité exclusive ? La faillite du père marquerait la destinée de la plupart des grands écrivains du siècle à venir, de Mauriac à Cocteau, de Sartre à Montherlant, d'Aragon à Malraux – disparition précoce, suicide, fuite délibérée... Jacques Maritain était du nombre. Il ne devait faire allusion qu'une seule fois, et sans le nommer, à Paul Maritain, dans son journal de Heidelberg en 1906, où il recensait les dates majeures de sa vie jusqu'alors. La mort de son père, deux ans plus tôt, le 20 février 1904, paraissait avoir autant compté pour lui que sa rencontre avec Psichari et la première visite à Péguy.

Tout s'était précipité. Né rue Moncey, près de la place Clichy, le 18 novembre 1882, Jacques quitta les lieux quelques semaines après, lors de la brutale séparation de ses parents. Ballottée entre divers logements de fortune, sa prime jeunesse est à l'image de toute sa vie. « Où que je sois sur la terre, confiera-t-il à Julien Green quatre-vingts ans plus tard, à la veille d'une nouvelle migration, je sens clairement que je ne suis pas à ma place... » Mais a-t-il jamais cherché à s'établir quelque part, ce navigateur solitaire filant sans cesse d'une rive à l'autre et devenu partout étranger ? À l'âge où beaucoup se sont fixés depuis longtemps, son ultime ambition sera de partager son existence entre les États-Unis et la France comme entre deux exils conciliables. Pour Maritain, les pays sont autant de pôles d'amitiés, de réseaux d'influence qui se recoupent à travers le temps. Mais jusqu'à vingt-quatre ans, jusqu'au premier voyage initiatique en Allemagne, il n'a connu du monde que Paris et dans Paris qu'un seul véritable itinéraire, celui qui

conduit un fils de famille voué à quelque grande carrière du lycée Henri-IV à la Sorbonne, non sans prolonger ses apprentissages en des quartiers populaires
où s'improvisent alors d'autres « universités ».

Geneviève Favre a repris son nom de jeune fille
dès son divorce conclu. Paul Maritain n'étant pas tenu
au versement d'une pension alimentaire, la jeune
femme doit assurer seule l'avenir de ses enfants.
Grâce à l'héritage de son père et aux subsides que lui
procurent des travaux de traduction, elle réussira à
tout mettre en œuvre pendant ses premières années
pour garantir à Jeanne et à Jacques un destin digne
des descendants de Jules Favre. Rien ne saurait faire
obstacle à l'ambition impétueuse et démesurée qu'elle
nourrit pour ses enfants, et la contrainte d'une certaine austérité n'est pas pour contrarier à ses yeux la
seule réussite dont on doive se soucier. Ses convictions la portent autant que la force des choses à un
mode de vie sans mondanités ni éclat d'aucune sorte.
Ses toilettes sont aussi dénuées de recherche que
celles d'une Marie de La Tour d'Auvergne au
XVIIᵉ siècle : « Je me contentais que mes habits fussent
propres et modestes, confiait cette parfaite hugue-
note, et j'étais bien aise qu'il devançassent mon âge
plutôt que d'en être devancés [17]. » Petite, corpulente,
sans grâce aucune et indifférente à paraître, Geneviève Favre se satisfait de vivre dans un appartement
modeste, parmi les livres, les revues politiques, les
souvenirs de son père et les boîtes à chaussures où
s'empile sa correspondance [18]. Combative, énergique,
elle entoure ses enfants d'une « tendresse vigilante »,
d'une « force protectrice » qui fait de leur complicité
une sorte de pacte à trois scellé pour la suite des
jours. « La vie de notre trio était simple, laborieuse,
toute chaude de notre mutuel amour, de notre passion
pour la liberté et les luttes sociales, se souviendra-

t-elle. Cela paraissait cimenté à jamais. » Petit univers autonome, resserré sur lui-même, d'une intimité mauriacienne. Le « mystère » Maritain ?

Mais rien de commun entre l'« enfant triste que tout blessait » des environs de Saint-Symphorien et le garçon au visage fin, délicat, presque féminin, aux longs cheveux blonds, aux yeux d'un bleu clair et vif que révèlent les premières photographies de Jacques Maritain. Cette douceur, ce délié dans les traits, dans le regard, dans la silhouette, ne sont pas d'un fils de *Genitrix*... Si possessive qu'elle soit, exclusive et véhémente en tout ce qu'elle entreprend, Geneviève Favre stimule chez ses enfants la passion des idées et le goût des conquêtes intellectuelles. « La profonde vibration de ton âme, la tension douloureuse où te mettent ta volonté de témoigner pour ce que tu crois vrai et ton souci de délicatesse à l'égard des personnes, l'épuisante énergie que tu déploies pour capter la réalité dont tu sens déborder l'expression de toutes parts, tout cela est pour moi très bouleversant », lui écrira son fils en 1937 [19]. L'humanité profonde, la liberté d'opinion, la témérité de sa mère, c'est ce que Jacques admire en elle sans réserve, et le point d'ailleurs sur lequel leurs sensibilités se rejoignent trop bien pour ne pas s'affronter. Geneviève Favre aime à « mettre les doigts dans les plaies », selon sa formule, à pousser au paroxysme une vie d'action, d'engagement, où tout est matière à débats, à controverses. À commencer par les relations de famille...

La primauté sera toujours accordée à l'intelligence dans cette bourgeoisie humaniste et tolérante où se situe le petit cercle de la rue de Rennes. Milieu d'érudits, de clercs, de pédagogues, le moins voyant et le plus influent qui soit. Cette élite en redingote stricte, cravate sombre et haut-de-forme noir n'a pas seulement concouru à façonner la mystique républicaine,

elle œuvre à régénérer l'enseignement en profondeur,
disputant aux catholiques le seul vrai pouvoir, celui
qu'on acquiert sur les esprits. Geneviève Favre inscrit
l'initiation de ses enfants dans ce courant qui fait une
règle de vie de l'éthique personnelle et de la volonté
d'excellence.

Ici se dérobe une part décisive de la jeunesse de
Jacques Maritain, sur laquelle son silence ne fut pas
le moins résolu : le moment où sa mère les confia,
sa sœur et lui, à un pasteur « de foi ardente et
d'esprit largement ouvert [20] ». Théologien formé à
Genève, Berlin et Heidelberg, Jean Réville appartient à une grande famille de protestants libéraux.
Directeur de la revue d'*Histoire des religions*, professeur à l'École des Hautes Études et à la faculté de
théologie de Paris, avant d'occuper en 1907 une
chaire au Collège de France, auteur entre autres
d'un *Manuel d'éducation morale* et d'une étude sur
les origines de l'épiscopat, c'est à une grande figure
discrète de son temps que Geneviève Favre remet la
direction religieuse de ses enfants. S'agit-il de développer chez eux « tout un trésor d'idées et de sentiments qui feront le bonheur et la dignité de toute
leur vie [21] », ou de les immuniser à jamais contre
l'emprise des prêtres ? Dans la biographie « autori-
sée » qu'il lui consacrera en 1923, Vladimir Ghika
ironise sur la « doctrine suisse » qu'on tenta alors
d'inculquer à Jacques Maritain, « une morale
d'immanentisme pieux avec un impératif aussi catégorique que fugace [22] ». Dédié à sa mère, *Trois Réformateurs* retentira en 1925 comme la réplique tardive
de Maritain à sa formation initiale, le désaveu d'une
religion accusée d'avoir « dévoyé » la personne
humaine et flatté l'« avènement du moi ».

Sans doute a-t-il inspiré à Ghika une des rares
visions dont on dispose à ce moment-là de l'élève de

Jean Réville, surmené « de lectures, de recherches, de réflexions » et enfoui dans les études. Image forcée, voulue, d'un enfant sous influence, aux évasions mesurées ? Enfant sans jeux ou presque, solitaire et comme claustré, qui semble n'avoir occupé les vacances imposées à Bussières, près de son père, qu'à flâner dans la bibliothèque du château, et ne connaître que les livres. Le contraire, en somme, de l'adolescent incisif et batailleur, crépitant d'insolence, d'ironie et de curiosité, qui fera irruption dans la cour du lycée Henri-IV, paraissant n'avoir rien manqué de la vie. Mais ces années qui vont du départ de la rue Moncey à son arrivée rue de Rennes, à la fin de l'été 1898, semblent frappées d'une sorte d'interdit. Il faut s'en remettre aux jugements de ses professeurs du lycée Carnot, où il entre à onze ans, pour avoir quelque aperçu de lui à ce moment-là : « Élève très distingué », déclare le professeur de lettres, « Élève très intelligent », renchérit son professeur d'histoire. En juillet 1898, il est désigné pour participer au Concours général en composition française, versions grecque et latine. Mais quittant ces lieux, Jacques se plaindra d'avoir « pourri à Carnot ».

« Vers 13 ou 14 ans, j'étais devenu socialiste. Les articles de Jaurès et de Gérault-Richard m'enflammaient[23]. » Plus révolutionnaire que sa mère elle-même, et dans ce domaine comblant ses vœux au-delà de toute espérance, le petit-fils de Jules Favre se veut « traître à sa classe » et couvre les murs de sa chambre de slogans incendiaires. C'est l'époque où il se lie avec le mari de leur cuisinière, François Bâton. Il voit en ce terrassier « un prolétaire conscient et organisé ». Angèle Bâton, pour lui « Yeuyeule », devient à son tour la confidente privilégiée de l'adolescent qui a commencé d'entretenir avec chacun d'eux une correspondance qui se prolongera dans l'âge adulte. Dans la généalogie des grandes amitiés qui jalonnèrent sa vie, celle-ci compte sans doute parmi les plus effacées, les plus discrètes, mais non les moins déterminantes. Jacques aime écrire, raconter. Chaque soir, il rejoint le couple dans l'arrière-cuisine où tous trois lisent et commentent de concert la nouvelle édition de *La Petite République*, le journal de Jaurès. François Bâton jouit aux yeux de Jacques d'un prestige immense. Il incarne « la seule vraie humanité », celle qui travaille, qui souffre déjà à l'âge où un fils de bourgeois bénéficie de tous les privilèges « sans rien faire, sans rien créer […], avec une tiède satisfaction ». À seize ans, il exprimera à ce militant socialiste la honte qu'il éprouve à profiter librement du progrès qu'on doit « à la foule immense des prolétaires » et le remords qui altère sa joie de s'instruire.

Sa haine des bourgeois, et à travers eux de son milieu familial, est aussi une manière de sortir de soi, de se jeter dans la mêlée. Quand la plupart des jeunes gens de mêmes origines s'adonnent au culte du moi, parodient le dandysme altier et las de Maurice Barrès, Jacques Maritain, déjà en dissidence avec lui-même, se cherche hors les murs de son enfance, dans cet élan vital qui l'entraîne irrésistiblement vers les autres.

Ces années n'auront constitué à ses yeux que le brouillon d'une vie, une pâle esquisse, une sorte de faux départ. Il s'en détachera très vite, rejetant tout ce qui l'a précédé, faisant place nette pour l'inconnu, l'intuition de soi. Cet « enragé de vérité », ce libertaire, ce franc-tireur naît au moment où Rimbaud, en quête d'autres vies, se fait trafiquant de tout aux confins du désert d'Éthiopie, où l'auteur des *Frères Karamazov* a livré son ultime exploration des âmes, et où Nietzsche engage l'homme à s'affranchir des valeurs établies, à se surpasser au-delà du bien et du mal. Voici l'ère des chasseurs d'absolu, des prophètes et des imprécateurs. Il naît sur une ligne de fracture, à la frontière de deux siècles. C'est toujours dans les temps de ruptures, de vertiges, de convulsions que s'inventera cette destinée errante.

L'étrangère

« Qu'il me soit, en outre, permis d'émettre l'opinion que, en ce qui concerne le pouvoir de thésauriser des impressions, les enfants russes de ma génération ont passé par une période de génie... »

Vladimir NABOKOV,
Autres rivages.

Dans cet intense accomplissement de lui-même, où la révélation de Bergson, l'irruption de Bloy, la découverte de Thomas d'Aquin seront autant d'épreuves du feu, de rites de passage, Jacques Maritain se donne une généalogie qui n'appartient qu'à lui, substituant à la mémoire des morts – son « mal caché » – les libres filiations du disciple et du converti. Mais la rencontre avec Raïssa, la fusion qui s'opère entre leurs vies, l'entraîne plus loin encore. C'est à travers le cheminement intime du « petit troupeau » que Jacques décèle en quelque sorte ses véritables racines et réinvente son enfance, se déclarant « juif par amour, lié dans ma chair et ma sensibilité aux tribus d'Israël et à leur destinée ici-bas [1] ». Quand il s'abstrait de ses propres origines, c'est pour mieux, semble-t-il, se fondre dans celles de Raïssa, la rejoindre dans cet univers hors du temps auquel tout en elle se rattache.

« De Raïssa, il faudrait dire l'incomparable esprit d'enfance, qu'elle a gardé intact jusqu'à la fin, écrit-il. Cette innocence qu'on prête aux enfants, elle l'avait véritablement. Sa simple attitude en face des choses et des gens, son port de tête, cette manière de se tenir droite sans nulle raideur et de regarder en face sans nulle arrogance, ni appréhension, ni précaution. Cette présence qui n'était qu'être là sans dol, accueil sans préméditation, il me suffisait de la regarder pour être bouleversé par le sentiment de cette innocence exposée à tous les coups [2]. »

Quelques-uns de ceux qui la croisèrent, dans le flot disparate des visiteurs de Meudon, gardèrent de Raïssa Maritain l'image d'une « femme d'acier », austère et résolue, qui exerçait sur son entourage une emprise sans faille. Jacques s'insurgeait contre cette vision : Raïssa figurait à ses yeux tout l'inverse, à la fois lucide et désarmée, ardente et ingénue, prompte à tout risquer quand il le fallait. À Princeton, elle se plaisait à découper dans les magazines américains les photographies d'enfants en qui elle reconnaissait des « êtres », « mystérieusement occupés d'exister » [3]. Ses élans la portaient ainsi d'instinct vers « ce qui est », mue par une passion allègre, joueuse et vulnérable de la vie qui s'offrait, des échanges, des rencontres, des amitiés nouvelles. « C'est sur la vie et la mort qu'elle s'engageait », note encore Jacques.

Raïssa n'avait cessé de vivre en connivence profonde avec l'univers de son enfance, hantée comme l'était Chagall par la pureté, la gaieté fraternelle d'un peuple de rabbins, de mendiants et d'arlequins. Mémoire naïve, inexpugnable d'un monde tendrement sublimé où les enfants gardent à jamais « l'âge de leur naissance [4] » – cet âge des sources et des commencements qui demeura intimement celui de Raïssa. Où qu'elle résidât par la suite, l'exilée s'efforcerait de recréer autour d'elle l'harmonie d'un tel univers, « l'humble royaume de sa maison », prolongeant un peu du temps de Marioupol comme pour conjurer la menace latente d'un prochain départ, d'une séparation nouvelle.

Au temps des derniers tsars, dans les confins de la « Russie morose [5] », le sort de la famille Oumançoff est devenu aussi précaire que celui de la plupart des Juifs de l'Empire, assignés à résidence dans des zones réservées, humiliés par des lois discriminatoires, condamnés à vivre sans relâche à la merci d'une rafle, d'une expulsion subite et dans la terreur des pogroms. Le régime impérial s'emploie depuis le début du siècle à liquider la question juive. Sa police secrète encourage en sous-main pillages et massacres. En 1881, l'assassinat du tsar Alexandre II, attribué à un complot juif, sert de mobile à une sanglante campagne de représailles qui rejette vers l'Europe de l'Ouest et les Etats-Unis plusieurs centaines de milliers d'émigrants. L'étau se resserre sur ceux qui restent, chassés de Moscou et de Saint-Pétersbourg, refoulés en masse vers l'Ukraine. Il faudra l'instauration du *numerus clausus* qui restreint l'admission des jeunes Juifs dans les lycées et les universités pour convaincre définitivement Ilia et Hissia Oumançoff de devoir s'exiler à leur tour, dix ans après la naissance de Raïssa. Ils se résoudront à quitter la Russie sans espoir de retour, n'ayant d'autre ambition que la réussite intellectuelle de leurs filles. « Ils avaient compris, avant même que j'aie pu le savoir moi-même, confie Raïssa, que là serait ma vie – le bonheur de ma vie. »

Dans un monde peuplé de limites et d'interdits et sur fond de déménagements inexplicables, son enfance possède toute la saveur des refuges intérieurs. Livrées à elles-mêmes, son intelligence et sa sensibilité se donnent libre cours. L'élève studieuse des « dames de classe », captée jusqu'au vertige par un désir éperdu de connaître, rêve d'entrer dans le secret des livres, des atlas de géographie, des tables de multiplication comme dans celui des âmes. Intuitions, pressentiments se bousculent en elle avec « une émotion bouleversante », de ce qu'il lui faudra apprendre, élucider à force d'études et d'expériences. « Tout mon être se donnait à écouter et à comprendre. » Elle ne quitte alors l'intimité protectrice d'une famille que pour celle de l'école qui revêt d'emblée à ses yeux quelque chose de sacré. Le territoire de Raïssa.

Sur son enfance veille l'autorité douce et imposante de ses deux grands-pères. Toute petite, Raïssa voue une adoration au vieil homme dans la maison duquel elle a vu le jour, un 12 septembre 1883, à Rostov-sur-le-Don, avant que ses parents ne s'établissent à Marioupol, près de la mer d'Azov. « J'ai gardé de mon grand-père maternel le souvenir d'une bonté extrême et d'une douceur qui même à mes yeux d'enfant a toujours paru extraordinaire. Plus tard, beaucoup plus tard, j'ai su par les récits de ma mère, j'ai compris, de quelle source venaient cette bonté et cette douceur ; elles venaient de sa haute piété, de sa piété de "hassid", de cette mystique juive qui a divers aspects, tantôt plus intellectuels, tantôt plus affectifs, mais qui chez mon grand-père devait beaucoup ressembler à celle de ce "Juif aux Psaumes" dont Schalom Ash parle si admirablement dans *Salvation*. La religion de mon grand-père était toute d'amour et de confiance, de joie et de charité. Chez ses parents, ma mère a appris le respect de la science divine, et de l'étude qui lui est consacrée [...].

« C'était déjà, à l'époque de la petite enfance de ma mère, un vieux ménage, parce qu'on les avait mariés alors que mon grand-père n'avait que douze ans et ma grand-mère huit. Les Juifs avaient trouvé ce moyen d'éviter que l'État russe ne leur prît leurs jeunes garçons pour en faire plus tard des soldats, comme cela se pratiquait à cette lointaine et naïve époque dont il m'est difficile de préciser la date. Les jeunes mariés échappaient à cette servitude. Bien que ne changeant naturellement rien à leur vie d'enfants le mariage était religieusement célébré, on rasait la tête des petites épouses et on leur mettait une perruque selon les plus stricts rites juifs. Mais ma grand-mère n'hésitait pas à retirer sa perruque pour y édifier des pâtés de sable.

« Leur hospitalité était proverbiale, et souvent des voyageurs attardés venaient frapper à leur porte au milieu de la nuit. Mon grand-père se levait alors en grande hâte, réveillait sa femme avec des transports de joie comme si Dieu lui-même était venu les visiter, et l'hôte inconnu était reçu aussi bien que le leur permettait leur médiocre fortune. Jamais ni lui ni sa femme n'auraient laissé accomplir par une domestique ces devoirs sacrés de l'hospitalité[6]. »

Les paysans des environs vénèrent celui qu'ils surnomment Salomon le Sage et le tiennent à l'abri des pogroms. Plus énigmatique, plus impressionnant encore aux yeux de Raïssa, son grand-père paternel, ascète à la silhouette longue et sévère, qui se nourrit d'eau et de pain sec frotté d'oignon, et mourra à cent six ans. À la belle saison, l'ancêtre dort dans la cour à même le sol et l'hiver sur un coffre dans l'antichambre. Lorsqu'il vient habiter chez son fils, Raïssa n'a que cinq ans. Elle se souviendra de n'avoir entendu le son de sa voix que lorsqu'il lui lisait la Bible et lui enseignait l'hébreu. « Il avait eu onze ou douze fils dont mon père était le plus jeune. Je ne sais quelle avait été sa vie, mon père ne m'en a jamais parlé. »

Dernier d'une ample lignée élevée uniformément dans le silence et la mortification, Ilia Oumançoff est un jeune chef de famille un peu effacé, soucieux et réservé. Cheveux en brosse, barbe courte, yeux clairs et froids, méplats taillés comme la pierre, ce visage acéré dissimule une sensibilité bohème et torturée. « Il me semble, écrit Raïssa, qu'un nuage de mélancolie était sur lui. » Atteint de pneumonie peu après la naissance de Véra, il ne s'en remettra jamais, miné par la maladie et une souffrance plus obscure et inaccessible aux autres. Plus tard, dans l'âme de Raïssa se retrouvera ce même côté d'ombre, de silence et de secret sans partage.

Mais l'existence du groupe familial est dominée par l'optimisme et l'entrain qui émanent d'une mère enjouée, intrépide, toujours lancée en quelques « grandes entreprises ménagères ». « On mettait sur la table le samovar brillant comme de l'or, rempli de charbons rouges et d'eau bouillante et chantante ; on servait toutes sortes de confitures et de pâtisseries faites à la maison [...]. On chantait en travaillant. Surtout on écoutait maman chanter de sa belle voix grave des chants petits-russiens dont elle connaissait un nombre qui m'a toujours paru inépuisable [...]. Le vendredi soir, dès qu'apparaissait la première étoile, maman posait une mantille de dentelle sur ses cheveux, allumait les bougies, disait les prières sabbatiques, et on ne devait plus allumer d'autres feux jusqu'à la première étoile du samedi soir. »

Toute l'enfance de Raïssa est imprégnée de cette atmosphère paisible de rites observés, d'hospitalité chaleureuse, de travaux allègres, qui déjà semble donner la tonalité de sa vie future. Son père a ouvert à Marioupol un atelier de couture qui assure à sa famille une aisance relative. Spacieuse, la maison de Raïssa communique avec celle d'un maître de chapelle, et jouxte une remise où le propriétaire des lieux entrepose « des traîneaux, des phaétons, des victorias, des drochkas [7] », toutes sortes de voitures éblouissantes. Dans la même cour habite sa première amie, Clara Bestchinska, dont la sœur, infirme, lui semble

« le comble de l'intelligence ». Dans les souvenirs qu'elle confia à Jacques peu après leur mariage, Raïssa évoque aussi son « grand ami » Volodia, le fils d'un colonel, si épris d'elle qu'« on pensait à l'avenir ». Mais la compagne de tous ses jeux, la confidente de tous ses songes, qui se tient déjà près d'elle comme une protectrice discrète, « un peu en arrière et toujours en alerte [8] », est d'emblée sa sœur Véra, de trois ans sa cadette.

« Depuis qu'elle sait parler nous parlons beaucoup ensemble. C'est notre jeu. Un jeu qui occupe toute notre enfance. Nous imaginons qu'elle est ma petite mère, et que je suis son petit garçon qui habitons un monde tout autre que celui qu'habitent les hommes [...]. Lorsque nous fûmes assez grandes pour avoir une idée du bien et du mal, l'idée même du mal dut être exclue de notre monde. » Plus solitaire, ordonnée, intuitive, plus apte à avancer en profondeur, Raïssa est celle qui donne l'élan, l'inspiration à leurs jeux d'enfants comme plus tard à leurs choix de vie ; plus impulsive, téméraire et portée aux extrêmes, Véra possède ce sens du concret, du réflexe pragmatique qui fera d'elle l'accompagnatrice vigilante et sensible de l'aventure commune.

À sept ans, Raïssa est enfin admise au lycée, malgré les rigueurs du *numerus clausus*. « J'entrais dans le monde de la connaissance. Mon cœur battait d'un espoir infini. J'allais apprendre à lire et je croyais que tout ce qui est écrit est vrai [...]. Je me rendais au lycée le cœur pénétré d'amour et de crainte [...]. Les "dames de classe" sont des êtres à part, leur tête est pleine de science. Elles enseignent des choses certaines et parfaites [...].

« Que tout m'était savoureux et terrible à l'école ! Il était terrible de ne pas savoir sa leçon, de ne pas trouver la solution d'un problème. Mais quelle source de joie dans une leçon bien comprise, dans les beaux livres, dans les cahiers rayés et quadrillés, ornés sur la première page d'une image qui est un bouquet de roses en relief, ou de myosotis, ou une tête d'ange entre deux ailes. Mon trésor le plus précieux est un atlas de géographie. Ses grandes pages lisses montrent toute la terre. Elle est belle, multicolore, et baigne dans l'eau bleue. Je crois que tout appartient à la Russie.

« Tout m'était une fête de ce qui touchait à l'école : me lever tôt, affronter le froid, la neige et la glace, quand nos voisins ne me conduisaient pas dans leur traîneau. Je m'en allais vêtue de l'uniforme du lycée : une petite robe en serge grise, un tablier – blanc en été, noir en hiver ; et là-dessus, par temps froid, une épaisse pelisse qui amortissait les chutes... »

Tandis qu'elle découvre l'œuvre des grands poètes russes et s'initie à une langue nouvelle, le français, Raïssa doit prendre subitement conscience de sa différence. La faveur dont jouit cette enfant juive auprès des « dames de classe » scandalise les parents de ses camarades et alimente les rumeurs dans Marioupol. La révélation d'une appartenance frappée d'interdit atteint Raïssa en plein cœur, « pathétique histoire de tant de siècles de souffrance » qui revêt dès lors pour elle une signification plus intense encore. Toute sa vie désormais Raïssa fera corps avec une identité juive enracinée au plus profond, mais exempte cependant chez elle d'une réelle filiation religieuse.

Si Hissia Oumançoff éduque ses enfants dans le respect des rites, son mari quant à lui n'y sacrifie jamais sans nonchalance. Lors des fêtes de Pâques, Raïssa prend part à la lecture du récit biblique, à côté de son grand-père paternel qui préside le repas liturgique de cette nuit sacrée « assis sur le plus haut siège », devant une table éclairée par des flambeaux d'argent et recouverte d'une « nappe éblouissante ». « On remplissait toutes les coupes d'un vin rouge, doux et fort, dont je n'ai jamais retrouvé la saveur comme liturgique en aucun autre vin, même de France. À la coupe la plus grande [...] devait goûter l'Ange de Dieu qui cette nuit-là visitait les maisons des Juifs. On éteignait toutes les lumières et dans le silence lourd d'adoration et de crainte on laissait à l'Ange le temps de passer. »

À la « longue sécurité » de son enfance, l'exode va brusquement substituer le désordre, le hasard, la confusion des routes, des itinéraires, des sentiments eux-mêmes. Ilia Oumançoff gagne discrètement l'étranger au printemps de l'année 1893. Il part en éclaireur à destination de New York, bifurque en chemin vers Paris où un ami de rencontre le persuade de s'établir. Sa famille ne le rejoindra que deux mois plus tard, après avoir satisfait à d'inextricables formalités administratives. « De tout cela, de la grave décision de mes parents, du trouble qu'elle a dû apporter dans notre vie, du départ de mon père, de la séparation qui a tant fait souffrir mes parents, de notre voyage enfin je n'ai gardé qu'un souvenir confus de grande fatigue, d'angoisse et de mélancolie. » Une impression de chaos entoure cette traversée de milliers de kilomètres anonymes, à bord de bateaux précaires, de trains insalubres qui mènent Hissia Oumançoff et ses enfants de la mer Noire à Berlin puis Paris. Rien ou presque n'en subsistera dans la mémoire de Raïssa, comme si tout s'était alors brouillé en elle et qu'une première vie, déjà, eût pris fin. « Je sais seulement que nous allons retrouver papa, et c'est la grande joie qui nous soutient, cette espérance est toute notre force. »

En un temps où Charles Swann jugeait son propre

nom « trop hébraïque pour ne pas faire mauvais effet », l'afflux dans Paris des Juifs d'Europe orientale ravivait, si besoin était, tous les fantasmes antisémites. À l'image obsessionnelle du Juif conquérant et corrupteur que propageait *La Libre Parole*, se superposait maintenant celle du déraciné, errant, pauvre, malade, bientôt « couleur traître ». Débarquant en gare du Nord au début de l'été 1893, sans plus savoir où aller que la plupart de ses semblables, Ilia Oumançoff était de ces fugitifs qui croyaient trouver en France un havre de salut.

L'émigré de Marioupol loua deux chambres dans une maison « assez sombre » de la rue des Francs-Bourgeois, puis s'efforça de reconstituer son atelier de tailleur. Un matin de la fin août, il alla accueillir les siens à leur descente du train. Plongée dans le brouillard et la pluie, la ville produisit sur Raïssa une impression de tristesse, ses quartiers lui semblèrent « encombrés et sans grâce » et leur nouvelle installation d'une laideur qui lui rendit plus déchirant encore le souvenir des vastes demeures de son enfance. On aménagea peu après dans un appartement « un peu plus grand » du haut de la rue de Montreuil, avant de s'intégrer à la colonie russe du quartier Latin.

Rivalisant d'expédients pour survivre à l'isolement, au dénuement des premiers mois, les parents de Raïssa et de Véra s'ingénient auprès d'elles à paraître ne manquer de rien. C'est seulement lors de son entrée à l'école communale du passage de la Bonne-Graine que Raïssa découvre soudain sa condition d'étrangère, saisie par un sentiment de déchéance face à ces petites écolières « sans uniforme » qui se pressent autour d'elle en s'étonnant de son accent, à ces institutrices aux airs de « mères de famille » qui remplacent les belles « dames de classe ». Passée l'« épreuve tragique » des quinze premiers jours, l'élève

russe de seconde, vite adoptée, recouvre son assurance et sa passion d'apprendre. Il lui faut percer le
mystère d'une langue presque inconnue, se couler en
elle comme dans sa propre langue. À onze ans, Raïssa
témoigne d'une maturité intellectuelle fulgurante.
L'exil dont les siens ont payé leur exigence d'« une vie
digne et libre » impose à ses yeux, comme un « devoir
particulier », de se hisser aux meilleures notes. Première en dissertation française au bout de quelques
semaines, elle porte maintenant épinglés sur son
tablier les insignes qui distinguent chaque fin de
semaine les meilleures élèves de la classe. Mais la
véritable consécration est, en juillet, la solennelle dis-
tribution des prix.

« Les enfants s'y présentaient parées comme des
anges, les cheveux rendus crépus et bouffants par le
supplice d'une nuit passée en "papillotes". Sur ces
beaux cheveux les graves personnes chargées de
remettre les prix posaient des diadèmes de roses
blanches ou des couronnes de lauriers d'or et
d'argent. Chaque matière du programme avait son
"prix" : prix d'orthographe, de récitation, de calcul,
d'histoire, de gymnastique, de dessin... Au-dessus de
tous régnaient le prix d'Honneur et le prix d'Excellence. C'étaient de beaux livres, reliés en maroquin
rouge, ou vert, ou bleu, et dorés sur tranche. Le prix
d'Excellence était d'une grosseur exceptionnelle, une
petite fille de douze ans pouvait à peine le porter [9]. »

Une photographie se doit d'immortaliser ce jour
d'exception : une main sur l'épaule de Véra, vêtue
comme elle d'une robe claire à carreaux et chaussée
de bottines, Raïssa tient serré contre elle son prix
d'Excellence – distante, grave et belle comme une
infante de Vélasquez... Ses compagnes de classe, suivant une tradition spécifique à l'école, l'élisent

meilleure camarade de l'année : le prix consiste en une médaille de la Ville de Paris !

« La poésie enfin, la Poésie ! » La révélation surgit un jour d'une lecture de Racine. « C'était pour moi un chant continu, profond, émouvant comme l'éveil d'un monde, la naissance d'une âme [...] ; j'entrais dans une sorte de crépuscule mélancolique dont peu à peu se dégageait l'univers humain avec sa complexité merveilleuse, ses questions immenses et ses réponses innombrables. » La magie des mots, leur vérité intime et singulière lui paraissent plus fascinantes encore que la solitude de Phèdre ou le défi d'Andromaque. C'est moins la confrontation des caractères qui l'émeut chez Racine que l'acte poétique par lui-même, insondable et mystérieux.

À treize ans, son père lui offre les œuvres complètes de Victor Hugo, « dix ou douze grands volumes reliés en rouge ». La découverte des *Misérables* est de celles qui cristallisent en Raïssa le plus d'interrogation et ajoutent au désarroi qui a commencé à s'emparer d'elle. Déjà, toute curiosité intellectuelle lui paraît vaine qui ne comble son désir de vérité et de « savoir ce qui est ». L'ennui s'insinue dans une vie devenue « trop quotidienne » à ses yeux, un malaise, une sorte d'attente.

« Dieu donne cette inquiétude à ceux qui l'ignorent afin qu'ils le cherchent », notera-t-elle plus tard dans son *Journal*. Mais c'est à l'inexistence de Dieu que l'adolescente finit par conclure, sans s'y résoudre tout à fait, priant même en secret, « matin et soir », pour tenter de retenir une foi qui s'efface.

« C'était un grand drame qui commençait, et dans ce drame j'étais seule. Mes parents ne m'y furent d'aucun secours. Ils avaient abandonné presque toutes les pratiques religieuses et l'influence de mes grands-pères était loin ! Cependant ils gardaient leur foi en Dieu ; et ils ne croyaient pas que leur enfant pourrait vraiment la perdre ; ils vivaient dans cette sécurité.

« À l'école je ne trouvais non plus aucun enseignement religieux. Toutes les petites filles faisaient leur première communion. Ce jour-là elles venaient graves et toutes vêtues de blanc, distribuer des images pieuses à leurs compagnes. Et les maîtresses comme les élèves les accueillaient avec joie, les embrassaient et les félicitaient. Mais je n'y voyais qu'une affaire de rite et d'usage, – je n'avais aucune idée du sacrement, et personne ne songeait à m'en parler, dans la persuasion sans doute que j'étais instruite de ces choses comme les autres enfants de mon âge. Je dédaignais les images pieuses dont le sens m'échappait, et je demeurais dans mon ignorance totale du christianisme. Cependant j'avais lu *Polyeucte*, j'en avais dit et redit bien des fois les célèbres stances, et je l'avais aimé plus que toutes les autres œuvres de Corneille. – Comment n'en avais-je pas été au moins un peu éclairée ? Il est probable que tout cela était resté pour moi dans les régions de ces belles "histoires" dont les grands écrivains ont le secret, et dont je ne voyais pas la connexion avec la vérité et la vie [10]. »

Raïssa se sent d'autant plus abandonnée à elle-même qu'elle croit vain de se livrer. Elle ne se confie à personne, convaincue qu'au fond « personne n'est réellement digne de la confidence de personne », non par orgueil ou surestimation de soi, mais par le sentiment d'une solitude sans recours.

À l'âge où une jeune fille de son milieu est tenue d'apprendre un métier, Raïssa a tout loisir de prolonger ses études, d'approfondir sa culture. Six ans après leur installation à Paris, ses parents ont reconquis une « certaine prospérité » et renoué avec leurs habitudes d'« imprévoyance absolue ». Le peu d'argent que lui rapporte son nouvel atelier, Ilia Oumançoff l'emploie à couvrir sa femme de bijoux et ses filles de livres, à venir en aide aux étudiants russes. Quand Raïssa et Véra entreprennent d'étudier la musique, c'est un piano qu'il acquiert tout aussitôt, dût-il une fois de plus risquer les pires embarras financiers. Et lorsque sa fille aînée manifeste le désir de préparer chez elle son baccalauréat, il fait appel sans tarder à un professeur pour des cours à domicile.

En avance d'un an, Raïssa se présente à l'examen, munie d'une dispense d'âge. Ce jour-là, la future bachelière est moins étonnée de son succès que d'une demande en mariage empressée de son professeur, secrètement épris depuis des mois de cette belle jeune fille réservée, à la silhouette fine, au visage pur, aux yeux noirs un peu mélancoliques. La précocité intellectuelle de Raïssa cache encore une ingénuité presque enfantine. Cette déclaration d'amour est comme une intrusion de la vie réelle dans le monde trop abstrait, trop protégé qui a été le sien jusqu'alors. Sur l'instant, Raïssa se sentira soudain dépossédée de la sûreté de son enfance comme de son bien le plus précieux, traitant longtemps après, dans *Les Grandes Amitiés*, de cette rencontre sans suite comme d'un « incident », pour mieux en souligner, semble-t-il, le caractère fortuit et incongru.

Les vraies passions de sa jeunesse sont les livres avant tout, ces grands cycles de lectures comme autant d'explorations solitaires qui l'entraînent du côté de Flaubert et de Tourgueniev, de Nerval, de Tolstoï et de Maupassant. Raïssa se plaît tout autant aux débats d'idées, aux discussions enfiévrées des réfugiés politiques et des étudiants russes qui se regroupent le soir chez ses parents et, jusqu'au milieu de la nuit, se livrent au « procès de Dieu et du monde ». Tous plus âgés qu'elle, ces jeunes révolutionnaires en imposent surtout à Raïssa parce qu'ils fréquentent la Sorbonne ou la faculté de médecine. « J'inclinais de plus en plus à les croire et, de jour en jour, grandissaient une tristesse et l'ennui de vivre, que ni le travail ni aucune distraction n'arrivaient à surmonter. »

Atteindre à une vérité qui justifie sa vie, s'assurer de l'essentiel avant même que de vivre, telle est plus que jamais l'aspiration dévorante de Raïssa au moment d'affronter à son tour les maîtres de l'Université, « le regard clair, l'esprit ardent, les mains grandes ouvertes, vides encore de tout fruit de science et de sagesse, mais nettes comme son regard [11] ».

Confiance à l'inconnu

> « Il faut qu'il y ait dans la liberté, dans la justice
> — (et peut-être dans la vérité), un secret de force,
> une vigueur propre, un jaillissement, une espé-
> rance et pour tout dire une grâce et un secret de
> destination. »
>
> Charles PÉGUY,
> *Note conjointe sur M. Descartes.*

Est-ce durant cet été 1898, où il pose au conquérant mélancolique sur une photographie de vacances,
qu'une nuit Jacques Maritain tentera de s'enfuir par la
fenêtre de sa chambre ? L'évasion tournera court, mais
non ce désir fou de s'affranchir. S'il a voulu rompre et
partir à l'insu de tous, « dans un moment de bravade et
de rêve irrépressible [1] », c'est pour conjurer en lui une
« peur horrible de la vie [2] », de sa vie qui vient. Voué à
réussir brillamment au regard des siens comme de ses
professeurs, il s'inquiète à seize ans d'être déjà captif
d'un destin réglé comme « une équation » et qui « chemine en silence, longtemps, par-dessous » [3]. À moins
de départs impromptus…

Bien qu'il pastiche Baudelaire à cette époque et
place l'auteur de *Spleen et Idéal* au-dessus de tout,
c'est au jeune reclus de Combourg qu'il fait d'abord
penser. Il y a du René dans cet instinct secret qui le
tourmente, dans son impatience inassouvie de migrations et d' « orages désirés ». Enveloppé d'une pèlerine
sombre, une main repliée sur l'épaule, les yeux
comme deux traits de feu dans un beau visage grave

et doux, tendu dans une sorte de défi rêveur, Jacques semble cet été-là en attente d'autres vies.

« N'étaient le prochain déménagement, mon entrée à Henri-IV, l'affaire Dreyfus et les articles de Jaurès, nous mènerions une calme existence de vieux propriétaires quelque peu engourdis et vivotant au jour le jour », écrit-il à Angèle Bâton le 18 août 1897, de Voulangis, près de Crécy, où il passe chaque année ses vacances avec sa mère et Jeanne. « Je lis différents livres, *Notre-Dame de Paris* de Victor Hugo, les *Contes* d'Edgar Poe et toutes les brochures que j'ai apportées ici. Enfin le grand événement de la journée, c'est l'arrivée de la *Petite République*. [...] Hein ! les articles de Jaurès ! Tu n'es pas épatée, esbaudie, épastrouillée, émerveillée ? En voilà un homme ! Ce que Bâton doit se gondoler, là-bas, à Paris. [...] Quant à cette pauvre mère, elle est le plus à plaindre, parce que la vérité et la lumière que les autres se réjouissent de chercher et de trouver, elle, par un bizarre contraste, elle est bien à leur recherche, mais chaque pas fait en avant est pour elle un nouveau chagrin. Ce que c'est que l'amour du drapeau et du pantalon rouge ! Pour se consoler, elle s'est fait photographier dans les plis du drapeau. Mais cette consolation reste platonique. J'ai beau lui dire que la patrie injuste ne serait plus la patrie française et que le sort de la France n'est pas lié à celui de la bourgeoisie, du capital et du militarisme [...], elle n'en reste pas moins inconsolable d'avoir en elle un doute [...]. J'espère bien que tu fais de la propagande dans les campagnes et que tu prépares tout le monde à la révolution : sans cela tu serais indigne d'être une vraie militante [4]... »

Caustique envers ses proches et jugeant de tout, le jeune insurgé entretient avec Angèle et François Bâton une relation à part, si complice et fraternelle que toute différence d'âge, de culture, de situation sociale en est abolie. Son éducation politique, Jacques l'aura d'abord accomplie auprès d'eux, désertant le salon de sa mère pour l'arrière-cuisine des domestiques, et en quelque sorte la filiation de Jules Favre pour celle de Jaurès. Au contact d'un « ouvrier qui s'est fait lui-même [...] et travaille comme une brute 14 heures par jour », l'adolescent s'est familiarisé très tôt avec une autre réalité que celle des livres et des seuls échanges intellectuels. Il discute grèves, revendications syndicales, combats électoraux. Bâton incarne à ses yeux le parti des justes. « Je serai socialiste et vivrai pour la révolution », promet-il à son compagnon de route. Si imprévisibles que soient ses évolutions à venir, Maritain ne déviera jamais en réalité de ces engagements de jeunesse, irréductible à l'ordre établi, pourfendeur des valeurs bourgeoises, marginal qui ne se reconnaît que dans une libre fraternité de combat ou de pensée. « Il est indéniable, à parler sans ambages, que par mes réflexes pratiques comme par mon horreur des gens de droite mes options politiques sont à gauche, constatera-t-il à la fin de sa vie [5], et que ma philosophie politique elle-même, par son insistance sur "l'exister avec le peuple" est résolument anti-droite. » Mais il s'agit moins pour lui d'idéologie que d'instinct, de sentiment, de caractère. La ligne de partage s'établit une fois pour toutes en ces années où l'impétueux et tendre fils de Geneviève Favre s'abreuve de la *Petite République*, s'enthousiasme pour Jaurès, vomit tout ensemble l'Église, l'armée et la bourgeoisie, milite en faveur du capitaine Dreyfus – et vit en état d'insurrection permanente contre lui-même...

Au printemps 1898, Jacques assiste, bouleversé, à une représentation au théâtre Antoine des *Tisserands*, la pièce de Gerhart Hauptmann, épopée d'une révolte ouvrière qui se heurte à la répression. Tableau d'époque, qui renvoie au soulèvement des mineurs de Carmaux, aux combats de Jaurès, et ne fait qu'affermir le jeune spectateur dans ses convictions. Avec quelle exaltation il observe et commente dans le même temps les rebondissements de l'affaire Dreyfus, sa première « bataille d'homme », pour reprendre la formule de Péguy. Au contraire de Geneviève Favre d'abord retenue par un doute, Jacques n'a guère hésité sur le parti à prendre. Le scandale ébranle le prestige de l'armée, l'autorité des juges, la suprématie de l'Église : réjouissant « exercice de démolition » aux yeux d'un apprenti-révolutionnaire de seize ans. Sur ce champ de décombres s'impose une figure nouvelle, celle de l'intellectuel, « déraciné* » qui occupe une place stratégique au confluent de multiples courants, exerce son magistère en s'effaçant derrière son idéal et n'appartient qu'à lui-même. À l'image de Zola, son intervention dans le débat public est un « cri de l'âme ». L'idée que Jacques Maritain se fera plus tard de sa mission temporelle, de sa responsabilité particulière dans le siècle, c'est à travers l'affaire Dreyfus qu'il a commencé d'en prendre conscience. « Ce que nous faisions, écrira Péguy dans *Notre jeunesse*, était de l'ordre de la folie ou de l'ordre de la sainteté qui ont tant de ressemblances, tant de secrets accords... »

Durant son année de rhétorique à Henri-IV, Jacques se montre préoccupé d'« autre chose », selon l'appréciation de son professeur de français, que de la classe. L'Affaire, bien sûr, avec son cortège de fuyards, de faussaires et de suicidés, mais aussi l'avènement, l'expérience d'une amitié pour lui sans précédent, la passion si proche du sentiment amoureux et non moins fébrile, exclusive, possessive et dévorante, qui

* Ainsi nommé par Lucien Herr.

l'unit à Ernest Psichari. Telle est leur similitude d'origines, de culture, de sensibilité, que chacun d'eux peut reconnaître en l'autre son double et son frère d'âme. Indissociables, indiscernables, jusqu'à ce que l'un semble devoir s'éloigner de l'autre pour mieux le retrouver. Sur cette relation qui les bouleversa tous deux et que la mort de Psichari laissa inachevée, Maritain ne cesserait de revenir, comme pour compléter, prolonger ce qui était resté douloureusement en suspens.

Si l'on en croit Henriette Psichari, c'est à l'instigation de son frère que la rencontre s'opère en octobre 1898, dans la cour du lycée Henri-IV. À chaque rentrée des classes, Ernest désigne son ami intime de l'année. « La famille, très habituée, accueillait le dimanche avec sa bienveillance coutumière l'élu du jour. À peine quelques petites plaisanteries mordantes de son père marquaient-elles la critique : "Eh bien ! dis donc, et Un tel qu'on voyait tant l'année dernière ?…" Nul étonnement donc, quand à l'aube de ses quinze ans, Ernest annonça qu'il venait de rencontrer un "type épatant", d'une intelligence inouïe, que déjà, après quelques jours, ils étaient liés d'une amitié fraternelle. Personne ne le crut, c'était vrai pourtant. Ernest, fier de sa trouvaille, amena immédiatement le nouvel ami à ses parents et quêta anxieusement le soir l'impression produite. Cette fois il ne s'était pas trompé, tout le monde était d'accord, l'ami était parfait[6]. »

De son côté Geneviève Favre, qui vient d'emménager au 149, rue de Rennes, adopte Ernest Psichari comme son troisième enfant. L'amitié entre le petit-fils de Jules Favre et celui d'Ernest Renan scelle une sorte d'alliance entre deux grandes familles intellectuelles de la France libérale et républicaine. Élevés dans le même esprit positiviste et libre penseur,

Jacques et Ernest ont en commun d'avoir grandi dans l'ombre régnante d'une sorte de Commandeur. L'enfance d'Ernest à Perros-Guirec reste inséparable du souvenir du vieil écrivain qu'il suivait des yeux sur le sentier de la mer, « lourd de pensées et de génie[7] ». De sang breton et hollandais par sa mère, et de sang grec par son père, de confession catholique et protestante par l'une, orthodoxe par l'autre, c'est un peu au hasard de ces combinaisons complexes, à l'instar de Jacques, qu'il sera baptisé dans la religion paternelle. Mais le cercle familial de la rue Claude-Bernard est empreint avant tout de l'influence de Renan.

« J'étais frappé, quand j'allais chez Ernest, de l'atmosphère d'optimisme idéaliste singulièrement intense qu'on respirait là, se souviendra Maritain[8], et où je ressentais obscurément je ne sais quoi d'involontairement artificiel, je ne sais quel refus des plus profondes réalités de la vie. Comment est-il possible qu'il y ait des malades, des pauvres, des prisonniers, des agonisants ? se demandait-on en sortant de cette aimable maison. Je comprends maintenant que c'était un milieu pour qui le péché originel, et même la misère métaphysique de la nature humaine, étaient réellement choses nulles et non avenues. Et c'est en cela que malgré sa prétention à la largeur de vues il était foncièrement antichrétien. On n'y luttait pas contre le christianisme. On y était intimement persuadé de l'avoir assimilé, et dépassé : il n'était guère possible, en réalité, de vivre plus loin du Christ. Inutile d'ajouter qu'Ernest, quoique baptisé, n'a reçu aucune espèce d'éducation religieuse.

« L'enfance d'Ernest Psichari a été une enfance heureuse et libre, débordante, exubérante de vie et d'espoir, et elle a laissé voir un développement étonnamment précoce de l'intelligence. [...]

« Avec quelle joie, avec quelle sensibilité ardente

et nuancée, il se jetait sur toutes les choses de l'intelligence ! Il avait une merveilleuse facilité de se passionner pour les idées, et son humanisme juvénile se
plaisait aux controverses. C'était un humanisme
conquérant et exultant, plus bruyant que discret [...].
De vrai, nous étions loin de prendre en amateurs les
débats de l'esprit. Une certaine rectitude d'instinct, un
appétit très vif du réel et de l'objet, nous préservait de
l'égotisme, comme des vaines chimères de la fausse
érudition [...].

« Le trait qui frappait avant tout dans la physionomie morale d'Ernest, c'est la bonté, une bonté forte,
généreuse, expansive, semblant ignorer la limitation
[...]. Personne n'était plus spontané, plus "nature". Je
relève encore chez lui une franchise totale, une
loyauté chevaleresque, une sensibilité extraordinaire-
ment riche, tumultueuse, frémissante, grave, traversée parfois, plus tard, de mélancolies sans fond, où
l'âme semblait retirée sur les plages désertes de soi-
même, seule avec son destin, qui la liait et l'opprimait.
Très peu d'attrait naturel pour l'abstraction et pour la
déduction logique. Des complexités et même des raffi-
nements d'artiste dans l'esprit, une très grande simplicité de cœur. Aucune timidité mondaine. Un goût de
la hardiesse et de l'aventure. Une promptitude ahuris-
sante à passer à l'action, instantanément, dès que le
cœur était mis en branle. Une candeur dont deux yeux
inoubliables, admirablement francs et droits, étaient
les perpétuels témoins. Enfin une fidélité sublime, qui
donnait chez lui au flux du temps et des événements
intérieurs une stabilité singulière, fidélité qui était sa
vertu la plus aimée, pour laquelle il aimait souffrir, et
dont il a parlé magnifiquement.

« Essayons d'aller plus avant. Ernest était un "violent", au sens que l'Évangile donne à ce mot. Avec
quelle force il a fait pression contre le royaume des

cieux ! Et il avait la douceur de ces violents. Son fond personnel était si vigoureusement individué qu'en dépit de ses admirations et de ses enthousiasmes, de ses "emballements", on peut dire qu'il subissait, en réalité, très peu l'influence d'autrui. En outre une ardeur étonnante au paradoxe et à la construction instantanée de théories extrémistes, des heurts et des contrastes étranges, brusques coups d'ombre et de lumière, déconcertaient l'observateur superficiel ; tout cela devait s'harmoniser plus tard, quand la grâce installerait en lui la paix qui dépasse tout sentiment. »

Que de raisons de se comprendre, de se confondre dans cette fervente évocation de l'ami qui n'est pas loin d'être un autre soi-même. Jacques est là, tout autant, dans ce portrait d'une intelligence sensible et avide de s'employer. Il s'en distingue cependant par quelque chose de plus lucide et contenu, une acuité de jugement, une assurance intellectuelle, un goût de l'analyse qui lui donneront peu à peu sur Psichari une manière d'ascendant et de supériorité.

« Il fallait tout retrouver, sans rien savoir de par nos maîtres », lancera Maritain un tiers de siècle plus tard, en un de ces raccourcis fulgurants dont il est familier, dût-il atténuer et presque réviser son propos quelques années après, à l'occasion d'une autre conférence sur Psichari : « Il y avait de l'imprudence et de la légèreté dans ce mouvement de l'esprit, juste et salutaire en lui-même, par lequel nous réagissions contre les erreurs de nos pères[9]. » Reprises, variations, correctifs, où se lit une fois encore le rapport ambigu qui le rattache au passé. À quoi bon tenter d'amoindrir après coup ce qui fut en eux violent, désespéré, poussé au paroxysme ?

Écriture nerveuse, serrée, style mordant ou théâtral, ton charmeur ou implacable, le jeune homme de la rue de Rennes entretient avec celui de la rue

Claude-Bernard une correspondance débridée qui prolonge leurs déambulations dans Paris, ponctuées de « grands gestes et de grands éclats de voix ». Depuis son « île d'utopie », Jacques se dit plus malheureux que Prométhée enchaîné, Hamlet, Werther, le capitaine Dreyfus même... « Je lis, je lis, je lis. Je ne fais presque que lire, confie-t-il à son ami le dimanche 19 mars 1899. *L'Anneau d'améthyste*, *Le Lys rouge*, *Le Trésor des humbles*, *Le Mouvement socialiste*, *La Faute de l'abbé Mouret*, *L'Anthropologie criminelle*, *Les Fleurs du mal*, Voltaire, Rousseau, Michelet – voilà les dignes livres et les dignes auteurs que j'ai élus pour procéder légalement, méthodiquement, logiquement et scientifiquement à mon abrutissement [10]. » Sous l'assurance désinvolte, tout en pirouettes, pied-de-nez et facéties, et l'ironie désabusée de l'étudiant qui a lu tous les livres percent les désarrois d'une âme « indolente et malade ». Crises de doute et de mélancolie alternent chez lui avec d'irrésistibles élans de vitalité et d'énergie. « Surtout ne va pas croire que je gobe tous les gestes romantiques des modernes désenchantés, blasés et égoïstes. J'ai comme toi une sorte de religion du progrès humain. Mais [...] je prétends bâtir ma foi sur la raison et [...] je sais que la Raison est chancelante et que la Science ne me donne pas encore de suffisantes certitudes. Je me console alors en pensant au flux et au reflux, et aux cercles éternels des astres : tournons donc toujours, puisque c'est la loi [11]... » Toute échappée intellectuelle, comme un envol qui retombe, le ramène en fin de course à un sentiment de fatalité. Commentant pour Psichari *Le Rêve* d'Émile Zola, il observe que la religion procède du même déterminisme social, orchestré par « la sensualité du catholicisme » : « Qui mieux que Zola a vu et décrit les effets désastreux de l'éducation mystique et solitaire ? Toute l'exaspération sensuelle de l'amour divin [12] ? » Mais c'est l'esprit de révolte qu'il oppose dans le même temps au scepticisme paisible d'un Anatole France, qui « ne sera jamais que la fin d'un siècle ». Et de conclure : « J'aime la vie, l'action et les saines colères [13]. »

Hors Psichari, n'ont grâce à ses yeux que des anarchistes tel Maurice Reclus, « contempteur des dieux, des hommes et des classiques » qui rêve d'incendier Paris et avec lequel il dit dégueuler à plaisir « sur les bourgeois repus ». La plupart des fils de famille qu'il croise à Henri-IV lui soulèvent le cœur. C'est son milieu d'origine et une part de lui-même, à l'évidence, qu'il condamne alors sans merci. Le procès de la bourgeoisie, coupable à ses yeux de l'affaire Dreyfus comme plus tard de la débâcle de 1940, sera l'une des constantes de la vie et de la pensée de Jacques Maritain. « J'étais resté enfermé un mois à la maison, raconte-t-il à Ernest Psichari en juillet 1899 lors des examens du baccalauréat, et c'est avec horreur que je me suis replongé dans l'océan d'ineptie crapuleuse et ignoble des avortons capitalistes et des fils à papa. Quel cynisme honteux ! et quelle inconscience dans le vice et l'immoralité ! Jeux, courses, femmes. Rires idiots et plaisanteries ignominieuses. Pourriture déjà profonde et irrémédiable. La noce faite avec un or non gagné, non sué, volé au peuple. Et le mépris de la femme, la satiété de l'amour qu'ils n'ont connu que profané et immonde. Et par conséquent, puisque toute grandeur et pureté ne résident qu'en la femme, moquerie ignoble de ce qui est noble et pur [...]. Je te dis qu'ils sont bien finis et qu'il faut la mitraille ou la hache. [...] Vive le peuple, lui seul a encore un fond inépuisable de naïveté et de bonté. Mais que la révolution vienne vite, car il ne faut pas qu'il soit pourri par la bourgeoisie dégénérée [14]. »

Il n'a qu'une hâte, cet été-là : rejoindre Ernest en Bretagne, vivre près de lui de « longues heures de nature et d'amitié ». Vacances d'autant plus passionnantes que s'ouvre à Rennes au même moment le second procès de Dreyfus. Deux longues lettres à Angèle Bâton témoignent de l'intensité de ces trois semaines passées à Rosmapamon, dans la maison de Renan : un vertige d'impressions nouvelles et de sentiments confus qui laisse Jacques comme désorienté.

Longues promenades avec Ernest sur le bord de mer, parmi les rochers et dans la solitude des landes... Ce pays « ineffable et tout chargé de mystère et d'ombre divine » exerce sur le promeneur une sorte d'envoûtement. « Mariage mystique, plein de duels inconnus et intimes, de luttes sourdes et d'accords muets, pays des religions douloureuses et des songeries imparfaites, mystère de la vie et des choses, lieux où l'on respecte et où l'on aime puérilement, dans la virginité inviolée des espaces et des ciels, où l'on sent toujours qu'il est *quelque chose* qu'on ne comprend pas, qui vous échappe, qui vous fuit, jardin mystérieux arrosé des larmes de Dieu, habité par une troupe énigmatique d'esprits ailés, où poussent comme des lys et des jacinthes l'amour pur et la religion, vague aspiration de l'âme vers un meilleur inconnu, essais timides et enthousiastes pour retrouver les traits ensevelis et voilés de quelque lointain Visage, Visage de bonté et de rédemption, Visage de pardon et de douce volupté, qu'on sent partout, qu'on ne distingue nulle part [...]. »

Tout Maritain semble là déjà, dans cette intuition du mystère, cet enchantement devant le génie des choses et la splendeur de la vie. Mais c'est hors de Dieu que se fonde encore son sentiment religieux. L'humanité porte en elle toute la vérité de l'univers et suffit à l'exprimer : « L'homme est son seul Dieu à lui-même », affirme-t-il. Ce qu'il s'efforce de formuler un soir d'août 1899, à l'adresse d'Angèle Bâton, c'est sa foi en une mystique humaniste, en la plénitude de l'être, en l'infinie multiplicité de la vie. En avance sur lui-même comme à son insu, le futur auteur d'*Humanisme intégral* exprime à dix-sept ans l'essentiel ou presque de ce qui inspirera son engagement spirituel. Sur les ruines d'un monde en décomposition, le disciple de Jaurès rêve d'édifier une Cité des Hommes, « aux mille portes ouvertes », qui ne fait que préfigurer chez lui le dessein d'une nouvelle chrétienté.

Auprès des Psichari, le jeune homme épris de vérité trouve une famille d'élection. Le père d'Ernest, Jean Psichari, philosophe et romancier, est de tous les combats dreyfusards et son amitié avec Jaurès lui vaut un grand prestige aux yeux de Jacques. La fille du « grand et sublime Renan » le frappe par son « intelligence lumineuse et critique », son indépendance d'esprit et le « calme courage » qu'elle a manifesté dès le début de l'Affaire. Ary Renan, « petit bossu maladif », lui paraît d'une intelligence aussi haute et complète. À l'image d'Ernest, tous sont empreints d'une même pureté d'âme et de sentiment. « Il me reste à te dire l'union qui règne dans toute cette famille, le sérieux et la beauté des affections », conclut le fils de Geneviève Favre.

Le temps de ces premières vacances communes restera pour Jacques irremplaçable. Ernest et lui mettent une passion extrême à se connaître et à s'éprouver. Ils écrivent ensemble des poèmes pleins d'« ennuis cruels », de « caresses lointaines », de « candeurs mystiques », signés de leurs initiales jointes. Leurs chevalets face à face, installés dans un champ de maïs, ils passent des journées entières à faire le portrait l'un de l'autre. Ils communient dans la découverte éblouie de Baudelaire – « ce poète souffrant, déconcertant d'abord, mais pénétré d'un idéal vivant »... Leur vie qui déborde de promesses les assure de pouvoir « tout posséder ».

Le 9 septembre 1899, Dreyfus est reconnu coupable avec circonstances atténuantes et condamné à dix ans de réclusion. Dix jours plus tard, il est gracié par le président de la République, sans que son innocence soit pour autant reconnue. En séjour à Luzarches, près de Paris, Jacques Maritain tente d'intéresser les gens du village à la pétition que Clemenceau a lancée dans *L'Aurore* en faveur d'une pleine réhabilitation de l'accusé. Dans une lettre à Psichari le 26 septembre, il se dit « prêt à tout souffrir – même les plus rudes mises à la porte – pour la noble cause de l'Innocent et du Supplicié ». Partout il se heurte à ce qu'il appelle « le mal clérical », où il voit « le repos du néant », un long sommeil des consciences. « Pour établir la Religion nouvelle, pour supprimer ce qu'il y a de mauvais dans le catholicisme, pour détruire le pape, il faudra attaquer, détruire tout le catholicisme (avec ce qu'il a de bien et ce qu'il a de mal), il faudra abattre les vieilles Églises et blesser le cœur de la vieille femme croyante... ».

À l'automne 1899, Jacques Maritain milite à la Société d'aide mutuelle, prend part aux Universités populaires, y côtoie Léon Blum, Paul Mauss, Lucien Herr, cherche à nouer contact avec Charles Péguy qui, de sa librairie de la rue Cujas, assure la diffusion des publications socialistes. On le voit rue du Faubourg-Saint-Antoine dans une salle enfumée, au coude à coude avec les ouvriers du meuble [15]. Malgré l'indignation que lui inspire la vue « de tous les bourgeois qui font l'aumône de leur or et de leur science », Jacques, pantalon de velours serré aux chevilles et ceinture rouge, s'occupera pendant deux ans de l'animation de ces Universités populaires où il donne ses premières conférences, récite des poèmes de Verlaine et de Baudelaire, joue dans *Poil de carotte* de Jules Renard et *La Clairière* de Lucien Descaves... Présent sur tous les fronts.

Mais c'est un autre Jacques que révèle dans le même temps une longue et mélancolique confession destinée au seul confident digne de tout entendre – un Jacques taraudé de doutes et d'obsessions, avide de solitude, de retraite et de silence, dans une fusion totale avec l'être aimé... Jamais il ne s'est livré avec plus de franchise et d'abandon, risquant tout dans l'aveu, que dans cette déclaration à l'ami qu'il craint alors de perdre.

«Sans toi, je ne suis rien, écrit-il à Ernest le 26 décembre. Tu es le Centre, le Feu, le Corps, l'Idée, l'Apollon. Tu es la lumière, je suis le reflet. Tu es l'Arbre, je suis l'Ombre. Tu es l'Œil, je suis le Regard.

«Veux-tu partir avec moi vers l'Orient, là-bas, dans l'Inde? Nous serons seuls dans un désert [...]. Nous serons des saints. Nous vivrons mille ans [...]. Pendant mille années, les Hommes se combattront et mourront. Mais nous, nous aurons assimilé la Mort, nous aurons vaincu l'Émotion, nous aurons détruit le Mouvement, nous aurons Su. [...] Et quand sur le sommet nous serons devenus immobiles de corps et de pensée, du demi-cercle de poils plantés entre nos sourcils sortira le Rayon. Le Rayon éclairera le monde. [...] Et seuls nous resterons dans l'immensité deux fois infinie du Temps et de l'Espace, soutenus par nous-mêmes dans le Nirvana profond. Et alors nous dormirons.

«Je crois que la plus grande joie serait celle du silence éternel. Les mots! Les mots sont mes ennemis. Ils m'épouvantent et me torturent. Un mot! Sais-tu ce que c'est qu'un mot ? As-tu senti la méchanceté des mots ? [...] On frissonne d'effroi quand on entend dire un mot insignifiant : c'est qu'il est déterminé, placé fatalement à cette place, en ce temps, avec ce ton, par toute la vie intérieure, par toute l'hérédité lointaine, par tout l'Inconscient prodigieux et ennemi de celui qui me parle. C'est comme une lucarne qu'on ouvrirait soudain sur un immense pays inconnu, interdit, étranger, hostile [...]. Avec des pièges partout. Et tout de suite la lucarne se ferme, la causerie ordinaire et consciente reprend, tout redevient calme et paisible. Mais cela n'empêchera jamais que j'ai vu pendant une seconde un inconnu effrayant, un inconnu où je n'entrerai jamais, et qui a été créé par vingt mille générations, et qui constitue le vrai moi de celui qui me parle, le moi qui est derrière la façade, que personne ne connaît, que lui-même ignore, et qui pourtant le dirige et le mène, avec une rectitude fatale. Eh ! les mots viennent de contrées infiniment lointaines, ils viennent du fond, du fond de la mer, des enfers horribles...

« C'est pourquoi j'aime le silence. Auprès de ceux que j'aime, je voudrais rester des années sans parler. C'est qu'alors je sens que nos deux inconnus se pénètrent doucement, timidement, lentement [...].

« Connais-tu le charme des omnibus ? C'est un plaisir infini que de regarder les rides des gens et de se demander d'où elles viennent, on fait ainsi des voyages admirables dans les âmes [...]. On a pitié alors de tous ces automates, de ces jouets mécaniques qu'on est tenté parfois de haïr [...]. Ernest, toi seul es libre. Ernest, je t'embête et je m'embête. Il fait déjà nuit. Je veux me coucher sur le parquet et regarder la nuit. C'est un grand charme... »

On ne sait, faute de connaître ses propres lettres à cette date, quelle fut la réponse de Psichari à cette invitation au départ. Entre eux régnait une telle liberté de sentiments qu'il leur appartenait de se dédier les rêves les plus fous. Chaque message de Jacques est un aveu d'adoration : « Je t'aime, je vis, je pense à toi », « C'est en toi, en toi seul que je vis »... Chaque rencontre est une illumination, toute séparation un déchirement. Lorsqu'en janvier 1900, Psichari, qui habite désormais rue Chaptal, quitte le lycée Henri-IV pour Condorcet, Jacques croit leur relation menacée : « Il n'y aura plus cette effusion et communion parfaites [...]. C'est-à-dire que nous ne serons plus 1, que nous reviendrons 2 [...]. La vérité, c'est que nous sommes deux atomes qui ont l'un pour l'autre une affinité irrésistible. »

Peut-être Jacques redoute-t-il moins encore de perdre Ernest en ce moment que de l'abandonner à son propre « désert ». « Partout où il était on sentait qu'il passait, et ne s'arrêterait pas [16]. » Cette âme paradoxale, insatisfaite est vouée à s'égarer et à s'épuiser parmi les hommes, quand celle de Jacques, non moins tumultueuse, mouvante et prompte à se heurter au monde, se construit dans l'affrontement, la dérision et la spéculation intellectuelle. « Tu te jetteras à corps perdu à la recherche de la vérité, lui écrit-il durant l'été 1900 en le mettant en garde contre l'apprentissage de la philosophie, tu voudras découvrir le mot, résoudre l'énigme, tu te battras avec les spiritualistes... » Comme s'il devait s'y adonner lui-même avec plus de sérénité...

Saisi d'une véritable frénésie de lectures, Jacques s'abreuve alors de tout ce qui s'offre à lui – Amyot, François de Salles, Lamennais, Mme de Staël, Diderot, Érasme, Du Bellay, Pascal... –, au point de se voir interdire par son médecin de « travailler, de penser et de lire » pour cause de surmenage. Il se classe deuxième au Concours général en lettres et philosophie, avec comme sujet : « Quels sont les traits distinctifs de la nature humaine ? » Son premier texte publié [17] : un éloge de la raison et du libre arbitre. « L'homme apparaît comme la fin de la nature ; c'est lui qui paraît actuellement la réaliser le plus parfaitement », affirme-t-il avec une belle assurance. À son programme de l'année qui vient : Descartes, Spinoza, Leibniz, Bergson, Schopenhauer, Kant... Son plan de bataille pour une conquête ambitieuse, méthodique de l'empire des idées. Tandis qu'il investit les multiples domaines de la philosophie, il s'essaie à d'autres formes de connaissance – musique, peinture, photographie. Tout approcher et ne se fixer nulle part. « C'est qu'il est absurde et pernicieux [...] de chercher en soi le moi immuable et vrai, d'arrêter les traits définitifs de sa personne. Autant pétrifier ses cellules. On n'est jamais soi-même. En tout cas, on n'est quelqu'un que vers 30 ou 40 ans [18]. »

Victime d'une variole qui lui impose une longue période de repos, il se partage à l'automne 1900 entre des études libres à domicile, quelques cours en Sorbonne, des conférences sur Tolstoï pour les Universités populaires, et la campagne électorale en février 1901 du socialiste Jean Allemane dans le onzième arrondissement de Paris. Avec son ami Jean-Paul Coulon, il anime un comité de solidarité en faveur des étudiants russes victimes de la répression tsariste : collecte de signatures, réunion politique, propagande dans les universités de province...

« J'ai passé la plus grande partie de cette année à faire connaissance avec moi, écrit-il à Psichari en avril 1901, à prendre possession de moi, dans mon fond même, quand l'année dernière j'avais surtout analysé mes sentiments. Je deviens assez fermement idéaliste – un peu grâce à ton influence. Le monde et la vie, c'est moi-même. L'important, c'est de nous cultiver méthodiquement et sûrement et, pour employer les mots mystiques qui sont convenables, de parvenir à l'état de sainteté par une sorte de concentration sur soi. » Sans qu'elle soit encore nommée, apparaît dans cette même lettre une « amie » dont Jacques dit avoir infiniment à apprendre, « tout un univers, toute une âme ». Leurs entretiens, dont il a promis le récit à Psichari, « coulent comme les heures », dans un flux « de sentiments et de sensations mouvantes ».

Hiver 1900, printemps 1901 ? Rien ne permet de dater avec exactitude la première rencontre entre Jacques Maritain et Raïssa Oumançoff. Ni *Les Grandes Amitiés*, irrémédiablement réfractaires à la chronologie, ni le *Carnet de notes* qui s'ouvre seulement quelques mois après, n'apportent à ce sujet d'indication probante. L'aventure intérieure importe davantage ici que l'ordre des faits. Pourtant le moment où ces deux vies se croisent, si fortuit qu'il apparaisse, procède moins du hasard que d'une sorte de confluence inspirée, entraînée par une même précocité intellectuelle, une même exigence de vérité ultime, une même inquiétude spirituelle. Jacques s'emploie alors à mobiliser étudiants et intellectuels en faveur du peuple russe ; Raïssa qui « ne parle à personne », « ne cherche à connaître personne » est toute centrée sur elle-même et le souci de découvrir sa « place en ce monde [19] ». L'un est plus activiste, plus éparpillé, divisé, jouant dans l'urgence sur tous les registres à la fois ; l'autre plus en retrait, plus entière, recueillie, farouche, soutenue depuis l'enfance par une véritable cohérence intérieure. Expressions différentes d'une même quête solitaire, d'un semblable déracinement...

« Un jour où, toute mélancolique, je sortais d'un cours de M. Matruchot, professeur de physiologie

végétale, je vis venir à moi un jeune homme au doux
visage, aux abondants cheveux blonds, à la barbe
légère, à l'allure un peu penchée. Il se présenta, me dit
qu'il était en train de former un comité d'étudiants
pour susciter un mouvement de protestation parmi
les écrivains et les universitaires français, contre les
mauvais traitements dont les étudiants socialistes
russes étaient victimes en leur pays. [...]

« Nous devînmes vite inséparables [...].

« Après les cours il m'accompagnait à la maison ;
parfois d'autres camarades se joignaient à nous, mais
le plus souvent nous étions seuls. Nous avions un
assez long chemin à faire. Nos causeries étaient inter-
minables. Il négligeait l'heure des repas chez lui, ce
qui chagrinait sa mère et dérangeait beaucoup la cuisinière, d'autant plus qu'à cette époque, il s'était mis
en tête, par tolstoïsme, de servir lui-même à table.
Lorsque je l'ai su plus tard, j'en ai eu du regret, mais
pouvions-nous, alors, lui et moi, penser à de telles
contingences ! Est-ce que rien existait auprès de tout
ce que nous avions à nous dire ? Il fallait repenser
ensemble l'univers tout entier ! le sens de la vie, le sort
des hommes, la justice et l'injustice des sociétés. Il fallait lire les poètes et les romanciers contemporains,
fréquenter les concerts classiques, visiter les musées
de peinture... Le temps passait trop vite, on ne pouvait le gaspiller dans les banalités de la vie.

« Pour la première fois je pouvais vraiment parler
de moi-même, sortir de mes réflexions silencieuses
pour les communiquer, dire mes tourments. Pour la
première fois je rencontrais quelqu'un qui m'inspirait
d'emblée une confiance absolue ; quelqu'un qui, je le
savais dès lors, ne me décevrait jamais ; quelqu'un
avec qui, sur toutes choses, je pouvais si bien
m'entendre. Un autre *Quelqu'un* avait préétabli entre

nous, et malgré de si grandes différences de tempérament et d'origine, une souveraine harmonie.

« Jacques Maritain avait les mêmes préoccupations profondes que moi, les mêmes questions le tour-
mentaient, le même désir de la vérité l'animait tout
entier. Mais il avait plus de maturité que moi, déjà
plus de science et plus d'expérience, plus de génie surtout ! Il devint donc tout de suite mon grand appui. Il
était déjà alors débordant d'activité intérieure, de
bonté, de générosité – sans nul préjugé : d'une âme
toute neuve, et qui paraissait constamment inventer
elle-même sa loi ; sans nul respect humain – parce
qu'il avait le plus grand respect de sa conscience ; très
apte à "passionner le débat" quel qu'il fût, comme le
lui avait déjà reproché son professeur de philosophie
au lycée. Toujours prêt à l'initiative d'une action généreuse, si la justice ou la vérité y étaient intéressées. Sa
culture artistique était déjà alors d'un niveau très
élevé, grandement favorisée par son sens inné de la
poésie et de la beauté plastique [20]. »

Si leur rencontre le bouleverse tout autant,
Jacques ne laisse d'abord paraître qu'une sorte de
trouble. « C'est une tristesse qui m'est insupportable
de sentir l'étrangeté entre les hommes et les femmes »
avoue-t-il à Psichari, ajoutant qu'ils ne sauraient l'un
et l'autre estimer assez haut le bonheur d'avoir à leurs
côtés « des femmes admirables [21]. » L'angoisse des
« amours futures et des peines à venir » reflète encore
chez lui un sentiment de vulnérabilité devant la vie,
où rien de lui-même ne lui paraît assez établi « pour
qu'aucun affluent ne puisse le dévier ». S'insurgeant
contre l'usage dégradant que les jeunes bourgeois font
des femmes et le cynisme que Psichari professe à leur
égard, Jacques pour sa part s'en est tenu jusque-là à
une « sympathie » plus théorique qu'expérimentale.
« Je me convaincs de plus en plus que le commence-

ment de la Science, c'est de négliger les genres, les espèces, les cadres, et de ne considérer et de n'étudier que les individus, en eux-mêmes [...], dans l'infinité des faits individuels [22]. »

L'intégralité de sa correspondance demeurant inaccessible, selon le vœu même de Jacques Maritain, une part de mystère continue d'entourer l'histoire du couple singulier qui se forme à l'orée de ce siècle. Mais dans *Amour et Amitié*, le message magnifique qu'il livra « en marge » du *Journal* de Raïssa, Maritain éclaire les évolutions et les métamorphoses d'un amour porté au paroxysme du don de soi. La première étape, celle de l'« amour romantique », du mirage sensuel, de l'éphémère qui se croit éternel, résume-t-elle les premiers temps de leur relation ? Ou Raïssa et Jacques ont-ils accédé d'emblée au second degré du sentiment amoureux, « le bel amour », « où l'un donne réellement à l'autre, non seulement ce qu'il a, mais ce qu'il est » ? Dans une considération un peu sentencieuse, Raïssa observe en juin 1901 que l'amour comme l'amitié « sont toujours à la mesure des personnes qui les éprouvent » et inséparables « des liens solides de haute conformité intellectuelle et d'estime réciproque » [23]. Conformité, estime ?

Ils passent des heures exquises, côte à côte, à visiter le Louvre où Jacques, familier des lieux, fait découvrir à son amie les Primitifs italiens et les peintres de l'École française, « dans la beauté purifiée de ce monde ». Raïssa s'éprend de Rembrandt, de Giorgione et de Zurbaran, objets entre eux d'échanges passionnés. À la Sorbonne où Jacques prépare une licence ès sciences, ils partagent les cours de Félix Le Dantec qui tente de les convertir au matérialisme.

S'il est impossible de se faire une idée de leur relation à travers la correspondance-fleuve que Jacques entretient toujours avec Ernest Psichari – à la

manière pourtant d'un journal intime –, on ne relèvera pas moins au cours de l'été 1901 un étonnant
plaidoyer pour la chasteté et des rapports fraternels
entre homme et femme. « On peut très bien concevoir
une division du travail, écrit-il, où le soin d'assurer la
continuité de la race demeurerait aux personnes bien
équilibrées et fortes psychologiquement, et où les personnes supérieures se répandraient sur l'humanité en
des effusions autrement légères et pures[24]. » L'une
des rares allusions à Raïssa, quelques mois plus tard,
reste empreinte d'un mélange de pudeur et de distance : Jacques doit décommander un déjeuner chez
Ernest, ayant promis d'accompagner aux Concerts
Colonne « Jeanne et Mlle Oumançoff[25] ».

Mais si l'un et l'autre paraissent avoir résolu de
garder le secret sur leurs sentiments, il n'est rien
désormais où ils ne soient intimement associés.

Leur propre expérience faite, Raïssa Oumançoff et
Jacques Maritain aboutissent au même désaveu des
maîtres à penser du début de ce siècle. Le milieu dans
lequel échouent ces deux étudiants en quête d'une
vérité qui puisse justifier leur existence se révèle
étranger à toute préoccupation d'ordre métaphysique.
Inscrite comme Jacques à la faculté des sciences où
ils suivent des cours de botanique, Raïssa espère en
vain de ses professeurs une autre connaissance de
l'univers que celle de sa seule structure – « la
connaître [...] dans ses causes, dans son essence, dans
sa fin ». Les hommes de science ne s'occupent pas de
l'invisible ou de l'absolu. Soumis à la force des choses,
le savoir ne conquiert que des vérités variables et toujours relatives. « Cela créait à l'intelligence une atmosphère singulièrement raréfiée, un malaise infini.
Nous voguions dans les eaux de l'observation et de
l'expérience comme des poissons dans les mers profondes, sans jamais voir le soleil dont nous recevions

les rayons très atténués. [...] Jacques dessinait des bonshommes grimaçants qui par un effort désorbité s'élevaient dans les airs en tirant sur leurs propres cheveux. Il a toujours su allier la gentillesse et le sourire aux sentiments les plus graves. Moi, je perdais pied [26]... » Livrés au « goût amer du vide de l'âme », selon l'expression de Raïssa, ils cherchent en vain une alternative cohérente au matérialisme « calme et résolu » de Félix Le Dantec, le plus séduisant de leurs professeurs, pour qui la vie se résume à une combinaison chimique et la conscience à un épiphénomène.

La philosophie est non moins fermée à leur soif de transcendance. L'étude de la sagesse est soumise au même scepticisme empirique que celle de la nature, à la même négation des certitudes supérieures. L'apprentissage de la philosophie ramène les élèves de Durkheim et de Lévy-Brühl à la seule sociologie, et bute sur un rationalisme impassible. « Nos maîtres à vrai dire désespéraient de la philosophie [...]. Par une curieuse contradiction, ils voulaient tout vérifier par des procédés d'érudition matériels et de contrôle positif, et ils désespéraient de la vérité dont le nom même leur déplaisait et ne devait être prononcé qu'avec les guillemets d'un sourire désabusé [27]. »

À cette attente d'une « vérité sans défaut » que Raïssa et Jacques aiment sans l'avoir trouvée, « comme un Dieu inconnu », et dont paraît dépendre toute leur vie, la découverte de Spinoza et de Nietzsche donnera quelque temps l'illusion de répondre : « Je me rappelle que pendant plusieurs mois Jacques a été enivré de l'*Éthique* et de cette sagesse qui se croyait souverainement sage et souverainement libre en exhortant l'homme à aimer Dieu intellectuellement, sans demander d'être aimé en retour [...]. Il prêchait ce qu'il appelait "l'arrivisme métaphysique", c'est-à-dire le refus de tout compromis, pour se réaliser dans l'absolu [...]. Ce qui nous faisait chérir Nietzsche, c'était sa passion désespérée de cette vérité dont il s'acharnait à proclamer la mort, la puissance avec laquelle il balayait les préjugés de la médiocrité installée dans le vide, arrachait tous les masques et dévoilait le tragique de la vie [28]. » Mais Jacques et Raïssa se détournent assez vite de ces vertiges métaphysiques où, exalté dans son orgueil et sa violence, l'homme leur paraît plus que jamais renvoyé à son propre néant.

Un après-midi de l'été 1901, ils se promènent au Jardin des Plantes et passent en revue leurs expériences des derniers mois qui les conduisent au même bilan : «[...] Si notre nature était assez malheureuse pour ne posséder qu'une pseudo-intelligence capable de tout sauf du vrai, si, se jugeant elle-même, elle devait s'humilier à ce point, nous ne pouvions ni penser ni agir dignement. Alors tout devenait absurde – et inacceptable –, sans même que nous sachions quelle chose en nous se refusait ainsi à accepter.

«[...] Ce qui nous a sauvés alors, ce qui a fait de notre réel désespoir un désespoir encore conditionnel, c'est justement notre souffrance. Cette dignité à peine consciente de l'esprit a sauvé notre esprit par la présence d'un élément irréductible à l'absurde où tout voulait nous conduire.

« Déjà j'en étais venue à me croire athée; je ne me défendais plus contre l'athéisme, persuadée à la fin, ou plutôt dévastée par tant et tant d'arguments que l'on donnait pour "scientifiques". Et l'absence de Dieu dépeuplait l'univers. [...]

« J'accepterais une vie douloureuse, mais non une vie absurde. Jacques avait pensé longtemps qu'il valait encore la peine de lutter pour les pauvres, contre l'esclavage du "prolétariat". Et sa propre générosité l'avait fortifié. Mais maintenant il se trouvait aussi désespéré que moi.

« – Cette vie que je n'ai pas choisie, je ne veux pas non plus la vivre, dans de telles ténèbres. Car la comédie est sinistre. Elle se joue sur un théâtre de larmes et de sang.

« Notre parfaite entente, notre propre bonheur, toute la douceur du monde, tout l'art des hommes ne pouvaient nous faire admettre sans raison – en quelque sens que l'on prenne l'expression – la misère, le malheur, la méchanceté des hommes. Ou bien la justification du monde était possible, et elle ne pouvait se faire sans une connaissance véritable ; ou bien la vie ne valait pas la peine d'un instant d'attention de plus.

« Avant de quitter le Jardin des Plantes nous prîmes une décision solennelle qui nous pacifia : celle de regarder en face, et jusqu'en leurs dernières conséquences – pour autant que cela serait en notre pouvoir – les données de l'univers malheureux et cruel dont la philosophie du scepticisme et du relativisme était l'unique lumière.

« Nous ne voulions accepter aucun masque, aucune cajolerie des grandes personnes endormies dans leur fausse sécurité. L'épicurisme qu'elles proposaient était un leurre, tout autant que le triste stoïcisme, et l'esthétisme – un amusement. Nous ne voulions pas non plus, parce que la Sorbonne avait parlé, considérer que tout était dit. Le monde universitaire était alors chez nous si hermétiquement clos sur lui-même, qu'à cette simple pensée nous avions déjà quelque mérite.

« Nous décidâmes donc de faire pendant quelque temps encore confiance à l'inconnu ; nous allions faire crédit à l'existence, comme à une expérience à faire, dans l'espoir qu'à notre appel véhément le sens de la vie se dévoilerait, que de nouvelles valeurs se révéle-raient si clairement qu'elles entraîneraient notre adhésion totale, et nous délivreraient du cauchemar d'un monde sinistre et inutile.

« Que si cette expérience n'aboutissait pas, la solu-tion serait le suicide ; le suicide avant que les années n'aient accumulé leur poussière, avant que nos jeunes forces ne soient usées. Nous voulions mourir par un libre refus s'il était impossible de vivre selon la vérité. »

Ils n'ont pas vingt ans l'un et l'autre lorsqu'ils se lient ainsi par un serment qui les engage au plus pro-fond d'eux-mêmes. Singulier défi, que cette volonté éperdue, lucide et intransigeante de regarder leur vie en face, sans concession aucune à une existence qui n'aurait pas sa pleine raison d'être ! Au scepticisme de leur époque ils opposent la puissance de l'esprit, ses capacités inépuisables à saisir le réel et à nommer l'inconnu. C'est la secrète unité d'un couple qui se forme alors à travers un même désir d'absolu – alliance contre le néant et la nuit, fusion à travers la plus haute espérance.

Nul mieux que Péguy ne saura détecter le drame qui se joue.

Noués dans la controverse et clos sur des malen-tendus, les rapports de Maritain avec l'ombrageux directeur des *Cahiers de la Quinzaine* sont parmi les plus complexes, les plus conflictuels qui l'aient opposé à ses contemporains. Si la plupart de ses « grandes amitiés » ont suscité études et bilans*, nul

* Voir notamment le recueil *Jacques Maritain et ses contem-porains*, Desclée, 1991.

ne s'est encore véritablement risqué sur un terrain où Maritain lui-même aimait peu revenir, plus laconique encore sur le sujet que sur tout autre. Terrain mouvant, miné par trop d'influences contraires – celle, entre autres, de Geneviève Favre.

Dès le premier échange, le 13 mars 1901, Jacques traite d'égal à égal avec celui, de dix ans son aîné, qui vient d'admonester Jaurès dans le septième numéro des *Cahiers*. Il ne se reconnaîtra jamais son disciple. Les voici face à face déjà et comme armés pour l'affrontement. Maritain connaît à peine Péguy, au moment où il se plaît à l'apostropher, le rabrouer, le conseiller avec une saisissante assurance.

« Je vous dirai tout de suite que vous m'avez fait de la peine en critiquant Jaurès avec une amertume un peu soupçonneuse qui ne convient pas. Je vous approuve tout à fait de faire à Jaurès les critiques que vous croyez justes, et de montrer par là que nulle part il ne doit y avoir de mot d'ordre dans le socialisme, ni de grand-prêtre, ni de fidèles agenouillés et qu'on peut être véridique en n'étant ni guesdiste, ni jaurésiste, ni entre les deux, mais au-delà. Seulement nous *aimons* Jaurès ; et certaines formes nous semblent trop dures, trop tranchantes, appliquées à lui. [...] Je ne pense pas que jamais Jaurès ait eu l'intention de forcer votre pensée ; vous avez tellement peur qu'on n'empiète sur votre liberté que vous prêtez aux autres des desseins malveillants, des calculs de tyrannie, et que finalement vous les empêcherez d'exprimer leur pensée à eux. Jaurès a bien le droit de se dire matérialiste et athée avec le citoyen Vaillant, et de rattacher ses conceptions politiques à des conceptions métaphysiques. Si d'ailleurs Jaurès est moniste, il n'est pas matérialiste. [...] Et vous savez très bien aussi que Jaurès ne *ment* pas. Vous qui êtes si respectueux des diversités et des nuances de la réalité, vous devez bien

penser que la même parole, – si fausse soit-elle, – dite
par un individu, pensée par un esprit, n'est pas la
même chose et ne peut se qualifier de même que
lorsqu'elle est dite par un autre individu, pensée par
un autre esprit. Il est véritablement contraire à la
vérité d'appliquer à une parole de Jaurès le même
qualificatif qu'à une parole – fût-ce la même parole –
de Zévaès. Et dans le cas présent, qui pourra distinguer dans ce que vous appelez mensonge, la part de
l'optimisme effrayant, mais toujours sincère et noble,
de Jaurès, et la part de l'ironie aimable? [...]

« Peut-être feriez-vous bien d'imiter la largeur et
la noblesse d'esprit de Jaurès, qui, loin de rapetisser
pour le plaisir les théories de ses adversaires, leur
prête au contraire toute la grandeur vivifiante de sa
pensée, – et de reconnaître que la conception moniste
de Jaurès, même si elle ne satisfait pas Péguy, est
autrement large et compréhensive que cette disposition en série linéaire que vous lui prêtez, et qui suppose plus de discontinuité que d'unité. [...] Me
permettez-vous de regretter que vous n'ayez pas
introduit dans cette discussion la sympathie et la
courtoisie qui lui sont dues? Le socialisme révolutionnaire et libertaire ne dispense pas de la politesse
bourgeoise ni du respect qu'il est convenable de porter à un homme de la valeur intellectuelle et morale,
du dévouement et de la bonté de Jaurès. Je sais très
bien, parce que je lis les *Cahiers* depuis l'origine, que
vous aimez, vous aussi Jaurès et que l'amertume de
vos reproches vient peut-être de là. Mais songez que
vous écrivez pour des lecteurs, et qu'il y a parmi ces
lecteurs des ignorants, des malveillants ou des petits
jeunes gens qui n'ont eu à faire preuve de leur socialisme qu'en pérorant pour leur plus grande gloire
dans quelques U.P. et qui seraient trop heureux de
voir Jaurès traité comme un petit garçon. "Pour pen-

ser librement, il faut être sûr que ce qu'on publie ne tirera pas à conséquence" (Renan, *Dialogues philoso-phiques*, préface, p. X) [29]... »

Son contradicteur ne se limite pas à rappeler Péguy aux devoirs de l'amitié, à l'écoute des autres, et à un usage plus responsable des mots, il répond aussi point par point aux accusations de dogmatisme portées contre Jaurès sur sa conception scientifique de l'histoire et du socialisme. Mais si critique et abrupte que soit l'approche, elle ne débouche pas moins entre les deux hommes sur une collaboration étroite et fraternelle. À partir de l'été 1901, Maritain s'incorpore à l'aventure haletante et précaire des *Cahiers de la Quinzaine*, aux rencontres rituelles du jeudi dans la petite « Boutique » de la rue de la Sorbonne, à la vie même de Péguy.

Le jeune anarchiste au beau visage impalpable, au regard velouté, à la fine barbe d'esthète et l'insurgé au crâne ras, à l'œil noir sous le binocle, la tête raidie par le col dur se reconnaissent de la même race intransigeante, celle des agitateurs et des marginaux. Marqués par une même emprise maternelle, ils ont en commun ce sérieux, cette autorité trop précoces dont s'arment les fils substitués au père – ardents et secrets, impérieux et sensibles. Dans le socialisme du temps de l'affaire Dreyfus, l'un et l'autre ont cherché une réponse à leur quête d'un spirituel sans diacre ni dévot. Chez Péguy, la foi remontera des sources de l'enfance, par nappes souterraines, avant d'affluer au grand jour, farouche, exaltée et n'appartenant qu'à lui ; elle surgira chez Maritain comme une révélation absolue et avide de se propager. C'est alors qu'éclateront entre le rebelle de Dieu et le converti pénétré de sa mission malentendus et désaccords sans appel.

En janvier 1900, après sa rupture avec Herr et Jaurès, Péguy a lancé, à grands renforts de prêts et de souscriptions, une nouvelle revue destinée à préparer la révolution sociale. Malgré leurs quatorze cents abonnés, les *Cahiers* ont commencé très vite d'accumuler les dettes, contraignant Péguy à vendre des terres et à mendier des subsides dans les quartiers bourgeois. Une petite équipe de fidèles accompagnait cette entreprise démesurée, amis d'enfance ou de régiment, anciens camarades de l'École normale tel Jules Isaac, compagnons de lutte comme Bernard Lazare. Encore adolescent, Robert Debré s'était enrôlé dans les bataillons dreyfusards sous les ordres de Péguy. Il avait reconnu dans le poète le « guide » qu'il attendait. Recrutant des abonnés pour les *Cahiers de la Quinzaine*, il avait sollicité Jacques et Jeanne Maritain avant de les entraîner dans le local sombre et modeste où le gérant des lieux, « debout, assez raide [30] », recevait chaque jeudi les visiteurs face à la Sorbonne, comme pour mieux défier les maîtres de l'Université.

Un projet d'adjoindre aux *Cahiers* un journal illustré pour enfants s'élabore entre Jeanne Maritain et Robert Debré. Tous deux s'en ouvrent à Péguy qui approuve l'idée en exigeant avant tout de ses initiateurs une « exécution typographique » parfaite : « Vous connaissez ma phobie des coquilles, je n'en admets aucune… Évitez à tout prix de donner à vos gosses des exemples de sabotage. »

Jean-Pierre sera pendant trois ans l'œuvre de Jeanne Maritain, Robert Debré se consacrant davantage à ses études de médecine. Jacques collabore d'assez loin à cette publication pédagogique où l'on tente non sans naïveté de façonner l'âme des générations nouvelles. C'est cependant la salubre utopie de *Jean-Pierre* qu'il semble saluer trente ans plus tard lorsqu'il constate dans *Frontières de la poésie* : « D'une manière ou d'une autre notre éducation à tous a été manquée, et nous avons joué avec ce qui n'était pas pour jouer ni pour rire. »

S'il y eut un « côté » Péguy dans la vie de Maritain, il tient en une semblable hostilité à l'intelligentsia dont tous deux auront à subir les interdits. « Péguy était brouillé avant tout avec la Sorbonne qu'il regardait comme la citadelle des erreurs du monde moderne, écrit Raïssa Maritain. Il lui reprochait de réduire toute vue du réel à l'histoire, et l'histoire elle-même à une poussière de faits artificiellement rassemblés et qui laissaient échapper la substance du passé. Il l'accusait de vouloir éteindre tout enthousiasme et toute foi et toute fidélité sous le poids des routines et des techniques [...]. À vrai dire le conflit entre la Boutique de Péguy et la Sorbonne a été un des plus importants événements spirituels de la France avant la première guerre mondiale [31]. »

Chaque vendredi, sanglé dans une invariable pèlerine bleue, Péguy se rend au Collège de France, distant de la Sorbonne de quelques mètres mais séparé d'elle en réalité par « une montagne de préjugés et de méfiance [32] », pour assister au cours d'Henri Bergson. Autour du petit homme en noir, au visage émacié, à l'élégance rectorale, au regard de sourcier circonspect, se presse un public intellectuel et mondain de soirs de générale. À rebours des idées dominantes, l'auteur de l'*Essai sur les données immédiates de la conscience* a révélé une autre réalité que celle du fait brut, la réalité métaphysique, inscrite dans la durée où le moi se constitue et la conscience évolue. À l'intelligence conceptuelle il oppose l'intuition comme mode d'accès au réel et à l'absolu. Le contenu de l'âme se reflète tout entier en chacun de ses actes et dans les aspirations les plus intimes de l'être. « Dans l'absolu nous vivons, nous nous mouvons et nous sommes. » En quelques phrases lumineuses, le philo-

sophe perce des murailles et ouvre à l'esprit des pers-
pectives inespérées.

Et Péguy, au début de l'année 1902, d'orienter
Jacques Maritain et Raïssa Oumançoff, qu'il sait au
comble du désarroi, sur la voie du vrai libérateur.
« Péguy, Psichari, Jacques et moi, nous formions un
quatuor exultant, se souviendra Raïssa. [...] Les notes
d'Ernest formaient un tout compact, sans alinéas,
sans points ni virgules ; nous disions qu'elles figuraient l'écoulement continu de la durée. Celles de
Jacques dessinaient de petits paragraphes distincts –
nous disions qu'elles montraient les articulations de
la pensée bergsonienne. Je retrouvais la légèreté et la
joie de mon enfance, alors que le cœur battant je me
rendais au lycée. Nous partions pour les cours de
Bergson émus d'une curiosité bouleversante, d'une
attente sacrée. Nous en revenions portant notre
cueillette de vérités ou de promesses, comme vivifiés
d'un air salubre, exubérants, prolongeant encore et
encore les commentaires sur les leçons du Maître. »

La pensée de Bergson est comme une levée
d'écrou. Elle transgresse catégories et systèmes. Elle
restitue à l'intelligence sa pleine autonomie. Elle
convertit la philosophie en expérience de vérité
et de vie. Raïssa et Jacques trouvent chez Bergson
les réponses philosophiques, « décisives et inoubliables [33] », à une angoisse existentielle qui a remis
en cause jusqu'à leur désir de vivre : l'assurance de
pouvoir élucider « ce qui est » et la liberté de suivre
toujours leur propre inspiration.

Un an après le serment du Jardin des Plantes et
quelques mois après la rencontre avec Bergson, tous
deux ont reconquis assez de confiance en l'avenir
pour se vouloir « plus forts » que le destin, « plus forts
que l'infini [34] ». En vacances ensemble à l'Etivaz
durant l'été 1902, ils sentent « clairement », après une

lecture commune de Maeterlinck, s'établir entre eux une vérité définitive. «La sincérité absolue, l'harmonie profonde de nos âmes nous ont remplis d'un bonheur inexhaustible, note Jacques. La vie nous a apparu, notre vie, telle qu'elle doit être, et dans le silence nous nous sommes promis des serments irrévocables. Force, l'École lumineuse et claire, l'École de vie, de sincérité, l'École où nous animerons des âmes, où nous ferons venir par des appels, des chants et des rayons, l'âme et la vie véritable à la surface de l'existence. L'École d'où sortiront des hommes et des femmes de vérité et d'harmonie. L'École où nous ferons du divin, expression nécessaire de notre vie, et de la puissance constante qui l'anime. [...] Il semble que les hommes ont peur de ce qui est grand, profond, violent et définitif. [...] Ainsi pour l'union des âmes. Voilà la véritable raison de la chasteté morale, et, en tant qu'impliquée par celle-ci, physique. Il s'agit de garder intact ce don d'intuition suprême par où les âmes communiquent. »

N'est-ce pas l'esprit, le plan de l'œuvre future qu'ils viennent de tracer en peu de mots ? Dessein de départ qui précède tous les choix, tous les engagements à venir et orientera en secret un cheminement imprévisible.

La violence et la grâce

> « Il s'agit de vivre en ce monde comme un
> étranger ou comme un fou... »
>
> Marcel JOUHANDEAU,
> *Confrontation avec la poussière.*

« Maintenant, mon cher vieux, il faut t'attendre à
ce que Jeanne ne réponde pas à ton sentiment. »
L'avertissement tombe comme une sentence, suivi
d'une exhortation à voir clair en soi et à se recompo-
ser « une âme sincère ». Quand au printemps 1902
Ernest Psichari s'ouvre à Jacques Maritain de la passion qu'il voue à sa sœur, l'ami d'élection paraît s'être
mué en directeur de conscience. « L'effort infini qu'il
faut pour pénétrer une âme, tu ne l'as point fait [...],
tu restes exactement en dehors ; prends garde que tes
gestes ne ressemblent à une parodie [1]. » Jugé trop littéraire, taxé d'un laisser-aller moral « qui ne convient
qu'à Verlaine », suspecté de s'abandonner à « un
drame mal cousu », Psichari est soumis à la pression
d'un Maritain aussi impatient d'ordonner la vie de ses
proches que la sienne. « Tâche d'être autonome,
connais ta vérité intérieure, personnelle [...]. Je te
veux beau, fort et calme [2]... » S'agit-il déjà de modeler
des êtres d'harmonie ? L'immixtion est ici d'autant
plus pesante qu'elle opère à contretemps.

La crise sentimentale où s'enlisera Ernest, après le
mariage de Jeanne Maritain, le désespoir qui va bientôt le submerger revêtiront chez lui moins d'artifices

et d'impureté que Jacques n'en a soupçonné. Séduisante à l'extrême, vive, brillante, Jeanne inspire au jeune homme un amour fou qui restera sans écho. Psichari se montre-t-il alors, comme l'en accuse Jacques, « déplorablement extérieur » à son âme ? C'est au contraire une perception trop critique, trop avertie de lui-même qui le précipite dans la déroute. Il tente à deux reprises de se suicider avant de s'abandonner à la débauche, « poursuivi par d'obscurs remords, troublé devant la malignité du mensonge, chargé de l'affreuse dérision d'une vie engagée dans le désordre des pensées et des sentiments », tel Maxence dans son *Voyage du Centurion*.

Maritain se reprochera plus tard d'avoir sous-estimé l'« insatisfaction » profonde dans laquelle son ami se débattait. L'appelant à se réformer, à se rassembler en une « volonté intégrale et personnelle » sans voir que sa détresse l'en empêchait, il ne fait qu'anticiper cependant la décision d'Ernest au terme de longs mois de solitude absolue. Psichari s'impose la discipline la plus étrangère à son caractère : en 1903, il devance l'appel et intègre en tant que soldat de deuxième classe le 51ᵉ régiment d'infanterie. « Psichari était descendu assez loin dans le désordre moderne pour retrouver en remontant toutes les vérités premières méconnues, écrira Maritain. Mais pour voir s'épanouir les conséquences de sa détermination originelle, pour procéder à la révision générale des valeurs qu'impliquait une telle détermination, il lui faudra beaucoup de temps, une lente élaboration, une maturation [3]. » Leurs routes vont dès lors se séparer, un long silence s'établir entre eux pendant quelques années, chacun poursuivant de son côté un même rêve d'invention de soi.

« Tu sais bien que le seul fondement possible de la morale et de la vie, pour nous qui avons détruit le surnaturel, c'est la conscience toujours plus forte, plus précise et plus compréhensive de notre personne et de notre vie, la mystique prise de possession de soi par soi, lui écrivait Maritain à l'automne 1902. [...] C'est le moi posé au commencement, l'affirmation décisive de notre volonté et de notre puissance [...] par qui nous nous recréons nous-mêmes et pouvons nous régénérer. » Accéder à l'assurance parfaite de soi n'est pas se couper de l'humanité. Il s'agit de concilier « cet amour unique de nous » et celui des « foules inconnues », de se doter à cette fin d'un « capital intellectuel » à travers l'histoire de l'esprit, du genre humain, des civilisations.

Outre ses études de géologie, de physiologie et de minéralogie, Jacques prépare en hâte l'agrégation de philosophie. Il se signale en Sorbonne par un bergsonisme ardent, non dénué comme souvent d'ironie et de provocation. Un dominicain, le père Garrigou-Lagrange, qui assiste aux cours de Gabriel Séailles, au mois de mai 1904, remarque l'intervention d'« un grand jeune homme au regard très doux, un Slave, semble-t-il, grands cheveux, presque toujours accompagné [...] par une femme qui a presque l'air d'être sa jeune sœur [4] », lancé dans une vigoureuse récusation du formalisme de Kant et définissant la morale comme une danse « qui se joue à travers toutes les formes du devenir sans jamais s'arrêter à aucune ». Pour l'enfant terrible des idées à la mode, la morale suffit à tenir en quelques règles d'hygiène.

Chaque semaine, Raïssa et Jacques assistent au cours d'explication de grec que Bergson donne dans une petite salle du Collège de France, propice à une intimité savoureuse entre le maître et ses élèves. C'est sous l'impulsion paisible de Bergson qu'ils découvrent la mystique de Plotin, saisis par la lecture des *Ennéades*. Un jour d'été à la campagne, Raïssa se jettera à genoux devant le livre, bouleversée par une page où Plotin parle de l'âme et de Dieu. Emportés par un « grand souffle de l'âme », ils enchaînent sur Platon, sur Pascal, sur Socrate, vont de l'un à l'autre, croisent impressions, citations, analyses. Sur la porte de leur maison de vacances, Raïssa fait graver durant l'été 1904 une phrase qui l'obsède du mystique flamand Ruysbroek : « La simplicité d'intention est le principe et l'achèvement de toute vertu. »

En août, Jacques subit un échec à l'agrégation. Amer mais lucide – il paraît que j'ai « l'esprit trop subtil » et « une pensée trop raffinée » –, il relate à Lucien Lévy-Brühl, le seul de ses professeurs de l'époque auquel il gardera son estime, l'histoire d'une éviction annoncée. Sans doute a-t-il trop parlé « des essences et des existences », trop cherché « midi à quatorze heures », trop objecté... « Ce qui a achevé de rendre ma conférence inintelligible, c'est que j'ai "servi" à ces messieurs de la "gélatine", comme dit M. Darlu. Je m'explique : j'ai dit parlant de la certitude intuitive (ce n'est pas moi qui avais choisi le sujet) que la vie intérieure est fluide, mouvante, transparente (à la vérité je n'ai même pas dit transparente) et continue. M. Darlu a compris : gélatine. M. Lachelier a vu une liquéfaction des états de conscience. Tant il est vrai que les philosophes les plus idéalistes pensent toujours les concepts les plus abstraits sous les aspects de formes visuelles – produits alimentaires ou autres.

« Voilà rapportées, aussi exactement que possible, les raisons qui, d'après les notes de MM. Darlu et Lachelier, m'ont fait refuser. J'ai peur qu'il n'y en ait de plus sérieuses qui tiendraient vraiment d'une différence dans la manière de penser. M. Darlu juge que je n'ai pas l'entendement philosophique, l'entendement discursif. Et, dans l'entretien qu'il eut avec moi, il fit une observation judicieuse : "Si vous adoptez une phi-

losophie qui cherche les choses plus que les mots et
qui croit que le réel est inexprimable, pourquoi vous
présenter à un concours et lutter par des paroles ? »
C'est la vérité même, et j'aurais préféré de beaucoup
en effet me trouver dans un laboratoire devant des
balances et des cornues.

« Si j'obtiens la bourse d'agrégation que j'ai
demandée, je me représenterai sûrement. Mais sinon,
je ne sais trop ce que je ferai. »

Abattu avant même son envol, rejeté en marge, il
reçoit le verdict des mandarins comme une blessure.
Il n'est pas dupe des arrière-pensées, des stratagèmes
qui ont œuvré contre lui, trop ouvertement bergsonien, trop affranchi des idées dominantes. Cabré à vie
contre l'institution universitaire, d'autant qu'il s'y sentira toujours considéré en amateur éclairé, il choisira
d'exister en dehors d'elle. Irrégulier, illégitime, délibérément réfractaire à l'esprit de caste. Mieux accueilli,
fût-il davantage rentré dans le rang ? Le voici en tout
cas, à vingt et un ans, plus que jamais libre de s'inventer, libre de ses intuitions et de ses expériences, et
sans tutelle aucune...

« Nos fiançailles s'étaient faites de la manière la
plus simple, sans nulle "déclaration". Nous étions
seuls dans le salon de mes parents. Jacques était assis
sur le tapis, tout près de mon fauteuil ; il me sembla
tout à coup que nous avions toujours été l'un près de
l'autre, et que nous le serions toujours. Sans y penser
je passai la main dans ses cheveux, il me regarda, et
tout fut clair pour nous. Le sentiment se répandit en
moi que toujours – pour mon bonheur et mon salut
(je pensai cela exactement, bien qu'alors le "salut" ne
signifiât rien pour moi) – que toujours ma vie serait
unie à celle de Jacques. Ce fut un de ces sentiments

doux et pacifiants qui sont comme un don qui afflue d'une région supérieure à nous-mêmes [...]. Dès cet instant notre accord fut parfait et irrévocable [5]. »

Tout entre eux semble avoir tenu d'emblée en une sorte d'évidence inexprimable. Avec ses codes discrets, ses rituels imperceptibles, leur relation ne cessera de tendre vers la perfection de l'amour, vers l'accomplissement suprême du couple dans un rêve ineffable de beauté et d'absolu. Cette harmonie parfaite où tout leur être est engagé, « cette union sans ombre de servitude » qu'évoque Raïssa est une création toujours en éveil, toujours en recherche. Expérience de communion et de solitude extrêmes. « Nous sommes deux, note Jacques, à vivre l'éternelle vibration qui passe à travers la nuit. Seuls ! » Près de Raïssa, déjà plus mûre d'apparence et le visage empreint d'une douceur un peu austère, on lui voit à cette époque l'air d'un jeune animal apaisé, rassuré, aux réflexes moins farouches.

C'est au cours de l'été 1904 que la santé de Raïssa est gravement atteinte une première fois, « sinon tout à fait détruite ». Elle est sauvée de justesse d'un phlegmon à la gorge qui lui impose une convalescence longue et douloureuse. Le risque de mourir la laisse indifférente. « Il n'y avait en moi ni regrets, ni craintes, ni réaction d'aucune sorte. Je m'en allais sans plus me poser de questions, sans revendications, sans plaintes ni impatience. Je pense qu'un oiseau doit mourir ainsi. »

Leur mariage, le 26 novembre 1904, consacre aux yeux de Raïssa et de Jacques l'entrée dans un nouveau cycle amoureux, « opération alchimique infiniment plus profonde et mystérieuse » que l'amour romantique, transmutation en un « réel et indestructible amour humain » au-delà du désir charnel. « Alors dans un libre et incessant flux et reflux d'émotion, de sentiment et de pensée, poursuit Jacques, chacun par-

ticipe réellement par la vertu de l'amour à cette vie
personnelle de l'autre qui est par nature l'incommunicable possession de l'autre [...]. L'amour fou vient
alors en surcroît [6]... »

Ils s'installent rue Jussieu, à proximité du Jardin
des Plantes. Dans l'antichambre de leur appartement,
Jacques suspend à une gargouille de plâtre une
enseigne où il a tracé en lettres gothiques :

À L'ABSOLU
ENTREPRISE DE DÉMOLITION

Le « prompt mariage » de son fils a pris de court
Geneviève Favre. Jeanne Maritain et Péguy ont dû
s'entremettre auprès d'elle pour obtenir son consentement. « Mon cœur était déchiré par des inquiétudes
irrépressibles. Je cédai pourtant... » D'instinct Geneviève Favre pressent une menace dans cette union
hasardeuse et précipitée qui tout à la fois soustrait
l'héritier de la dynastie à son emprise et compromet
les ambitions qu'elle nourrit pour lui depuis toujours.

Jacques est devenu « bien difficile à pénétrer »,
confie-t-elle à Psichari. « Depuis deux ans, il a tellement changé, il se révèle si différent de ce que j'attendais qu'un grand trouble s'est fait dans mon esprit, et
je crains que celui que je considérais comme un Fort
ne soit qu'un très Faible. [...] S'il est un être supérieur
pourquoi m'enlève-t-il sa tendresse alors que, trop
maternelle peut-être, j'ai voulu le protéger ? N'est-il
pas de taille à comprendre tout ce qu'il y a de douloureux dans ma situation ? Pourquoi jamais n'a-t-il
essayé de me conquérir ? Pourquoi soudain m'a-t-il
rejetée hors de la vie vraie, me reléguant dans le
domaine des soins matériels à lui prodiguer ? Pourquoi a-t-il eu la cruauté de déclarer vouloir me quitter
en octobre parce que "nous ne nous entendons plus ni

intellectuellement ni sentimentalement", alors qu'il n'a jamais prononcé un mot, fait un geste pour dissiper nos malentendus ? Jacques a beaucoup changé, Ernest. Son paradoxe est généreux, vous avez mille fois raison de le dire, mais le pauvre enfant n'est plus lui-même, il subit une influence qui ne l'améliore point […]. La vie matérielle sera d'autant plus préoccupante que sa femme est d'une désespérante fragilité… »

C'est alors que la « dame de la rue de Rennes » va entrer en lice et engager contre Jacques une guérilla dont Péguy, Psichari, Romain Rolland deviendront tout à la fois les témoins, les confidents et les protagonistes. Face à face entre une mère et son fils d'autant plus âpre et douloureux qu'il touche au fond même de leur foi et de leurs idéaux. Impuissante à détourner Jacques d'une pente qu'elle juge néfaste, Geneviève Favre s'emploiera à déjouer son influence et contrarier ses plans.

La plupart des amis de Jacques Maritain ont pris l'habitude de se rencontrer rue de Rennes, tels Diderot et d'Alembert dans le salon de Madame du Deffand. Les déjeuners du jeudi dans la salle à manger de Geneviève Favre sont devenus le rendez-vous de prédilection des hussards rouges des *Cahiers de la Quinzaine*. « Une bonne petite salle à manger bourgeoise, se souvient Maurice Reclus, aux beaux buffets normands (ou bretons) bien reluisants […]. Deux fenêtres sur la rue de Rennes au quatrième avec balcon […]. Attenaient à cette salle à manger un minuscule "cagibi" qui servait de bureau à Geneviève et, donnant également sur la rue, un gentil salon un peu rococo, assez encombré, familier, sur la cheminée duquel régnait un puissant buste de Jules Favre, en bronze, par Barrias – buste auquel Jacques Maritain ressemblait alors étonnamment [7]. » Attentive au mouvement des idées, férue d'action sociale, prompte à dresser des barricades pour la défense de ses idéaux, la maîtresse des lieux a su capter l'estime et la confiance de Péguy dont elle restera jusqu'à la fin l'interlocutrice privilégiée.

C'est au soutien financier de Geneviève Favre que les *Cahiers* doivent leur survie. « Nous ne tenons que par vous », lui écrit Péguy le 10 juin 1905. Afin de rééquilibrer le budget de la revue, Jacques a dû engager lui-même une part importante de la succession de son père. Outre l'argent qu'il y investit, sans doute à perte, le jeune homme consacre beaucoup de temps à la publication des *Cahiers* dont il corrige les épreuves et met au point certaines éditions.

Dans la destinée de Péguy comme dans la sienne, 1905 est l'année des mutations radicales. Le temps du premier « ébranlement intérieur ». Et, pour l'auteur de *Notre patrie* l'heure décisive des grandes alarmes que soulèvent chez lui la crise de Tanger et l'imminence d'un nouvel affrontement avec l'Allemagne. « Ne m'attendez pas aujourd'hui, écrit-il à Geneviève Favre le 16 juin 1905, j'ai rendez-vous avec ma femme pour aller au Bon-Marché acheter ce qu'il faut qu'on emporte un jour de mobilisation [8]. » Dans ce climat d'avant-guerre, Péguy vit plus que jamais en alerte. Mû par sa prescience des désastres qui se préparent, « l'homme des crises [9] » ne cessera plus d'en appeler au réveil des énergies nationales et de stigmatiser ce monde moderne qui a fabriqué le règne absolu de la bureaucratie et de l'argent. « Constamment chargé pour la guerre au sens où un fusil est chargé [10] », le guetteur tourmenté s'inquiète en même temps de l'autre invasion, « la plus dangereuse », celle qui « entre en dedans », « l'invasion de la vie intérieure ».

Péguy a-t-il entretenu d'emblée son jeune « coadjuteur » de son retour à la foi ? Maritain lui a-t-il

révélé durant cette même période ses propres bouleversements ? En fait, ce n'est qu'au début de 1907 que
se recoupent leurs itinéraires spirituels. Croisant dans
les mêmes eaux, ils divergeront très vite sur la direction à suivre.

Le grand retournement chez Péguy, « antichrétien »
devenu « inchrétien », se nourrit pêle-mêle de son
intuition de l'histoire, de sa quête de filiation, de sa
haine des modernes, d'une exigence inassouvie de justice et de charité. L'ami de Bernard Lazare se reconnaît dans l'héritage spirituel du seul peuple élu ; le
socialiste en rupture de ban, dans le message révolutionnaire des Évangiles. Comme chacun de ses engagements, le christianisme ne saurait être pour Péguy
qu'un combat intime, une question de conscience, un
dilemme jamais résolu. Plein d'une « violence métaphysique », il veut hâter en lui l'opération de la grâce.
Il prie en marchant dans les rues de Paris, invoque en
pleurant le nom de Jésus [11]. Travaillé comme Jeanne
d'Orléans par la main de Dieu, il se sent autant qu'elle
en charge d'âmes et investi dans le siècle d'une mission salvatrice.

L'illumination soudaine qui bouleverse dans le
même temps la vie des Maritain, dût-elle les conduire
à entrer là où Péguy se refusera à pénétrer, au sein
même de l'Église, jaillit d'une expérience tout aussi
marginale et solitaire. Quelle épreuve initiatique plus
insolite et brutale que le surgissement de Léon Bloy
dans l'existence si indécise encore de « deux enfants
de vingt ans [12] » ? Quelle intercession plus à rebours
des approches traditionnelles que celle d'un tel mendiant de Dieu, d'un vociférateur que nul ne lit ni
n'écoute et qui tient les catholiques pour ses pires
ennemis ? Le révélateur n'est pas un chrétien ancré en
une certitude apaisante, mais un désespéré, un paria
dont l'âme souffre « dès la première heure du jour ».

La foi du Pèlerin de l'Absolu happe et entraîne ses futurs « filleuls bien-aimés » tel un « torrent qui arrache les rochers et les arbres de ses rives » et se hâte vers sa destination. À travers ce courant diluvien qui les emporte, avec « la vase et les cailloux », comme il submerge la misérable destinée de Bloy, Jacques et Raïssa Maritain rencontrent « cette étrange chose, si inconnue de nous – le catholicisme ».

Bloy ? Une enquête littéraire du *Matin*, où Maurice Maeterlinck salue *La Femme pauvre* comme la seule œuvre du moment « où il y ait des marques évidentes de génie », les incite à se procurer « cet étrange roman » qui ne ressemble « à aucun autre roman », croulant sous la magnificence d'un style incendiaire, gorgé d'hyperboles, saturé de violence, mais d'une sincérité désarmante. « Ce qui nous a éblouis à cette première lecture de *La Femme pauvre*, c'est l'immensité de cette âme de croyant, son zèle brûlant de la justice, la beauté d'une haute doctrine qui pour la première fois surgissait sous nos yeux. La foi, la pauvreté – "On n'entre pas au Paradis demain, ni dans dix ans, on y entre aujourd'hui, quand on est pauvre et crucifié" –, la sainteté également exaltées, indissociablement unies : "Il n'y a qu'une tristesse, c'est de n'être pas des saints" ; le courage de l'indépendance de caractère là où nous nous serions attendus à trouver un conformisme obséquieux, les "ténèbres du Moyen Âge", le pharisaïsme bourgeois. Nous ne lisions guère les Prophètes en ce temps-là, cependant nous entendions comme un écho de leur voix dans la voix de Léon Bloy. La grandeur, la simplicité, la conviction imperturbable, le mépris des contingences, l'unicité du but envisagé, le rendaient semblable à nos yeux à l'un de ces rudes et magnifiques porte-parole de Dieu [13]. »

Aussi impatient que Jonas de voir la justice divine descendre sur la terre et aussi douloureusement révolté par l'état du monde, l'oracle de *Cochons-sur-Marne* poursuit ses contemporains de prédictions implacables. Le foudroyant messager de Dieu annonce la déconfiture tragique d'une société « d'arrivistes et de renégats ». À force de souillures, l'humanité court à un « Drame inouï » et d'une ampleur jamais atteinte. Chaque livre de Bloy est un brûlot lancé contre le siècle, un défi jeté aux maîtres du jour. Ce chrétien humilié, traqué par la misère et livré aux ricanements de tous, est un homme en guerre, « un gladiateur au milieu des bêtes [14] ». Sous la férocité dévastatrice du pamphlétaire percent un désespoir, un dénuement sans mesure. Bloy ne tient que par sa foi, ne survit que par elle. Si éloigné qu'il soit encore de ce combat terrible et lumineux, comment le couple de la rue Jussieu se sentirait-il étranger à tant de fièvre spirituelle ? C'est une part de leur propre désarroi et de leur égarement que Jacques et Raïssa retrouvent dans les pages poignantes de *La Femme pauvre* ; en une telle ivresse de pureté et d'absolu qu'ils peuvent le mieux se reconnaître. *Quatre ans de captivité à Cochons-sur-Marne*, le nouveau livre de Bloy, leur parvient au printemps 1905 comme un signal de détresse, un appel venu du plus profond de la nuit. Journal d'un emmuré, d'un écrivain sans lecteurs, d'un chrétien en larmes, d'un mendiant dont les plus pauvres même ont pitié... « Tant qu'on peut on se cramponne, mais la raison s'éteint, confie Bloy à la date du 5 juillet 1902. On ne voit plus. On est comme des bêtes qui gémissent couchées contre terre. Cette torture est vraiment intolérable. Si du moins on avait un signe, un faible secours, une parole de bonté ! » Ailleurs, les Maritain relèvent qu'il n'y a pour lui « qu'un secours » : « C'est le don de soi absolu, tel que Jésus l'a pratiqué. Il faut se faire souffleter, conspuer, flageller, crucifier. Le lieu commun "se jeter dans les bras de quelqu'un" éclaire cela singulièrement. Tout le reste est vanité. »

Le 20 juin 1905, jour de la fête de saint Barnabé – « Mystère d'affinité entre cet Apôtre et moi » –, Léon Bloy reçoit de ses deux admirateurs une lettre accompagnée d'un mandat de vingt-cinq francs. « Deux êtres (qui nous sont devenus bientôt comme des voisins du Paradis), un jeune homme et sa jeune femme s'offrent tout à coup, expriment leur ambition de se rendre utiles, de devenir nos amis », note-t-il aussitôt dans son *Journal* [15]. Dans la dérisoire existence de Bloy, ce sont des mots qui comptent. L'écrivain s'empresse de répondre à ces correspondants inconnus :

« à Monsieur Jacques Maritain.
Paris le 21 juin 1905

          « Messieurs,
    « Ou Monsieur et Mademoiselle, car ce nom de Raïssa m'étonne et me déconcerte. Apprenez que je suis extrêmement touché de votre lettre si simple et si affectueuse.
    « Il ne me coûte rien d'avouer que les vingt-cinq francs ont été bienvenus. Le matin j'avais été forcé d'emprunter une petite somme à mon coiffeur pour le déjeuner de ma femme et de mes enfants.
    « Il n'y a pas d'outrecuidance dans le fait d'espérer mon amitié. Si vous êtes des âmes vivantes, comme je le suppose, le vieil homme douloureux que je suis vous aime déjà et sera content de vous voir.
    « Dans la liste des livres de moi que vous dites avoir lus, je ne remarque pas le *Mendiant ingrat* ni *Mon journal*.
    « J'ai le plaisir de pouvoir vous les offrir et la poste vous les portera sans doute demain matin.
    « Vous remarquerez que ces deux livres forment avec *Quatre ans de captivité* une trilogie.

« C'est le récit non interrompu de douze ans de mon effrayante vie.

« Lisez donc et dites-moi vos impressions. Je n'ai presque pas d'autre salaire que celui-là : le suffrage de quelques êtres aimés de Dieu et qui viennent à moi.

« J'aurai cinquante-neuf ans dans un mois et je cherche encore mon pain, c'est vrai ; mais j'ai tout de même secouru et consolé des âmes et cela me fait un paradis dans le cœur.

« Votre

« Léon Bloy [16]. »

Tout Bloy : l'emphase et la superbe d'un seigneur, le cabotinage d'un vieil acteur déchu, la tendresse orgueilleuse d'un grand fauve blessé. « Vous êtes attendus avec amour », écrit-il aux Maritain trois jours plus tard. Le dimanche 25 juin, ceux-ci empruntent l'itinéraire recommandé par leur hôte : « Ayant pris l'omnibus de l'Odéon à Clichy, descendez à la place Clichy. De là transportez-vous par correspondance à la place Saint-Pierre où se trouve le funiculaire qui vous met en cinq minutes au Sacré-Cœur. Une dizaine de marches, la cour de la Basilique à traverser et vous voilà au n° 40 de notre rue. » Ils entrent dans une maison modeste aux murs couverts de livres et de « belles images », se heurtent à « une sorte de grande bonté blanche », Madame Bloy. Deux fillettes aux « grands yeux étonnés », Véronique et Madeleine [17], contemplent les visiteurs. Vareuse fermée très haut faute de chemise, silhouette lourde, moustache de Gaulois, grands yeux sombres et douloureux, un colosse timide, parlant très bas, s'avance vers eux.

Ce qu'ils sont venus chercher là, ces deux « enfants » du siècle, au cœur lourd encore d'une attente indicible, comment le sauraient-ils vraiment ? Marchant à l'aveugle vers cet étrange prophète qui

crie sur les toits la vérité divine, ils ont eu « terriblement peur [18] » de ce qu'ils s'apprêtaient à rencontrer.
Ni le face à face avec Péguy ni le premier contact avec
Bergson n'ont été précédés en eux d'un tel tremblement.

« Bloy nous apparaissait tout le contraire des
autres hommes qui cachent des manquements graves
aux choses de l'esprit, et tant de crimes invisibles,
sous le badigeonnage soigneusement entretenu des
vertus de sociabilité. Au lieu d'être un sépulcre blan-
chi comme les pharisiens de tous les temps, c'était
une cathédrale calcinée, noircie. Le blanc était au-
dedans, au creux du tabernacle. D'avoir franchi le
seuil de sa maison toutes les valeurs étaient déplacées,
comme par un déclic invisible. On savait, ou on devi-
nait qu'il n'y a qu'une tristesse, c'est de n'être pas des
saints. Et tout le reste devenait crépusculaire [19]. »

Descendant des hauteurs de Montmartre, ne sont-
ils enrichis que d'une amitié fraternelle et inédite ?
C'est la question de Dieu qui se pose à eux « dans
toute son urgence », à peine ont-ils quitté l'invraisemblable médiateur. Question qui n'a jamais cessé de les
harceler, au demeurant, de les tourmenter à travers
tant d'interrogations restées sans réponse et d'intuitions trop fugitives. Bloy a capté cette inquiétude
métaphysique, sous leur empressement à se défendre
de toute conviction religieuse. On ne s'adresse pas à
lui par hasard ou comme en passant. « Le jeune
homme est un de ces idéalistes, ignorant Dieu, qui se
laissent traîner par les cheveux ou par les pieds dans
l'escalier de la lumière, note-t-il dans son *Journal* [20].
La jeune femme est une Juive russe toute petite. Elle
me fait penser à un muguet des bois qu'un rayon de
soleil trop lourd inclinerait sur sa tige. En cet être
charmant et frêle habite une âme capable d'age-
nouiller des chênes. Son intelligence, dès le premier

jour, me déconcerta. À Jeanne qui lui disait trouver en elle des sentiments chrétiens : "C'est, sans doute, parce que nous sommes chrétiens que nous avons aimé votre mari." Chère petite samaritaine qui avez eu compassion du voyageur percé de coups, soyez guérie à votre tour par cet autre voyageur que vos ancêtres ont crucifié. »

C'est l'extrême singularité de ce témoin de Dieu, de ce chrétien à la dérive, qui les a bouleversés, l'isolement farouche d'un catholique tout de violence et de grâce, dont les livres sont écrits pour « la canaille, hors de l'Église ». Élevés dans la détestation des prêtres, confondant bourgeois et catholiques en une même aversion, Raïssa et Jacques ne peuvent être ébranlés que par un éveilleur aussi subversif, aussi distinct du reste de la troupe. La vision de Bloy, clochard mystique vacillant sous le poids des exigences divines, « gargouille de cathédrale », inspirera plus sûrement que toute autre l'idée que Maritain s'est faite jusqu'au bout de sa propre identité dans le siècle – mendiant du ciel plus que professeur ou philosophe... « Dans un monde où l'homme a pris toute la place, et où l'admiration de soi-même, le décorum, les convenances et le soin de se conformer au siècle présent semblent le souci principal de beaucoup de lumières, la mission principale de Bloy était de faire écho aux improférations de l'Évangile, à l'exaltation vengeresse du Magnificat, et de rendre témoignage à Dieu en ne tenant compte de rien que de Dieu seul, et d'ouvrir ainsi les yeux à bien des égarés, qui croyaient follement que l'Église du Christ s'occupe plus à assurer les possessions des riches que la consolation des pauvres. Ah ! il fallait une voix qui clamât sans ménagement la vérité divine ; sans ménagement, sans rien atténuer ni dissimuler, avec un cri assez farouche pour déchirer tous les voiles où les hommes l'ensevelissent. Pour s'acquitter d'une telle mission [...], c'est la sainteté qui était strictement requise, l'héroïque armature de toutes les vertus[21]. » Maritain ne laissera d'admirer en son « bien-aimé parrain » l'homme libre assujetti à Dieu seul, l'amoureux des abîmes, le compagnon d'âme de tous les damnés de la terre – seule filiation à laquelle lui-même ait jamais prétendu.

Soixante ans plus tard, le paysan de la Garonne acceptera pour un soir d'enfreindre la règle de silence qu'il s'est alors imposée, consacrant au grand solitaire son ultime conférence* publique, s'efforçant une dernière fois d'élucider le secret conjugué de la vie et de l'œuvre de Léon Bloy. Quelle destinée eut sur la sienne autant de résonances ? Laquelle a plus intensément exprimé à ses yeux la condition tragique du chrétien des temps modernes ? Bloy était passé dans sa jeunesse par une période de violente rébellion contre Dieu et l'Église. Sa mère avait offert à la Sainte Vierge le sacrifice complet de sa santé et l'abandon de toute joie pour obtenir la conversion du seul de ses enfants qui eût abdiqué la foi. Bloy s'était converti à vingt-trois ans sous l'impulsion de Barbey d'Aurevilly, pionnier de la renaissance catholique à la fin du siècle dernier, avec Ernest Hello et Villiers de L'Isle-Adam, ces « risque-tout », ces « aventuriers de l'esprit » qui menaient une existence de dandysme et de bohème. « Sans Barbey il n'y aurait pas eu de Bloy [...]. Sans Bloy, il n'y aurait pas eu bien des hommes qui ont tâché comme ils ont pu de réveiller leurs contemporains[22]. » À trente ans, il s'était lié avec une jeune prostituée qu'il avait entraînée vers la foi au prix de « terribles déchirements ». La révélation de Dieu saisit sa compagne « comme la foudre » à la chapelle du

---

* À Dax, le 11 mars 1968.

Sacré-Cœur de Montmartre. Le couple connut pendant trois ans une existence de chasteté et de contemplation qui, à force d'exaltation, précipita l'amie de Bloy dans la folie et le jeta lui-même dans une intimité avec Dieu plus profonde encore. Malgré l'apaisement que lui procura peu après son mariage avec Jeanne Molbech, l'écrivain sombra avec les siens dans une misère dont moururent deux de ses enfants. Un demi-siècle plus tard, Maritain se souviendra de « certaine course avec lui à travers Paris vers quelque Mont-de-Piété redoutable ; il fallait renouveler la concession de la tombe de son petit André, trouver l'argent requis pour éviter la fosse commune ». Mais dans le logis de la rue du Chevalier-de-La-Barre où chaque soir on récite à genoux le chapelet et l'office des morts – « Il faut prier pour endurer l'horreur de ce monde, il faut prier pour être pur, il faut prier pour obtenir la force d'attendre » – régnait « une paix surnaturelle ».

Sans doute doit-on se replacer dans le climat d'inquiétude et d'exaltation où les a plongés leur visite de juin pour mieux comprendre les raisons qui ont incité en 1906 les Maritain à exhumer à leurs propres frais un livre de Bloy aussi étrange et complexe que *Le Salut par les Juifs*. Toute leur vie alors doit être révisée, reconsidérée. Tout en eux se bouscule dans une urgence presque irrésistible et « changer de fin dernière » ne saurait aller sans débats déchirants. Raïssa s'interroge sur « la place que le catholicisme fait à la religion juive [23] ». Là où elle redoute de trouver « lutte et opposition », Bloy lui révèle qu'il n'y a « qu'unité, continuité, harmonie parfaite », accord entre les deux Testaments, complémentarité profonde. Le livre les retient, elle et Jacques, durant tout l'été 1905.

Fût-elle marquée d'une certaine « détestation mystique » envers les Juifs, que seule peut excuser aux yeux de Raïssa la grandeur de « cet homme-là », l'exégèse flamboyante de Bloy leur découvre, à travers « une fournaise ardente de similitudes et de symboles », les textes de saint Paul sur la vocation et le mystère d'Israël. « L'histoire des Juifs barre l'histoire du genre humain comme une digue barre un fleuve, pour en élever le niveau », écrit Bloy. Raccourci décisif qui en appelle un autre : « Les Juifs ne se convertiront que lorsque Jésus sera descendu de la croix et précisément Jésus ne peut en descendre que lorsque les Juifs se seront convertis. »

« Alors que nous ignorions encore tout de la foi chrétienne, écrira Maritain[24], ce livre – avec, sans doute, les secours de la grâce actuelle, a été pour nous comme un orage d'éclairs surnaturels [...], la révélation du sens divin de l'histoire humaine, et de ce permanent témoignage auquel Israël est implacablement contraint, prouvant malgré lui l'authenticité du message de l'Église. » Produisant sur elle un effet de catalyseur, il affirmit paradoxalement Raïssa dans sa conscience juive au moment même où elle s'achemine vers une probable conversion et lui laisse pressentir qu'il n'y a d'autre choix à faire ni d'autre voie à suivre qu'appartenir à la fois au peuple élu et à la Sainte Église.

« Je l'avoue très ingénument, lui écrit Bloy le 25 août 1905, j'avais espéré* [...] que des Hébreux instruits et profonds verraient l'importance de ce livre chrétien – paraphrase du sublime "chapitre onzième du juif saint Paul aux Romains", – l'unique, depuis

---

* En 1892, date de la parution du livre.

dix-neuf siècles, où une voix chrétienne se soit fait
entendre pour Israël, affirmant avec la science et l'éloquence nécessaires, qu'il n'y a pas de prescription
pour les Promesses divines et que tout doit appartenir, en fin de compte, à la Race qui a engendré le
Rédempteur. Je me trompais...

« [...] "Je ne suis pas chrétienne, dites-vous. Je ne
sais que chercher en gémissant." Pourquoi continue-
riez-vous à chercher, mon amie, puisque *vous avez
trouvé* ? Comment pourriez-vous aimer ce que j'écris,
si vous ne pensiez pas et ne sentiez pas comme moi ?
Vous n'êtes pas seulement chrétienne, Raïssa, vous
êtes une chrétienne brûlante, une fille du Père très
aimée, une épouse de Jésus-Christ au pied de la Croix,
une servante amoureuse de la Mère de Dieu dans son
antichambre de Reine des mondes...

« Seulement vous ne le savez pas, ou plutôt vous
ne le saviez pas et c'est pour l'apprendre que vous
nous avez été envoyée...

« ... L'importance, la DIGNITÉ des Âmes est inexprimable, et vos âmes à vous, Jacques et Raïssa, sont
si précieuses qu'il n'a pas fallu moins que l'Incarnation et le supplice de Dieu pour les racheter – exactement comme la mienne... *Empti estis pretio magno*,
vous avez été achetés à grand prix. Cela, mes amis,
c'est la clef de tout, dans l'Absolu. On a été racheté,
comme des esclaves très précieux, par l'ignominie et
la torture volontaire de Celui qui a fait le ciel et la
terre. Quand on sait cela, quand on le voit et qu'on le
sent, on est comme des Dieux et on ne s'arrête pas de
pleurer [25]. »

La prédilection de Bloy pour Raïssa est manifeste.
Il « meurt de tendresse » en songeant à sa « petite amie
Raïssa » dont la force d'âme lui est apparue au premier regard. Chez Jacques, il décèle une trempe de
philosophe, « un bras d'athlète et une grande voix de

lamentateur [26] », une puissance frémissante qui l'intimide, le rend presque méfiant. L'arrivée du jeune couple dans sa vie dévastée est si inattendue pour Bloy, si salutaire qu'il ne laisse de s'en étonner : « Que puis-je vous dire, sinon que le pauvre vieux Léon Bloy est vraiment consolé par vous et qu'il vous chérit comme des enfants qu'il aurait eus de la belle Providence de Dieu [27] » ? Malgré l'indigence de leurs hôtes, Jacques et Raïssa ne peuvent refuser l'hospitalité qu'on leur réserve dans la petite maison de Montmartre. Jamais accueil ne leur a paru si doux. « Le peu d'aliments qui paraissaient sur la table étaient servis par Mme Bloy avec une bonté majestueuse. [...] Nous partagions le festin royal de leur charité en les écoutant parler des merveilles de Dieu [28]. »

Si éblouis, fascinés qu'ils soient par la présence de Bloy, et assidus à le secourir, ils n'entendent pas moins contenir son ascendant. De Péguy à Bergson, de Bergson à Léon Bloy, maintenant, comment n'être pas étourdi, enivré, aspiré à cet âge par tant d'influences croisées, tant de protections simultanées et dominatrices ? Comment ne pas crouler alors sous la richesse des matériaux et l'abondance des nourritures spirituelles ? En fait, rien de ce qu'ils ont reçu, ici et là, n'aura assez d'emprise sur eux qu'ils ne puissent, le moment venu, s'en dégager. D'une amitié à l'autre, ils n'ont cessé en réalité d'élargir, d'amplifier leur champ de connaissance, chacune d'elles ouvrant une piste nouvelle, chacune les aidant à se libérer, à s'apurer, à se rapprocher d'eux-mêmes. « Nous les réunissions en nous, en les aimant, écrit Raïssa. [...] Nos ténèbres s'éclairent doucement, lentement à leurs lumières. [...] D'un tacite accord Jacques et moi ne demandons à Bloy que l'exemple de sa vie, une communication confiante, tranquille, dans les termes qui sont les siens, de ce qu'il croit, de ce qu'il aime, de ce qu'il tient pour l'absolue vérité. Nous nous réservons d'examiner ensemble, chez nous, ces données de la vie, de la doctrine, et des sources du catholicisme [29]. »

Le génie des Maritain réside précisément dans ces investigations multiformes et explorations innombrables. Loin de s'opposer à leurs yeux, les valeurs de l'esprit, de la science et de l'intelligence se complètent, se superposent en une hiérarchie qui reste à établir et participent toutes du même mystère. « Nous pensions que la Foi elle-même pouvait être considérée comme un don supérieur d'intuition, et que, faisant appel à l'idée d'une vérité absolue, elle devait impliquer aussi et permettre de dégager une doctrine de la Connaissance assurant les prises de l'intelligence humaine sur la réalité [30]. »

De retour de vacances, en septembre 1905, ils ont fait une halte de trois jours à Chartres pour visiter la cathédrale. S'imprégner plutôt de l'âme des lieux, se fondre « en un pur repos d'amour ». Est-ce en cette même période que Raïssa, lors d'un voyage en train, ressent soudainement la présence de Dieu ? « Je regardais, je ne pensais à rien de précis. Subitement il se fit en moi un profond changement comme si, de la perception des sens, je fusse passée à une perception tout intérieure. Les arbres qui fuyaient étaient devenus tout à coup plus grands qu'eux-mêmes. Ils prirent une dimension prodigieuse en profondeur. Toute la forêt sembla parler et parler d'un Autre [31]... » Chacun en ce « crépuscule du matin » accomplit son expérience propre et sans partage possible. Jacques ne lui avouera qu'un peu plus tard que tout a changé pour lui à l'instant où il a adressé à Dieu cette prière : « Mon Dieu, si Vous existez, et si Vous êtes la vérité, faites-le-moi connaître ». Le cheminement intime de Véra, la sœur de Raïssa, tend alors vers la même destination. Jacques et Raïssa l'ont présentée à Bloy. Malgré son indépendance d'esprit, Véra s'est laissé gagner à son tour par le magnétisme de l'homme à la voix basse. « Mais de ce qui se passait au-dedans d'elle, rapporte Jacques, jamais un mot ; notre mutuelle confiance n'avait pas besoin de paroles [31]. »

Rien pourtant n'est encore résolu. Il faut une fois de plus l'intuitive intercession de Bloy pour les aider à admettre ce que la raison ne saurait suffire à expliquer. « Le visage ruisselant de larmes [32] », Bloy leur lit des pages de sainte Angèle de Foligno, évoque la parole de Ruysbroek : « Si vous saviez la douceur que Dieu donne, et le goût délicieux du Saint-Esprit ! », leur révèle la vie extatique d'Anne-Catherine Emmerich, une religieuse rhénane du siècle passé. Bloy les initie au seul catholicisme dont il soit familier, celui de la sainteté, des souffrances, des épreuves, des illuminations. C'est à Georges Sorel qu'ils doivent dans le même temps de connaître le *Catéchisme spirituel* du père Surin, qui avive plus fortement encore leur désir de contempler « l'universelle vérité ».

L'obstacle à franchir, pour Jacques surtout, est encore l'idée qu'il se fait, non du christianisme, mais des chrétiens. « Voilà l'épine qui me perce, écrit-il dans ses carnets du début de l'année 1906. Les chrétiens ont abandonné les pauvres – et les pauvres parmi les nations : les Juifs – et la Pauvreté de l'âme : la Raison authentique. Ils me font horreur. Bloy est dans le peuple chrétien comme un prophète dans le peuple juif : en fureur contre son peuple. (Mais tout de même dans ce peuple.) Dans une situation pareille, il faut redoubler de soumission intérieure et d'attente, et d'amour de l'Église. Le modèle auquel se porte la raison, c'est la vie des ancêtres de Jésus, la vie et la religion de Marie. [...] Il faudrait être de même séparé des chrétiens d'aujourd'hui. Avec un corps présent à cet âge actuel du monde, il faudrait vivre réellement avec les premiers chrétiens, remonter par-dessus tous les chrétiens de ce temps [...]. La raison demande qu'on soit baptisé, parce qu'il faut que la vie ait son centre en la foi, et parce que demander le baptême est le signe qu'on voudrait vivre ainsi. Ce qui arrivera après est l'affaire de Dieu. Pour le moment je ne sais pas si je crois [33]... » Être au milieu des chrétiens « comme des étrangers venus d'ailleurs », ne se situer qu'en « la maison terrestre de Dieu », fuir « la famille des satisfaits qui au nom de leur salut éternel ont pris parti contre le salut temporel du monde »...

L'influence de Geneviève Favre, dont il a si bien commencé au demeurant de s'affranchir, ne peut seule expliquer la haine qu'un jeune homme du temps de Ferry et d'Émile Combes voue aux milieux catholiques. L'affaire Dreyfus y entre pour beaucoup : le clergé s'est alors massivement fourvoyé dans l'autre camp. L'Église s'identifie à tout ce que Jacques rejette, armée, bourgeoisie et conservatisme. Quel crédit accorder à une institution aussi résolument cabrée, depuis le Syllabus de 1864 et le Concile de 1869, dans la condamnation de l'humanisme et du progrès, de la démocratie, du libéralisme et de la liberté de conscience ? Et comment se soucierait-il du sort que la République impose aux congrégations, réduites et dispersées entre 1880 et 1901, ou de la séparation opérée entre l'Église et l'État, celui qui milite avec Jaurès, fréquente Péguy et partage la vie du plus marginal des missionnaires de Dieu ? Jacques s'est-il intéressé davantage aux courants novateurs qui, sous l'impulsion du père Laberthonnière, de Maurice Blondel et de l'abbé Loisy, poussent l'Église vers la modernité ? Ou passionné pour l'entreprise du *Sillon* qui s'efforce de la réconcilier avec les réalités sociales ? Aucun de ces débats n'a retenu jusque-là de près ou de loin l'attention de celui qui, songeant à sa conversion, entend cheminer à l'écart, en suivant sa propre intuition. S'il fallait malgré tout le classer quelque part, ce serait du côté des isolés, de ceux tels Claudel, Massignon, Péguy qui, chacun à sa manière, ont franchi seuls ou presque l'étape décisive.

« Chaque jour, chaque matin surtout, je sens un grand mouvement de cœur pour vous, vers vous, mais que puis-je faire et que puis-je dire ? écrit Bloy aux Maritain le 15 mai 1906. Vous savez ce que je désire, combien je le désire et que je crains de paraître vous pourchasser[34]. » Rien de commun dans la manière du « mendiant ingrat » avec celle, tout en brusqueries et sommations, dont use Claudel dans le même temps vis-à-vis d'André Suarès, Jacques Rivière ou du jeune Alexis Léger qui, à la fin de décembre 1906, s'enfuit en pleurant de chez Francis Jammes après une tentative de conversion musclée de l'auteur de *Tête d'or*[35]. L'imprécateur de Montmartre procède envers les Maritain avec sa douceur, sa timidité du premier jour, laissant avant tout opérer la main de Dieu.

C'est d'eux-mêmes en réalité, et au prix d'incertitudes et de tentations déchirantes, que viendra la décision ultime. La grave maladie qui frappe de nouveau Raïssa en février 1906 plonge Jacques dans une telle angoisse que, pour obtenir sa guérison, il finit par se jeter à genoux, « comme on se jette à la mer pour le salut de quelqu'un », en récitant pour la première fois l'oraison dominicale. « J'ai demandé à Jésus et Marie, écrit Bloy à Raïssa, de prendre dans mon passé de tourments ce qu'il pouvait y avoir de méritoire [...] et de vous l'imputer, avec force et puissance, pour la guérison de votre corps et la gloire de votre âme. Et il m'est venu des larmes si douces que je me suis cru exaucé[36]... » Après une visite de Jeanne Bloy qui lui apporte une médaille de la Vierge et l'incite à prier, Raïssa s'y résout, non sans agacement pour ce qui lui semble une indiscrétion.

Le 5 avril, le couple, au sortir de « longues conversations », confie à Bloy son désir de devenir catholique. « En vous quittant hier, j'ai couru vers eux, écrit celui-ci à son ami Pierre Termier [37]. Je vous avais dit, il me semble, qu'ils m'attendaient, ayant quelque chose à me dire. Oui, certes, et j'en suis encore tout pantelant. Ils étaient à l'extrême limite du désert et ils demandaient le baptême. Dans leur ignorance des formes liturgiques, ils pensaient que j'allais pouvoir les baptiser moi-même, Raïssa n'ayant absolument pas reçu ce sacrement et Jacques n'en ayant reçu tout au plus qu'un simulacre. » Tout ne peut-il se passer seulement entre eux et Dieu et sans l'intervention d'un prêtre ? Ne vaut-il pas mieux garder pour soi un geste qui leur coûtera sans doute la réprobation de leurs proches ? « Maintenant que nous nous disposions à entrer parmi ceux que le monde hait comme il hait le Christ, nous souffrions Jacques et moi une sorte d'agonie. »

Bloy les oriente vers un prêtre de la basilique du Sacré-Cœur – « une sorte de figure d'enfant et de martyr que vous aimerez [38] » –, l'abbé Durantel. Ils mettent encore plusieurs semaines à se déterminer, se résignant par avance à devoir sans doute renoncer à la philosophie au profit de la seule vérité. « S'il a plu à Dieu de cacher sa vérité dans un tas de fumier, déclare Jacques, c'est là que nous irons la chercher. » Leur décision prise, ils en avertissent aussitôt Véra, qui leur répond simplement qu'elle-même est prête [39]. Pour Bloy, l'événement revêt une « immensité » et une « splendeur fort inaperçus » [40]. Le baptême est fixé au 11 juin, jour de la Saint-Barnabé, en l'église Saint-Jean-l'Évangéliste.

« J'étais dans une absolue sécheresse, raconte

Raïssa, je ne me souvenais plus d'aucune des raisons qui avaient pu m'amener là. Une seule chose restait claire en mon esprit : ou le baptême me donnerait la foi, et je croirais, et j'appartiendrais à l'Église totalement ; ou je m'en irais inchangée, incroyante à jamais. Telles étaient aussi, à peu près, les pensées de Jacques. [...] Nous fûmes baptisés à 11 heures du matin. Léon Bloy était notre parrain, sa femme la marraine de Jacques et de Véra ; sa fille Véronique ma marraine. Une paix immense descendit en nous, portant en elle les trésors de la foi. Il n'y avait plus de questions, plus d'angoisse, plus d'épreuve – il n'y avait que l'infinie réponse de Dieu. L'Église tenait ses promesses. Et c'est elle la première que nous avons aimée. C'est par elle que nous avons connu le Christ [41]. »

À quelques pas de là, dans la petite chapelle Notre-Dame de Montmartre, un 15 août 1534, Ignace de Loyola, Pierre Favre et cinq autres vagabonds de Dieu s'étaient rassemblés pour fonder la Société de Jésus. On fit serment de marcher au plus tôt sur Jérusalem, de dépenser sa vie pour « l'utilité des âmes ». Puis Pierre Favre, seul prêtre parmi eux, célébra la messe et donna la communion à chacun de ses compagnons.

Belle analogie, malgré lui, dans la destinée de Jacques Maritain.

Heidelberg, 27 août 1906. Nouvelle étape. Après avoir obtenu son agrégation de philosophie un an plus tôt, Jacques, qui se passionne pour la biologie depuis toujours, a sollicité une bourse d'études en Allemagne. Au pays d'Adolf von Harnach, de Wilhelm Ostwald et d'Erich Wasman, le jeune Français indifférent aux frontières intellectuelles n'a d'autre souci que de s'informer, en une matière qui le fascine, de l'état des découvertes. Il a prévu à cet effet une tournée des principales universités allemandes. En réalité, la santé toujours précaire de Raïssa les retiendra à Heidelberg plus longtemps que prévu.

Les travaux de Hans Driesch sur le développement des embryons renouvellent à cette époque les concepts sur l'essence de la vie. En considérant que l'organisme vivant ne peut avoir été produit et agencé que par l'acte créateur d'une intelligence supérieure, le biologiste renoue par là même avec la philosophie d'Aristote. Jacques se passionne pour les expériences de Driesch au point, nous dit Raïssa, d'envisager de s'y associer. Faute de s'engager dans une telle carrière, dont le détourne sans l'éloigner de son objet une vocation de philosophe de plus en plus manifeste, il consacrera en 1910 son premier grand article[42] au néo-vitalisme.

Leur séjour à Heidelberg offre aux nouveaux convertis la solitude nécessaire à l'examen d'une nouvelle vie. Cette mutation, à laquelle ils inciteront tant d'autres après eux, s'impose aux Maritain comme un « coup dur ». Le converti devient un être étrange et suspect, à lui-même comme aux autres. Sa conversion, une forme d'exil. « L'éternité a fait irruption dans une âme jusque-là dévouée au temps qui passe ; elle l'a frappée comme la foudre. L'orage divin a tout bouleversé de notre désordre, et la charité a seulement commencé à ordonner en nous nos différents amours. [...] On est encore ébloui de la vision des choses spirituelles, et l'on est déposé à nouveau sur la terre, on avance en tâtonnant. On tombe ; on s'égare dans ses jugements, on est injuste, on est partial d'une partialité divine – avec une maladresse trop humaine [...] à la fois muni et démuni de tout. La conversion est une seconde naissance, où il faut admettre de progresser lentement vers l'équilibre, de n'y parvenir qu'au prix de blessures et d'écueils qui valent mieux que la fausse paix du monde et la satisfaction de soi [43]. »

Pour les Maritain, l'épreuve est doublement alourdie par la maladie de Raïssa et l'obligation presque immédiate de faire face à l'incompréhension amère et virulente de leurs familles respectives. Le recueillement, fût-il douloureux, qu'ils sont allés chercher loin de Paris ne tarde guère à leur être disputé par les « poussées extérieures ».

Le 13 janvier 1907, Jacques note dans ses carnets : « Raïssa va mal. Terrible crise d'entérite amibienne. » Le 16 : « Faiblesse extrême. Le médecin ne voit plus d'espoir que dans une opération. Non, pas cela ! Je vais voir le Kaplan Kech. Il confessera Raïssa ce soir à 6 heures, et lui portera demain la communion et l'extrême-onction. » Le 17 est un « jour admirable » : « L'extrême-onction est ressentie par Raïssa comme un nouveau baptême, elle est inondée de grâce et de paix. Ineffable grâce de l'abandon total à Dieu et de la joie de souffrir. [...] Quant au corps, l'amélioration est soudaine et indéniable. Le médecin est étonné [44]. »

Sur le conseil pressant de Bloy, Jacques et Raïssa ont alors beaucoup prié Notre-Dame-de-la-Salette dont l'invocation, à en croire leur parrain, a provoqué la guérison inouïe de malades qui « croyaient fermement, implicitement » à son « redoutable Secret » [45]. Le 19 septembre 1846, deux petits bergers du Dauphiné ont eu la vision de la Vierge en pleurs, annonçant de vastes malheurs sur le monde. Tenue en grande suspicion par l'Église, l'Apparition constitue pour Bloy un événement d'une signification et d'une beauté exceptionnelles. S'ils inclinent par confiance en lui à croire à la réalité des faits, les Maritain restent prudents quant aux « révélations » de cet ordre qui ne seraient pas soumises à « la critique la plus rigoureuse ». La guérison de Raïssa les plonge néan-moins dans « l'ivresse du miracle [46] ».

Avec Véra qui les a rejoints pour toujours le 11 décembre 1906, Jacques et Raïssa vivent intensé-ment deux jours durant « dans le cœur de Jésus, lui abandonnant tout et heureux de tout ce qui lui plai-rait [47] ». Jamais encore lettre de Jacques n'a laissé éclater aussi librement sa ferveur que celle qu'il adresse à ce moment-là rue du Chevalier-de-La-Barre, où tant d'allégresse ne risque guère d'être mal reçue [48].

Tous trois ont résolu d'annoncer leur conversion à chacun de leurs proches. En fait, la malveillance les a déjà précédés. Les parents de Raïssa et de Véra ont été alertés par une amie de celles-ci, qui s'est manifes-tement employée à les inquiéter. Jacques se précipite à Paris, où il trouve Ilya et Hissia Oumançoff désem-parés, meurtris par ce qu'ils considèrent comme une trahison du peuple juif et de ses souffrances. Le jeune homme réussit à les apaiser, sans pouvoir toutefois atténuer une blessure durable.

La réaction de Geneviève Favre ne saurait être plus favorable. Jacques lui apprend sa conversion lors d'un déjeuner rue de Rennes, le 3 mars. « C'est une catastrophe pour elle », note-t-il. Le mot est presque faible. « Le coup fut si rude que je crus ne m'en pas relever, confiera-t-elle [49]. Il me semblait qu'on me pre-nait tout mon bien. » Elle n'a pourtant cessé de pres-sentir cette issue désastreuse, attribuant dès novembre 1906 à l'influence de « sa compagne » une emprise progressive sur Jacques de « l'esprit catho-lique [50] ». Pour elle, son fils ne s'appartient déjà plus, doublement manipulé par sa femme et par Bloy [51].

« Une lettre, ces jours-ci reçue, m'apprend que Jacques… est baptisé, a fait une première commu-nion ! écrit-elle à Ernest Psichari le 24 mars 1907. La peine que j'éprouve à voir mon enfant se courber ainsi sous le joug de sa femme est inouïe. » C'est toute l'œuvre éducative minutieusement tissée autour de ses enfants qui achève de se rompre lorsque Jeanne suit l'exemple de Jacques. Contre l'avis de son mari Charles-Marie Garnier et sans doute à l'insu de Geneviève Favre, la jeune femme décide de faire baptiser sa fille Eveline un soir de novembre 1906, à l'église Saint-Médard.

Mais c'est à une conciliation avec Geneviève Favre que Jacques et Raïssa s'efforcent de parvenir dans les semaines suivantes. « Nous qui croyons, nous te demandons de ne pas nous repousser, lui écrit son fils, de nous considérer vraiment comme tes enfants. » Et Raïssa d'ajouter, dans une lettre jointe, qu'il est possible maintenant de lui demander pardon « pour toutes les peines que vous avez eues à cause de moi », comme aussi de lui pardonner « toutes les offenses que vous m'avez faites ».

Hors Jean Marx et sa sœur, la plupart des amis de Raïssa et de Jacques se sont éloignés. Un certain Roubanovitch, directeur de *La Tribune russe* *, les accuse dans une lettre virulente d'avoir eu « peur de la vie » et de préférer cacher leur tête dans le sable [52]. Les malentendus ne font que commencer. Sans doute Raïssa est-elle plus exposée que Jacques encore à la réprobation de son milieu d'origine. On aura l'occasion de le vérifier.

La réaction la plus chaleureuse, quoiqu'il paraisse étonné de « n'avoir pas été attendu », émane de Péguy. « Moi aussi j'en suis là ! » s'écrie-t-il aussitôt, ajoutant : « Le corps du Christ est plus étendu qu'on ne pense. » Mais à la différence des Maritain, Péguy, qui rappelle

* Où Maritain a publié quelques articles en 1905.

ses premiers prix de catéchisme, ne se considère pas comme un converti, plutôt un enfant égaré et qui revient sur ses pas. Son retour à la foi a été préparé et en quelque sorte négocié dans l'ombre avec un de ses condisciples au collège Sainte-Barbe, Louis Baillet. Ordonné prêtre dans la cathédrale d'Orléans en 1900, Baillet est entré au noviciat de Solesmes peu avant que les décrets d'Émile Combes contraignent à l'exil les moines de l'abbaye. Réfugié à l'île de Wight, il dit tous les matins sa messe à l'intention de Péguy, convaincu de pouvoir le ramener à Dieu.

Plus que jamais, Maritain est au printemps 1907 l'homme de confiance de Péguy, une « pièce essentielle » de son système. C'est à l'insu de Geneviève Favre, bien qu'ils en débattent à son domicile[53], que les deux hommes – le plus jeune a vingt-cinq ans, le plus âgé trente-trois – vont nouer une autre forme de collaboration. Péguy encourage son ami à revenir d'Allemagne en ayant terminé sa thèse. Il déclare avoir pour lui des vues « sur les situations temporelles que vous devez occuper » et dépêche en ce sens à Heidelberg, dans la première semaine de mai 1907, un de ses fidèles, Edmond Marix. « Je lui ai dit mes premières réflexions en faveur de la tradition juive pure – contre le christianisme, rapporte celui-ci à Péguy[54]. Je pense qu'il nous sera un précieux auxiliaire dans tout ce travail. Nous aurons en tout cas une direction commune contre Renan. »

Péguy veut « pousser plus avant » l'échange à ses yeux « décisif » qu'ils viennent d'avoir sur la foi, organiser désormais leur amitié « dans le détail »[55], comme si elle avait enfin trouvé sa pleine raison d'être. Et de s'avancer, presque matois : « Pour vous donner un exemple particulier de ce que j'entends par là, j'ai des amis qui se sont réfugiés depuis plusieurs années dans l'île de Wight et depuis tout ce temps je suis presque sans nouvelles d'eux [...]. Il me semble qu'il vous revient de rétablir définitivement avec eux ma communication spirituelle. » Maritain se montre presque flatté, et heureux en tout cas, de pouvoir désormais « seul peut-être de tous vos amis » rendre au directeur des *Cahiers de la Quinzaine* « certains services spirituels » et le prie de le considérer « à ce sujet comme je dois l'être, c'est-à-dire comme votre serviteur » [56].

Maritain voit dans sa mission la preuve que Péguy entend « vivre et mourir dans la foi catholique [57] ». Raison de plus de s'empresser. Il se jette dans l'aventure avec sa fougue et sa candeur de nouveau converti, intercesseur à son tour. Il se croit porteur d'un message de lumière quand il ne sert en réalité que la stratégie obscure de son commanditaire. Non seulement Péguy craint les indiscrétions de la poste, mais il lui faut encore brouiller les pistes pour mieux dissimuler à sa femme, farouchement anticléricale, comme à Geneviève Favre au demeurant, son retour à la foi. En dépêchant secrètement Maritain auprès du seul homme d'Église qu'il tolère, Péguy tente de maintenir une équivoque qu'en réalité son émissaire ni Baillet ne sauraient cautionner. « Péguy qui, dans cette affaire, pensait beaucoup plus à ses abonnés qu'à sa famille, avait espéré que les moines de Solesmes lui donneraient une caution, officieuse, mais suffisante et précieuse, et que sans rien changer de sa vie publique, il pourrait se certifier, à lui-même et à ses amis chrétiens, qu'il était bien chrétien, sans pour autant faire aucune déclaration de son nouvel état de chrétien "converti" dans les cahiers. Sans imposer à ses vieux abonnés dreyfusards l'inutile provocation d'une nouvelle aussi fracassante, il les persuaderait, par paliers insensibles, et les amènerait à modifier leur position vis-à-vis du christianisme. C'est

Péguy, chrétien sans le dire, qui se chargerait, de par l'évolution même de son œuvre, de notifier à ses abonnés que lui-même était devenu chrétien[58]. » On ne peut être plus ambigu.

Maritain arrive à l'abbaye d'Appuldurcombe le 24 août. Il rencontre Baillet et le père abbé de Solesmes dom Delatte qui le reçoit pendant une heure. « Il dit que Péguy doit tout donner, ne pas attendre. Je suis chargé d'une contre-ambassade, lui dire qu'il doit faire baptiser ses enfants[59]. »

Quel intérêt Péguy éprouve-t-il dans le même temps à divulguer auprès de Geneviève Favre le secret du voyage de Jacques en falsifiant ses véritables mobiles ? S'il a pris l'initiative d'envoyer Jacques à l'île de Wight, explique-t-il, c'est pour mieux le soustraire à l'influence de Bloy... La « duplicité de sa diplomatie amicale[60] » achève d'embrouiller une situation qui tourne pour Maritain à la partie de dupes.

« Il reçut Jacques avec tendresse à son retour d'Angleterre, rapporte Raïssa. S'il ne suivait pas immédiatement le conseil de dom Baillet, c'était, pensions-nous, dans le désir de ne rien brusquer, et de laisser à sa femme le temps de comprendre que sa conviction à lui était profonde et irrévocable. En octobre nous repartîmes pour l'Allemagne. Mais à notre retour, en mai ou juin 1908, nous trouvâmes Péguy dans la même indécision. Cela commençait à nous paraître un manque de courage incompréhensible chez un homme de ce caractère. Péguy sentit que nous le blâmions, se rappela tout à coup qu'il était notre "aîné", et se fâcha. [...] Jacques et lui avaient de longues discussions, qui n'aboutissaient jamais. Péguy cherchait des raisons pour justifier ce qui en droit n'était pas justifiable. Jacques revenait toujours sur ce qu'il regardait comme évident[61]. »

La position des Maritain se fait aussi catégorique

que peut être équivoque le jeu de Péguy. Tout à la fin
de sa vie, Maritain regrettera le « ton dogmatique et
[...] la manière naïvement et insupportablement arro-
gante » dont il usa, « croyant de mon devoir de ne
tenir aucun compte de la sensibilité de Péguy [62]. »

En le dépêchant auprès des exilés de Solesmes,
Péguy a pris le risque, empêtré dans ses multiples
stratégies, d'ouvrir à ses dépens le débat essentiel. « Ce
qu'il a à écrire maintenant, explique Maritain à Baillet
le 26 septembre 1907, il ne peut l'écrire que s'il reste
dans son état actuel de non-pratiquant [...]. Et il
considère son œuvre littéraire comme assez importante pour faire retarder de quelque temps encore
l'exécution des commandements de l'Église. Il assure
qu'il n'est pas orgueilleux – et il le croit. Il ne voudrait
pas "rentrer dans l'Église" comme tout le monde,
mais peut-être que Dieu prépare sa rentrée d'une
manière particulière et exceptionnelle et veut qu'il
demeure en réserve... jusqu'au jour du martyre peut-
être [63]. » Cette réserve envers l'Église que Maritain eût
partagée sans mal deux ans plus tôt, voici qu'il la
réprouve maintenant de toute son énergie d'initié.
« Là où le maître a fait un règlement pour toute sa
maison, assène-t-il à Péguy [64], les serviteurs ne vont
pas lui demander des ordres personnels. Il ne peut
pas y avoir de vocation particulière précédant la vocation universelle. Il y a des vocations spéciales à l'intérieur de la vocation générale, il n'y en a pas en dehors
d'elle ou même antérieurement à elle. On n'est pas
chrétien avant d'être homme ; on n'est pas saint avant
d'être chrétien [...]. Car "rentrer dans l'Église" ne
signifie pas se mettre en règle aux yeux des hommes ;
cela signifie faire ce que Dieu demande, ce qu'il commande absolument et en premier lieu [...], redevenir
vivant dans le corps de Jésus-Christ, recevoir la vie et
la nourriture de la grâce... »

En s'abstenant de prendre part aux offices religieux, bien qu'il s'affirme catholique auprès de ses proches, Péguy blesse « l'amour du Christ pour nous ». Les Maritain ne peuvent admettre de le voir « différer l'accomplissement de ce qu'il devait à Dieu » par crainte de heurter les siens en faisant baptiser ses enfants et en régularisant son mariage. « Il attendait, il voulait attendre, et il voulait qu'on acceptât qu'il attendît », écrit Raïssa.

Sans doute faut-il connaître le choix de vie des Maritain au même moment pour mieux comprendre leur intransigeance envers Péguy. Vie la plus ordonnée, rigoureuse et obéissante qui soit, et dont l'ordinaire suffit à dire l'exigence : « Lever à 6 heures, Messe et Sainte Communion à 7 heures 15. On revient, lit un peu pendant qu'on nous prépare le déjeuner. Ensuite je me mets au travail jusqu'à 11 heures 30. Jusqu'à 10 heures (les jours où il n'y a pas marché), Véra fait de l'harmonium ou bien lit ; puis oraison de 10 heures à 10 heures 45. Ensuite cuisine. Jusqu'à 10 heures 45, Raïssa raccommode, range, lit ou travaille. Oraison de 10 heures 45 à 11 heures et demie. Harmonium (ou cuisine !). Je fais oraison de 11 heures et demie à midi 15. Après le déjeuner, Raïssa et Véra se reposent un peu, lisent ou cousent. Quand on peut, on dit quelques psaumes. Puis travail. Latin, allemand, lectures diverses. Véra a charge de lire un peu d'histoire, et de nous faire des conférences. Vers 5 heures, tous trois allons prier devant le Saint-Sacrement. On dîne à 6 heures 30 ou à 7 heures, on bavarde un peu, on se communique les nouvelles du jour, la dernière conférence du père Faber ou le dernier avis de Madame l'Abbesse (de Sainte-Cécile) ; on compose le menu du lendemain. À 8 heures, Raïssa et Véra sont au lit. Complies. Chapelet. On s'endort. Je vais à la cuisine, à la clarté d'un bec Auer, et je travaille encore un peu, dans la paix du père de famille qui a couché ses enfants. Puis une heure de lecture dogmatique. Couché à 11 heures[65]. » C'est leur vie tout entière qu'ils ont entrepris de remettre entre les mains de Dieu, chacun selon son expérience propre. L'engagement de Jacques est un entrecroisement permanent de méditations, d'échanges, de rencontres, d'investigations entre ciel et terre. Celui de Raïssa, une lente absorption de tout l'être, un désir fou et inexprimable qui la laisse comme égarée parfois et sans autre recours que le silence et les larmes. Le 6 juillet 1907, ils ont reçu à Grenoble le sacrement de Confirmation après une brève retraite à La Salette où, près de Celle qui a révélé à deux enfants sa souffrance pour le monde, les pèlerins trouvent une maison selon leur cœur.

Comment souffrir dès lors les atermoiements, les compromis par lesquels Péguy diffère son entrée dans l'Église ? « Nous vivions au jour le jour notre anxiété, nos doutes, notre pitié, notre peine à voir un Péguy si troublé, si réticent, si malheureux, confie Raïssa. Au loin son ami Baillet souffrait comme nous, lui donnait les mêmes conseils que nous. » Pris entre les difficultés matérielles que soulèvent toujours la parution des « Cahiers » et l'édification de son œuvre, de plus en plus séparé des siens, talonné par Maritain et Baillet, Péguy est un homme aux abois.

Déjeunant à Lozère, dans la vallée de Chevreuse, chez les Péguy, le dimanche 26 juillet 1908, Jacques est frappé par le mélange de chants religieux et de chants sacrilèges « indistinctement amassés[66] » dans cette famille, bien que le « saint nom de Jésus ne semble pas vouloir quitter ses lèvres[67] ». Fin août, une tentative pressante de Baillet d'inciter Péguy à régulariser son mariage devant l'Église ou à tirer les conséquences d'un éventuel refus de sa compagne, se conclura par un nouvel échec. L'intéressé répète qu'il ne se ralliera que le front haut et sans courber le front. Il songe à pratiquer dans quelques mois, mais en secret – parce que trop de chrétiens « en ce moment » compromettent Dieu et l'Église et « qu'il ne faut pas risquer d'être confondu avec eux » [68].

Alliée de Péguy dans le combat sans merci qui oppose celui-ci à Jacques, à quelques pères de l'Église, mais plus encore à lui-même, Geneviève Favre a gagné la « grande affection » d'Ernest Psichari au moment où toute relation semblait rompue entre son fils et le Centurion. S'agit-il pour elle de rivaliser d'influence pas à pas avec celui qui « humilie son intelligence » au pied des autels ? De contenir alentour la propagation du mal ? Geneviève Favre s'emploie à mettre en garde le maréchal des logis Psichari contre la contamination de Jacques, asservi au dogme catholique au point d'assister à la messe chaque matin. « J'ai éclaté en sanglots, exprimant à Jacques ma douleur à le voir annihilé, réduit à un tel esclavage, confesse-t-elle en septembre 1907 [69]. Le suppliant de sortir de son rêve pour comprendre que des gens souples, menteurs, habiles travaillent, sans qu'il s'en doute, à briser son intelligence [...]. Jacques attend votre retour avec impatience, dévoré d'ardeur prosélytique (*sic*), et il m'a dit son espoir de vous amener à lui ! C'est à pleurer. »

En effet, Jacques prie activement pour la conversion de Psichari. « J'espère que tu nous reviendras de ces solitudes croyant en Dieu », lui écrit-il, aussi prompt à l'offensive et abrupt dans l'approche qu'il s'est montré avec Péguy. Peu soucieux de ménager sa proie, le chasseur d'âmes réitère son appel quelques mois plus tard : « Nous avons prié pour toi du haut de la sainte montagne*. Il me semble qu'elle pleure sur toi cette Vierge si belle, et qu'elle te veut. Ne l'écoute-ras-tu point [70] ? »

Lorsqu'il rentre en métropole en février 1908, après une longue mission au Congo et dans la plaine du Tchad qui lui a valu la médaille militaire, Psichari renoue avec l'inoubliable ami du lycée Henri-IV. Le métier des armes lui a fourni plus qu'une raison de vivre, une véritable libération spirituelle à travers les « pures grandeurs » de l'ordre militaire. La soumission du soldat ne constitue à ses yeux qu'une « figure d'une soumission plus haute [71] ». Dès le retour en France de Psichari, la pression de Maritain se fait plus vive, éveillant cette réponse troublée et déjà décisive :

« Perros-Guirec, 6 août 1908.
« Mon cher Jacques,
« Je réponds bien tard à ta belle et longue lettre. Elle m'a plongé dans un tel abîme de réflexions que je suis, encore aujourd'hui, incapable de me formuler quelque chose de précis. D'autre part, je me suis livré ces temps-ci à un travail acharné qui a occupé tous mes instants. C'est donc dans un grand état de trouble et de désarroi que je t'écris.

« Tout ce que je puis te dire pour l'instant, c'est mon attirance pour cette belle maison spirituelle où tu veux me faire entrer. Ta pensée, mon cher Jacques, est d'une essence si précieuse qu'elle exerce sur moi une véritable fascination. Je ne saurais te dire l'impression de ravissement et de joie rafraîchissante que j'éprouve en te lisant ou en t'écoutant. Mais c'est là surtout, je dois te l'avouer, une impression *physique*. Je suis attiré vers ta maison, mais je n'y entre pas. Bien entendu je trouve ton état d'esprit infini-

---

* La Salette.

ment supérieur à celui des scientifistes (*sic*), rationalistes et positivistes d'aujourd'hui. [...]

« Tu dis qu'il est étonnant que nous ne soyons pas
tous des saints et qu'en tout cas nous ne pouvons pas
dire celui qui est saint et celui qui ne l'est pas. Est-il
possible d'assigner une mesure humaine à la sainteté ?
Si tout de même je devais faire choix d'une mesure
humaine de la sainteté, je prendrais – en première
ligne – l'élévation du cœur et la noblesse morale. Si
réellement Dieu existe, je pense que ceux qui s'en
approchent le plus, ce sont les hommes – saints de
l'Église, soldats, penseurs – qui participent de cette
vertu morale essentiellement divine, me semble-t-il.
[...]

« Envoie-moi quelques lignes, si tu persistes à ne
pas juger un pauvre soldat trop indigne de te lire.
Chaque lettre de toi résonne en moi pendant des
jours. Si je vis d'impressions fugaces, sans beaucoup
penser, ne me méprise pas trop et fais-moi tout de
même entendre de temps en temps ces belles sonori-
tés lointaines que j'aime tant. [...]

« Ernest. »

Maritain a visé juste, même si Psichari se défend
encore d'avoir été atteint et usera pendant quelques
années de la protection de Geneviève Favre comme
d'un antidote à l'emprise de son correspondant. Un
soir de janvier 1909 où il redescend l'avenue des
Champs-Élysées avec son ami Henri Massis, Psichari,
qui vient de publier *Terres de soleil et de sommeil*, tire
de sa poche une lettre de Maritain dont il se dit
quelque peu effaré : « Il me voit retournant là-bas sous
un autre habit que celui de soldat, il me voit sous la
robe du missionnaire[72] ! » Le soldat qui s'apprête à
regagner l'Afrique, après son stage d'élève-officier à
l'École d'artillerie de Versailles, a beau déclarer ne

faire « qu'un » avec Maritain, c'est en réalité du côté de Péguy qu'il choisit alors de se situer. Cet « autre solitaire en qui vivait l'âme de la France » l'aide à se forger une mystique militaire et nationale plus conforme à sa vocation apparente que la « maison spirituelle » où le presse de le rejoindre son ami de toujours. « Pas d'obstacle à la grâce, incliné vers la foi », diagnostiquera néanmoins Jacques après un déjeuner avec Ernest en novembre [73].

Les obstacles, le converti entend les réduire avec une hâte si présomptueuse qu'il déroute, en fait, et inquiète plus qu'il ne convainc. Trop vite encerclé, assiégé, l'autre se sent tenu à une capitulation sans délai. Ne lui reste plus qu'à se rendre, en effet, ou à soutenir le siège. On est loin encore du Maritain enveloppant, rassurant, tout à l'écoute de l'hôte de passage, qui saura quinze ans plus tard gagner avec une finesse d'oiseleur les âmes les plus rétives. Il offre plutôt alors l'image brutale d'un croisé chevauchant sabre au clair dans sa cotte de mailles. Et pire parfois, à force de diligence impétueuse, celle du conquistador prêt à tout pour évangéliser l'indigène. À preuve, ce que l'on pourrait appeler la « fâcheuse expédition du 22 juillet 1909 ».

Deux ans après avoir dépêché son « coadjuteur » à l'île de Wight, Péguy n'a guère dévié de ses positions. Chrétien mais farouchement anticlérical, il s'est rendu à pied à Chartres – cent soixante kilomètres aller-retour – pour prier dans la cathédrale. Aux yeux de ses contempteurs, si Péguy tarde avec tant d'obstination à rentrer dans le rang, c'est en réalité par peur d'affronter sa femme et ses enfants. Tout le malentendu avec Maritain repose sur cette interprétation en quelque sorte ménagère de ses véritables mobiles.

Amie de Péguy depuis la brève aventure de *Jean-Pierre*, Jeanne Maritain l'accuse un jour tout de go de

« vouloir servir deux maîtres à la fois, et d'être igno-
blement lâche[74] ! ». Rapportant la scène à Raïssa et
Jacques, Jeanne décrit un Péguy abattu sur sa chaise.
« À la fin, il s'est écrié : "Vous feriez mieux d'aller dire
toutes ces choses à Lozère !" » Et Jeanne de le prendre
au mot : « Le voulez-vous ? demande-t-elle. – Oui,
répond Péguy »[75].

Dans la lettre qu'il adresse séance tenante à Louis
Baillet, Jacques prête à Péguy des propos plus résolus
encore : « Vous feriez bien mieux de dire tout cela à
ma femme et à ma belle-mère, et leur dire que je veux
que ma femme et mes enfants soient baptisés[76]. » La
question est de savoir si Péguy, soumis une fois de
plus aux griefs des Maritain – frère et sœur réunis –
s'est délivré d'un souhait profond ou n'a cherché qu'à
confondre ses accusateurs.

Baillet consulte ses supérieurs sur l'opportunité
d'une telle démarche. Susceptible tout à la fois de cla-
rifier la situation ou de l'embrouiller à jamais, l'envoi
d'une ambassade dans la vallée de Chevreuse est finalement décidée. Et c'est Jacques Maritain qui se voit
investi d'une mission aussi délicate.

L'émissaire se présente à Lozère le 22 juillet. « Mon
père n'était pas là, ce qui ne manqua pas de nous surprendre quelque peu, raconte Marcel Péguy[77]. Je ne
sus que bien des années plus tard que Maritain était
volontairement venu à la Maison des Pins en
l'absence de mon père : un zèle assez intempestif
l'avait poussé à venir déclarer à ma mère qu'il lui semblait indispensable à lui, Maritain, qu'elle régularisât
sa situation par un mariage religieux. Il n'y avait pas
de meilleur moyen d'inciter ma mère à refuser... »
Tant du côté de Charlotte Péguy que de sa mère Caroline Baudoin, le visiteur impromptu ne trouve que
haine des prêtres et des sacrements. Pour elles, le baptême met l'enfant « en communion avec le péché et la

pourriture des scandaleux, comme avec la vertu des saints [78] ». Mieux vaudrait à tout prendre le suicide de leurs enfants qu'un baptême imposé.

« Jacques prenait sur lui l'humiliation d'une défaite pressentie, le risque de voir déformer et ses intentions et ses paroles, pour ne pas manquer à ce qui était peut-être une chance de rencontre entre les âmes, écrira Raïssa. Du moins avions-nous, en ce temps-là, l'excuse de notre jeunesse et de notre inexpérience…

« Il incombait à Péguy de régler lui-même avec sa femme cette question du baptême de leurs enfants. Et Mme Péguy ne pouvait qu'être blessée et irritée de la présence d'un étranger dans ce débat cruel.

« Comme il fallait s'y attendre, donc, la conversation fut pénible, orageuse, et de résultat nul [79]. »

La duplicité de Péguy ne tarde guère à se révéler. Mettant à profit la déroute de Maritain, il recourt maintenant aux bons services de Geneviève Favre pour réparer les dégâts causés par son fils.

« Un matin Péguy apparut […] dans la minuscule pièce où je travaillais […] Sans s'asseoir il me dit d'un ton bref : "Vous seriez gentille d'aller aujourd'hui à Lozère. – Y a-t-il quelqu'un de malade ? interrogeai-je – Non, mais ne manquez pas d'y aller aujourd'hui. […]

« … Dans quel état je trouvai Mme Baudouin, Mme Péguy ? Dans quel état de chagrin, d'exaspération… et contre qui ? Contre mon fils… J'essayai tout d'abord, et en vain, de les calmer, mais bien vite je restai consternée par leurs révélations. […]

« Sans ménagements, trop zélé néophyte, me dirent-elles, il les avait terrorisées en exposant à Mme Péguy l'urgence de la consécration catholique de son mariage, en lui déclarant que si elle ne se rendait pas à l'évidence, elle attirerait sur elle et les siens les plus grands malheurs.

« Il me sembla qu'un désastre avait fondu sur cette pauvre maison...

« Le lendemain, tôt dans l'après-midi, visite inopinée de Péguy : il était pâle, contraint, j'étais au supplice [...].

« Par quelques mots étranglés, il me dit que Jacques avait dépassé son mandat, qu'il avait tout compromis par son zèle intempestif ; il se leva, ajoutant : "Je n'ai plus qu'à partir", et il disparut [80]... »

Geneviève Favre trouve là une occasion presque inespérée de dénoncer l'activisme de Jacques et de celle, surtout, qui n'a cessé de lui apparaître comme la manipulatrice de son fils. Trente ans plus tard, dans les souvenirs sur Péguy qu'elle publiera dans la revue *Europe*, la dame de la rue de Rennes mettra publiquement en cause les agissements de Jacques à cette époque, charge si lourde et injuste aux yeux de l'accusé que celui-ci s'attachera, non sans un « sentiment de grande tristesse », à lui répondre en privé, ligne par ligne :

« Pourquoi ne dis-tu jamais clairement que Péguy en 1907-1908 est revenu à la *foi* catholique ? [...] Je n'ai aucun désir de faire Péguy plus orthodoxe qu'il n'a été ; tu le sais aussi bien que moi, je n'ai pas l'ombre d'un motif "confessionnel" ou "apologétique" en te parlant comme je le fais, je ne me place qu'au seul point de vue de la *vérité* : c'est défigurer Péguy que de passer sous silence ce qu'il y avait de profondément, d'irréductiblement catholique en lui. [...] Péguy a été un anarchiste et un anticlérical dont la foi (je ne dis pas l'obéissance), dont la foi catholique était entièrement sincère et d'une admirable profondeur. C'est une situation psychologique paradoxale et qui peut donner lieu aux commentaires les plus compliqués ; ton devoir, comme le devoir de tout historien, est de la constater clairement.

« Tu sembles constamment en bataille pour disputer Péguy à je ne sais quel "parti" [...]. Est-ce que tu
vas t'irriter de ce que des catholiques se montrent
assez libres d'esprit pour aimer Péguy et propager son
influence *malgré* tout ce qui peut les choquer en lui ?
Ou bien aimer Péguy est-il un droit réservé à tes seuls
amis libres-croyants ?

« Tu ne vois pas, ma chère maman, que [...] par
tendresse pour toi il tâchait de ménager tes préjugés
anticléricaux tout en suivant ses propres préjugés
anticléricaux (qui n'étaient pas tout à fait de même
nature), et tout à la fois de t'éclairer sur certaines réalités religieuses qu'il voyait mieux que toi, de te faire
comprendre que tout en restant libre et éloigné des
"bigots" il était cependant chrétien-catholique (d'un
catholicisme qui à mon avis aurait été beaucoup plus
libre encore, et tout aussi éloigné de la bigoterie, s'il
avait été plus complet) : mais enfin c'est abuser de
cette tendresse que de l'installer, lui, dans une religio-
sité de sentiment, sans dogmes ni Incarnation ni
sacrements, dont il était sûrement aussi éloigné que
de la bigoterie. Il y avait un secret en Péguy, oui ! et
auquel ton "amour d'absence" a raison de tenir, oui !
et que ton témoignage peut aider à deviner un peu
mieux, oui ! Mais à condition que ton témoignage lui-
même soit suffisamment libre de passion. C'est au
sein de la foi catholique et non pas en dehors d'elle
que Péguy – avec toutes les hardiesses et les témérités
qu'on voudra, et avec une position de hors-la-loi –
annonçait une "renaissance du catholicisme".

« [...] En ce qui concerne l'attitude de Péguy vis-à-
vis de toi, il me semble qu'il y aurait lieu de faire
davantage appel à ton instinct psychologique. Pourquoi avoir l'air de ne pas t'apercevoir que bien des
choses qu'il t'écrivait à la fin, avec une exquise délicatesse, provenaient justement du désir de t'amener un

peu plus près de sa propre foi ? Et quand il te dit :
"Vous êtes plus chrétienne dans votre petit doigt que
tous ces imbéciles dans tout leur appareil", ma chère
maman, quand un homme comme Péguy dit une
parole comme celle-là, ce n'est pas pour *arrêter* l'âme
à qui il parle dans un certain contentement de soi au
détriment des autres imbéciles avec tout leur appareil,
c'est pour la pousser à *avancer* plus loin et plus vite
dans le sens de ce christianisme qu'il découvre en elle
et jusque dans son petit doigt comme une sève de vie.
Ce serait un grave contresens de prendre un encouragement à aller plus loin pour une approbation de rester sur place.

   « Je ne te cacherai pas que certaines pages me
concernant m'ont bien surpris et peiné. [...] Mais
c'est surtout le récit de ta visite à Lozère qui m'a
douloureusement surpris [...]. Même si j'accorde que
dans cette conversation où je me suis trouvé en face
de têtes si dures et si violentes je suis allé trop loin
comme Péguy te l'a dit (et il n'assistait cependant
pas à l'entretien), tu devrais en tout cas être la première à sentir la fausseté de l'image odieuse qu'on
t'en a donnée et que tu transmets fidèlement, sans
même songer à exposer le thème et la raison de cette
visite, qui était de demander à Mme Péguy – de la
part de Péguy – pourquoi, le baptême n'étant à ses
yeux qu'un geste sans signification, alors que pour
Péguy c'était le sacrement de la grâce, elle ne
consentirait pas à accorder à Péguy le baptême des
enfants qu'il souhaitait : ce qui était peut-être naïf,
mais en tout cas pleinement pacifique. Plus loin,
quand tu rapportes, tirée des lettres à Baillet, la
phrase par laquelle Péguy met fin à mes fonctions
d'ambassadeur" avec des considérants rancuneux, tu
aurais pu, toi qui connais bien les vivacités et les
susceptibilités passionnées que Péguy apportait dans

ses amitiés, tenter au moins une explication [...]. Ta mémoire ne t'a même pas rappelé le fait que j'avais rencontré Péguy chez toi quelques mois avant la guerre, et que cette rencontre amicale avait le sens d'une réconciliation [81]. »

Qu'ils aient été l'un et l'autre également dupes, au bout du compte, de la stratégie de Péguy n'enlève rien à la force d'une telle confrontation intellectuelle entre une mère et son fils, ni même à la profonde tendresse qui unit les deux protagonistes. Du moins ont-ils en commun de tout risquer, tout engager d'eux-mêmes dans les seules batailles qui leur importent et sans jamais céder à quiconque un pouce de terrain.

Face à Péguy, la sollicitude du converti n'a cessé d'achopper sur une mauvaise appréciation de ce qu'en attendait véritablement l'auteur de *Jean Coste*. Autant que Péguy l'ait interrogé et appelé à la rescousse, en fait « la réponse ne l'intéressait pas [82] », observent les frères Tharaud : « Son trouble, son silence, qui purent donner un instant l'impression qu'il cédait, c'était l'angoisse de quelqu'un qui sait parfaitement qu'il ne doit pas agir autrement qu'il n'agit, qu'il n'agira jamais autrement, et qui mesure du même coup la faiblesse d'une situation à laquelle il ne pouvait ou ne voulait rien changer. » Dans son désir de persuader à tout prix et jusqu'à l'intolérance, Maritain ne saura à aucun moment lâcher prise ni seulement corriger l'angle d'attaque. Il en rajoute au contraire, lors de la publication du *Mystère de la Charité de Jeanne d'Arc*, dans l'objurgation et le désaveu. « Je vois manifeste-ment que vous êtes encore loin du vrai christianisme, avec l'illusion d'y être arrivé, écrit-il à Péguy le 2 février 1910, et que vous faites part au public d'une illusion et d'une fausse piété comme si c'était la vraie foi, comme si c'était votre pensée définitive [83]. » Péguy a « défiguré » Jeanne d'Arc en substituant à « la force

souveraine et à la douceur du Saint-Esprit » une
« complication et une agitation toutes romantiques »,
« une idée de Dieu moderne », « une foi sans
confiance », « une tristesse d'orgueilleux ». Il a rabaissé
la « Passion de Notre Seigneur » à une sentimentalité
vulgaire et complaisante. « Notre Seigneur souffre cela,
ayant souffert bien d'autres outrages. Mais de la très
Sainte Vierge Marie, vous osez parler bassement !
Comment supporter cela ! Dans cette œuvre faite avec
tout ce que vous avez de zèle et de dévotion, vous êtes
resté lamentablement au-dehors [...]. Maintenant, je
pense que cela prouve simplement que vous avez
encore du chemin à faire pour être un chrétien fidèle.
Et comment s'en étonner ? C'est un chemin que nul
homme ne peut faire lui-même, où Dieu seul peut
nous porter. »

Cette fois le coup assené à l'infidèle est d'une telle
violence qu'il précipite leur rupture. Le 25 avril 1910,
Péguy signifie son congé à celui qui, chargé de le
« représenter » auprès du père Baillet, a mis « une telle
opiniâtreté à s'acquitter mal de son mandat ». À quoi
Maritain répondra qu'il lui restera néanmoins à
s'acquitter « jusqu'à la fin » de la mission de prier pour
lui.

Vivre dans le monde sans se conformer au monde,
n'appartenir qu'à Dieu sans rien abandonner de
l'expérience humaine : si résolue soit-elle, l'orientation que Jacques et Raïssa Maritain se sont donnée
n'est pas allée sans un sentiment de vertige à leur
retour en France au printemps 1908. Dans la solitude
de Heidelberg, deux années durant, où ils ont pu lire,
méditer, prier, confronter sans fin idées et expériences, laisser se développer « les tendances propres à
chacun [84] » et se décanter les connaissances accumulées, ils n'ont vécu qu'entre eux, sans chercher à fré-

quenter personne. Isolement propice aux grandes révisions intérieures. C'est à Heidelberg qu'en secret ils ont déjà rompu avec Bergson, abouti à la « constatation irrécusable » de la valeur du concept dans la connaissance de l'infini et décelé une conciliation possible entre la foi et la raison. Mais sur le point de réintégrer le siècle, ils se sentirent soudain si vulnérables et mal armés qu'il leur faut bientôt s'en remettre à l'autorité d'un père spirituel.

La perfection à laquelle ils aspirent ne saurait à leurs yeux se passer d'un guide apte à leur en montrer les voies. Eux que la moindre tutelle morale ou intellectuelle rebutait voici à peine deux ans et qui n'ont jamais consenti qu'à ce qui relevait de leur libre examen, c'est avec une « docilité enthousiaste », selon la formule de Raïssa, qu'ils rêvent d'être conduits « au sein même de l'Église » par quelque main assurée. Dans l'éblouissement de leur conversion, ils vouent aujourd'hui une confiance « sans bornes [85] » à ceux qui « ont choisi de se consacrer au service de Dieu ». Quelle meilleure école, plus discrète, sobre et pacifique, que l'ordre auquel commande, élu à vie, un homme aussi « magnifique et génial » que dom Delatte ? Lors de son passage à l'abbaye d'Appuldurcombe, en août 1907, l'envoyé spécial de Péguy a profité de sa mission pour consulter l'imposant et lumineux père abbé de Solesmes sur l'opportunité d'une direction spirituelle.

« Dom Delatte plaisanta d'abord là-dessus, émit quelques paradoxes, et, entre autres choses, dit à son jeune interlocuteur, dont il s'amusait à brusquer la ferveur de novice un peu trop engoncée, qu'un directeur n'était nécessaire que dans trois cas : si l'on est incertain de sa vocation, si l'on est maladivement scrupuleux, si l'on est conduit par les voies extraordinaires des visions et des révélations. Or deux membres de notre trio étaient fixés dans l'état de mariage, et il nous trouvait paisibles dans notre conscience et nullement visionnaires. Il nous recommanda pourtant de prier pendant une année à l'effet d'obtenir de Dieu le guide dont nous pourrions, malgré la théorie émise, avoir besoin. Et il nomma séance tenante le Père Clérissac, un de ses grands amis, dont il admirait sans réserve le caractère et l'intelligence [86]. »

À peine réinstallés à Paris, à la fin de l'année 1908, ils accourent vers l'homme susceptible de prendre leur âme en charge. Jusqu'à sa mort prématurée en novembre 1914, Humbert Clérissac exercera sur le couple une influence si puissante et décisive que, pour le meilleur et le pire, il n'est rien alors de la vie des Maritain qui ne sera conditionné, inspiré, fomenté par elle. Conseiller occulte autant que confesseur, directeur de conscience autant qu'éminence grise ? Son ascendant ne quittera plus, cinq années durant, ces « enfants solitaires et mendiants » en mal de vérité et de discipline.

« Nous reçûmes sur nous, Jacques et moi, le regard étoilé et pénétrant de deux yeux profonds, pleins de secret et de connaissance, et nous nous sentîmes devant ces yeux-là tout à fait neufs, et tout à fait ignorants. » Le beau visage noble d'un prince du désert, et l'allure dans sa robe blanche d'un personnage de fresque peint par Fra Angelico. Le charisme de Clérissac est fait d'un fascinant mélange de domination souveraine, de plénitude spirituelle et de sensibilité douloureuse. « Il souffrait en silence, mais avec une profondeur et une intensité singulières, écrira Maritain [87], et c'est seulement dans certains portraits du grand Pie X que j'ai cru retrouver une ressemblance de ces tristesses. » Ce qui détermine Humbert Clérissac à entrer à seize ans dans l'ordre de saint

Dominique est la « merveilleuse pureté d'esprit et de cœur » qu'il rencontre chez son fondateur, la haute exigence d'une lumière sans ombre. Il se reconnaît dans cette fidélité à la doctrine, cet amour de la pure vérité qui imprègnent la mission dominicaine. Prédicateur de grande éloquence, dont les prêches retentissent tant en France qu'à Rome, Florence ou Londres, il sait ramener des âmes à Dieu sans jamais déroger à la « plus vigilante et la plus délicate réserve ». Ni complaisance ni abandon d'aucune sorte en ce guide envoûtant, attaché aussi fermement au mystère de l'Église qu'à sa grandeur dans le siècle, et pour lequel la seule manière d'aller à Dieu est de « se tourner vers Lui », de « garder les yeux fixés sur la vérité divine [88]... » et de se perdre dans la lumière. C'est bien à un nouveau maître d'absolu, tout aussi pénétré que Bloy de rigueur mystique et de sagesse sacrée, que s'en remettent les Maritain au moment d'approfondir leur vocation.

Contraint à l'exode depuis la dispersion de son ordre en 1903, privé de la fraternité monastique, le père Clérissac ressent cet exil comme une « blessure inguérissable ». En proie aux démons de la laïcité et de la démocratie, les temps modernes bafouent à ses yeux « les droits de Dieu ». Le dominicain de Versailles ne doit pas seulement à ses convictions monarchistes une déférence délibérée à l'autorité supérieure ; à ses yeux la vertu d'obéissance à la « direction marquée d'en haut [89] » doit s'imposer au chrétien comme une « chasteté du vouloir ». Instrument de Dieu, son action ne saurait précéder les volontés divines. « Jacques, me disait-il, il ne suffit pas qu'une œuvre soit très certainement utile au bien des âmes, pour que nous nous précipitions à la réaliser. Il faut que Dieu la veuille à ce moment-là (alors pas de délai) ; et Dieu a le temps. Elle doit passer par le désir, s'enrichir de lui, s'y purifier

[...]. Les réussites humaines trop entières et trop belles, craignons qu'une malédiction n'y soit cachée. N'allons pas plus vite que Dieu. C'est de notre soif et de notre vide qu'il a besoin, non de notre plénitude [90]. » Voué à se conformer aux desseins de la Providence, l'homme de foi ne saurait trop se garder, en outre, de « l'esprit réflexe » – celui du retour sur soi, de la préoccupation consentie à soi-même. Résolument allergique aux mœurs de l'époque et se tenant à distance de tout ce qui n'est pas Dieu, Clérissac est l'image même de l'intelligence théologique surplombant le monde.

Le premier conseil que Raïssa et Jacques Maritain reçoivent de leur austère protecteur est de lire saint Thomas, le « maître de son cœur » avec saint Paul. Quel moment plus propice, plus ouvert à une découverte aussi déterminante que celui où, toutes expériences conjuguées, les Maritain cherchent à définir une approche rationnelle de leur foi ? « ... Avec l'avènement de la foi dans nos âmes, et des certitudes qui lui sont propres, nous nous trouvions, raconte Raïssa, devant un nouveau problème : celui des certitudes dont la raison même est capable. Notre attitude d'esprit restait donc philosophique et non théologique ; nous ne songions pas alors, nous étions trop ignorants pour cela, à approfondir rationnellement les mystères de la foi, ni à déduire à partir des vérités révélées des vérités congruentes moins universelles, mais nous nous sentions pressés de chercher quelles vérités d'ordre philosophique universel étaient impliquées dans la tranquille assurance des propositions de la Foi. Et ce sont ces vérités philosophiques elles-mêmes qui nous sont apparues tout d'abord avec éclat dans la *Somme théologique*, énoncées ou sous-entendues, partout présentes. Les autres vérités plus précieuses et d'une nature plus élevée devaient nous apparaître plus tard. Maintenant Aristote surgissait dans sa grandeur, prenait son vrai visage, par la grâce d'un théologien inspiré. »

Raïssa a affronté la première l'enseignement de Thomas d'Aquin, non sans le tenir par avance pour suranné et rebutant. C'est en éclaireuse, en pionnière que, se familiarisant peu à peu avec la pensée scholastique, elle dégagera les voies, ouvrira les pistes où Jacques, le moment venu, pourra s'avancer. À elle, son « intermédiaire terrestre », la tâche de seconder en amont, dans l'élaboration de son œuvre, le jeune philosophe déjà un peu pressé, de le précéder, de l'orienter. « Tout m'est venu par elle », écrit Jacques en juin 1908.

« Tant de lumière affluait à la fois au cœur et à l'esprit que j'en étais grisée comme d'une joie paradisiaque. Prier, comprendre, m'était une seule et même chose, l'un donnait soif de l'autre, et je me sentais sans cesse et jamais rassasiée. Dans les mêmes jours je lisais sainte Gertrude, bénédictine allemande du XIIIe siècle ; je répétais souvent une de ses prières préférées [...], et le texte de saint Thomas se mariait merveilleusement à ces louanges.

« Cette première lecture de la *Somme théologique* m'a été un don très pur. J'en ai reçu une fois pour toutes la certitude des vérités premières concernant l'intelligence, et la joie de voir celle-ci assez forte pour conduire jusqu'au sein de la nuit étoilée de la foi les principes de la raison. Je recevais ce que je pouvais recevoir selon ma faible capacité, mais avec plénitude. Les problèmes avaient disparu – comme il arrive au temps du bonheur – pour reparaître plus tard. Mais plus tard ce n'est pas moi qui aurais à m'y appliquer, mais Jacques, philosophe par vocation [...]. »

Un pont léger jeté sur l'abîme

> « ... je vous dis de profiter de ce que vous êtes
> brisée, et vous traînez par terre, pour vous mettre à
> chercher la vérité – pour de bon – en sortant de
> l'état d'enfance. »
>
> Jacques MARITAIN,
> *Lettre à une jeune fille* [1].

On est « quelqu'un » à trente ou quarante ans, déclarait à Psichari l'adolescent d'autrefois. Quelqu'un ?
Trois quarts de siècle plus tard, l'affirmation eût probablement amusé celui qui tournait volontiers en dérision
le personnage de bric et de broc qu'il figurait à ses
propres yeux, cet « animal bizarre et paradoxal, à moitié raté [2] » dont l'identité n'avait cessé de se disperser au
hasard de la route. Le filleul de Léon Bloy se tenait
avant tout pour une sorte d'agent secret, de desperado
– « quelqu'un », entre don Quichotte et le Juif errant,
qui s'était construit en hâte toute sa vie durant, d'un
exode à l'autre.

À l'âge où Barrès, « prince de la jeunesse », a déjà
modelé l'esprit d'une génération, Gide tissé avec *Les
Nourritures terrestres* la trame de son règne confidentiel et Claudel fait surgir de *Tête d'or* un souffle de feu,
ni œuvre marquante ni acte retentissant n'ont encore
distingué Jacques Maritain aux abords de la trentaine.
Et rien n'assure que l'agrégé de philosophie, le disciple de Bergson, ait choisi de s'engager ici plutôt
qu'ailleurs, suspendant même au début de 1908 toute
recherche spéculative pour s'en remettre à la seule

« Parole de Dieu ». L'enseignement, il n'y sacrifiera que plus tard, et sans jamais aspirer au demeurant à quelque position universitaire éminente. En juillet 1908, par l'intermédiaire de Charles Péguy, il a obtenu des éditions Hachette commande d'un *Lexique orthographique*, avant de se lancer l'année suivante dans la rédaction d'un volumineux *Dictionnaire de la vie pratique*. Seul semble lui importer à cette date de rassembler les matériaux de l'œuvre future, qu'il pressent sans en avoir jeté les plans, et de « démonter les montres pour en connaître tous les ressorts [3] ». En un temps où se fonde « L'Action française » et se crée la NRF, sans que la ligne de démarcation soit encore tout à fait dressée entre tenants du « politique d'abord » et gardiens d'une littérature libre d'exister pour son propre compte, un temps où ligues, revues, réseaux, groupes de pensée ravivent la mobilisation des clercs, où les fièvres du nationalisme intégral gagnent la capitale intellectuelle du monde, Jacques Maritain est un homme trop centré sur son parcours intime pour prendre la moindre part encore aux débats temporels. Et seule la suprématie exercée sur lui par Clérissac l'entraînera à s'enrôler sous une bannière que rien ne le destine à rallier.

Entre vingt et trente ans, Maritain a fait table rase du monde de son enfance et des valeurs qui le gouvernaient, amassé lectures, études, expériences et rencontres en inlassable explorateur de pistes, défié les maîtres de la Sorbonne, mis sa vie en jeu dans la recherche exigeante d'une raison d'être, engagé une aventure spirituelle où il a tout livré de lui-même. Le converti est moins devenu un autre homme à vingt-quatre ans qu'un « étranger dans un pays inconnu [4] ». La « part de Dieu » dans l'existence où Raïssa, Véra et lui se sont unis, marque la solitude infinie, et « parfois cruelle [5] », où chacun s'avance à l'écart des autres et sans appui. Jacques décrit sa propre solitude comme « celle d'une espèce de scaphandrier maladroit, avançant comme il pouvait au milieu de la faune sous-marine des vérités captives et des larves du temps [6] » et « conduit comme un aveugle » par une main invisible.

« J'aurais aimé plonger mes mains dans son épaisse chevelure et toucher sa barbe légère, mais je restai immobile à contempler ses yeux transparents », se souvient Eveline Garnier. Cette douceur d'enfant qui imprègne comme une lumière pâle le visage un peu incliné vers l'épaule, ce halo de légèreté qui confère à la silhouette une sorte d'apesanteur, cet air replié, pensif et presque gauche ont pris avec le temps quelque chose d'envoûtant. Et le regard clair et droit s'est fait plus dense, plus concentré sous la pression des exigences intérieures. L'apôtre impétueux, foisonnant de vitalité et si corseté parfois de rigueur dogmatique, manifeste alors plus d'autorité que de séduction et plus d'empressement à imposer ses vues que d'aptitude à écouter, observer et attendre ; mais un charme mystérieux émane de cet homme habité d'une foi intense et qui voue à sa compagne une vénération sans mesure. « Si vous voulez savoir où je suis, ne me cherchez pas où je suis, écrira-t-il un jour, mais cherchez-moi où j'aime et suis aimé, dans le cœur de ma Raïssa bénie [7] ». Comme si n'existait, derrière le Maritain des défis et des controverses, que le Jacques de l'amour fou…

L'engagement spirituel de Raïssa lui paraîtra toujours supérieur au sien, d'autant plus bouleversant à ses yeux que souvent « chassée aux confins du désespoir [8] », recluse dans une souffrance incommunicable, moins retirée du monde que séparée de lui par une sorte de « mort lente [9] », Raïssa s'y abandonnera tout entière. Qu'elle soit allée plus loin encore que lui dans l'oraison, plus profond, plus à vif, qu'elle ait été tenaillée par des exigences plus terribles, le *Carnet de notes* en témoigne dès 1906 où Jacques consigne chaque mot, chaque geste de Raïssa. « En rentrant de l'église, Raïssa s'assied sans rien dire, observe-t-il le 26 novembre 1907 ; je l'interroge ; elle me répond avec peine qu'elle "ne peut pas parler", que je n'aie pas peur. Elle vient à la cuisine pour manger ; nous voulons la forcer à parler, elle commence à pleurer, et retourne dans la chambre ; s'étend sur la chaise longue, le crucifix dans les mains, les yeux fermés. Au bout d'une demi-heure ou de trois quarts d'heure, elle prononce quelques mots, dit qu'elle ne pouvait pas vouloir parler. » Et le 28 novembre : « Les yeux de Raïssa continuent d'être étrangement inattentifs, ou plutôt attentifs à l'intérieur ; un beau regard qui se pose sur les objets sans les pénétrer, et semble suspendu. Sa voix est claire et douce comme celle d'un enfant, mais on dirait qu'elle a une sorte d'hésitation imperceptible, qui fait penser au court instant d'attente dans le vol d'une abeille, tout près d'une fleur, avant de s'y poser. [...] Une seule chose émeut son désir : entendre lire l'Imitation ou l'Évangile. Je lui lis l'Évangile de saint Luc. À certains moments elle semble prête à pleurer, et pourtant dit qu'elle n'éprouve aucune peine ; elle a seulement le cœur serré, tout ému. » La force d'âme, l'« intègre volonté » de Raïssa à vingt-trois ans, sa « fierté native », le courage paisible qui peuple ce regard de jais et arme en secret un corps si fragile, tout en elle affirme l'irréductible faim de savoir et de comprendre, dût-elle pour y parvenir se voir dépouillée et éprouvée sans répit. En cette époque de « long noviciat [10] », c'est de Raïssa que Jacques reçoit les orientations majeures, qu'il s'agisse de leur vocation dans le monde, de leur adhésion au thomisme, et pour lui-même du retour à la philosophie. Dans le même temps, Raïssa ordonne la marche du «petit troupeau» où, à tour de rôle, cha-cun commande aux deux autres tout en se mettant à leur service.

Est-ce pour se conformer avec plus de proximité encore aux directives spirituelles du père Clérissac qu'en octobre 1909 les Maritain décident de s'instal-ler à Versailles? Tous les matins, une année durant, Jacques ira servir la messe boulevard de la Reine, sub-jugué par cette «voix basse, lente, mais étonnamment distincte» qui prononce les paroles de la Consécration avec «tant d'énergie qu'elle semblait percer le cœur de Dieu [11]». Suivent de longues conversations, sur saint Thomas, sur les chrétiens des premiers âges, sur Dante, sur sainte Catherine de Sienne et la nécessité de suivre «la voix contemplative dans le monde [12]». C'est à l'ombre du père Clérissac que Jacques effectue alors ses débuts de philosophe. Le 13 avril 1910, il lui soumet son premier texte qui deviendra *La Science moderne et la Raison*. «Il a vite fait de pulvériser ma petite production, rapporte-t-il le jour même, et mon vocabulaire à moitié kantien, à moitié bergsonien, sur l'intelligence (soi-disant toute constructive) et la rai-son (considérée comme supérieure et intuitive). Je vois clairement que je me suis trompé, à cause de mon ignorance de la scolastique [13].» Et Jacques de refondre aussitôt son article, «ayant compris quelle honte il y a à employer le mot d'intelligence au sens où le font les modernes».

L'article paraît en juin dans la *Revue de Philoso-phie* que dirige le père Peillaube, disciple ardent de Thomas d'Aquin et fondateur à l'Institut catholique d'une Faculté spéciale vouée à l'enseignement de la philosophie. Dans un style incisif, resserré, l'auteur se livre à une violente dénonciation de l'usage fait de la science moderne, «grossière divinité», «forteresse de l'esprit du monde», «magasin de confusions et d'idées

fausses » qui condamne les hommes de son temps à
« se nourrir de vérités diminuées [14] ». Non seulement
Jacques Maritain règle ses comptes avec les « confusions » dont Raïssa et lui ont failli mourir, avec le
rationalisme orgueilleux des « intellectuels ivres
d'hypothèses » et d'esprit critique, mais il s'en prend
aussi vivement à la « complaisance » et à la « médiocrité » des catholiques qui dans le même temps ont
négligé la théologie et se sont contentés d'une « foi
ignorante ». En une démonstration délibérément provocante, le jeune philosophe défie ses adversaires sur
leur propre terrain : la raison, loin d'être l'ennemie de
Dieu, est au contraire le moyen d'appréhender « la
réalité des réalités ». « La Foi vient compléter et achever la raison, écrit-il, comme la grâce vient achever la
nature : la Foi qui est une pleine et volontaire adhésion de l'intelligence aux vérités révélées par Dieu,
vérités dont l'Église a le dépôt. » C'est de toute son
intelligence que l'homme doit aimer Dieu, et cette
intelligence même – « pauvresse chassée de partout » –
qu'il s'agit pour Maritain de réhabiliter, de rendre à sa
propre vérité.

Désormais le pas est franchi. Alors que l'irruption
de la foi a bouleversé toutes ses prévisions deux ans
plus tôt, c'est à travers elle qu'il a lentement renoué
avec la philosophie, lui assignant comme premier
devoir de préparer « les voies de la grâce ». Nulle tâche
ne lui paraît plus urgente que de restituer au travail
de la raison sa vocation véritable et d'affirmer la
valeur de l'intelligence. Sa perception du vaste chan-
tier ouvert devant lui ne saurait maintenant l'entraîner qu'à réfuter pleinement un bergsonisme dont il
s'est déjà détaché.

« C'était l'époque, écrira-t-il plus tard, où beaucoup de jeunes prêtres n'avaient à la bouche que le
devenir et l'immanence [...]. Une génération coura-

geuse, intellectuellement désarmée, et qui sentait peser sur elle une catastrophe imminente, cherchait en hâte dans le pragmatisme un moyen de ressaisir tant bien que mal les réalités de la vie [...]. Elle n'apercevait de salut, et d'organe de vérité, que dans l'action. Le mépris de l'intelligence passait pour le commencement de la sagesse [15]. » Dans le bergsonisme, cette génération trouve un vain refuge, « une haute revendication métaphysique », poursuit Maritain, qui conclut : « C'est le nœud qu'il fallait trancher. »

Maritain a déjà pris ses distances avec l'auteur de *L'Évolution créatrice*, quand a paru en septembre 1907 l'Encyclique « Pascendi » par laquelle Rome condamne les errances du modernisme et réaffirme la toute-puissance du dogme. Le rappel à l'ordre vise Bergson entre autres, pionnier d'une redécouverte de Dieu à travers l'intuition et l'élan vital. Dans la solitude de Heidelberg, les Maritain optent en secret pour « l'Infaillible ». Et tout les entraîne bientôt sur la voie d'une rupture avec « la doctrine philosophique pour laquelle nous nous étions tant passionnés » : outre le fait que Rome a parlé, la découverte éblouie de la *Somme théologique* par Raïssa au début de 1909 et le travail souterrain qu'opèrent conjointement en ce sens le père Clérissac et dom Delatte. « Nous vous remercions aussi de nous avoir montré si clairement les venins du libéralisme, écrit Maritain à ce dernier le 20 mars 1910, et d'avoir donné une justification historique irréfutable à ce mépris que tout catholique doit sentir d'instinct, semble-t-il, pour toutes les diminutions, les concessions, les vilenies modernes [16]. »

Dans une lettre à Delatte le 8 juillet 1910, Clérissac ironise sur les progrès laborieux de Maritain « pour arriver à établir des conclusions fort simples, à dégager des idées rudimentaires qu'un petit novice en

théologie possède d'instinct [17] ». Après l'avoir incité à
se réoccuper de philosophie, ses deux tuteurs s'efforcent cette année-là de convaincre Maritain d'intégrer
l'Université pour y faire entendre une voix catholique.
Peine perdue. Maritain se sent encore trop indécis,
indéfini à tous égards pour affronter une institution
où il se sait indésirable. Clérissac aura moins de difficultés en revanche à le persuader d'épouser une carrière d'un autre genre, celle de polémiste. Le
tempérament électrique du « disciple » se prête bien,
semble-t-il, aux tâches d'un soldat de l'Église, par
vocation docile aux commandements.

Le 15 septembre 1910, Jacques entreprend enfin
de lire à son tour saint Thomas d'Aquin. Depuis plusieurs mois Raïssa s'est imprégnée passionnément de
cette pensée nourrie d'un amour de la vérité limpide
et rigoureux. Mieux qu'une adhésion, c'est une sorte
de filiation, d'intimité spirituelles qui unira bientôt les
Maritain au thomisme. Ils trouvent dans l'enseignement de Thomas d'Aquin non seulement une armature doctrinale conforme à leur attente et à leurs
propres intuitions, mais plus encore la source d'une
expérience de vie. La singularité des Maritain par rapport au thomisme résidera moins dans la coopération
qu'ils apporteront à sa renaissance que dans l'emploi
très personnel qu'ils feront de les principes. L'autorité
en ce domaine de théologiens comme Reginald Garrigou-Lagrange, Louis Billot, Ambroise Gardeil ou
Charles Journet ne sera en rien entamée par celle de
Jacques Maritain ; mais seul l'auteur d'*Humanisme
intégral* liera aussi profondément le thomisme à une
aventure temporelle et spirituelle libérée des pesanteurs scolastiques. Ce qui le retient avant tout dans
l'enseignement du « Docteur angélique », c'est l'universalité de son humanisme.

La philosophie thomiste se fonde sur la perception intellectuelle de l'être saisi dans son existence réelle, intégrale et singulière. Elle réhabilite l'autonomie, la valeur propre, la dignité de la personne humaine dans sa « liaison à Dieu » et son accomplissement spirituel. Thomas d'Aquin suggère de prendre en compte « tout ce qu'il y a dans l'homme », de réaliser en lui l'unité des vérités distinctes en conciliant la nature et la grâce, la raison et la foi, la métaphysique et l'éthique, le monde de la connaissance et celui de l'art. « C'est une doctrine ouverte et sans frontières ; ouverte à toute réalité où qu'elle soit et à toute vérité d'où qu'elle vienne ; notamment aux vérités nouvelles que l'évolution de la culture et celle de la science le mettront en état de dégager [...]. Et parce qu'elle est ainsi une doctrine ouverte, une faim et une soif jamais rassasiées de la vérité, la doctrine de saint Thomas est une doctrine indéfiniment progressive ; et une doctrine libre de tout sauf du vrai, et libre à l'égard d'elle-même, et de ses imperfections à corriger et de ses vides à combler [18]... »

La vitalité du thomisme, aux yeux de Jacques Maritain, tient précisément en cette faculté de renouvellement perpétuel, de mobilité constante et imprévisible dans la recherche des concordances et l'œuvre d'intégration. Démesurée pour son époque, la vision humaniste de ce théologien du XIIIᵉ siècle était « réservée aux temps à venir [19] » : « C'est aux hommes d'aujourd'hui, affirme Maritain, de préparer l'avènement de la sagesse dans la culture, et de son humanisme dans la cité. » La pensée de Thomas d'Aquin a vocation « par excellence » à inspirer et façonner un nouvel âge de la chrétienté, non à entretenir les lointaines lueurs d'une sagesse moyenâgeuse.

L'attachement des Maritain aux enseignements de la *Somme théologique* – « ce flot lumineux », dira

Jacques – sera d'autant plus vif qu'empreint d'une dilection particulière pour leur auteur. Ils admirent l'humilité de ce taciturne qui allait en pleurant chercher la lumière près de l'autel, la tête appuyée au tabernacle, et la pure simplicité de son « rapport avec le ciel ».

Au début du XIIIe siècle, le dernier fils du comte d'Aquin n'a qu'une question à la bouche : « Qu'est-ce que Dieu[20] ? » C'est à rassembler tous les éléments d'une réponse que Thomas va s'employer, suivant obstinément sa vocation malgré la réprobation des siens. À dix-neuf ans il revêt l'habit de l'ordre de saint Dominique, avant d'accomplir son noviciat au couvent de Saint-Jacques à Paris où il est promu à trente et un ans à la maîtrise en théologie, décontenancé par ce terrible « pouvoir sur la vérité dans les âmes[21] ». On se précipite pour l'entendre. Tant à Paris qu'à Rome où il jouit de la confiance des papes successifs, le « missionné de Dieu », dictant à quatre secrétaires à la fois, talonné par l'urgence de déjouer « la malice de l'instant », mène de front ses commentaires sur Aristote et ses traités de la perfection de la vie spirituelle avec l'élaboration de la *Somme théologique*, rivé à son seul objet : « la Vérité première à voir et à montrer[22] ». L'homme en impose par sa haute taille, sa corpulence massive, la puissance pacifique de ses traits où se laissent surprendre « de tranquilles yeux d'enfant », un air suave, une douceur invincible. Frère Thomas, qu'il soit reçu à la table du roi de France ou appelé par un cardinal, ne semble voir personne, n'accorder son attention à rien d'autre qu'à l'énorme labeur d'une intelligence en mouvement, brassant, révisant, explorant toutes les formes de la science, « détaché de tout, et de soi et de son savoir [...], effacé, perdu dans la lumière ».

L'originalité et l'audace de Thomas d'Aquin est

d'avoir mis au service de Dieu tout l'héritage de la science, de la raison et de la sagesse. La sainteté de l'intelligence est indissociable en lui du secret de la contemplation et des grâces, des visions multiples qui lui ont été prodiguées. Contre la « nuit diviseuse », le conversatisme et l'esprit d'école, l'homme qui s'éteint à quarante-neuf ans, le 7 mars 1274, en laissant son œuvre inachevée comme pour mieux la maintenir ouverte et accueillante aux vérités à venir, a témoigné pour longtemps de « l'amplitude universelle de la pensée catholique » et de sa capacité à rassembler en une « unité supérieure et véridique » la profusion de l'existant.

« Pourquoi me suis-je mis ainsi à parler de sa personne ? s'interrogera le paysan de la Garonne. Parce que je l'aime. » Apôtre des temps modernes, Thomas d'Aquin deviendra aussi pour les Maritain « Docteur du Saint Sacrement [23] », serviteur de la « Vérité première », du « Verbe descendu dans la chair et caché parmi nous sous la blancheur du pain ». Maître à penser et à voir, « amant de la vérité » selon la formule de Raïssa. Sa présence ne cessera de croître dans la vie du couple, comme son enseignement de s'y déployer.

À la date où nous sommes, fin 1910, le thomisme représente à la fois pour Maritain un solide point d'ancrage spirituel et le plus ferme recours contre la confusion du modernisme. Dans l'esprit du père Clérissac, la doctrine de l'Aquinate rejoint une certaine nostalgie de l'ordre ancien. Thomisme et maurrassisme se confondent pour lui en une même ferveur monarchiste, quand une lecture plus sociale et libérale de l'Évangile rassemble sur le bord opposé les partisans de Marc Sangnier et du courant sillonniste, dont se réclame un jeune catholique comme François Mauriac. Rien ne prédispose Jacques Maritain à se référer à l'une ou l'autre de ces catégories. Les préoc-

cupations religieuses ont dissipé chez le défenseur de
Jaurès ses précoces ardeurs politiques. «Jacques
n'attribuait d'importance qu'à la métaphysique et à la
théologie, et moi, perdue dans la félicité sans ombre
qui me venait alors de la prière [...], je me sentais tout
à fait étrangère aux problèmes politiques[24]...» Mais
aucun conseil de leur directeur spirituel ne saurait
souffrir à leurs yeux d'être mis en doute : ainsi les
Maritain vont-ils s'abonner en 1911 à *L'Action française*, et non seulement s'y abonner mais entamer du
côté de Maurras leur pérégrination la plus hasardeuse.

   «Je n'avais même jamais lu un livre de Maurras,
et je n'en avais pas la moindre curiosité! confiera
Jacques Maritain à Henri Massis en 1932. [...] Si je
lisais les articles quotidiens de Maurras, c'est que le
P. Clérissac m'avait persuadé que je devais être
d'Action française! J'avais accepté cela, comme tout
le reste, avec une docilité entière, par obéissance, par
soumission à mon directeur; et je me convainquis que
cette décision faisait partie intégrante de tout ce que
j'avais eu à accepter en rentrant dans l'Église. Là,
comme ailleurs, je ne discutai point, pas plus que je
n'avais discuté quand le P. Clérissac m'avait intimé, à
moi ancien disciple de Bergson, de faire un cours
contre le bergsonisme à la lumière de la philosophie
de saint Thomas : "Faites-le, avait-il ajouté, comme si
vous parliez dans la chaire de Vérité..."

   « Mais quelle était, quelle pouvait être la pensée
du P. Clérissac, quand il me dit : "Lisez *L'Action française*" et qu'il souhaita que j'y adhérasse? Voici comment je me l'explique : la restauration de la
monarchie semblait au Père indispensable à la restauration de l'Église dans notre société; à ses yeux, la
monarchie seule pouvait rétablir l'Église dans la plénitude de ses droits. Il constatait avec épouvante tout
ce que l'Église avait été contrainte d'abandonner en

fait et de laisser en déshérence depuis la Révolution… Il voyait d'où venaient tous les coups portés aux notions de hiérarchie, d'ordre, qui sont essentielles à la vie de l'Église, et il mettait l'Église au-dessus de tout ; de là qu'il détestait la démocratie comme le mal. Il admirait aussi, je crois, la vaillance des Camelots du roi qui se battaient alors pour Jeanne d'Arc… Mais le point de vue du P. Clérissac était d'abord celui du théologien, et il savait les dangers qu'en ce temps-là le "modernisme" faisait courir à l'énoncé dogmatique de la foi. Que l'Action française, du dehors, en combattît les erreurs, qu'elle dénonçât sans relâche l'influence d'un Bergson, l'anti-intellectualisme d'un Blondel, d'un Laberthonnière, tout cela la lui rendait d'autant plus chère qu'il s'inquiétait, à juste titre, de leurs ravages parmi les jeunes prêtres et dans les séminaires… Ne me souciant alors que de métaphysique et de théologie, j'étais surtout frappé par ce dernier danger. Le P. Clérissac me convainquit ainsi que seule l'Action française pouvait préparer, dans l'ordre politique, les conditions nécessaires au rétablissement de l'ordre intégral [25]… »

Faut-il en effet que les Maritain soient alors sous influence pour se rapprocher sans sourciller d'un homme dont l'antisémitisme* eût dû suffire à les séparer d'instinct ! Que Maurras confonde nationalisme intégral et doctrine de l'Église et fasse rimer « humain » et « romain » comme « deux propositions identiques [26] » réussit à créer l'illusion, chez eux comme chez beaucoup de catholiques, d'un combat commun au profit de valeurs indissociables. L'Action française constitue pour l'Église en lutte contre le

---

* « Votre qualité de juif, écrivait Maurras à propos de Bernard Lazare, rend fort douteux votre attachement à la France. » (Cité par Yves Chiron, *La Vie de Maurras*, Perrin, 1991.)

modernisme une sorte de garde rapprochée, apte à rendre d'éminents services. Mais tant de collusion ne va pas, dans le même temps, sans inquiéter Rome, au point qu'une mise à l'index de certains livres de Maurras et de la revue elle-même est envisagée dès 1911. Le différend qui se fait jour ne cessera désormais de s'envenimer. Il oppose déjà deux conceptions de l'ordre social, celle de Maurras se fondant sur la primauté du politique, celle du Vatican sur la seule autorité de Dieu. Mais aucun écho de ces désaccords naissants ne semble toutefois avoir troublé les Maritain dans leur double dévotion au père Clérissac et à l'auteur d'*Enquête sur la monarchie*.

« Le père Clérissac se moquait sans pitié de nos penchants démocratiques et des idées socialistes demeurées chères au cœur de Jacques, se souviendra Raïssa. Tout cela était à ses yeux des restes du vieil homme qu'il fallait dépouiller [...]. Jacques admettait volontiers que son bagage d'idées politiques et sociales, ou plutôt de tendances, non critiquées, non élaborées, ne valait pas grand-chose [...]. Engagé à fond dans la critique du libéralisme théologique, il était disposé à considérer comme sérieuses les critiques acharnées que les partisans de l'"Action française" faisaient du "libéralisme" en tout domaine [...]. Dans un effort de docilité intempestive il a différé trop longtemps d'examiner la valeur d'un antilibéralisme qui opposait en réalité une erreur à une autre erreur[27]... » Le couple a-t-il aussi distraitement lu Maurras qu'il le prétendra plus tard pour sa défense ? N'a-t-il jamais poussé la curiosité jusqu'à entrouvrir un seul de ses livres avant le vigoureux sursaut de 1926 ? Quoi qu'il en soit, la nature d'une telle équivoque ne saurait être cernée hors de ce qui nourrit intimement à cette époque la vie des Maritain.

L'année 1911 marque le terme de leur noviciat et le début d'une période de doute, de bousculade, de tentations ambiguës et de résolutions cruciales, où les Maritain, de leur propre aveu, progressent « en rase campagne[28] ». Tout d'eux-mêmes semble alors mis à l'épreuve, fragilisé, inquiété. L'éloignement du père Clérissac, rappelé à Angers par son prieur, les laisse « orphelins », l'influence des dominicains dût-elle s'exercer à distance avec autant d'acuité. Aux prises avec son *Dictionnaire de la vie pratique*, Jacques sacrifie à une besogne qui lui paraît outrager l'intellect. Trop malade pour mener à bien la longue étude sur Bergson qu'elle a entreprise, Raïssa se résout à l'obstruction que Dieu paraît opposer à tous ses désirs.

« Maintenant, il me fallait apprendre ce qu'est la nuit de la foi, confie Jacques. Fini d'être porté dans les bras, j'étais brutalement mis à terre. Je me souviens de longues heures de torture intérieure, rue de l'Orangerie, dans la chambre du quatrième dont j'avais fait une espèce de réduit pour le travail. Je me gardais d'en parler. Je suis sorti de cette épreuve, par la grâce de Dieu, très fortifié; mais j'avais perdu mon enfance[29]. » Quelle lucidité se substitue chez lui à l'ingénuité du converti, quelle enfance s'éloigne qu'il n'ait déjà quittée?

Deux ans plus tôt, Véra, Raïssa et lui ont exprimé leur désir de devenir oblats de l'ordre de saint Benoît. Vivre dans la grande paix bénédictine... Dom Delatte leur conseille d'attendre et ce n'est qu'en octobre 1910 qu'ils reçoivent des mains du père Baillet le scapulaire de saint Benoît, avant la visite préparatoire le 10 mai 1911 de l'abbé du monastère de Saint-Paul d'Oosterhout, dom Jean de Puniet. « Nous nous appuyons sur vos prières, Révérendissime Père, lui écrit Raïssa, et nous rendons grâces à Dieu de ce qu'il s'est réservé ici et là dans les monastères des cœurs uniquement occupés de Lui. Cette grâce-là, qui ne voudrait l'obtenir ? Sans la posséder, j'imagine très bien l'immense bonheur que ce doit être d'avoir tout donné pour obtenir la possession de l'unique Tout véritable [30]. » Seuls gravitent autour des solitaires de Versailles, à cette époque, des mendiants du Ciel à leur image, des hommes que l'irruption de la foi a déclassés, jetés sur des chemins de traverse, et quelques princes de l'ombre. Cercle, circuit, mouvance, réseau ? Tout au plus la position des Maritain, à l'intersection des mondes littéraire et catholique, pourrait-elle leur permettre de tisser quelques passerelles insolites entre un chrétien comme Bloy, avec ses airs de cour des miracles, et des dignitaires de la foi drapés dans leur magistère, comme Delatte ou Clérissac. Mais, partagée entre ces familles qui s'ignorent, la « petite communauté » de Versailles semble plutôt chercher pour elle-même une sorte de juste équilibre entre la folie des uns et l'assurance des autres, et tout embrasser pour mieux discerner le sens de la marche.

« J'ai mis du temps à découvrir les hommes », avouera longtemps après Jacques Maritain. Si attentif soit-il à quelques-uns, le jeune philosophe vit et travaille alors séparé du reste de ses semblables, passant parmi eux sans les voir. « Jacques ne se préoccupait pas de l'opinion, ni du résultat immédiat, observe Raïssa. Il pensait avec angoisse à l'avenir de l'esprit, et savait trop que la haute sagesse de saint Thomas était faite pour être d'abord méconnue. Il voulait la servir s'il le fallait en solitaire et en desperado ; il pensait que quelques rares esprits s'y intéresseraient peut-être, et pour son travail, d'abord enfoui dans la terre, préparait des germinations nouvelles qui surgiraient dans bien longtemps. » La fougue subversive de Léon Bloy, en même temps qu'elle le préserve de trop subir l'austère conformisme des abbés de Solesmes, l'entretient dans son retranchement d'homme de maquis.

« Je vais être forcé de *m'éloigner de tout*, de ne plus voir mes contemporains quels qu'ils soient, ni leurs ascendants, ni aucune histoire humaine, écrit Bloy à ses filleuls le 12 juillet 1910, au moment d'entreprendre une *Vie de Mélanie*, la petite fille qui a vu la Vierge à La Salette. Je serai comme un pauvre marin sur un océan inexploré, sans espoir d'être secouru par aucun navire, sans autre boussole que la Grâce de Dieu. J'avoue que j'en frémis d'avance.

« Mon pèlerinage à La Salette a été singulièrement béni. Avant l'escalade, mon excellent guide l'abbé Cornuau m'avait fait visiter les lieux où Mélanie a vécu sa toute petite enfance en la compagnie de l'Enfant Jésus. Nous avions prié sur la tombe de Maximin. Nous avions vu le frère de Mélanie, un très pauvre ouvrier maçon de soixante-dix-sept ans, vivant d'un travail pénible. Je ne puis dire combien la vue de ce vieillard que j'ai fait pleurer en lui parlant de sa sœur et sa faible voix cassée que j'entends encore ont remué mon cœur. Aucun pèlerin ne s'avise jamais de ces souvenirs dont personne ne lui parle jamais, les habitants de Corps qui ne voient dans le pèlerinage qu'une source de profit les ayant eux-mêmes oubliés [31]. »

C'est par Bloy que les Maritain ont fait la connaissance, quelques années auparavant, d'un autre desperado, le peintre Georges Rouault. Celui-ci semblait venir chercher dans la maison de l'imprécateur des raisons supplémentaires et toujours plus douloureuses de se remettre en question et d'aller vers l'inconnu. Il subissait en silence, comme une accusation désirée, les saintes colères de son hôte contre l'art moderne, « le visage apparemment impassible, mais d'une pâleur qui allait s'accentuant [32]... ». Une même exigence farouche liait en secret les deux hommes.

Tout destinait l'élève préféré de Gustave Moreau à une carrière facile et flatteuse, s'il n'avait résolu, à la manière de Bloy, de brûler ses vaisseaux pour forger son génie propre. Contre tous les académismes, Rouault allait affranchir la peinture des règles de la beauté formelle, substituant à celle-ci une vision de l'homme brutale et disloquée. Le visage allongé, très blanc, empreint d'une sourde mélancolie, l'œil bleu et le regard secret, le peintre évoque lui-même l'un de ces « pierrots » torturés qui peuplent son œuvre noire et virulente. Sous l'ironie féroce et la sensibilité meurtrie de celui qui se décrit comme « le cerf forcé par les chiens », afflue une inspiration religieuse intense.

« Rouault nous fut la première révélation du véritable et grand artiste, écrit Raïssa. C'est en lui, *in concreto*, que nous aperçûmes la nature de l'art, ses nécessités impérieuses, ses antinomies et le conflit de devoirs très réels, parfois tragique, dont l'esprit d'un artiste peut être le théâtre. » Son adolescence et celle de Jacques ont été nourries de poésie, de musique, de peinture, de photographie, aiguisant leur sensibilité commune à toutes les formes d'art et au mystère de la beauté. Mais une connivence plus profonde rapproche d'instinct les Maritain de l'univers des créateurs, sans laquelle aucune communication n'eût été possible, aucune confiance concevable avec un homme aussi replié que l'était Rouault dans son exigence d'absolu.

« Dès ses premières visites, avec cette circonspection et cette hésitation qui ne masquaient certes pas son assurance d'avoir raison, mais qui révélaient la délicatesse farouche de ses sentiments à l'égard de son art, incertain de la réponse qu'il trouverait en nous, – Georges Rouault commença cependant de nous montrer ses albums de dessins satiriques qui sont à leur manière une *Exégèse des lieux communs*, pénétrés de la même ironie formidable que l'on trouve chez Bloy, raconte Raïssa. Il nous sut gré de ne jamais rire de ces charges gigantesques, et de comprendre de quel fond d'exigences morales, de quelle sensibilité douloureuse, procédaient ces prétendues caricatures. On y voyait par exemple une terrible "bonne dame" confortablement calée dans un fauteuil, et la légende disait : "J'irai droit au ciel !" Cette parole, Rouault l'avait réellement entendue, peut-être à l'un de ces grands dîners de famille, où il lui était arrivé de s'évanouir d'indignation. Rouault sentant la sincérité profonde de notre enthousiasme et de notre émotion, nous fit confiance, et nous pûmes ainsi admirer beaucoup de ses dessins et de ses peintures avant qu'ils ne parussent dans les expositions.

« Conscients de sa grandeur d'artiste, respectueux de ses secrets, nous n'osions jamais lui demander de nous montrer ce qu'il était "en train de faire". »

Seuls les Maritain, André Suarès et deux ou trois autres proches connaîtront pendant des dizaines d'années l'adresse privée du peintre, qui a fait promettre à chacun d'eux de ne jamais la divulguer. Le hasard veut qu'au début de 1910 il s'installe à Versailles et précisément rue de l'Orangerie. Un soir par semaine au moins, Rouault vient dîner chez les Maritain, exhalant dès l'entrée toute la hargne accumulée après une journée de travail acharné, puis sortant de sa poche un papier où il a griffonné un de ses innombrables poèmes que lui seul peut déchiffrer. Ce qui frappe Jacques chez cet homme-là, c'est « une franchise devant la réalité et un sentiment immédiat des choses que rien ne peut remplacer [...]. Il me montre des esquisses rebutantes au premier abord et qu'on ne peut s'empêcher d'admirer [...]. Plus un artiste est grand, plus il choisit, plus il omet. Mais plus aussi ce qu'il aura vu et aimé s'imposera par la force, et comme étant plus réel... Mais pour cela, pour que devant son œuvre l'âme soit pour ainsi dire courbée par la force, il faut qu'il se livre instinctivement, comme une brute, à la franchise de la sensibilité [33]... » Rouault lui évoque Bernard Palissy, avec plus de profondeur, ajoute-t-il.

Sous le pseudonyme de Jacques Favelle, le jeune philosophe préface à la demande du peintre le catalogue de sa première exposition personnelle qui se tient à la galerie Druet du 21 février au 5 mars 1910. Ce texte, dont le véritable auteur mettra longtemps à être identifié [34], devance toute sa réflexion sur l'art. Le bon critique est-il celui qui délibère et juge ou celui qui choisit de se fondre dans l'œuvre étudiée pour mieux en surprendre le secret ? Sans autre ambition que de comprendre, Maritain remarque chez Rouault la parenté spirituelle qui le relie aux grands artisans du Moyen Âge, un même amour de la technique et du geste, une même attention au réel, à la « matière fugitive que le bon feu fixe et incruste [35] ». Il souligne l'effort inlassable mis à « reproduire le mieux possible la vérité des choses qui l'émeuvent » et qu'il contemple, « dans le monde de leur plus grande réalité ». Ce qui le fascine avant tout dans le labeur héroïque de Rouault est sa tension extrême vers la création à l'état pur.

« Nous avons été jusqu'à un certain point témoins de cette lutte, rapporte Raïssa Maritain, de cet effort vers une forme nouvelle et vers "un ordre intérieur" (ces mots revenaient sans cesse sur les lèvres de Rouault), effort voulu, tendance irrépressible, vers une forme d'art personnelle, adéquate à sa plus profonde nécessité, seule vraie pour lui, seule authentique.

« Rouault suivait donc à demi conscient son sûr instinct ; et, sans le savoir, posait au jeune philosophe, son admirateur passionné et témoin élu d'une telle et si rare manifestation de renouvellement dans l'art, – posait sans s'en douter, proposait en sa personne, tous les grands problèmes qui concernent l'art, et ses exigences ; celles-ci nous apparurent dès lors comme analogues à celles de la perfection du cœur, analogues et non pas identiques, opposées, en conflit avec elles ; l'habitus artistique n'ayant de souci et de soins, de propulseur et de fin que la vision intérieure et la réalisation extérieure d'un objet, et étant inhumain à ce titre, tandis que tout l'homme est intéressé à la pureté du cœur. Mais en Rouault l'artiste lui-même était pénétré des exigences d'absolu, et des postulations de sa foi, simple et profonde comme elle pouvait l'être chez les bâtisseurs des cathédrales [36]. »

Comme Péguy, Bergson, Bloy ont surgi dans leur destinée pour en préciser et en orienter le cours, un des maîtres de l'art moderne s'y insère maintenant pour en élargir le champ d'investigations. Sous l'impulsion de Rouault, en ces années confuses et fertiles où tout s'amorce, se noue, s'organise pour eux sans y paraître, les Maritain iront peu après à la découverte de Cézanne, Matisse et Derain, avides d'expériences nouvelles et ne se détournant d'aucune. Mais il leur faudra une longue décennie encore pour entrer tout à fait dans « l'épaisseur des choses humaines ».

De l'hiver 1912 à l'été 1914, le « premier carnet » de Raïssa Maritain se réduit à l'inventaire des baptêmes, conversions et confirmations qui se succèdent alors en rafale. Dans sa sécheresse, le condensé de certaines journées en dit plus long que tout commentaire sur la fièvre de ces années-là : « Baptême de mon père : 21 février 1912, mercredi des Cendres, note Raïssa. Confession, Première Communion et Extrême-Onction : jeudi 22 février. Confirmation par Mgr Gibier : vendredi 23 février. Sa mort : nuit du vendredi au samedi 24 février. »

Si l'on en croit le récit qu'en donnera plus tard Raïssa dans *Les Grandes Amitiés*, la conversion de son père aurait été précédée en réalité de signes annonciateurs : l'achat d'un orgue, deux ans plus tôt, qui « le fait souvent entrer à l'église », de discrètes allusions au christianisme « par lesquelles il veut, sans doute, nous faire entendre que le christianisme n'est pas étranger à ses pensées », une « croissante douceur » à l'égard des trois convertis... En 1911, Raïssa se risque à offrir à son père un catéchisme en langue russe. Ilya Oumançoff lui pose des questions qui démontrent, observe-t-elle, qu'il le lit. Raïssa a toujours éprouvé à son égard un sentiment protecteur. Lorsqu'il tombe malade, le 2 février 1912, elle se sent le devoir de le « défendre contre la mort » : « Est-ce que dans la peine de cette grave maladie il ne compte pas sur Jacques, comme sur Véra et sur moi, pour que nous l'aidions dans les voies de la vérité et de la mort ? N'est-il pas en droit de compter sur nous, nous qui prétendons savoir ? Nous sentons cela, obscurément. Mais comment lui parler ? Pense-t-il au baptême [...] ? Que croit-il au juste ? Pendant quinze jours il garde un silence obstiné. » C'est alors que Jacques interroge la mère de Raïssa et de Véra qui s'insurge aussitôt contre l'idée d'un baptême. Jamais, assure-t-elle, son mari n'y consentira. En vain Raïssa intervient-elle à son tour. « Nous nous rendons compte qu'elle ne connaît pas réellement la pensée de son mari sur le christianisme. Il nous faudra donc parler à notre père. Jacques lui dit quelques mots à ce sujet. Mon père répond qu'il ne peut parler de ces choses en français ; qu'il en parlera plus tard avec moi, quand il sera guéri. » Le 21 février, il faut prévenir un médecin. Ilya Oumançoff est mourant, paraissant « avoir à peine conscience de lui-même ». Le docteur lui affirmant que seul un miracle peut le guérir, le malade résout de se « préparer », après avoir demandé pardon à sa femme en larmes.

« Jacques prend un flacon d'eau de La Salette, poursuit Raïssa, et le baptise "au nom du Père, du Fils et du Saint-Esprit". Il s'appelle Jude-Barnabé. La paix de Dieu descend sur lui […]. La transformation physique de mon père est si grande que nous pensons qu'il va se rétablir […]. Mais voici que nous l'entendons dire tout à coup qu'il voudrait recevoir tout ce que l'Église donne aux malades, et qu'il voudrait voir un prêtre "qui ne le laisse point dormir" et qui parle avec lui pendant deux ou trois heures ! Il dit cela avec enjouement. Il voudrait aussi recevoir la visite de l'évêque de Versailles, Mgr Gibier. Après cela il déclare : "Maintenant il faut mettre mes médailles à mon cou !" (Il avait dans son porte-monnaie une médaille de la Sainte Vierge, dite "médaille miraculeuse", et une médaille de saint Benoît, données jadis par nous, et acceptées gentiment ; nous y ajoutons une petite croix et une médaille de La Salette.) Il dit ensuite : "Comment faire pour prier ? – je ne sais pas lire" (lire en français). Je lui donne alors une petite feuille sur laquelle j'avais écrit en français – avec des caractères russes – le "Notre Père" et l'acte de Charité. Je m'agenouille auprès de lui, il demande ses lorgnons et il épelle péniblement, avec une gravité profonde, les saintes paroles, tandis que je l'aide un peu en traduisant certains passages. Je lui demande s'il pardonne à ses ennemis ? Oh, oui ! répond-il en souriant.

« Ce petit papier où sont ses premières oraisons il

le garde avec amour, il le place sur son cœur. Il le cherchera la nuit, il dirigera la main vers lui dans son agonie, et mort il le gardera collé sur sa poitrine.

« Enfin, dans la même matinée de ce mercredi des Cendres, il me demande de lui apprendre à faire le signe de la Croix ; ainsi faisait-il ses premiers pas dans la vie chrétienne. Et nous n'oublierons jamais le grave recueillement avec lequel il se signa lentement, en prononçant bien les paroles : "Au nom du Père, et du Fils, et du Saint-Esprit"[37]. »

À sa demande, les jours suivants, Ilya Oumançoff reçoit tous les sacrements, en ne cessant de « s'envelopper de grands signes de Croix ». Au petit matin du 24 février, Jacques l'entend s'écrier subitement : « Mon Dieu, sauvez-moi ma vie ! » et lui suggère de dire : « Mon Dieu, je vous donne ma vie. » Le nouveau converti meurt en répétant ces mots.

L'écrivain Claude Aveline, dont les parents, russes d'origine, fréquentaient le couple Oumançoff, livre dans ses souvenirs une tout autre version des faits : « Ce que je vais rapporter maintenant, je le tiens de mon père, explique-t-il. En 1912, M. Oumançoff arrive à sa fin. Il ne peut presque plus parler ni bouger. Ma mère, chaque jour, va les voir tous deux. Elle rentre un soir bouleversée. Les Maritain ont fait entendre au mourant [...] qu'il doit accepter le baptême. Il a cédé d'un mouvement de paupières. Ma mère décrit le visage de tristesse, de désespoir qu'il a tourné vers elle quand elle est entrée dans sa chambre [38]... »

La thèse de la manipulation sera amplement développée dans les milieux juifs, mettant en cause l'acharnement de Raïssa Maritain à faire pression sur les siens comme à vouloir « conduire tous ceux qui étaient dans "l'erreur" sous les ailes de l'Église catholique [39] ».

Quoi qu'il en soit, rien n'a plus contribué à accréditer la réputation de prosélytisme effréné des Maritain que cette conversion « miraculeuse » et pour le moins précipitée. « Ces sortes de combats ne sauraient être que des coups de main menés à un train d'enfer[40] », confiera Jacques Maritain à propos d'autres baptêmes, non moins obtenus à l'arraché, dans les années de Meudon.

Mais il est dans la nature de leur engagement, si hâtives parfois et maladroites que soient les stratégies, de concourir activement au « travail de la grâce ». En mars 1912, c'est du côté d'Ernest Psichari que l'attention de Maritain se porte de nouveau, après deux ans de silence. Il lui envoie ses premiers articles, entre autres *La Science moderne et la Raison*, mais s'abstient de tout appel, comme s'il n'y avait plus qu'à laisser le Centurion se rendre seul là où il est attendu. De Zoug, dans le désert saharien qui pourrait « faire office de cloître », écrit-il, Psichari répond longuement à Jacques le 15 juin. Il se définit comme « un catholique sans la foi » – « … je ne diffère guère de toi qu'en ce que la Grâce ne m'a pas touché[41] » –, un catholique parvenu à un tournant où « il n'y a plus rien à faire qu'à attendre ». Ernest est parti pour la Mauritanie en octobre 1909. À la tête d'une troupe de méharistes, sa mission consiste à parcourir le désert pour y consolider les positions françaises et gagner la confiance des tribus nomades. Mais c'est une autre quête qui, trois années durant, harcèle le soldat dans le vertige des « grands espaces inexplorés » et des vastes silences intérieurs. Le désir de Dieu rejoint la mystique du soldat en une même recherche de purification et d'absolu. « Ô mon Dieu, daignez voir ma misère et ma confiance. Ayez pitié de l'homme qui est malade depuis trente ans ! » Mais, à la veille de l'été 1912, son dernier été d'Afrique avant de rentrer en France, c'est toujours en vain que Psichari « appelle à grands cris le Dieu qui ne veut pas venir [42] ».

Sa double conversion, au service de la nation d'une part, du catholicisme de l'autre, fera du petit-fils de Renan, sous la houlette de Charles Péguy, l'un des modèles de sa génération. Psichari incarne assez bien, en effet, un certain esprit du temps lorsqu'il repousse pêle-mêle, en une même réprobation, « tristes savants », « politiciens aussi insouciants du destin de la France qu'ignorants de ses vraies destinées », « romanciers d'adultères, mondains pourris, francs-maçons, radicaux-socialistes » – la « vase du monde moderne » [43]. Tout ce que le maurrassisme charrie alors de nationalisme, d'antimodernisme, au nom du « réalisme politique » et de la « renaissance catholique », recoupe les aspirations d'hommes comme Maritain et Psichari. L'enquête menée au printemps 1912 par deux jeunes nationalistes, Henri Massis et Alfred de Tarde, réunis sous le pseudonyme d'Agathon, fait apparaître un retour de la « jeune élite intellectuelle » aux valeurs patriotiques et religieuses. L'imminence d'une guerre avec l'Allemagne explique pour beaucoup ce brusque regain du sentiment national dans la génération nouvelle. Mais c'est plus profondément contre le scepticisme et le fatalisme des clercs que se manifeste un réveil des consciences. « Il me semble que les jeunes sentent obscurément qu'ils verront de grandes choses, déclare Psichari dans sa contribution à l'enquête d'Agathon, que de grandes choses se feront par eux. Ils ne seront pas des amateurs ni des sceptiques. Ils ne seront pas des touristes à travers la vie. Ils savent ce qu'on attend d'eux [44] ».

Sollicité par Henri Massis, Jacques Maritain se félicite de cette « révolte de l'Intelligence contre le Bête » qui lui paraît animer la jeunesse française. Mais ces tendances seront sans conséquence durable, affirme-t-il, « si l'on n'est pas bien résolu à se laisser informer radicalement par l'esprit ecclésiastique, qui est le Saint-Esprit. Dieu nous veut tout entier renouvelés. C'est l'Église seule qui peut nous refaire ». La vocation chrétienne ne saurait être qu'une « vocation contemplative », le don de l'intelligence à Dieu qui fait de tous les chrétiens, « du plus illettré au plus érudit », des intellectuels à proprement parler. Soucieuse de distinguer les positions de Jacques de celles, plus « traditionnelles » et amères, de la plupart de ses compagnons de route, Raïssa Maritain insistera sur l'attachement du jeune philosophe à « l'unique tradition où l'on ne risque pas l'erreur, la tradition purement divine de la foi catholique[45] ». Il faudra cependant plus de quinze ans à Jacques Maritain pour rompre tout à fait avec les confusions du temps d'Agathon.

À la fin de septembre 1912, Jacques, Raïssa et Véra sont en route pour l'abbaye d'Oosterhout, où le père abbé dom Jean de Puniet consacrera leur oblation à saint Benoît. « C'est si bon de penser qu'on appartient de manière un peu plus radicale à Notre-Seigneur, lui écrira Jacques peu après. Je ne puis que vous dire toujours la même chose : nous sommes très heureux. » Raïssa reçoit le nom de sœur Agnès, Véra celui de sœur Gertrude et Jacques de frère Placide.

« Tout s'est éclairé lorsque [...] nous avons décidément compris tous les trois que notre petite communauté laïque formait une unité à part, confie celui-ci, était au milieu du monde quelque chose qui n'était pas du monde, sans avoir besoin pour cela d'appartenir à aucune imitation séculière de l'état religieux, ni à aucune pieuse organisation[46]. » Moine et moniale de l'extérieur ? Quelque temps, les lettres partant de la rue de l'Orangerie porteront comme en-tête le *Pax* bénédictin. Mais c'est bien dans le siècle qu'ils ont choisi de rester tout en faisant don de leur existence à Dieu et en vivant dans l'esprit de la règle de saint Benoît. Unis tous trois en une vocation à la fois partagée et distincte. « Le nombre trois est un nombre particulièrement saint et qui signifie la plus complète plénitude, voilà l'idée ou l'impression que notre cœur n'a jamais cessé d'éprouver », dira Jacques Maritain.

À leur retour de Hollande, Jacques et Raïssa prononcent, le 2 octobre 1912, à la cathédrale de Versailles, un « vœu définitif » qui engage toute leur vie de couple. Le secret en sera maintenu jusqu'à la publication hors commerce du *Journal de Raïssa*, un demi-siècle plus tard, où Jacques Maritain le dévoile dans une note à usage réservé, qu'il retirera d'ailleurs de l'édition tout public, suivant le conseil de quelques amis.

« C'est après avoir pris longuement conseil du P. Clérissac, et avec son approbation et ses avis, que d'un commun accord nous avons décidé de renoncer à ce qui dans le mariage ne satisfait pas seulement un besoin profond de l'être humain, chair autant qu'esprit, mais est chose légitime et bonne de soi, et avons renoncé du même coup à l'espoir de nous survivre en des fils ou des filles, explique-t-il. Je ne dis pas qu'une telle décision fut facile à prendre. Elle ne comportait pas ombre de mépris pour la nature, mais dans notre course vers l'absolu et notre désir de suivre à tout prix, tout en restant dans le monde, au moins un des conseils de la vie parfaite, nous voulions faire place nette pour la recherche de la contemplation et de l'union à Dieu, et vendre pour cette perle précieuse des biens en eux-mêmes excellents. L'espérance d'un tel but nous donnait des ailes. Nous pressentions aussi, et ç'a été une des grandes grâces de notre vie, que la force et la profondeur de notre mutuel amour s'en trouveraient accrues comme à l'infini.

« Le vœu définitif dont il est ici question dans les notes de Raïssa avait été précédé d'un vœu temporaire d'une année. Maintenant qu'elle et moi, d'une manière ou d'une autre, en avons fini avec cette terre, je ne me sens plus tenu au silence que nous avons toujours gardé sur ces choses*. »

Un aspect de la vie des Maritain n'a cessé d'intriguer leurs contemporains, celui de leurs relations conjugales, rendu plus énigmatique encore par un mode d'existence auquel une troisième personne fut constamment intégrée. Ici moins qu'ailleurs encore, le couple de Meudon ne s'est jamais prêté à quelque règle de transparence. Qui s'efforce de reconstituer leur parcours intime glanera plus d'allusions que de preuves dans les écrits personnels des Maritain, réserve qui explique en grande partie la crainte d'être mal compris, de s'exposer aux interprétations les plus hâtives et insidieuses.

Le vœu du 2 octobre 1912 survient onze ans après leur première rencontre, sept ans après leur mariage. Ne fait-il qu'entériner une situation établie entre eux depuis toujours ? La note de Jacques Maritain est sur ce point assez explicite : il s'agit bien pour Raïssa et lui de « renoncer » à une composante de leur vie, de « renoncer » aussi à l'éventualité de fonder une famille. Jacques ajoute que la décision n'a pas été « facile à prendre ». Si elle s'impose à eux six ans après

---

* Publiée aux États-Unis par Julie Kernan dans son livre *Our friend Jacques Maritain* (New York, Doubleday, 1975), elle sera reproduite pour la première fois en France par René Mougel, directeur du Centre Jacques-et-Raïssa-Maritain à Kolbsheim, dans l'étude très complète qu'il consacrera en juin 1991 au mariage des Maritain (*Cahiers Jacques Maritain* n° 22).

leur conversion et au lendemain de leur oblation comme une étape nécessaire de leur engagement spirituel, c'est au prix néanmoins d'un long débat. Rien ne permet donc de penser que la vie amoureuse du couple ait été, jusqu'à cette date, différente de celle d'un jeune homme et d'une jeune femme très épris l'un de l'autre.

L'idéal de chasteté ne fascine pas moins les Maritain depuis le début de leur relation. Jacques, le premier, y songe durant l'été 1901, témoignant d'une vision presque cathare du rapport entre les sexes. Et comment ne pas percevoir dans le caractère de Raïssa ce qui peut l'éloigner d'une sensualité sans retenue ? Mais c'est un amour fou qui les saisit d'emblée, à un âge où ils ont tout à découvrir de l'amour. « L'essence de l'amour est dans la communication de soi, avec plénitude d'allégresse et de délices dans la possession du bien-aimé », confiera Raïssa, en une phrase pudique et lumineuse.

L'épreuve de la foi bouleverse la vie du couple : « … le sacrement de mariage n'était que plus profondément vécu par eux, parce qu'une des fins essentielles du mariage, le compagnonnage spirituel entre époux pour s'aider mutuellement à aller vers Dieu, se trouvait affermie et réalisée d'une façon supérieure dans l'amour fou pour Dieu, écrit Maritain dans *Amour et amitié*. Quant à l'autre fin essentielle, la procréation, elle n'était pas reniée mais transférée à une autre place, c'est une progéniture spirituelle que ces époux attendaient de Dieu, et c'est à elle qu'ils se donnaient [47] ». Engagée dès le séjour à Heidelberg, la recherche de la contemplation et d'une entière union à Dieu ne leur paraît conciliable avec l'union maritale que dans « la dynamique d'un autre amour consenti [48] ».

René Mougel insiste à juste raison sur l'autonomie

d'une décision qui a dépendu tout entière des Maritain eux-mêmes, bien qu'elle s'inscrive dans un environnement spirituel déterminant. Le vœu du 2 octobre intervient trois jours seulement après l'oblature bénédictine, sans qu'il soit pour autant une condition requise par celle-ci. « Le vœu de chasteté des Maritain n'était pas le fait de deux religieux vivant ensemble et prononçant un vœu de portée générale : il était le fait de leur couple et les engageait l'un envers l'autre. [...] Il importe en tout cas de comprendre non seulement que le vœu des Maritain ne rompait pas dans leur mariage l'intimité de vie et de communion des époux (alors que le vœu de chasteté des religieux les établit précisément hors de cette condition du mariage), mais que, paradoxalement peut-être, ce vœu prononcé au sein de leur mariage, soudait encore leur couple dans la décision commune qui les engageait l'un envers l'autre, – naturellement pour un but autre qu'eux-mêmes, et qu'il n'est pas si difficile de deviner. »

En réalité, un engagement aussi absolu ne pourrait se comprendre s'il ne se fondait tout à la fois sur un amour d'une puissance hors du commun et sur une exigence de vérité spirituelle, elle-même exceptionnelle. La promesse du 2 octobre est un sacrifice librement accepté ; elle répond plus encore à un désir de sublimation, de dépassement de soi, de liberté nouvelle.

Rien n'atteste, parmi les vies de saints qu'ils ont « dévorées », selon le mot de Jacques, pendant six ou sept ans, qu'ils se soient particulièrement intéressés à celle de sainte Hedwige de Silésie ou de sainte Elisabeth de Hongrie, qui firent de la chasteté conjugale un nouvel idéal chrétien au XIIIe siècle. Encore moins qu'ils s'en inspirèrent, si imprégnés fussent-ils alors du siècle de saint Thomas. Mais que de similitudes, pourtant, entre leur nouveau choix de vie et celui de ces femmes mariées, épouses et mères exemplaires, qui cherchèrent la perfection à travers la « pudeur conjugale [49] ».

Sur les hautes boiseries blanches du grand salon, un simple crucifix côtoie un portrait de Pie X. La vaste pièce où sont reçus les visiteurs paraît d'une austérité monastique. Quelques sièges seulement, qui se reflètent dans le parquet ciré comme celui d'une salle de danse.

« Jacques Maritain m'accueillit en venant vers moi les deux mains tendues, le visage un peu penché, ce visage d'une impressionnante pâleur, de la pâleur de ceux qu'éclaire la lumière du dedans, se souvient Henri Massis [50]. Derrière lui se tenaient sa femme, sa belle-sœur, que je reverrai toujours comme je les vis ce soir-là, où elles me parurent de la "race des anges et des servantes". Ce qui me frappa, ce fut bien, en effet, tout ce qui émanait de spiritualité, de lumineuse tendresse, de ces êtres habités par la grâce ; et je sens encore sur nous l'exigeante ardeur des yeux qui ne nous fixaient si fort que pour nous prendre dans leur lumière. Oui, nous avions le sentiment d'être soudain transportés dans un univers merveilleux de paix, de certitude, de joie : impression d'un bonheur qui venait d'au delà du monde...

« Nous ne savions dire, Psichari et moi, que notre solitude, notre exil, car nous n'avions plus d'objections. Jacques Maritain, d'ailleurs, n'argumentait pas, ne discutait pas. Il nous regardait l'un et l'autre, comme on prie. Il nous remettait comme des enfants fraternels au Père qui nous attendait. Ainsi agissait-il plus puissamment que par discours. Nous étions venus vers lui : dans le silence, il demandait à Dieu de ne point nous laisser repartir que nous ne fussions prêts à nous rendre. Et nous sentions autour de nous d'invisibles filets tendus qui n'étaient tissés que des fils de l'amour... »

Le dimanche 5 janvier 1913, après un long déjeuner avec Péguy dans le parc de Versailles, Ernest Psichari propose à Henri Massis de faire un détour par la rue de l'Orangerie : « Maintenant viens avec moi chez Maritain. » Le jeune homme est encore extérieur au cercle restreint des intimes de la « petite communauté ». Mince, nerveux, le front traversé d'une mèche oblique imitée du maître de Charmes, le coauteur de l'enquête d'Agathon est un jeune journaliste ambitieux, plein d'entregent et d'aisance intellectuelle, qui poursuit dans le sillage de Barrès un rêve de discipline et d'énergie. Très marqué, quelques années plus tôt, par le suicide de son ami Charles Demange, neveu et protégé de l'auteur d'*Un homme libre*, Massis a tiré de l'échec tragique où s'est abîmé une vie d'artifices la résolution de soumettre sa propre existence à « ses plus sûrs devoirs [51] ». Il mesure le désarroi pathétique de son époque où il ne voit que dérèglements à combattre et défections à pallier. La pensée de Barrès, « l'écrivain qui nous parlait de notre âme », lui paraît offrir le seul point d'ancrage : la fidélité aux origines, le culte de la terre et celui des morts. Mû par une devise simple, « Ne pas faire de la littérature dans sa vie », Massis ferraille dans les colonnes de *L'Opinion* ou du *Petit Journal* contre le parti intellectuel et les maîtres de la Sorbonne, qui coupent la jeunesse de ses racines – « petite guerre de corsaires » que ne pourrait désapprouver Jacques Maritain. Ami de longue date d'Ernest Psichari qu'il a retrouvé dans la vieille maison de la rue Chaptal en décembre 1912,

Massis partage avec le Centurion une même interrogation dévorante quant au sens de leur vie, une même indécision spirituelle, un même sentiment d'exil dans la république des modernes – qui les conduisent tous deux vers Maritain.

« Jacques parlait peu, attentif au son des âmes, raconte Raïssa. Véra et moi parlions moins encore. Nous étions maladroits (nous le sommes toujours). Nous n'avions aucune idée du monde. De la Sorbonne nous étions allés directement à l'Église. Nous étions sans écorce, et notre cœur était à nu, – la pire des maladresses. De la conversion des âmes nous ne connaissions encore que la nôtre, et celle de notre père. Nous attendions celle d'Ernest avec confiance. Mais Ernest était si proche de Jacques que par lui nous ne sortions pas du cercle de l'intimité. Massis était le premier qui venait à Jacques du dehors. Jacques n'argumentait pas. Jacques n'avait aucune vue sur lui-même, et ne se comparait à personne. Il désirait seulement la vérité pour les âmes, et il aimait tous ceux dont la recherche de la vérité animait la vie[52]. »

Massis gardera de cette rencontre une impression inoubliable. Maritain lui lit des versets de sainte Hildegarde, traduits par Dom Baillet, l'ami de Charles Péguy. « Voilà que se levaient soudain des présences qui nous rendaient sensibles l'inexprimable, l'invisible... », écrira Massis[53]. Le visiteur inattendu s'est-il ouvert à son hôte de l'indécision spirituelle où il se trouve encore à ce moment-là, de ce sentiment paisible et vertigineux à la fois d'une rencontre avec Dieu inéluctable et mystérieusement différée, qui l'habite, lui, comme il obsède Psichari ? Son retour à la foi interviendra cinq mois plus tard tandis que la conversion de Psichari se joue en quelques semaines, dans le courant de janvier 1913.

« La grâce ne te manque pas, mon cher vieux frère, lui écrivait Maritain en août 1912, au moins les prévenances de la grâce. [...] Toutefois il y a autre chose à faire qu'à "attendre". Il n'y a proprement qu'une chose à faire dans ton cas, c'est de se faire donner ce qui te manque. Tu as beau jeu, car ici Dieu s'est engagé. Il a donné à son Église des remèdes pour les hommes [...] sans que rien soit requis de notre part, sinon le désir. Ces remèdes sont les sacrements. Le Baptême donne tout [54]. » Et Maritain de joindre à sa lettre une médaille de saint Benoît, « efficace contre les entreprises du démon ».

À son arrivée en France, Ernest a traversé des jours de doute et de solitude si déchirants, qu'il doit se résoudre à demander à Jacques de le soutenir et de le guider. « Il me semble impossible que je continue bien longtemps encore à regarder cette adorable pensée chrétienne en étranger, lui écrit-il, et je me dis aussi qu'après avoir été aussi délaissé et avoir été privé d'autant de sacrements, il ne faut pas s'étonner que la pente soit si dure à remonter.

« Ce qui me désespère, c'est cette vie de Paris où le recueillement est impossible. J'étais infiniment plus près du but là-bas, sans savoir les prières qui m'ont tant manqué pendant ces dernières années. Je crois que si j'étais dans le désert en ce moment, mon ignorance me serait positivement insupportable. Et c'est ce qui fait que j'ai tant de *hâte* de voir enfin la vraie lumière [55]. »

De nouveau, ils se voient chaque jour, comme au temps du lycée Henri-IV, se retrouvent soit à Versailles soit à la sortie du collège Stanislas où Jacques enseigne depuis peu. Un matin, alors qu'Ernest se montre plus troublé encore que d'habitude, son ami lui révèle qu'on prie pour lui depuis trois ans en Hollande, à l'abbaye d'Oosterhout. « Demande-moi ce que tu voudras, regarde-moi comme à ton service », lui écrit-il le 16 janvier. Le 21, Psichari le supplie de lui faire connaître un prêtre qui puisse l'entendre.

Ce prêtre existe, il s'appelle Humbert Clérissac. Les Maritain lui ont souvent parlé de Psichari. Sur le point d'organiser une rencontre, ils redoutent un moment son échec éventuel, tant Ernest s'est montré choqué par « certaines extériorisations » de la foi, comme la présence du portrait du pape dans l'appartement de Versailles.

« Pris Jacques à Stanislas, note Psichari le 31 janvier 1913 dans son carnet. Nous allons à Versailles et je trouve chez lui le Père Clérissac, de l'Ordre de saint Dominique. Cet homme a une tête magnifique, des yeux de feu, une bouche amère, une figure de souffrance et de foi. On sent un homme ardent, un esprit solide, un grand cœur, ennemi des faiblesses, des bigoteries, mais plein d'un feu intérieur qui rayonne. D'une instruction nourrie, d'une culture raffinée... Nous allons nous promener lui et moi dans le parc, et je lui dis mon immense désir de la confession et le sentiment où je suis de mon indignité. Il m'aide et m'encourage avec une bonté éclairée qui me va droit au cœur[56]. » Le même jour, comme si plus un instant désormais ne devait être perdu, Jacques écrit à Ernest pour lui proposer de le retrouver le dimanche suivant à la grand-messe chez les Bénédictines du Saint-Sacrement, 36, rue d'Ulm à Paris. Le lundi 3 février, nouvelle rencontre avec Clérissac, chez les Maritain, à l'occasion d'un déjeuner. « L'harmonie est parfaite et l'émotion poignante, raconte Raïssa. Après le déjeuner, le Père emmène Ernest au parc. Leur absence dure deux heures pendant lesquelles nous ne cessons de prier. Enfin ils reviennent. Tout a été décidé en effet : Ernest se confessera demain ; il sera confirmé

cette semaine et fera dimanche sa première communion. »

Le lendemain, à quatre heures de l'après-midi,
dans le petit oratoire aménagé par les Maritain rue de
l'Orangerie, Psichari, agenouillé devant la statue de
Notre-Dame de La Salette, lit « d'une voix forte »
les professions de foi de Pie IV et de Pie X. Le père
Clérissac l'écoute, debout. « Jacques et moi, témoins
tremblants, sommes à genoux. Après cette lecture
nous sortons. Ernest fait une confession générale et
reçoit l'absolution. Alors on nous appelle. » Ernest
leur semble un être nouveau, purifié. « Vous voyez,
leur dit Clérissac, un homme tout à Dieu. »

« Si je pouvais du moins trouver les mots pour
exprimer ce merveilleux renouvellement, ce rejaillis-
sement qui s'est fait en moi… » L'épreuve de la conversion est aussi rude pour le Centurion qu'elle l'a été
pour les Maritain à Heidelberg, sept ans plus tôt :
doutes, défaillances, le sublime et terrible égarement
de l'amour fou… Psichari doit en outre affronter la
réprobation de Péguy dont la présence à ses côtés
l'eût comblé mais qui l'accuse d'avoir capitulé entre
les mains des prêtres : « Nous devons prendre le deuil
d'Ernest, il est perdu pour nous [57]… »

« Que Psichari dût se convertir, cela ne faisait pas
le moindre doute pour Péguy, et d'autant moins que,
pour une bonne part, c'était lui et nul autre qui,
humainement, l'aurait converti, rapporte Henri
Massis. Il l'avait pris en charge ; il veillerait à son
salut, il l'obligerait à remplir sa vocation qui était, qui
ne pouvait pas ne pas être une vocation chrétienne. Et
à la façon dont il le regardait, dont il posait son
regard sur lui, comme un père sur son enfant, on sentait que ce rôle-là, il se l'était définitivement attribué,
qu'il en disposait personnellement, qu'il entendait ne

le laisser à nul autre, pas plus dans l'avenir que dans le passé [58]. »

En réalité Péguy s'est mépris sur la nécessité pour Psichari de se soumettre à ces règles que lui-même réfute, n'entrant jamais dans une église à l'heure de la messe. Et c'est finalement du côté de Maritain que le petit-fils de Renan choisit de se ranger...

Dans une de ses dernières lettres à Romain Rolland, en avril 1942, Geneviève Favre justifiera, avec une fougue nullement désarmée par le grand âge, la position irréductible du seul catholique en qui elle se sera jamais reconnue. À l'instar de Péguy, elle a ressenti la conversion de Psichari comme une trahison. Longtemps Geneviève Favre a entretenu avec le soldat d'Afrique, à l'insu de tous, une correspondance passionnée, reportant sur Psichari une part de la tendresse réservée naguère à Jacques, tissant autour de lui une sorte de filet protecteur. « Rien ne peut dire à quel point votre pensée habite ma pensée, lui écrit-elle. Tout ce qui, dans mon être vieillissant, est demeuré intact, jeune éternellement, tout ce qui reste mystère pour soi-même, est allé à vous, mon enfant [59]... » Soucieux de la ménager, son « second » fils lui dissimule ses véritables aspirations, jusqu'au moment où celles-ci ne pourront plus être ignorées d'elle ni de personne. Comme si elle devait se résoudre, désormais, à quelque sombre fatalité, Geneviève Favre feint auprès du nouveau converti de méconnaître son évolution religieuse : aucune allusion à ce propos dans leur correspondance de l'année 1913. Mais c'est à Charles Péguy, trente ans plus tard, qu'elle donnera raison, réprouvant sans ambages l'« abdication » de leur protégé.

Pourquoi Jacques Maritain a-t-il décliné l'offre

d'Henri de Gaulle, en décembre 1910, de lui succéder au cours de philosophie de l'École Sainte-Geneviève ? La proposition ne reçut manifestement de sa part qu'une attention distraite. L'étonnant est d'ailleurs moins ce refus lui-même, à une date où Maritain n'est encore fixé sur rien, que l'intérêt témoigné à son endroit par le vieux gentilhomme monarchiste qui comptera parmi ses élèves Georges Bernanos et son propre fils Charles. Le jeune philosophe ne s'est encore signalé que par un seul article, éclatant de promesses il est vrai. Il a peut-être suffi à celui qu'on surnomme le « PDG* » de ce premier signal pour pressentir un héritier...

Deux ans plus tard, à la rentrée d'octobre 1912, c'est au collège Stanislas que Maritain fait ses débuts d'enseignant – comme on entre sur un champ de bataille. Son enseignement est centré tout entier sur le thomisme, au point d'inquiéter très vite l'administration du collège et les élèves eux-mêmes. Le premier jour, le nouveau professeur de philosophie ouvre son cours par une prière, un *Ave Maria* suivi d'une invocation à saint Thomas. Le goût de la provocation semble le disputer ici à l'ingénuité du néophyte. D'emblée Maritain bouscule tous les usages : il n'est pas dans les habitudes de cet établissement catholique, en effet, de s'abandonner à de telles démonstrations religieuses. Bon pédagogue, malgré tout ? « Un jour, il nous mima une classe de Stanislas, raconte sa nièce Éveline Garnier, où des étudiants écrasés par la difficulté de son enseignement avaient inventé un soupir collectif allant en s'amplifiant et où Jacques finit par distinguer : "Pitié, Pitié." Il en était enchanté et déclara qu'il continuerait à traiter de questions aussi

* « Le père de Gaulle ».

ardues, mais qu'il donnerait, de temps à autre, quelques minutes de répit à ses étudiants [60]. »

Ses cours à Stan' stimulent sa réflexion philosophique, lui imposent de lire davantage encore, de méditer des nuits entières sur une question à résoudre. Ils lui offrent aussi une tribune. En avril et mai 1913, il donne à l'Institut catholique, toujours à l'instigation du père Peillaube, doyen de la faculté de philosophie et son premier éditeur, une série de conférences sur Bergson qui font scandale. Maritain fustige la philosophie bergsonienne avec l'âpreté d'un prêcheur de croisade, dénonçant une « doctrine à la mode » qui « blasphème l'intelligence ». Il choque certains de ses auditeurs lorsqu'il traite de « poison » une pensée à laquelle beaucoup, comme lui-même, doivent leur libération intellectuelle. On lui reproche « d'affronter le système complet du thomisme à une doctrine qui se fait et se cherche encore [61] ». S'il lui est peut-être nécessaire alors de hausser le ton pour se faire entendre, Maritain prend le risque en tout cas d'une réputation de fanatisme et d'intolérance qui le poursuivra longtemps.

« La stupeur des catholiques, d'ailleurs, n'a pas été moins vive, écrit Henri Massis [62]. On l'a bien vu quand Maritain a déclaré au début de son cours : "Il est essentiel de déterminer les caractères les plus saillants du bergsonisme par rapport à la philosophie chrétienne", et qu'il a précisé : "J'entends *naturellement* par rapport à la philosophie de saint Thomas." C'était la première fois qu'un laïc, qu'un profane osait parler de la sorte ! Il y a même eu quelques murmures sur les bancs où se tiennent les séminaristes lorsqu'il a ajouté : "Il nous faut prendre nettement conscience de toutes les décisions intellectuelles qu'à l'égard de la philosophie nouvelle, la fidélité à la vérité, à la doctrine catholique exige de nous." Là, le trait lancé par

Maritain a touché en pleine cible et fait passer sur la tête des jeunes lévites la menace de l'Index! Car, à la différence d'un Benda – dont "l'ambition d'avilir, dit-il, constitue tout le talent" – c'est bien moins à attaquer M. Bergson que vise Maritain qu'à trancher le lien noué par le modernisme entre la critique bergsonienne et certaines théories du dogme, des miracles et de la croyance. Le "poison" dont il a parlé, c'est celui qui se glisse par l'application du bergsonisme aux matières religieuses et dogmatiques, et qui a pénétré jusque dans l'enseignement des séminaires! Voilà d'ailleurs pourquoi Maritain fait son cours comme on prêche une retraite : c'est un péril pour la foi qu'il dénonce, une doctrine ruineuse qui corrompt la vie même de l'âme chrétienne, dans la mesure où elle est absolument, radicalement incompatible avec la doctrine thomiste qui est la philosophie de l'Église, qui est même, précise-t-il, la "seule philosophie de l'Église!" Oui, c'est bien le ton de la chaire sacrée qu'a pris Maritain pour lancer en péroraison à son auditoire confondu : "Il n'y a qu'un seul milieu où l'âme et l'intelligence puissent vivre dans la paix de Dieu, et croître en grâce et en vérité : *c'est la lumière thomiste !*" »

Ernest Psichari est avec Léon Bloy parmi les plus ardents supporters de Maritain. « Notre cher Jacques leur déverse de la vie, et ils croient recevoir un cadavre entre les bras », s'exclame-t-il dans une lettre au père Clérissac. Pour lui, Maritain répond à la seule question qui vaille : « Pourquoi sommes-nous sur la terre ? », et cette question est moins affaire de philosophie que de vie ou de mort, « car il y va de tout [63] ».

Préparée par Raïssa Maritain qui a collaboré à la rédaction des premiers articles antibergsoniens, encouragée en sous-main par Humbert Clérissac, cette rupture trop virulente avec l'auteur de *L'Évolu-*

tion créatrice s'inscrit en outre dans la campagne déclenchée contre celui-ci dès 1910 par *L'Action française* – campagne qui résiste mal à quelques relents d'antisémitisme.

« Avec ce qu'il appelle une grande naïveté, mais selon la plus profonde tendance de sa nature, Jacques s'était constitué en chevalier de la Vérité » confie Raïssa. La publication en octobre 1913 du premier livre de Maritain, *La Philosophie bergsonienne*, qui reprend ses cours de l'Institut Catholique et les deux articles parus l'un dans *La Revue de Philosophie*, l'autre dans *La Revue thomiste*, achève de le placer en première ligne du combat antimoderniste. « Le mieux que puisse faire un philosophe, c'est d'humilier la philosophie devant la sagesse des Saints. » À une philosophie individuelle, fondée sur l'intuition et l'expérience, il oppose violemment les « pures exigences » de l'intelligence métaphysique et de la raison – « notre unique moyen naturel de connaître Dieu » et « la nature de notre moi ». Dans l'avant-propos à la traduction anglaise du livre, en janvier 1954, Maritain regrettera « l'emphase et la raideur juvénile » avec lesquelles il s'en était pris à Bergson quarante ans plus tôt – « ce maître qui m'avait éveillé au désir métaphysique... », et dont il était devenu l'exécuteur public.

De Charles Maurras qui salue le courage d'un « jeune philosophe catholique brillamment connu » au cardinal Pacelli, futur Pie XII, et au Pape lui-même, les félicitations arrivent toutes, par tir groupé, du même côté, celui qui, de près ou de loin, décidera de la mise à l'index par le Vatican, le 8 juin 1914, de trois ouvrages de Bergson*. Le désaveu de Maritain le plus sévère émane de Charles Péguy, dans sa *Note sur*

---

* *Les Données immédiates*, *Matière et Mémoire* et *L'Évolution créatrice*.

M. Bergson et la philosophie bergsonienne, où le chrétien resté en dehors de l'Église rappelle, contre toute
juridiction ecclésiastique, ce qu'on doit à l'enseignement du philosophe : la reconquête de la liberté de
croire et de penser.

« Pressé par le Bon Dieu[64] », comme il dit à dom
Jean de Puniet, l'homme de trente ans fourmille de
projets conformes à ce qu'il croit être sa vocation
intime : la création d'une société de missionnaires
laïcs qui iraient « enseigner la vérité surnaturelle à
tous ceux que le clergé ne peut plus atteindre[65] », le
lancement d'un hebdomadaire « catholique intégral et
de haute culture » en relation avec Henri Massis, la
poursuite de ses cours à l'Institut catholique... Puniet
lui recommande de prier avant tout et de ne pas trop
se hâter, Delatte de commencer par *être* – « après on
verra » –, tout en l'encourageant, sans succès, à collaborer à l'Institut d'Action française.
   L'idée d'organiser l'apostolat laïc germe à la fin de
l'année 1913, inspirée de l'action de Charles Henrion
dans les Vosges et de l'exemple d'un converti que
Maritain vient de rencontrer, Louis Massignon. À travers elle continue de mûrir, en fait, le rêve d'une
« École de vie » – « l'École où nous animerons des
âmes » -, qui aboutira cinq ans plus tard à la naissance des cercles d'études. Quant au projet de fonder
un journal catholique, il émane en premier lieu de
Henri Massis, qui s'en ouvre à Maritain, fort de
l'appui du père Janvier, prédicateur à Notre-Dame.
Dans l'esprit de Maritain, cette nouvelle publication
qu'il dirigerait avec Massis, « aurait l'ambition d'être
un peu pour les catholiques ce que *Le Temps* est pour
les autres (avec plus de nerf !) ». Elle serait « sur tous
les points l'écho de la pensée de l'Église, poursuivrait

l'erreur sans merci[66] ». « C'est un puissant moyen
d'action qu'on met à ma disposition, sans que je l'aie
nullement cherché, ce qui semble montrer l'action de
la Providence », observe-t-il. L'approbation de Rome
lui semble facile à obtenir, depuis la lettre qu'il a
reçue du tout-puissant cardinal Merry del Val « à propos de Bergson ». Dans le même temps, Maritain
s'inquiète de devoir trop investir dans l'entreprise au
détriment de ses travaux philosophiques et de la vie
de son âme. « Est-ce que tout notre désir n'est pas de
tendre à la contemplation, écrit frère Jacques Placide
à dom Jean de Puniet, à l'oubli du monde, et voilà
qu'il faudra par devoir d'état entrer en contact avec le
monde, se tenir au courant de ce qui se passe, juger
avec la prudence du serpent les hommes et les choses !
Quel tourment. Et non seulement quel tourment,
mais quel péril peut-être. Suis-je sûr de me garder
indemne, là où tant d'autres ont bronché ? [...] Mais je
ne puis être tranquille que si j'ai la garantie de l'obéissance. Ayez donc, je vous en prie, la grande bonté de
me dire ce que je dois faire. » Puniet lui recomman-
dant la prudence, Maritain en reste là, de ses débuts
dans le journalisme comme de ses velléités de contact
avec le monde. « Je sens profondément le péril qu'il y
a à se relâcher de ce regard intérieur... », écrit-il à
dom Delatte[67].

En réalité, ses maîtres spirituels le destinent à
l'enseignement. Et non seulement les exilés de
Solesmes, mais aussi l'autorité suprême, qui favorise
son intégration à l'Institut Catholique. C'est à l'intervention du cardinal Lorenzelli, préfet de la Congrégation des Études à Rome, que Jacques Maritain doit
d'accéder en juin 1914, contre l'avis du recteur,
Mgr Baudrillart, à la chaire d'Histoire de la philosophie moderne. Antibergsonien et thomiste, il appelle à

tous égards la bienveillance de Rome. En 1917, il recevra des Universités romaines le titre de docteur qui lui manque pour devenir professeur titulaire.

Seules son amitié persistante pour Léon Bloy et sa dévotion à Notre-Dame de La Salette jettent une ombre douteuse sur la réputation du jeune philosophe. Preuve que, sous le devoir d'obéissance, perdure chez lui la même indépendance d'esprit, un débat sans concessions l'oppose à dom Delatte sur ce sujet. Le 24 mars 1912, Maritain adresse à l'abbaye d'Appuldurcombe le dernier livre de Bloy, sa *Vie de Mélanie* : « ... je n'ai jamais lu, je crois, de vie de saint plus lumineuse [68] ». Delatte le met en garde contre les dangers d'une vie mystique qui ne serait fondée sur la seule connaissance conceptuelle et doctrinale et l'enseignement du Magistère, et le prie de « ne pas créer un public à un livre qui ne saurait faire du bien ». Maritain lui répond par une lettre de six pages où le laïc, « l'ignorant, le pauvre philosophe » qu'il est, expose les raisons de sa « vénération pour Mélanie », plaide pour l'humilité et la sainteté de la jeune voyante, telles qu'elles ressortent de son autobiographie préfacée par Bloy.

« Elle est mieux instruite que beaucoup d'apologistes modernes sur la foi et sur son motif formel (voy. p. 72). Elle a sur les mystères, sur la sainte Trinité, sur les attributs de Dieu, sur l'Incarnation, sur la Rédemption, une instruction théologique précise et développée. Et sur la Grâce ! Elle parle en thomiste (voy. p. 46, p. 240-243). Et elle se repaît de ces vérités, elles sont sa joie (voy. p. 36, p. 73, etc., etc.).

« Ah non, ce n'est pas la note pieuse ! C'est la marque catholique, la note de lumière intellectuelle, que ni le caprice ni le rêve ni le démon ne sont capables d'imiter. J'ai beau ignorer bien des choses, il me semble que chez les saints les plus élevés en grâce, le caractère même de leur sainteté, c'est qu'ils vivent de la *Vérité*, et c'est leur joie de la *Vérité*; il me semble que l'imagination exaltée, les réactions inconscientes de la nature, la fantaisie pieuse *ne peuvent pas* donner cela; qu'elles peuvent nourrir l'âme d'images : jamais de doctrine; que le caprice n'a jamais pu produire l'ordre. [...] Si quelqu'un fait croire par des inventions à une telle vie de vérité et de doctrine, il faut qu'il mente consciemment et volontairement, et il faut que cet imposteur soit un docteur très-savant, d'une intelligence rare. Et cela même suffirait-il ? Les vérités théologiques ne sont-elles pas si délicates que pour parler seulement d'une manière convenable à leur sujet, l'assistance de la grâce est nécessaire ? Quoi qu'il en soit, Mélanie était absolument ignorante, absolument inculte. Pas de fait historique mieux constaté. Or toute sa vie spirituelle respire la doctrine, la vérité surnaturelle ; donc cette vie ne peut pas être le fruit de l'illusion, du caprice ou du rêve. [...]

« Cher et Révérendissime Père, quand un livre me montre une fidélité admirable aux vérités qui me sont le plus chères, aux vérités de la doctrine catholique, comme de la vie mystique, comme de ce que mes yeux eux-mêmes voient dans ce monde, comment mon cœur résisterait-il ? Est-ce que je n'ai pas en moi par le saint Baptême, une Vérité, qui se reconnaît dans la vérité qu'on me présente, et qui bondit à sa rencontre [69] ? »

Delatte lui répond brièvement le 4 avril 1912 par un aveu de défiance envers « tout ce qui est le surnaturel de voie féminine » : « Qu'elles disent ce qu'elles veulent, écrit-il, l'Église n'en a pas besoin, de ce surnaturel-là, et souvent il fait tort à l'autre. » Le dissentiment qui a surgi entre les deux hommes n'en reste pas là, exacerbé trois ans plus tard par la décision de Maritain de consacrer un mémoire à La Salette et au secret de Mélanie, et la condamnation immédiate que le père abbé de Solesmes oppose au projet. « Ce serait, je crois, signe de tiédeur plutôt que d'obéissance d'attendre toujours que Rome ait explicitement parlé, écrit Maritain à Psichari. Au contraire il faut aller, avec toute la prudence requise, au-devant de ce qu'on suppose être conforme à sa pensée [70] ». Mais il ne peut ignorer, s'engageant sur ce chemin-là, les risques qu'il encourt : dresser contre lui tous ceux, dans l'Église, qui n'ont voulu retenir du Message de La Salette, pour mieux en contester l'authenticité, que le moment où la Vierge condamne le comportement des prêtres, « ministres de mon Fils [...] devenus des cloaques d'impureté ». Raison de plus, pour Maritain, de s'attacher aux révélations de Mélanie, la messagère controversée, l'exilée d'Altamura qui aura tenté en vain de diffuser le sens de l'Apparition auprès des papes, des évêques, de tous les hommes de foi de son temps.

Si Bloy, le premier, a guidé les Maritain sur les sentiers de La Salette, le père Clérissac s'est à son tour employé à entretenir leur dévotion, décelant tout ensemble dans le message de « celle qui pleure » un « rappel du christianisme intégral et de la foi des premiers siècles », une mise en garde contre la dérive des modernes. C'est à l'initiative de leur directeur spirituel qu'ils installeront dans le petit oratoire de Versailles une statue en terre cuite de Notre-Dame de la Salette, trouvée par lui chez une antiquaire.

Le 1er août 1914, les Maritain débarquent à l'île de Wight et gagnent Quarr Abbey où ils doivent séjourner jusqu'à la fin de l'été. L'annonce de la guerre générale en Europe les surprend le surlendemain de leur arrivée en Angleterre. On peut s'étonner que le couple ait maintenu, malgré l'imminence du conflit, ce voyage prévu depuis juin à l'invitation des bénédictins de Solesmes. Incapacité à concevoir le pire, comme l'affirmera plus tard Raïssa? Souci de se tenir d'emblée à distance des événements? Primauté de l'engagement spirituel? Le fait est que les hôtes de Quarr Abbey paraissent s'absenter de l'Histoire au moment où des millions d'hommes plongent dans la fournaise, et parmi eux Péguy, Psichari qu'ils ne reverront jamais.

« En ce moment, personne n'a droit sur nous que la Patrie, écrit sèchement Geneviève Favre à son fils le 4 août ; nous sommes soumis à notre conscience, à notre volonté [71] ». Réplique de Jacques à celle qui lui rappelle son « devoir primordial » : « ... il ne doit pas t'être bien difficile de penser que si nous concevons le devoir d'une manière différente, en tout cas je fais ce que je crois devoir faire. » La réprobation de sa mère ne fait qu'aviver chez lui un malaise de plus en plus sensible à travers les tentatives d'explication qu'il lui oppose. Jacques commence par prétexter qu'on le retient « prisonnier [72] » dans l'île avant de déclarer le 12 août que, s'il est en Angleterre, « c'est parce que la démocratie a exilé les moines dont le crime était de prier » et que « l'action la plus urgente » pour lui est de rester là « où Dieu m'a mis ». Faute de rentrer au plus tôt, Geneviève Favre lui conseille de chercher « pour l'hiver prochain une situation en Angleterre : j'imagine que la France restera longtemps sévère pour ceux qui auront passé la guerre à l'étranger ». Après enquête de sa part au Bureau des « Marches de l'Est », elle confirme à Jacques l'irrégularité de sa situation, « ni réformé ni exempté » – bien qu'il ait été exempté du service militaire à cause des séquelles d'une pleurésie [73].

Sans doute les Maritain ont-ils été pris de vitesse

par le déclenchement du drame et son ampleur immédiate. « Malgré l'agitation politique des mois précédents, et le pressentiment d'une grande liquidation prochaine, avoue Raïssa, nous n'avions jamais cru vraiment à la possibilité d'une guerre, imbus du préjugé alors régnant que l'état de la civilisation ne pouvait plus comporter de ces manifestations barbares. » Ces abonnés de *L'Action française* se seraient-ils détachés du nationalisme ambiant et de l'esprit de revanche cher à Maurras et aux émules d'Agathon, au point de se laisser gagner par les illusions pacifistes ? La raison de leur éloignement prolongé, à l'orée de la guerre, n'a vraisemblablement rien à voir avec des questions de cet ordre : en 1914, comme vingt-cinq ans plus tard dans le contexte d'une autre guerre, les Maritain prennent conscience de la responsabilité spirituelle que leur dictent les circonstances.

Que savent-ils, en attendant, du sort des quelques êtres qui comptent le plus pour eux ? « Avec quelle gaieté, bien française, le cher ami est parti », écrit Geneviève Favre le 26 août à propos de Péguy. Celui qui rêvait d'entrer dans Weimar « à la tête d'une bonne section d'infanterie[74] » a passé ses derniers jours rue de Rennes. À son amie qui lui demande s'il a mis ses derniers manuscrits en sûreté, il répond qu'il n'y a pas songé, qu'il va « participer à de tels événements » que ce qu'il écrira au retour dépassera tout ce qu'il a fait jusqu'ici. Geneviève Favre le voit « transfiguré, éblouissant de lumière intérieure[75] ». Ils se séparent le 4 août à huit heures du matin : « Grande amie, je pars soldat de la République pour le désarmement général et la dernière des guerres. » Il reçoit le commandement d'une troupe de trois mille réservistes qui se dirige vers les Hauts-de-Meuse. Le 15 août, Péguy assiste à la messe de l'Assomption dans l'église de Loupmont. « Je vis dans cet enchantement d'avoir quitté Paris les mains pures, écrit-il à André Bourgeois le 17. Vingt ans d'écume et de barbouillage ont été lavés instantanément. »

Le 22 août, Ernest Psichari, arrivé dans l'Est depuis l'avant-veille, est encerclé à Rossignol-Saint-Vincent, avec son régiment par une division allemande dont l'état-major français a sous-estimé le nombre. En fin d'après-midi, le lieutenant qui porte sous ses vêtements le scapulaire de saint Dominique* et accrochée à sa vareuse la médaille militaire conquise en Afrique est tué d'une balle dans la tempe. Autour de son cou, une petite chaîne d'or soutient la croix de son baptême. Agenouillée près de lui, une vieille religieuse découvre au poignet gauche de ce « jeune officier dont les traits sont si purs, presque enfantins encore [76] » un chapelet aux grains noirs qu'il a gardé enroulé autour de son bras durant la bataille.

Le 5 septembre, Péguy et ses hommes campent aux alentours de Villeroy. Péguy commande le feu, debout sous les rafales de la mitraille ennemie. En fin de journée, il est touché au front et s'effondre dans un murmure. La veille, il a cantonné avec sa troupe dans un vieux couvent sur la colline de Saint-Witz et passé la nuit à fleurir l'autel de la Vierge.

« Nous apprîmes en même temps la mort de Charles Péguy et celle d'Ernest Psichari », note sobrement Raïssa Maritain. On peut imaginer la stupeur, la douleur, l'indicible choc que produisirent sur eux ces deux nouvelles reçues à distance. Jacques prédit « la révolution la plus atroce et la plus sanglante ».

Un premier conseil de révision confirme son exemption, à son retour en France en octobre 1914. Maritain ne sera reconnu « bon pour le service » que

---

* Psichari est entré dans le tiers ordre dominicain le 19 octobre 1913, à l'instigation du père Clérissac.

trois ans plus tard. Le 6 novembre il reprend ses cours à l'Institut catholique, analysant le rôle de la philosophie allemande dans le monde moderne, et les responsabilités de la culture luthérienne – « la force au service de la chair [77] » – dans la « conflagration universelle ». Le foyer de l'infection réside dans « la monstrueuse hypertrophie du "moi" allemand ». Kant, Hegel, mais aussi Descartes, Rousseau, Michelet, Renan sont accusés pêle-mêle d'avoir collaboré à l'œuvre de destruction, servi la cause du modernisme et d'une « germanisation de la pensée », livré l'homme à lui-même « sans autre Dieu que le Dieu qu'il s'est fait ». La présente guerre est « le règlement de comptes d'au moins trois siècles de prévarications, où toutes les nations ont leur part ». Et Maritain de conclure que la race ne sera sauvée que si elle prend parti pour « saint Thomas contre Kant » et restaure une civilisation « purement, intégralement catholique ».

De novembre 1914 à mai 1915, les leçons du philosophe s'attachent à démontrer le sens profond de la guerre, « conflit suprême » entre deux cultures et deux conceptions de l'homme. Maritain se multiplie dans ce rôle d'éclaireur, tant à l'Institut catholique et à Stanislas qu'au Petit Séminaire de Versailles où il enseigne à partir de 1916 à des élèves comme Michel Riquet.

Alors que « la mort galope à travers le monde et y mène un train d'enfer [78] », comment ne pas songer à *Celle* qui est apparue en pleurant aux deux bergers pour leur annoncer d'aussi vastes malheurs ? L'immensité du drame convainc Jacques Maritain de réhabiliter le message de La Salette et, puisque le témoignage de Mélanie Calvat reste sujet à caution un demi-siècle plus tard, de remonter à sa source. Paradoxalement, le dossier si controversé de La Salette le réconcilie avec Jules Favre, ce grand-père auquel il lui déplaît tant de ressembler et dont une des plus célèbres plaidoiries fut consacrée, le 27 avril 1857, devant la Cour impériale de Grenoble, à défendre une vieille fille accusée de s'être fait passer pour la Vierge auprès des deux bergers.

Le 12 août 1915, Jacques avise dom Delatte qu'il a résolu de dire tout ce qu'il sait sur « le fait de La Salette ». « Comme je voudrais causer avec vous de tout cela ! Je sais que vous m'avez conseillé là-dessus beaucoup de discrétion. Oui certes, et je ne l'oublie point. Mais je suis maintenant en face d'un devoir de conscience, que je vois trop clairement pour pouvoir m'y dérober. Je crois que plus tard la conduite de bien des évêques français dans cette affaire paraîtra singulièrement injuste et hautaine. [...] Je voudrais donc faire une grosse brochure, surtout documentaire, pour laquelle j'espère obtenir l'*imprimatur* du P. Lapidi [79]... » Delatte condamne le projet avec une violence trop excessive pour convaincre son auteur d'y renoncer. « J'ai tout examiné à nouveau, écrit Maritain le 9 septembre, je me sens toujours la même conviction. » Il consulte dans le même temps dom Jean de Puniet qui approuve son initiative en lui conseillant de « marcher avec confiance ».

À peine a-t-il pu rassembler les premiers matériaux de son mémoire – en hâte, comme toujours – que, le 12 janvier 1916, *La Croix* publie un décret du Saint-Office daté du 21 décembre 1915, interdisant de traiter du Secret de La Salette « sous quelque prétexte ou sous quelque forme que ce soit ».

« Comment pourrais-je accepter ce Décret autrement qu'en adorant la volonté de Dieu ? écrit Maritain au "Révérendissime Père" le 30 janvier. Il ne signifie pas pour moi que la Sainte Vierge ne voulait pas que ceux qui connaissaient la vérité sur le Secret travaillassent de tout leur cœur à propager son message.

Il signifie pour moi que la parole est désormais à Dieu seul, et que rien ne pourra empêcher les châtiments annoncés de se dérouler, rien sinon la prière (elle-même prévue et préordonnée par Dieu).

« Le Décret en question ne condamne d'ailleurs en aucune façon le Secret de La Salette ; il le traite seulement à la manière de la grâce efficace ou de la question des rites chinois. Je ne voulais parler sur cette question que pour obéir à Dieu. Puisque Dieu me condamne au silence, c'est une condamnation très-douce pour un moine... »

Dom Delatte, le 12 février 1916 :

« Mon bien cher frère Placide,

« Oui, j'ai béni Dieu du décret intervenu. Vous avez à porter votre effort, croyez-moi, sur d'autres points que celui-là. "Je ne voulais parler sur cette question, me dites-vous, que pour obéir à Dieu." Gardez-vous d'appeler Dieu ce que vous pensez, ou ce qui vous est suggéré. Il est des voies authentiques par lesquelles Dieu s'adresse à nous : nos pensées, nos désirs, nos penchants, nos vouloirs même ardents ne sont pas une de ces voies : et il serait trop facile d'arriver à l'esprit privé en les suivant. C'est une chose remarquable dans la vie monastique que l'on n'en appelle à la Conscience que lorsqu'un mouvement personnel nous porte en dehors de l'obéissance et de la ligne de l'autorité. Nous n'avons pas notre loi en nous... »

Jacques Maritain à dom Delatte, le 20 mars 1916 :

« [...] Puis-je vous cacher, cher et Révérendissime Père, que votre dernière lettre a été douloureuse à mon cœur ? Dieu me garde de tenter des explications et justifications de moi-même. Laissez-moi vous dire cependant que devant Dieu, et pour autant que je connais les motifs de mes actions, et je crois ici les connaître, je n'ai pas conscience d'avoir dans cette affaire péché contre la vertu d'obéissance. Je ne dois pas me croire justifié pour cela, je le sais bien, car c'est Dieu qui juge. Mais je ne peux en ce cas faire qu'une chose : Lui demander pardon des fautes que je ne connais pas dans la mesure où Lui me sait coupable, Lui qui seul peut scruter les consciences. Et de tout mon cœur je souhaite que ce qui n'a peut-être été qu'un long malentendu, n'ait été cruel que pour moi[80]... »

Quels efforts ne doit-il pas accomplir sur lui-même, ce rebelle d'instinct, pour s'imposer une telle soumission à la « volonté de Dieu », volonté dont il sait trop bien ce qu'elle recouvre en réalité de prudences séculières et de conformisme doctrinal... Encore ne suffit-il pas de s'incliner : voici qu'en outre le maître de Solesmes lui ordonne – non sans quelque mépris – de faire abstraction de sa conscience d'homme et de chrétien au nom de la vertu d'obéissance. Aussi avide soit-il de discipline et de règle, Maritain ne saurait y sacrifier au point d'abdiquer tout discernement. Sans contester le décret disciplinaire qui le contraint à ranger son mémoire, peut-il s'interdire toutefois d'engager discrètement auprès de Rome une ultime démarche ?

La disparition soudaine du père Clérissac, mort dans son sommeil comme le père Baillet un an auparavant, a plongé les Maritain dans un « vide affreux » au cours de l'automne 1914. « Il était comme un principe de toutes mes pensées », confie Jacques à dom Delatte. Qu'ils aient par trop subi la férule de ce « grand maître en la vie illuminative », Raïssa et lui ne l'admettront que des années plus tard. En quête d'un nouveau guide providentiel, ils rencontrent en novembre 1915 le père Dehau qui, mieux que Clérissac, ennemi de « l'esprit réflexe », saura discerner leur vocation particulière. Et d'abord celle de Raïssa, alors « toute troublée, ne sachant ce que Dieu voulait d'elle et pourquoi il la poursuivait, se demandant même si elle ne devrait pas se jeter dans les œuvres extérieures [81] ».

Sur la recommandation du père Garrigou-Lagrange, Pierre-Thomas Dehau assiste aux cours de Jacques Maritain à l'Institut catholique. Ce théologien aux allures de chat, dépourvu d'autorité apparente, intuitif et secret, toujours enveloppé de châles et de couvertures, cheminant incognito parmi les âmes et à moitié aveugle, se penche d'instinct sur le cas des Maritain. Après une « conversation importante » le 5 décembre 1915 à l'église Saint-Augustin, ils se retrouvent à plusieurs reprises à Versailles. Dehau consacre des heures à prier avec Raïssa, à méditer avec Jacques sur les textes thomistes.

À celle qui n'aspire qu'à « adorer-adhérer » et à s'anéantir devant Dieu, confrontée à un « moment difficile de sécheresse, de fatigue, de nudité [82] » où elle se débat seule, le père Dehau conseille le 3 mai 1916 de « donner toutes ses matinées à la prière, au recueillement, selon ce que Dieu demandera [83] ».

Cette destinée nouvelle sera pour Raïssa comme « un pont léger jeté sur l'abîme » – la plus incertaine et la plus risquée de toutes les traversées. Oraison par « vagues successives », « larmes délicieuses », « contemplation du Cœur filial de Jésus », « ivresse d'amour », « crainte de Dieu », « mélancolie paisible », « grande nudité de sentiments et de pensées », « anxiété du cœur, désir de je ne sais quoi », « besoin de rester là, devant Dieu, comme une terre sans eau »... la nécessité de lier son âme à Dieu impose à Raïssa chaque matin de s'isoler dans sa chambre, les yeux fermés, de plus en plus longuement. « Il me semble comprendre, note-t-elle le 14 avril 1917, que

depuis quelque temps se fait dans mon âme un certain travail, qui si je m'y prête docilement doit me
conduire à l'abandon total à Dieu de toute ma volonté
[…]. En résumé, cette année j'ai été conduite à veiller
surtout sur l'humilité, la charité à l'égard du prochain
(et sur ce point j'ai été aidée intérieurement par une
disposition de douceur et de suavité), l'abandon de
ma volonté propre à la volonté de Dieu [...]. Ce que je
dois à l'amitié sainte de Jacques [84] ! »

Cinq ans à peine après le vœu de chasteté qui a
scellé entre elle et Jacques une relation nouvelle,
Raïssa met ainsi en lumière le partage qui doit s'opérer dans sa vie entre l'amour fou de Dieu et « l'amitié
sainte » qui l'unit à son mari. On se reportera une fois
encore à *Amour et amitié**, pour comprendre l'évolution nouvelle à laquelle le couple dut consentir dès ce
moment-là. Des époux voués à l'amour fou de Dieu,
explique Maritain, sont contraints à la plus grave des
renonciations, ne pouvant « vivre en même temps – du
moins sans une contradiction et un déchirement qui
les empêcheraient d'avancer comme Dieu le
demande, et bloqueraient leur chemin – sous le
régime de l'amour fou d'un être créé. Dans l'amour
fou l'aimant ne se donne-t-il pas à l'aimé comme à son
Tout, dont il fait partie ? Mon Tout est mon Unique.
[…] Si les deux époux qui passent sous le régime de
l'amour fou de Dieu savent ce qu'ils font, ils savent
qu'il leur faut renoncer du même coup à l'amour fou
l'un pour l'autre... » Un peu plus loin, Jacques définit
ses rapports avec Raïssa comme un « compagnonnage
spirituel » en vue de « s'aider mutuellement à aller vers
Dieu », dans le don intégral de l'âme comme du corps.

* La distinction ne sera clairement formulée et analysée par
Raïssa dans son *Journal* qu'en 1924.

Mais un tel accord, si ardemment désiré fût-il, ne peut aller jusqu'à leur rendre tolérable la moindre séparation, comme en témoigne le déchirement de Raïssa à l'annonce de l'incorporation de Jacques, en avril 1917. «Recueillement intense, mais dans l'angoisse et la douleur, écrit-elle. Dieu et Jacques présents à la fois dans mon cœur. Agonie. Je n'ai désormais qu'à me considérer comme morte. Quelle vie pour moi si Jacques partait [85] ! » Bien que celui-ci soit d'abord affecté au 81e d'artillerie lourde à Versailles, il semble à Raïssa qu'elle a désormais «perdu sa sécurité ». Et l'ivresse de l'amour de Dieu n'en devient que plus violente en elle, et l'exigence de purification plus terrible encore.

Dimanche 22 juillet : «Séparation de l'âme et de l'esprit : c'est un arrachement, c'est un brisement, c'est un déchirement indescriptible. L'âme se précipite tout entière vers l'objet naturel qui lui convient. L'Esprit reconnaît en Dieu son unique amour.

« Et tout cela se passe tous les matins pendant plusieurs heures, pendant le recueillement. Ce recueillement persistant me rassure, et me fait vivement sentir la bienveillance infiniment miséricordieuse de Dieu. Souvent, pendant ce temps je pleure. Et Jacques a vu ces larmes-là. »

25 juillet, Saint-Jacques : «[...] La nature se lamente, elle plaide sa cause avec une prodigieuse éloquence, avec une terrible force de séduction. Elle n'est pas révoltée, elle n'est pas perverse. Elle est elle. Et ne pouvant désirer que la vie, il lui faut consentir à la mort ; à mille morts partielles plus cruelles peut-être que la mort totale [...].

« La tempête de la tentation balaie tout ce qui est fragile et met à nu le roc de la foi. L'âme vit alors d'humilité et d'obéissance, dans la nudité absolue de la foi.

« Il me semble que mon âme se pacifie et se dégage. Quelle joie de se briser soi-même, et de donner quelque chose à Celui qui nous donne tout ! »

15 août : « Messe pleine de recueillement, de lumière, de larmes, de consolation. À la fin de l'action de grâces, je me sens touchée à l'épaule : c'est Jacques en permission, contre toute attente. Mille *Ave Maria* pour J. »

Le lendemain Jacques est réformé après plusieurs examens médicaux. Le 31 août, le père Dehau confie à Raïssa qu'elle doit s'attendre « à de grandes mortifications intérieures » destinées à la rendre « très souple dans la main de Dieu ». L'oraison de chaque jour, note-t-elle le dimanche 13 octobre, a « le même caractère de quiétude plus ou moins suave, plus ou moins aride, plus ou moins intense ». À d'autres moments, son journal témoigne de longues souffrances : « Aujourd'hui tout est douleur. »

Plus que jamais Raïssa se reconnaît la filleule de Léon Bloy, du prophète flamboyant annonciateur d'apocalypse, du témoin de Dieu agenouillé aux pieds de « Celle qui pleure », du « fils de douleur » qui appelle sur lui « toute la douleur possible », seul « dans l'antichambre de Dieu ». Accablé jusqu'à en mourir par la guerre qui ravage l'Europe, Bloy voit en elle le prélude à des malheurs plus atroces encore. « Par-dessus tout, c'est l'indifférence des cœurs qui le fait frémir », écrit Raïssa. Jacques et elle séjournent fréquemment à Bourg-la-Reine où leur « parrain irrésistible » s'est installé en 1915. Tôt chaque matin, le vieil homme rompu d'épreuves, à la silhouette émaciée par le temps, au regard toujours mélancolique, se rend avec Jacques à l'église du village pour assister à la première messe. Le soir, avant de se séparer, Bloy récite le chapelet à genoux avec ses filleuls, saisis au point d'être distraits dans leur prière par l'image de foi et d'humilité qui s'offre à eux. « Il faut prier, tout le reste est vain et stupide » leur dit-il. La pauvreté, le désespoir continuent de harceler son existence, malgré l'afflux de nouveaux amis. Bloy vient de terminer son dernier livre, *Dans les ténèbres*, lorsqu'à la fin d'octobre 1917 il est victime d'une crise d'urémie.

« Pendant ces jours de cruelles souffrances, raconte Raïssa Maritain, il gardait toujours, chaque fois qu'il parlait, un soin extraordinaire de l'exactitude du langage et de la pureté d'expression. Mais il parlait très peu, ses rares paroles émergeaient d'un silence profond [...] où l'on sentait que seul, vraiment seul, comme il l'avait écrit, il affrontait son Dieu et regardait sa vie, repassait une dernière fois dans son cœur les mystérieuses promesses qu'il avait reçues, acceptait dans la nuit de la foi les purifications extrêmes [...]. Il n'y avait pas une ombre de crainte en lui, mais un étonnement profond devant la mort qui venait sans le martyre sanglant qu'il attendait et appelait de tous ses vœux depuis beaucoup d'années. »

Le soir du samedi 3 novembre 1917, Léon Bloy s'assoupit et meurt après une journée paisible.

La décision s'impose à Raïssa brusquement le dimanche 3 mars 1918, au milieu d'une oraison : ils se rendront à Rome au cours des vacances de Pâques. Le moment est venu d'entreprendre le voyage auquel tout jusqu'alors leur paraissait s'opposer. Les risques, ils ne les connaissent que trop – discrédit irrémédiable, déception de leurs amis dans le monde ecclésiastique, réputation d'illuminé... Les mêmes risques qu'ils ont dû affronter pour demander le baptême. Il s'agit cette fois de « servir les volontés de la Vierge » et de se laisser guider par la « persuasion subite » dont

Raïssa a été saisie. Les Maritain parient sur la candeur et sur la grâce pour déjouer les manœuvres et les intrigues de la « vaste machinerie » romaine. Et sur le discret concours, sans doute, de quelques amis influents...

Départ pour Rome le mardi saint 26 mars. Le manuscrit du mémoire sur La Salette est au fond d'une valise, si bien protégé qu'il échappera à l'attention des douaniers. Le déplacement, en temps de guerre, est long et difficile. En gare de Rome, les voyageurs sont attendus par leur ami Jacques Froissart, futur père Bruno de Jésus-Marie, qui fait ses études à l'Angelicum avant d'intégrer la vie monastique. C'est leur premier séjour à Rome – et la première d'une série de missions quasi clandestines en marge de circonstances cruciales. Le père Garrigou-Lagrange, membre influent du Collegio Angelico, éminence grise de la cause thomiste, à la fois correspondant et protecteur à Rome du jeune philosophe français dont le premier livre a été transmis par ses soins à Pie X, salue la démarche de Maritain en faveur de La Salette, non sans le prévenir qu'il en souffrira beaucoup. Il lui conseille de demander audience au nouveau pape Benoît XV. Selon Garrigou-Lagrange, c'est le Souverain Pontife lui-même qui a voulu, un an plus tôt, que fût conféré « très solennellement » à Jacques Maritain le titre de docteur des Universités romaines – « On a fait imprimer un petit rapport vous concernant et il a été distribué aux cardinaux membres de la Congrégation des Études [86]. »

L'audience est fixée au 2 avril. Benoît XV accueille les Maritain « avec beaucoup de douceur et de bonté », appelle Jacques « Monsieur le Docteur », l'interroge sur ses travaux en cours... « Après quoi, je me jetai à l'eau, et lui demandai la permission de lui "ouvrir mon cœur comme un enfant à son père". Il se penche

alors vers moi avec une grande bienveillance et simplicité, penchant la tête comme pour entendre une
confidence [...]. » « La Salette », dit-il avec un regard
vif et intéressé. Et de lui-même il explique longuement ses sentiments sur la question. « Le pape
s'inquiète de l'authenticité non de l'Apparition mais
de la critique sévère du clergé contenue dans le message. Le Saint-Office veut éviter tout scandale...

« Puis, avec une grande douceur : "Mais vous, vous
croyez que la Sainte Vierge a ainsi parlé, à la lettre ?"

« (Que faire ? Contredire le Pape ? Tout ce que je
vois c'est que je vais en tout cas déplaire à quelqu'un,
le Pape ou la Sainte Vierge. Alors, pas d'hésitation :
mieux vaut déplaire au Pape. Et je réponds comme un
grand nigaud, – mais c'est un des rares moments dans
ma vie où j'ai eu l'impression de poser un acte dont je
puisse être véritablement satisfait) :

« – Oui, Très-Saint Père, je crois que Mélanie était
une sainte et que ce qu'elle a rapporté est vrai à la
lettre. J'ai eu beaucoup de détails sur sa vie. Elle était
stigmatisée. Elle a beaucoup souffert par fidélité à sa
mission...

« – Oui, je sais, dit le Pape, qui ne paraît pas
offensé de ma réponse. On ne peut pas dire sur elle
tout ce qu'on reproche à l'autre Voyant.

« – Mais Maximin a été beaucoup calomnié, lui
aussi. Il n'a pas eu les grâces extraordinaires dont
Mélanie a été favorisée. Mais c'était un bon chrétien.

« Raïssa : – Un cœur simple.

« – Vous y croyez aussi, Madame ? Vous avez aussi
la dévotion à Notre-Dame de La Salette ?

« – Oui, Très-Saint Père (elle dit cela d'un ton
pénétré, malgré la crainte de s'être trop avancée en
intervenant).

« – Oui, je sais, il y a beaucoup de personnes en
France qui ont une grande dévotion à Notre-Dame de

La Salette. Plus grande chez certains qu'envers Notre-Dame de Lourdes, n'est-ce pas ?

« Je dis : – C'est que la Sainte Vierge a pleuré à La Salette, c'est à cause de ses larmes.

« – Les larmes, ajoute Raïssa, répondent bien à l'état actuel du monde.

« Le Pape reste silencieux ; il paraît touché, son visage est grave. Puis, après un moment, il me dit :

« – Eh bien, voici ce que vous devez faire. Allez voir Notre Frère (un léger sourire passe sur ses lèvres, – je savais qu'ils ne s'aimaient guère) le cardinal Billot. Il s'occupe des études, c'est une introduction toute naturelle pour vous. Quand vous lui aurez parlé philosophie, faites comme vous venez de faire avec Nous, ouvrez-lui votre cœur. Il vous écoutera. Dites-lui que vous ne voulez rien lui demander concernant le secret du Saint-Office, mais que vous avez fait un travail, et que vous le soumettez humblement à l'Église, prêt à obéir à son jugement si vous vous êtes trompé. Il n'y a, n'est-ce pas, aucun amour-propre de votre part. Si le bon Dieu veut se servir de vous dans l'occurrence, il inspirera au cardinal Billot la réponse qui conviendra.

« Allez voir le cardinal. Vous ne l'avez pas encore vu ?

« – Non, Très-Saint Père. Et je ne me proposais de parler de cela qu'à votre Sainteté, car je suis prêt à souffrir tout ce qu'il faudra pour la Salette, mais je ne voudrais pas compromettre inutilement mon travail philosophique.

« – En procédant comme Nous venons de vous le dire, vous ne compromettez rien.

« L'audience est terminée. Nous remercions le Pape ; il nous bénit "et tous ceux que nous avons dans le cœur", d'autant plus paternellement qu'il n'était pas mécontent, je crois, du petit tour joué tout ensemble au cardinal et à ma présomption par une solution incontestablement sage en elle-même. »

Très impopulaire auprès des catholiques français pour l'attitude conciliatrice qu'il n'a cessé de manifester depuis le début de la Grande Guerre, multipliant en vain appels à l'armistice et tentatives de paix négociée au risque de paraître servir les intérêts de l'ennemi, le successeur de Pie X semble appliquer au traitement de toute chose le même esprit d'habile neutralité : comment se dégager plus aisément d'un conflit, fût-il d'ordre spirituel, qu'en renvoyant dos à dos belligérants de tous bords ? Reçu au Collegio Pio Americano, le 4 avril, par l'incommode cardinal Billot, thomiste de stricte obédience et contempteur des jésuites, Maritain se sait confronté au plus vigilant censeur de La Salette. Le cardinal rit en constatant l'épaisseur du dossier réuni par son visiteur, « puis il se remet à parler avec mépris de Mélanie et de son Secret [87] ». Deux mois plus tard, le 7 juin 1918, le cardinal Billot fait parvenir à Versailles une réponse négative, jugeant la publication du mémoire « décidément inopportune [88] ».

Maritain s'incline devant l'autorité de l'Église, estimant avoir répondu autant qu'il lui était possible à l'appel de sa conscience. Jamais cependant il ne cessera de prendre la défense de Mélanie, de faire front contre ses procureurs et ses juges. Jamais non plus à ses yeux le message de La Salette ne perdra de son singulier pouvoir de vérité. Les élans du desperado survivront toujours chez lui aux rigueurs de la vertu d'obéissance.

Deuxième Partie

ET PLUS LIBRE
SERA LE JEU

« La partie la plus profonde, la plus volcanique de la
nature humaine semble la seule qui lui soit familière. »

Stefan ZWEIG,
Le Combat avec le démon.

Les hôtes de Raïssa

« Un soir Max Jacob rencontra Jésus-Christ en personne, au milieu de la foule d'un cinéma où l'on projetait les *Aventures de Fantomas* ».

Alberto SAVINIO,
Souvenirs.

Seul à la veille de l'armistice un passage tumultueux de soldats américains viendra menacer quelques jours la tranquillité des lieux. Retirés à Vernie, non loin de Solesmes, depuis l'été 1918, les Maritain vivront jusqu'à l'automne 1919 sans relation directe avec le monde de l'immédiat après-guerre, qui n'est qu'un immense charnier mal refermé, un vaste champ de destructions. Jacques a obtenu de l'Institut catholique un congé d'un an pour préparer une *Introduction à la Philosophie*. Cheveux ras, barbe stricte, visage émacié, tenue sombre, ce qui subsistait en lui de fièvre romantique et de jeunesse farouche semble avoir laissé place à une austérité plus franciscaine encore que bénédictine. À ses côtés, dans le grand jardin du presbytère de Vernie où l'abbé Gouin les accueille, Véra et Raïssa montrent un air froid et compassé d'éducatrices ou de sentinelles. Tous trois paraissent avoir vieilli d'un coup. Sans doute la longue épreuve de la guerre, la perte des amis les plus intimement liés à leur destinée expliquent-elles pour une part tant de gravité subite ; mais c'est ailleurs qu'il faut en chercher la source, dans la volonté d'ascèse et de discipline intérieure qui ordonne sans relâche la vie des Maritain, dans leur soumission chaque jour plus exigeante aux exercices spirituels les plus contraignants – cette autre traversée du feu. Ils ne réservent qu'à Dieu le temps qui n'est pas consacré à l'étude. « Le cœur se réfugie auprès du Père, et cela suffit », note Raïssa le 3 mai 1918[1] après deux journées d'isolement dans sa « petite cellule ». Les bonnes matinées sont celles que l'oraison occupe tout entières. « Qu'il n'aille donc pas, celui que Dieu attire au repos de la contemplation, s'enténébrer dans les affaires du monde et prendre le goût amer des choses créées et déchues[2]. »

L'enseignement du père Dehau « pour Jacques dans les temps d'orages » recommande à celui-ci de rester sur les sommets, de s'occuper des choses du monde sans paraître s'en mêler, de voir ces orages « au contraire des autres » et « toujours dans le contraste avec l'azur » qu'il habite[3]. À Raïssa, de « s'enfoncer dans le sentier tout droit de l'oraison » sans regarder « ni à droite ni à gauche, ni surtout en arrière »[4].

Le « petit troupeau » doit-il se garder quelque temps encore des affaires temporelles pour mieux connaître ce que Dieu attend de lui et la mission qu'il lui assigne ? S'agit-il de se tenir à l'écart des hommes aussi longtemps que la voie à suivre parmi eux ne leur sera pas révélée ? La réclusion que les Maritain s'imposent jusqu'à la fin de septembre 1919, tandis qu'au-dehors un monde exsangue et fébrile n'en finit plus de dénombrer ses morts, ses blessés et ses ruines, concourra en réalité à la maturation de cet engagement dans le siècle auquel ils paraissent dans le même temps se refuser, convaincus de devoir plus aimer les hommes pour Dieu que les estimer en eux-mêmes. Par quel cheminement Raïssa Maritain aboutit-elle en mars 1919 à la conclusion inverse, considérant désormais, si l'on s'établit dans la cité, qu'« il faut vivre avec Dieu dans la multitude, le faire connaître là, et le faire aimer [5] » ? Au point de modifier, soudain, le regard qu'elle a porté jusque-là sur le christianisme, « qui n'est pas seulement un faiseur d'ordre », écrit-elle, mais « un propulseur, par la charité et le zèle qui l'animent »…

Observons qu'une fois encore l'impulsion décisive, le signal avant-coureur, provient de celle qui, n'aspirant qu'à un « cœur-à-cœur absolu avec Dieu », a cependant commencé de se réinsérer dans la « multitude » à travers ses méditations sur l'art. Plongées successives dans l'univers des artistes qui seront autant de révélateurs et d'incitations à réintégrer le siècle, « ce fatras de nécessités dont la fin est incertaine [6] ».

Poètes, peintres, musiciens gravitent déjà autour des Maritain, la plupart côtoyés dans l'entourage de Léon Bloy, tant à Montmartre qu'à Bourg-la-Reine. Découverte de Rouault, puis de Pierre van der Meer de Valcheren, un romancier hollandais qui leur a été présenté en 1911, deux jours après sa propre conversion, et dont l'amitié ne s'éteindra jamais. Rencontre, durant la guerre, avec un jeune compositeur de dix-sept ans, Georges Auric, bientôt familier de Versailles, où il vient interpréter au piano une des musiques préférées de ses hôtes, celle de Moussorgski – tout *Boris Godounov* certain jour – et ses toutes premières œuvres [7]. Le couple prête attention à cette époque, sans les avoir encore abordés, à Cocteau, Satie, Diaghilev, Stravinsky. Séduits par leur recherche d'une « musique pure », désensorcelée, Jacques et Raïssa ne s'abandonneront qu'un peu plus tard aux enchantements d'un concert du Groupe des Six au théâtre du Vieux-Colombier, aux bonheurs d'une représentation des Ballets russes, d'une première de *Petrouchka* ou de *Mercure*.

Les Maritain sont ouverts naturellement à un dia-

logue fraternel avec les artistes de leur temps. Tout en
eux appelle ces échanges : aussi bien leur perception
innée de la beauté et de la poésie, leur intelligence de
l'être dans son pouvoir créateur que la conscience de
sillonner, avec le peintre ou le musicien, un même
champ d'expérience infini. La sensibilité du jeune lecteur de Zola plus attentif à la « vie du style[8] » qu'au
fond du sujet, de l'admirateur de Baudelaire soucieux
de se conformer à une « esthétique intérieure », du
philosophe en germe suspect de trop sacrifier au
« mystère poétique », comme celle de l'étudiante russe
bouleversée par la pureté sans ombre d'une page de
Racine ou par la grâce inexprimable d'une figure de
Giotto, ont préparé de longue date cette incursion
dans l'univers des créateurs. Ferveur d'amoureux plus
que de critiques ou d'experts : il s'agira avant tout
d'enrichir, d'élargir à chaque étape le regard porté sur
la nature de l'art et ses enjeux – regard fertile où le
contemplatif suit de près le métaphysicien. C'est à
partir d'une révélation déterminante – la rencontre
avec Georges Rouault, l'approche initiatique du « véritable et grand artiste [9] » dans sa confrontation impé-
rieuse avec les exigences premières de l'acte créateur
– que se forme et se développe une réflexion qui aboutit en 1920 à la publication d'*Art et Scolastique*.

On peut s'étonner de la primauté qu'un jeune philosophe catholique de renom, protégé par Solesmes et
considéré à Rome, plus réputé jusqu'alors pour son
dogmatisme sourcilleux que pour son audace doctrinale, paraît ainsi accorder aux rapports entre l'art et
la foi sur les questions apparemment plus cruciales
qui assiègent le monde de l'après-guerre. N'y aurait-il
pour l'ermite de Vernie problème plus urgent à examiner qu'une définition nouvelle de l'esthétique, à
l'heure du règlement de la paix en Europe, de la liquidation des anciens empires, de la désunion des vain-

queurs, du triomphe inéluctable de la révolution en Russie ? Faut-il mettre sur le compte d'une exemption qui l'a tenu en marge de la Grande Guerre un tel décalage par rapport à l'histoire présente ? Si l'on considère le peu d'influence politique auquel peut prétendre un intellectuel catholique au rayonnement encore limité, Maritain vise juste, en réalité, en se plaçant d'entrée de jeu sur le terrain le plus exposé aux désarrois et aux vertiges d'un monde dévasté. *Art et Scolastique* prouve l'intelligence singulière que les Maritain ont eue de la situation morale et spirituelle de leur époque, la vision fulgurante de ce nouveau champ de bataille. Le leur, cette fois...

« Les catholiques de nos jours, lorsqu'ils sont intègres sur la doctrine, sont en général étroits en ce qui regarde le domaine propre de l'art et sa fonction civilisatrice, la fonction de spiritualisation naturelle qu'il a dans l'humanité, observe Raïssa en mars 1919. Ils sont durs aux artistes. Et ceux-ci peuvent se demander si leurs dons naturels sont un signe de réprobation. Il me semble que les catholiques doivent posséder à l'égard de tout ce qui est humain une doctrine véritablement informée ; conforme à la vérité, au goût, à l'intelligence. Pas de timidité. Pas de pharisaïsme. Pas d'ignorance. Pas de pudibonderie. Pas de manichéisme. Mais la doctrine catholique lumineuse et totale [10] ». Et quelques jours plus tard : « L'art est une fructification : quand la sève sera de nouveau chrétienne, les fruits le seront aussi, nécessairement, et sans le faire exprès. Mais il y a une période de transition pendant laquelle l'unité n'est pas faite encore entre la volonté de l'homme et la sensibilité de l'artiste. [...] Un artiste intègre en tant qu'artiste est bien près d'être un moraliste. » La réflexion engagée par Raïssa et relayée par Jacques tout aussitôt – celui-ci ne se destine-t-il pas alors à d'autres travaux philo-

sophiques ? – recouvre un double défi : au conformisme clérical d'une part, qui n'a cessé depuis des
siècles de mépriser les créateurs ou de leur infliger ses
propres limites ; à l'air du temps, d'autre part, propice
aux libérations esthétiques les plus extrêmes et par là
même les plus largement ouvertes à de nouvelles
théories de l'art.

Mais tout paraît opposer à première vue un mouvement insurrectionnel comme *Dada*, lancé à Zurich
en 1916 par Tristan Tzara, qui prône la révolution
permanente contre l'art, la morale et la société, et
cette tentative de réhabilitation d'un art chrétien venu
du siècle des bâtisseurs de cathédrales. Quel dialogue
concevoir entre un surréalisme naissant qui entend
répudier le règne de la raison et de l'intellectualisme
au nom de la réalité supérieure du rêve et de l'inconscient, et une scolastique moyenâgeuse, toute armée de
rigueur dogmatique ? Entre Francis Picabia, André
Breton et Jacques Maritain, sur quoi fonder a priori
la moindre perspective de convergences ? Le filleul de
Léon Bloy ne peut être insensible à « tout ce qui ouvre
une brèche, fût-ce du côté de la nuit, dans l'enceinte
de ce monde [11] »...

Equarri, ordonné par dix années d'apprentissage
spirituel accomplies sous l'autorité rugueuse et parfois péremptoire des « moines noirs et blancs », le
philosophe de trente ans formé dans la soumission et
la controverse n'a rien perdu de son mordant, de sa
lucidité incisive, ni de son humeur rebelle et ombrageuse. Il dénonce dans le « monde moderne » le produit d'une longue déchéance intellectuelle et
spirituelle, une « seconde chute originelle », fracture
tragique survenue à la fin du Moyen Âge quand,
réclamant son autonomie et sa propre raison d'être,
l'humanité s'est émancipée d'un monde gouverné par
la chrétienté et subordonné à la gloire de Dieu. De la

Renaissance aux Lumières et jusqu'au siècle du posi-
tivisme et de l'idéalisme allemand, de Luther à Renan
en passant par Léonard de Vinci, Descartes, Voltaire,
Rousseau, Kant et Nietzsche, l'esprit humain n'a
cessé de s'enivrer de sa puissance créatrice et de
l'illusion de disposer librement de son histoire.
Coupé de ses racines métaphysiques, méprisant
l'enseignement des origines, l'homme souverain s'est
assujetti au drame de sa seule condition. Pour Maritain, proche des alarmes de Péguy à cet égard, le
monde moderne porte en lui les germes d'une nouvelle barbarie. Mutilé d'une part de lui-même, l'être
s'avance à l'aveugle. Si Dieu est mort, tout est possible, pourrait conclure Maritain après Dostoïevski.
Rompant avec la sagesse plénière et rassembleuse de
saint Thomas, l'humanité est entrée dans « la nuit
diviseuse » de la Réforme et du paganisme. S'agit-il
de renier en totalité les évolutions sociales, économiques ou spirituelles qui se sont accomplies d'une
ère à l'autre ? La finalité du thomisme est au
contraire d'intégrer « l'immense travail de vie »
contenu dans le monde tel qu'il est, de s'assimiler
toute vérité comme de recueillir « les aspects disjoints
de la beauté [12] ». Si radical que soit, jusqu'au milieu
des années 1920, son rejet de l'Occident moderne et
vive l'admiration qu'il porte au modèle médiéval,
pour Maritain, c'est bien le monde contemporain en
tant que tel qu'il s'agit de repenser à la lumière de la
doctrine de saint Thomas et d'un nouvel âge de la
chrétienté.

Quoi de plus rétrograde pourtant que le titre de ce
livre mûri dans la solitude des environs de Solesmes,
Art et Scolastique ? Rétrograde au point de paraître
provocant. Le livre n'en a pas moins été écrit dans le
feu d'une époque, et plus près de Jean Cocteau et
d'Erik Satie que d'Aristote ou de Thomas d'Aquin.

« Quand Auric nous lut *Le Cap**, révélera-t-il au premier, nous habitions, par la grâce du plus hospitalier des curés, un vieux presbytère de campagne meublé par miracle, où je travaillais la théorie de l'universel *in praedicando* au chevet de ma femme malade, qui souffrit là plus d'une année sans relâche, et qui rêvait chaque nuit d'un déluge de fleurs. C'est dans ce vert pays qu'*Art et Scolastique* fut préparé par elle et par moi. Le manuscrit presque achevé, arrive à l'improviste (comme toujours) celui qui devait, quelques années après, devenir le Père Charles**. Il m'apportait dans sa poche, acheté à Paris "par hasard", *Le Coq et l'Arlequin*. Votre esthétique de la corde raide rejoignait sans peine la théorie scolastique de l'art. Avec une sagacité qui m'enchantait, vous formuliez pour la poésie (cachée sous la musique) les grandes lois de purification et de dépouillement qui commandent toute spiritualité, celle de l'œuvre à faire comme celle de la vie éternelle à atteindre, et qui ont leur souverain analogue (mais transcendant et surnaturel) dans l'ascèse et la contemplation. Vous ne vouliez de la poésie que la poésie à l'état pur, le pur démon de la grâce agile, la pure agilité de l'esprit. Et vous étiez fidèle à votre vœu, vous quittiez ce que vous aviez, vous risquiez tout à chaque instant, vous déliant sans cesse de vous-même, exténuant tellement la matière et la pesanteur du corps que les gens vous reprochaient de n'avoir plus de substance. [...] À ce degré vous vous trouviez porté comme par fraude dans un combat plus haut livré que celui de l'art et de la poésie[13]... »

Art et Scolastique s'attache à démontrer l'autonomie de l'acte créateur, la responsabilité particulière

**Le Cap de Bonne-Espérance*, publié par Jean Cocteau en 1919.

** Charles Henrion.

qui échoit aux artistes. Ordonné à la beauté comme à son propre absolu – «l'immortel instinct du beau» dont parle Baudelaire –, l'art a «une fin, des règles, des valeurs, qui ne sont pas celles de l'homme, mais de l'œuvre à produire». Son domaine est celui du Faire, non de l'Agir ou du Connaître avec lesquels il ne saurait se confondre. Enraciné dans l'intelligence, l'art existe par lui-même, à travers ses lois mystérieuses. Il n'a pas vocation à devenir «la fin dernière de l'homme» ni à reproduire «les paroles de la vie éternelle». Les exigences qui le gouvernent sont autres que celles de la science ou de la mystique. La nature de l'art ne consiste pas davantage à imiter le réel mais à «composer ou construire» en puisant dans «l'immense trésor des choses créées, de la nature sensible comme du monde des âmes». Par là le créateur devient «un associé de Dieu dans la facture des belles œuvres». Les bâtisseurs de cathédrales révélaient la vérité de Dieu, mais «sans le faire exprès», note Maritain[14].

Éloge de l'art pur, *Art et Scolastique* peut être lu comme le manifeste d'un nouveau classicisme, fondé sur «la simplicité et la pureté des moyens» et n'aspirant qu'à la véracité de l'œuvre. Maritain décèle dans l'art moderne les prémisses d'une recherche en ce sens, observe dans le cubisme «l'enfance encore trébuchante et hurlante d'un art de nouveau pur». À cette date, la musique de Satie lui paraît incarner ce qu'il y a «de plus sincèrement classique» dans la création contemporaine. Aristote, écrit-il, eût aimé Erik Satie. Avec ses formules parfois abruptes et ses raccourcis ingénus, *Art et Scolastique* amorce une réflexion qui ne cessera de s'enrichir et de s'amplifier jusqu'à la fin, nourrie des rencontres et des expériences les plus diverses. Il contient en même temps une sorte d'appel, invitant d'entrée de jeu philo-

sophes et artistes à une « conversation » pour sortir
de « l'immense désarroi intellectuel hérité du
XIXᵉ siècle ». Le livre surgit à point nommé : en plein
scandale dadaïste.

Suffit-il de parler d'équivoque, de malentendu,
d'illusions de jeunesse pour en finir avec le « maurrassisme » de Jacques Maritain ? De faire état de l'inextin-
guible remords, de la « honte [15] » même qu'en éprouva
le philosophe après coup, pour atténuer la réalité de
son engagement, voire l'esquiver ? D'opposer tout ce
qui le séparait foncièrement de l'Action française à ce
qui a pu l'en rapprocher momentanément, et de
contrebalancer l'un par l'autre pour conclure à l'incident de parcours, et s'en tenir à la version selon
laquelle Maritain avait « donné ainsi occasion à des
confusions dont il porte toujours en lui le regret [16] » ?
    Certes, on ne saurait réduire le futur auteur
d'*Humanisme intégral* à ce pesant compagnonnage, ni
confondre la portée d'un tel engagement avec celle de
ses combats ultérieurs. Mais cette « espèce d'alliance »
a néanmoins occupé quinze ans de sa vie, avant d'être
dénoncée sous la pression des influences vaticanes.
Elle a trop imprégné ses actes et ses écrits pour n'être
que fortuite ou seulement dictée par les jeux du
hasard et de l'amitié. En réalité, le chemin parcouru
avec Maurras résulte moins chez Maritain d'une sorte
de candeur prolongée que de convictions alors assez
voisines de l'Action française pour pouvoir cohabiter
avec elle. Coexistence qui se déroule en deux phases,
ponctuées par la guerre.
    La première est celle d'une « sympathie » que
Maritain qualifiera de « platonique [17] », inspirée par le
père Clérissac, et qui s'exprime par un abonnement

au journal monarchiste. La seconde se signale dès 1919 par une collaboration active, non à *L'Action française* directement, mais à l'un de ses satellites, la *Revue Universelle*, et par un soutien déclaré au « parti de l'Intelligence » dont Maritain signera le manifeste. Entre les deux, une phase d'observation réciproque, de convergences indécises.

À son retour d'Angleterre en octobre 1914, le jeune philosophe a rencontré Charles Maurras, s'entretenant avec lui d'un éventuel rapprochement qui achoppe très vite sur une divergence essentielle : pour Maritain, Dieu doit être servi avant la nation. Les deux hommes continuent de s'écrire, maintiennent un contact avant de se rejoindre à l'issue de la guerre.

« Vous n'arrivez pas à comprendre que je n'aie pas vu clair plus tôt, ou même dès le début. Moi non plus », confessera Maritain à Bars. Ne subsiste qu'une explication à ses yeux : « la stupide naïveté de la jeunesse », stupidité dont la précocité intellectuelle du fils de Geneviève Favre dément cependant qu'il ait jamais été atteint. En fait, tout le conduit et l'entraîne irrésistiblement depuis sa conversion, et à mesure qu'il s'éloigne de son milieu d'origine, vers un engagement de cet ordre. L'admirateur de Jaurès, le pourfendeur de l'ordre établi, l'anarchiste à gilet rouge trouve dans la foi l'accomplissement spirituel qu'il a sans doute espéré un temps de la politique. Les hommes dont il fait ses maîtres ou ses modèles, tant Bloy que Clérissac ou Delatte, ont en commun une hostilité farouche à la démocratie et au système républicain. Le monarchisme de Clérissac se confond avec un thomisme conçu, révéré, comme la structure sublime et parfaite d'un ordre idéal. Maritain résiste mal lui-même à cet amalgame, qu'il jugera plus tard intolérable, entre l'enseignement de saint Thomas, garant de « la tradition purement divine de la foi catholique », et une doctrine préconisant tout ensemble restauration monarchiste, nationalisme intégral et conservatisme social. Mais la confusion s'opère d'autant plus insidieusement qu'elle emprunte à un même rejet de la modernité, à une même critique des valeurs dominantes.

« J'ai connu Jacques Maritain en 1912 : il était alors royaliste et me reprochait de ne pas l'être, affirmera Henri Massis après leur rupture. J'ai toujours cru ensuite que la monarchie était impliquée par sa doctrine, car cette doctrine était la moins capable de conciliation et la plus « intégrale » qui se pût imaginer. Je savais d'ailleurs que telle était sa pensée. Quand nous avions fondé la *Revue Universelle* avec Bainville, nous l'avions conçue comme le lieu de rencontre, au point de vue national, des monarchistes et de ceux qui ne l'étaient pas. Maritain pensait et me disait alors expressément qu'il nous fallait "réserver à des non-royalistes la possibilité d'être nationalistes au sens de fidélité intégrale à la patrie et d'être précisément conduits par là, s'ils étaient logiques, à la monarchie". Telle avait été notre charte de fondation, la règle de notre action commune. Pourquoi eussions-nous là-dessus changé de conduite, de doctrine et... de logique ? La position de Maritain m'avait toujours semblé trop cohérente pour que je pusse soudain n'y plus voir qu'un "manque de clairvoyance", dût-il s'en faire à lui-même le reproche, se repentir de m'avoir encouragé à me "tourner du côté de l'Action française" et se sentir "responsable" de mon dévoiement. Car c'est à cela que Jacques et Raïssa Maritain ramènent tout, et leur "remords" ne leur sert qu'à se justifier [18]. »

Massis n'est guère plus fiable dans sa version d'un Maritain ultraroyaliste que Raïssa Maritain dans l'affirmation inverse [19]. Mais moins convaincantes encore sur le sujet seront certaines rétrospectives de Maritain lui-même, on le verra... Que son apparentement au maurrassisme ait correspondu à ses convictions réelles durant le temps où il se manifeste, voilà qui paraît en tout cas difficile à mettre en doute.

Au sortir de la Grande Guerre et dans le climat d'euphorie nationaliste qui suit la victoire, le magistère de l'homme de Martigues est sans rival. Il déborde largement ses bastions traditionnels. Reclus dans sa chambre tapissée de liège, Proust déclare puiser dans les analyses de Maurras « une cure d'altitude mentale ». Abonné à *L'Action française*, Gide témoigne à son directeur une « approbation à peu près complète ». Pour un Jacques Rivière ouvertement réfractaire, que de François Mauriac séduits, fascinés... Maître à penser de la France « bleu horizon », assuré de son autorité sur les élites, Maurras bat le rappel de « l'intelligence française », durant l'été 1919, contre les hérétiques du pacifisme international groupés autour de Romain Rolland et de Henri Barbusse. Au manifeste lancé en mai par le groupe « Clarté », au nom d'une « Internationale de la pensée » et en faveur d'une « vérité libre, sans frontières, sans limites, sans préjugés de races ou de castes », réplique le 19 juillet un manifeste intitulé « Pour un parti de l'intelligence », élaboré par Henri Massis et exaltant la « reconstitution nationale et le relèvement du genre humain ». Tout ce que l'intelligentsia compte de conservatisme académique se presse dans le contingent des signataires : de Paul Bourget à Francis Jammes, de Jacques Bainville à Daniel Halévy, d'Edmond Jaloux à Pierre Benoît. Seul manque Maurice Barrès, qui applaudit le cortège sans y entrer.

L'adhésion de Jacques Maritain paraît librement consentie désormais. Se reconnaît-il intégralement dans ce programme de lendemains de victoire, érigé comme un rempart « contre les bolcheviks de la littérature » ? Il ne tarde guère, en fait, à s'inquiéter de la « déplorable équivoque » que pourrait recouvrir « l'intelligence » dont il est ici question : s'agit-il de celle de Descartes et de Spinoza ou de celle d'Aristote et de saint Thomas ? « Voulons-nous tout réduire à la petite mécanique des idées claires, faisant fi de l'expérience, et de l'histoire de la tradition, et du réel lui-même qui nous déborde de toutes parts [...] ou voulons-nous donner en nous le primat à une intelligence elle-même docile à l'être, soumise à l'objet, amie de tout le réel [20] ? » En avril 1920, il se montrera assez lucide sur les risques de confiscation politique liés à l'entreprise maurrassienne pour expliquer dès son premier article dans la *Revue Universelle*, « La liberté de l'intelligence », que « ce vilain petit mot de parti signifie seulement pour ses adhérents qu'ils prennent parti pour l'intelligence ou encore qu'ils prennent le parti de l'intelligence ». Le philosophe est déjà un maurrassien hors normes. Son ralliement tient avant tout au catholicisme, à la reconnaissance commune de l'Église comme « seule puissance morale légitime » – telle que l'affirme en tout cas le manifeste de juillet 1919...

Jacques Maritain lit-il la *Nouvelle Revue française* à cette époque ? Un article de son directeur Jacques Rivière, « Catholicisme et nationalisme », dénonce le 1er novembre 1919 tout ce que Maritain mettra sept ans à comprendre, l'incompatibilité originelle entre la finalité de Maurras et celle d'un disciple de saint Thomas : « L'Action française poursuit la besogne la plus nettement anticatholique qui se puisse rêver. Il n'est même pas besoin de rappeler que Maurras est un incroyant [...]. Il suffit de regarder son œuvre, l'influence qu'il exerce sur les esprits : il faut être aveugle pour ne pas voir qu'il tend à y stériliser toute disposition, tout sentiment chrétiens [21]. » Et Rivière, au risque d'affronter plus durement encore le clan maurrassien qui tente de s'imposer rue Sébastien-Bottin, de stigmatiser une idéologie qui vise à substituer « le culte de la Patrie au culte de Dieu ». Mais Jacques Maritain semble si imperméable, alors, à tant de clairvoyance...

Son engagement culmine le 1er avril 1920 avec la création de la *Revue Universelle*. Maritain n'est plus seulement un compagnon de route de Charles Maurras, il devient son associé. En août 1918, un notaire de Nancy annonce aux deux hommes qu'un de leurs correspondants communs, Pierre Villard, tué sur le front de l'Aisne un mois plus tôt, leur a légué une partie de sa fortune. L'étudiant nationaliste a joint à son testament deux lettres adressées communément à Jacques Maritain, Charles Maurras et Georges Sorel, où il exprime son désir que l'argent de sa famille concoure « à la sauvegarde de ce qui subsiste du patrimoine intellectuel et moral de notre pays [22] ». En janvier 1920, les deux héritiers, forts désormais d'un capital qui les sauve l'un et l'autre d'une certaine précarité, s'entendent pour verser chacun 50 000 francs à la *Revue Universelle*, une nouvelle publication qui servira à la fois de tribune pour « les idées de l'Action française dans l'ordre politique » et « la pensée chrétienne, et en particulier la pensée thomiste, dans l'ordre philosophique [23] ». L'ambition de Maurras est de gagner par le biais d'une « publication alliée et autonome [24] » une plus vaste audience. Jacques Bainville en deviendra le directeur et Henri Massis le rédacteur en chef. La rubrique de philosophie sera confiée à Jacques Maritain.

Le dimanche de Pâques 1920, celui-ci s'ouvre à dom Delatte de sa nouvelle entreprise, laissant filtrer, en un murmure de confessionnal, ses doutes et ses réserves : «Cette formule me paraît à la fois très faible, – car l'ordre essentiel, de l'homme à Dieu, et les exigences de l'ordre surnaturel, ne sont pas mis en première place (quoi de plus faible par exemple que l'article de Maurras sur l'ordre ?) – et cependant actuellement la seule praticable, parce que réunissant toutes les bonnes volontés et les orientant, – j'en ai du moins l'espoir – dans le sens de Dieu [...]. C'est pourquoi, après avoir beaucoup hésité, je me suis décidé à soutenir de toutes mes forces cette nouvelle revue, dont je ne me dissimule pas cependant les imperfections, et le caractère mondain. N'est-ce pas déjà un symptôme intéressant que Bainville m'ait proposé la chronique de philosophie ? C'est la première fois que la philosophie thomiste sera officiellement installée dans une revue destinée au grand public, et qui vise à prendre l'importance de la *Revue des Deux Mondes* et du *Correspondant*. L'occasion était trop belle. J'espère avoir le moyen, peu à peu, d'affirmer là de plus en plus nettement le point de vue catholique. Au reste c'est l'intérêt même de Bainville et de la revue d'être "couverts" par moi du côté catholique, étant donné les dispositions de plus en plus hostiles à l'Action française qui règnent dans les milieux catholiques français (voire romains) depuis que le Saint-Père semble vouloir ressusciter tout ce que Pie X avait détruit. J'ai longuement causé de la *Revue Universelle* avec Maurras il y a quelques mois. Il regarde cette nouvelle revue comme un instrument tout à fait précieux destiné surtout à faire rayonner la pensée française dans le monde entier et à fédérer partout les amitiés intellectuelles de la France [25]. »

Plus maurrassien que Maritain ne semble l'imaginer, Delatte approuve d'autant mieux l'initiative de frère Placide qu'il est déjà... abonné à la revue. «J'ai applaudi à sa création ; son but n'est que trop justifié, le travail ne lui fera pas défaut. [...] Il y a là, pour vous, un moyen d'apostolat [26]. »

Du 1er avril 1920 au 1er février 1927, le philosophe collaborera sans discontinuer à la *Revue Universelle*, sous la houlette fraternelle et complice d'Henri Massis. Sept années où Maritain devra concilier indépendance de pensée et proximité inévitable avec les dirigeants de l'Action française. Au risque, lui dira un jour l'abbé Brémond dans son langage inimitable, de faire « un tour de casserole en Purgatoire [27] ».

« Notre vie se complique, note Raïssa en mars 1921, on vient de plus en plus à Jacques, visites fréquentes, et correspondance très lourde. » Une première réunion d'études thomistes s'est tenue à Versailles le dimanche 2 février 1914. Au retour de Vernie, à l'automne 1919, des rencontres plus régulières rassemblent à Versailles autour des Maritain quelques proches du couple et des étudiants de l'Institut catholique. « Cela était sorti tout naturellement, sans aucun plan préconçu, du besoin d'examiner d'un peu plus près, dans de libres discussions, la doctrine de saint Thomas, et de la confronter aux problèmes de notre temps », écrira Jacques [28]. En 1921, naît l'idée d'un groupe de réflexion spirituelle, ouvert à tous ceux qui y prendront « quelque intérêt ». Les cercles d'études thomistes s'organisent l'année suivante.

Ceux-ci ont une origine lointaine et secrète : le « serment irrévocable » de fonder un jour une école des âmes. Ils sont en germe, dix ans plus tard, dans l'idée de développer un apostolat laïc qui agirait sur les terrains devenus inaccessibles à l'Église. Ils prennent forme peu à peu au lendemain de la guerre, dans l'intimité de « réunions régulières » où ne se retrouvent d'abord que les familiers du couple – l'abbé Lallement, Roland Dalbiez, le docteur Pichet, Noële Denis, la fille aînée du peintre Maurice Denis, Vitia Rosenblum, le beau-frère de Stanislas Fumet... « Je les exhorte au travail, note Jacques le 5 décembre 1920, leur disant que les esprits sont tout prêts, qu'il n'y a rien devant nous, qu'il faut foncer tels que nous sommes, nous adressant surtout au monde laïque, et confiants en Dieu et en la vertu de saint Thomas pour suppléer ce qui nous manque [29]. » L'année 1921 verra s'élargir le premier cercle : un prince roumain converti au catholicisme, Vladimir Ghika, un jeune orientaliste soucieux de rapprocher les mondes chrétien et musulman, Louis Massignon, le philosophe Henri Gouhier, l'écrivain Henri Ghéon, le futur abbé Altermann, entre autres, rejoignent le groupe d'études. Reste à définir une structure qui permette à la fois d'assurer l'influence de la pensée thomiste et d'accueillir librement tous ceux qui « cherchent »... Société de saint Thomas, association d'études thomistes ?

L'intuition des Maritain, face au désarroi spirituel qui se manifeste à eux de tous côtés, cette « détresse des âmes » dont le sentiment étreint alors douloureusement Raïssa, est que la responsabilité des catholiques – « car nous sommes responsables de tout, ayant la lumière rédemptrice dans nos mauvais cœurs d'hommes [30] » – est plus que jamais requise et leur commande de « descendre dans la rue [31] ». L'heure est venue pour le thomisme de « promener à travers le monde sa jeunesse renouvelée, sa curiosité, sa hardiesse, sa liberté, et de rassembler ainsi l'héritage dispersé de la sagesse [32] ». Seule, en effet, une pensée aussi intransigeante sur les principes qu'ouverte à toutes les « vérités captives », aussi inapte à concilier qu'apte à réconcilier, peut rétablir dans le siècle cette « vérité qui est le Christ [33] ». Dans sa *Réponse à Jean Cocteau*, le missionnaire alors au cœur de la bataille définira d'une phrase saisissante l'esprit de l'« ambitieuse aventure » : « Plus stricte, plus définie sera la doctrine, plus sévère la discipline, plus complète sa fidélité, et plus libre sera le jeu [...]. N'ayant ici-bas d'autre emploi que de témoigner de mon mieux pour la sagesse, je me dois à tous quels qu'ils soient, s'ils la cherchent. »

Mais ce qui fait qu'hommes et femmes de tous âges, toutes origines, toutes conditions ou confessions – philosophes, médecins, poètes, musiciens aussi bien protestants, orthodoxes que juifs, catholiques et incroyants – accourent déjà le dimanche après-midi à Versailles avant d'affluer à Meudon, tient avant tout à la fascinante singularité de leurs hôtes, à la qualité des échanges et des rencontres qu'ils savent dispenser autour d'eux, à un climat de liberté studieuse sur lequel ne pèse aucune autorité apparente.

« Ils n'allaient pas à la classe, ils n'étaient pas réunis dans une salle de collège ou de couvent pour écouter l'enseignement d'un maître ou faire un *seminar* avec lui, raconte Jacques Maritain, ils n'étaient pas non plus les hôtes d'un intellectuel plus ou moins engoncé s'essayant à leur offrir des sièges et leur passer des drinks et des cigarettes avant l'échange des idées. Ils étaient reçus au foyer d'une famille, ils étaient les hôtes de Raïssa Maritain. De telles réunions et un tel travail en commun sont inconcevables sans une atmosphère féminine. Il y avait trois femmes à la maison : il y avait la mère de Raïssa, – elle assistait le plus souvent aux réunions, sans y comprendre grand-chose, mais trop bonne juive, et d'esprit trop grave, pour ne pas se plaire aux débats de l'intelligence. Et elle s'occupait en outre du samovar, comme du dîner à préparer pour le soir. Il y avait Véra, silencieuse et diligente, qui prenait soin de chacun, et écoutait passionnément la discussion, non sans prier en secret pour que tout allât bien. Et avant tout il y avait Raïssa, dont le regard et le sourire illuminaient notre humble salon, et qui accueillait les uns et les autres dans sa charité fraternelle, et qui ne cessait depuis bien des jours de porter tout ce travail dans son oraison. Elle était la flamme ardente de ces réunions, auxquelles elle prenait une part active, discrètement toujours, mais avec l'amour fou de la vérité qui brûlait en elle [34]. »

Requis durant la semaine par ses cours à l'Institut catholique, la rédaction de ses articles et l'élaboration de ses livres, Jacques prépare ses exposés la veille de la réunion, voire le dimanche matin – « en hâte » comme il aimera à dire désormais. Ses exposés sont étayés par des schémas, des tableaux synoptiques affichés au mur. Lectures de saint Thomas s'entrecroisent avec celles du disciple entre les disciples, Jean de Saint-Thomas. On traite des grandes questions philosophiques et théologiques dans leur vérité propre, comme on dresserait l'inventaire d'un vaste héritage, pour mieux en restituer l'unité. Dix à douze années d'études s'imposeront à chacun avant d'y parvenir. Au risque de paraître recourir à un « vocabulaire insurmontable », comme Charles Du Bos lui en fera grief, Maritain use du langage scolastique de ses maîtres par souci de rigueur intellectuelle, atténuant la technicité du propos par des digressions subites sur les problèmes contemporains, laissant la discussion fuser dans des directions apparemment éloignées du sujet initial avant de l'y ramener, son auditoire stimulé. « Le thomisme avec tous les piquants dont il se hérissait était ainsi jeté dans le bain, et il y nageait à l'aise. »

« Je rêve de petits regroupements thomistes, disséminés çà et là, et fraternellement unis entre eux, confie Maritain à l'un de ses nouveaux correspondants, l'abbé Journet. Nous en avons un ici même [...]. Plus tard et au fur et à mesure des besoins, des relations plus étroites pourraient s'établir [35]. » Mais il se sent encore bien seul pour mener ce travail à l'heure où « les esprits ne demandent qu'à recevoir ». Rien vraisemblablement n'eût été réalisable sans le soutien immédiat que les Maritain reçoivent du père Garrigou-Lagrange.

En octobre 1921, au terme d'un long séjour en Suisse imposé par l'état de santé de Raïssa, ils évoquent avec le théologien du Collegio Angelico, de passage à Vevey, la destinée des cercles thomistes. Raïssa lui demande s'il consentirait à venir une fois par an prêcher une retraite à « un assez grand nombre d'amis » désireux de l'écouter. Retraite semblable à celles qu'il réserve aux contemplatives, mais destinée à « des intellectuels dans le monde ». Garrigou-Lagrange accepte, conférant par là même à une entreprise jusqu'alors marginale une sorte de légitimité.

Il faut désormais organiser en profondeur le fonctionnement des cercles. « Ce qui importait essentiellement c'était d'assurer l'unité profonde entre la vie spirituelle et le travail de l'intelligence. Ne fallait-il pas pour cela que les membres de ces cercles s'engagent, par un vœu devant Dieu, à vivre autant que possible de la vie d'oraison ? Le vœu d'oraison, voilà l'âme de l'œuvre à réaliser. Cette idée [...] qui mettait un engagement privé mais relevant du régime des conseils, un véritable vœu, au cœur de nos cercles laïques, est venue de Raïssa. Elle m'en a parlé dans les entretiens qu'à Blonay nous poursuivions sans fin, et j'ai été tout de suite frappé de son importance. Les modalités seraient à préciser plus tard. Il s'agirait naturellement d'un vœu privé ; et qui ne porterait pas sur quelque chose de matériel (comme un minimum de temps à donner à l'oraison), qui laisserait l'âme libre, l'obligerait seulement quant à l'intention de faire de son mieux à cet égard selon son état de vie et les circonstances [36]. »

Le 13 avril 1922, Raïssa et Jacques achèvent de mettre au point les statuts de l'association, dont la devise sera *O Sapientia*. Ses principes généraux affirment la double nécessité de « conquérir l'intelligence moderne » en s'adressant avant tout aux laïcs et d'assurer à cette fin le renouveau des études thomistes. Ni confrérie ni congrégation, les cercles garderont un caractère privé, bien que leur direction doive revenir à un religieux de l'ordre de saint Dominique. Soucieux de contenir la tutelle dominicaine, les Maritain obtiennent la nomination de Garrigou-Lagrange, après des négociations discrètes avec le père Louis, provincial des dominicains à Paris, et grâce à l'appui de Mgr Gibier, évêque de Versailles. Il appartiendra au directeur de fixer l'orientation générale en matière spirituelle, de veiller à l'intégrité de l'enseignement thomiste, mais non de s'immiscer dans la vie religieuse des participants. Domaine, précisent les statuts, où « chacun, surtout dans un tel groupement [...], ne relève que de Dieu... ».

Le portrait de Jacques Maritain par Otto van Rees, autour de 1920, rend saisissante cette ressemblance avec « toutes les images du Christ » qui frappera Maurice Sachs à l'apparition du philosophe. L'extrême pureté du visage, la fragilité de l'allure, la transparence du regard évoquent une adolescence sans âge et comme venue d'ailleurs. Une douceur qui n'est pas tout à fait de ce monde imprègne la silhouette sans entraves, la démarche un peu gauche, les grands yeux clairs et rayonnants. Ferveur et exigences n'ont pas seulement modelé, chez lui, une pensée et une vie, mais comme inspiré cette présence impalpable et angélique, qui pourrait n'être que charme ou séduction si l'homme n'était capable de s'embraser soudain, traversé par un éclair de révolte, un cri de souffrance devant l'état du monde. Alors ce visage de Christ peut devenir terrible et le rebelle resurgir en lui, se dresser contre la cohorte des pharisiens, des procurateurs et des marchands du Temple. « L'esprit dur et le cœur doux », ainsi se veut-il au moment d'engager une confrontation avec le siècle qui s'impose à lui sans qu'il l'ait vraiment préméditée.

Sollicitations, convictions, intuitions multiples s'entrecroiseront pour faire de Jacques Maritain le confident inattendu de Jean Cocteau, de Max Jacob ou de Julien Green, un personnage soudain « en vogue », pris dans un tourbillon littéraire et mondain vertigineux, visité comme un sorcier et interpellé de tous côtés. Mais vraisemblablement ne serait-il jamais devenu l'homme de Meudon sans ce charisme d'apôtre et de frère prêcheur qui n'eut rien chez lui de feint ou d'affecté – le séducteur finissant toujours par se révéler incommode –, ni une passion de l'être puisée à la fois dans sa sensibilité propre et dans l'enseignement de saint Thomas.

« Il était compatissant. S'il voyait dans la rue une vieille dame portant une lourde valise, il l'abordait avec délicatesse, parlait doucement avec elle et lui demandait l'autorisation de l'aider. Ils partaient alors tous deux. Jacques portant la valise et tenant le bras de la vieille dame, qui ravie, l'étourdissait de vains propos. Rue de Rennes chez sa mère il écoutait avec patience le bavardage d'une femme qui venait raccommoder le linge. Un jour, il la trouva en larmes. Il s'assit auprès d'elle et lui demanda la cause de son chagrin. Elle reprit son souffle et lui dit qu'elle venait de lire dans le journal qu'un explorateur avait été dévoré par un lion en Afrique. Jacques me rejoignit dans ma chambre. Il était émerveillé par les trésors de compassion qui existent chez les pauvres. "Tu imagines, me dit-il, nos intellectuels pleurant parce qu'un inconnu a été dévoré par des fauves."

« Il haïssait l'indifférence aux malheurs des autres. La dureté du cœur lui causait un véritable malaise, de même le mensonge. "Il faut ouvrir les fenêtres, me disait-il après le départ d'un visiteur, ce pauvre homme a empoisonné l'air de cette pièce par ses mensonges." Son respect de la vérité était tel qu'il s'interdisait les moindres mensonges de convenance. Il défendait que l'on dise qu'il était sorti alors qu'il refusait de recevoir une personne. Il préférait causer du déplaisir que de faire la moindre entorse à la vérité.

« [...] À Meudon, vécut durant quelques mois un chien. Un gentil bâtard au poil hirsute et aux yeux tendres. [...] Jacques avait à l'égard de ces animaux une attitude qui me remplissait de curiosité. Je n'ai jamais su s'il aimait leur présence, mais ce qui est certain c'est qu'il respectait leur état de créatures. Il n'essayait pas de brimer leurs innocentes extravagances qu'il regardait avec une curiosité amusée, et mettait entre lui et eux une distance affectueuse que les chiens respectaient. J'enrageais de constater combien mes chiens lui étaient soumis, alors qu'ils s'ingéniaient à me désobéir. Je disais à Jacques que leur attitude à son égard me faisait comprendre pourquoi Daniel n'avait pas été dévoré par les lions. Il riait, puis reprenant son sérieux me disait qu'il souhaitait réfléchir sur le comportement des animaux : ces animaux qui n'ont pas de savoir rationnel et qui, cependant, agissent parfois comme s'ils le possédaient. "Tes chiens savent peut-être, me disait-il, que je peux prier l'ange qui veille sur leur espèce" [37]. »

Pour beaucoup le magnétisme de cet homme de quarante ans réside aussi dans ce qu'il a de différent et d'irrégulier, libre d'aller d'un milieu à l'autre et de ne suivre en toute chose que sa seule intuition. D'autant plus libre sera le jeu du disciple de saint Thomas « le plus indigne et le plus tard venu [38] », qu'il restera amoureusement soumis à la Vérité première. D'autant plus libre, qu'il saura s'ouvrir au monde, se perdre avec Dieu dans la multitude, se déraciner au fil de la route...

Plus que d'un rayonnement ou d'une autorité véritable, le philosophe lui-même ne jouit encore, à l'heure où se créent les premiers cercles thomistes, que d'une audience réservée. Ses livres de l'époque, de *Théonas* en 1921 à *Antimoderne* l'année suivante, tous deux largement issus de ses chroniques de la *Revue Universelle*, pâtissent de la collusion manifeste entre maurrassisme et renaissance thomiste, devenus l'expression d'un même conservatisme. Non seulement Maritain est identifié tout entier au courant antilibéral, réactionnaire et nostalgique de l'ordre ancien, mais il est présenté comme l'une de ses figures de proue. Léon Daudet lui voit « le rôle d'un rectificateur et d'un chef d'école [39] », tandis que Georges Valois, le directeur de la Nouvelle Librairie nationale, chez qui Maritain a lancé une collection de philosophie, le tient pour le premier des hommes de sa génération [40]. Sa réputation de conformiste et de doctrinaire, qu'il ne perdra jamais tout à fait, étouffe encore celle d'éveilleur, de propulseur, à laquelle probablement il aspire davantage. Il exprime sans le vouloir toute l'ambiguïté de sa situation intellectuelle à cette époque en affirmant que ce qu'il appelle antimoderne « aurait pu tout aussi bien être appelé ultramoderne [41] ». De la pensée de Maritain, on retient plus alors la critique de la modernité que la tentative de définir une nouvelle civilisation.

À cette date, Yves R. Simon, qui comptera plus tard parmi ses amis les plus intimes, entend parler pour la première fois, au lycée Louis-le-Grand, par un voisin de classe, d'« un jeune philosophe très recommandé par l'Action française : Jacques Maritain. Blaché lui-même croyait assez peu à la philosophie et la conclusion de sa lecture était qu'il était fort sage de s'en tenir à saint Thomas comme le proposait Maritain, puisque la philosophie s'était montrée définitivement incapable de progrès ». L'année suivante, Simon devient l'élève de Maritain à l'Institut catholique : « Il y avait autour de lui une atmosphère de jeune gloire. Quelques étudiants, mais pas tous, l'admiraient fort. On entendait beaucoup parler de sa liaison avec l'Action française, la philosophie en cours. Mais surtout il y avait auprès de lui un homme qui devait faire beaucoup pour m'attacher à la fois à saint Thomas et à Maritain : c'était l'abbé Daniel Lallement. Il avait alors environ 28 ans ; c'était (1921-1922) la seconde année de son enseignement à l'Institut catholique de Paris. Il faisait un cours sur Spinoza et Leibniz, deux fois par semaine [...]. C'était alors un ami très ardent et un admirateur intense de Maritain. Il ne parlait de lui qu'avec le chaud accent du disciple total. L'abbé Lallement devait devenir par la suite (1934-1936) un adversaire acharné de Maritain [...].

« [...] Au cours des vacances mon père m'apporta un jour un numéro de *L'Action française* qui lui avait été remis pour moi par un notaire : il contenait un grand éditorial de Léon Daudet sur *Antimoderne*. [...] Au premier jour de l'année scolaire j'ai demandé à Maritain son conseil pour le choix d'un sujet pour le diplôme d'études supérieures ; apprenant que j'avais l'intention de travailler sur le socialisme, il me conseilla de choisir mon sujet dans la première période, au temps où les idées socialistes sont associées à des vues religieuses [42]. »

La réputation du philosophe paraît alors si profondément entachée par ses fréquentations politiques qu'un de ses proches jugera utile d'apporter à son sujet des « informations d'une valeur documentaire contrôlée ». En octobre 1923, Vladimir Ghika publie dans la *Documentation catholique*, « à l'appel d'une haute personnalité ecclésiastique », un long portrait du « jeune professeur de l'Institut catholique ». Montage biographique soigneusement expurgé de toute allusion à l'Action française et à Maurras, l'auteur se bornant à constater qu'on fait au philosophe « grief d'être, en beaucoup de matières, un peu trop un homme de "droite" ». Ghika souligne dans l'enseignement de Maritain « un intellectualisme brûlant de vie », un « certain pessimisme radical en ce qui concerne la nature humaine » mais « un sentiment très "dionysien" de la majesté divine dans toute sa transcendance » et un respect « à la fois viril, simple, grave » des réalités. L'homme se caractérise par « une espèce de tact prudent, une mise en marge de soi-même », la « sérénité particulière que donne à une âme d'avoir veillé sur d'autres âmes »... C'est un « modeste et un retiré », qui « se laisse presque coupablement ignorer du monde ». Son influence, qui déborde « déjà très nettement hors de France », ne s'affirmera pleinement, qu'une fois opérés « le tassement des insignifiances, le classement des valeurs réelles, la filtration des précipités de pensée ». Manière de dire que rien n'est encore joué dans une vie pourtant si dense, si riche, déjà...

Mais ce n'est pas sur le terrain philosophique pro-

prement dit, et moins encore politique, que le « jeu »
de Maritain se déploie alors le plus librement, ni que
l'homme se révèle au plus profond, mais sur tout ce
qui touche au « sort de la vérité dans les âmes ».
« Nous avons l'impression que nous voilà tous deux,
malgré nous, en haute mer, note Jacques le 16 mai
1922, et forcés de juger par nous-mêmes, en êtres
autonomes. C'est comme une arrivée à l'âge adulte
(j'ai 40 ans ! Mais 16 ans seulement depuis notre baptême). Il faut être prêts à recevoir tous les conseils,
mais ne pas compter sur eux ; il faut avoir son point
de vue à soi, d'où seul peuvent être jugées certaines
valeurs se référant à la place que dans sa providence
Dieu vous a assignée. (Ainsi en est-il, pour nous, de ce
qui convient à la vie laïque à l'égard de l'intellectua-
lité et de la foi, et de la vie spirituelle.) Solitude
immense du côté des hommes. Se conduire selon
l'esprit de Jésus. Être fidèles à l'oraison. C'est dans le
conseil divin, si terriblement infini et transcendant,
que nous sommes jetés. […]

« Notre lot désormais est un plus grand tremblement et en même temps une plus grande liberté et
autarcie [43]. »

À la fin de l'année 1922, l'orientation qu'ils ont
eux-mêmes pressentie trois ans plus tôt se confirme
sous l'impulsion du père Dehau. « Il me dit, et répète à

Véra, avec une grande autorité, que je dois sans aucun
scrupule, après *La Petite Logique**, remiser le manuel,
et écrire pour les intellectuels et les artistes, et me tenir
au courant de tout le mouvement. Cela lui paraît la
besogne essentielle et urgente pour le thomisme. *Fiat !*
mais c'est un peu effrayant [44]. »

* L'ouvrage que Jacques Maritain publiera à la Librairie
Téqui en 1923.

Sans l'appel pressant qu'il reçoit alors du « guide providentiel », Maritain eût-il consenti à ce qu'il appellera plus tard une « folie » – « cette folie qu'il nous est commandé de choisir [45] » ? Fût-il devenu ce chrétien qui « court en boitant » sur toutes les routes du monde au lieu de rester assis « dans les formules d'école, avec quelques docteurs contents d'eux [46] » ? L'intervention du subtil Dehau achève de l'éclairer sur la direction à suivre, de lui faire prendre conscience de sa destinée dans le siècle. Une ère s'achève à ce moment-là dans la vie de Maritain, celle des grands modèles, des parrains et des « envoyés de Dieu », en grande partie révolue depuis la mort de Psichari, de Péguy, de Clérissac et de Bloy. La fin d'une sorte d'adolescence protégée, repliée, ignorante du reste des hommes, le passage forcé du temps de soi à celui des autres, du face à face intérieur aux confrontations extérieures. Une mutation aussi troublante d'abord et décisive au bout du compte que celle de la conversion...

Ce n'est que peu à peu cependant, et d'une rencontre à l'autre, que se révélera pleinement la nature de sa mission : avant tout se trouver là exactement où les catholiques ont cessé d'être. « Une affreuse compassion me déchire à la pensée de la génération qui a vingt ans aujourd'hui, écrira-t-il à Cocteau. Les meilleurs vont au pire. À qui la faute ? Au monde abominable dont ils sont victimes. Et spécialement à nous, catholiques [47]. » L'intelligence est passée du côté du diable, et rien ne presse davantage que de sauver l'homme de la « fausse nuit du somnambule [48] ».

Pour Maritain, le diable n'est pas du côté de ceux qui révoquent alors les principes d'un « monde croulant » et proclament leur « désir passionné de démolition [49] ». Né d'un « cri de l'esprit », d'une révolte contre la nuit, le mouvement surréaliste ne peut être que salutaire à ses yeux. C'est ailleurs qu'il situe le foyer de corruption, concentrant sur André Gide, dès 1922, ses critiques les plus virulentes. S'en prendre à Gide à cette époque, c'est défier l'autorité la plus habile et insaisissable du milieu littéraire. Le catholique cherche-t-il à disputer au protestant le magistère encore sans rival qu'il exerce sur les écrivains de son temps, à le concurrencer sur son propre terrain ?

Résolu à démythifier le mandarin de la NRF, Maritain le dépeint comme un être prisonnier de lui-même, « constamment contraint, guindé, serré, piqué par les barbelures de conventions implacables, jamais libre, jamais gratuit [50] », se trompant sur Dostoïevski* à force de ne « voir en lui que son propre visage [51] ». Dans un entretien qu'il accorde en compagnie d'Henri Massis à Frédéric Lefèvre en octobre 1923 pour *Les Nouvelles littéraires*, son offensive se fait plus précise encore. Maritain fustige l'esprit de chapelle qui gouverne Gide et ses disciples, tous en quête de leur « moi perdu » et mêlant au travail de création trop de préoccupations « essentiellement morales et religieuses ». Massis affirmant que Gide « n'arrive jamais à se dépasser » et que « son instinct morose ne va pas dans le sens de la vie », Maritain de conclure : « Il s'agit là d'un mal de l'esprit. Gide lui-même ne s'est-il pas défini hérétique entre les hérétiques ? Or, rien de plus monotone que l'hérésie. L'hérésie n'est pas susceptible de progrès, elle ne peut rien assimiler. Seul, le dogme progresse, seule la vérité est susceptible d'enrichissement, de nouveauté [52] ». À ces attaques conjuguées, Gide riposte au moyen d'une de ses armes favorites, la provocation. Loin de chercher à l'apaiser, il affole la meute en décidant de livrer au grand jour *Corydon*,

---

* Auquel André Gide a consacré une étude, *Dostoïevski*, (NRF, 1923).

son livre entre tous le plus intime et le plus exposé au scandale – cet éloge de la pédérastie dont il a jusqu'alors réservé la publication. Effet assuré : la panique s'empare aussitôt de tous ceux, amis et détracteurs, auxquels l'écrivain inflige plus que jamais sa désarmante liberté d'être. C'est alors qu'à l'instigation de quelques-uns de ses proches, dont Jacques Copeau, secrètement coalisés avec les censeurs de la *Revue Universelle*, s'organise une étrange démarche – étrange pour qui connaît un peu Gide – en vue de le raisonner.

On ne sait au juste de qui émane l'idée de dépêcher Jacques Maritain rue de Montmorency, au cœur de la citadelle adverse. Le fait est qu'après le précédent fâcheux de l'ambassade à Lozère, chez les Péguy, celui-ci de nouveau se prête au jeu sans en mesurer davantage les risques. « J'attends (ceci sous le secret le plus rigoureux) une lettre d'un grand écrivain, le plus grand pervertisseur de ce temps (vous comprenez de qui il s'agit) qui doit me donner rendez-vous, confie-t-il le 10 décembre 1923 à l'abbé Journet. Je lui ai écrit, lui demandant de le voir. Il s'agit d'obtenir de lui qu'il renonce à publier un petit livre effroyable. S'il ne se dérobe pas (comme je le crains), ce sera une sorte de combat contre le diable, avec peut-être le salut d'une ou de plusieurs âmes comme enjeu [53]. »

Quatre jours plus tard, le 14 décembre au matin, l'émissaire est reçu dans sa villa d'Auteuil par un André Gide résolu à faire front, mais trop féru de théâtre, trop adepte de la mise en scène cependant pour ne pas prendre goût et intérêt à un tête à tête aussi singulier.

« [...] J'avais préparé quelques phrases, mais aucune de celles-ci ne servit, car je compris aussitôt que je n'avais pas à jouer de personnage devant lui, mais au contraire à me livrer, et que c'était ma meilleure défense, rapporte-t-il aussitôt dans son *Journal*. L'aspect courbé, ployé, de son port de tête et de toute sa personne me déplaisait, et je ne sais quelle onction cléricale de son geste et de sa voix ; mais je passai outre et la feinte me parut indigne de nous deux. Il aborda tout aussitôt la question et me déclara sans ambages le but de sa visite. [...]

« – J'ai, lui dis-je, horreur du mensonge. C'est peut-être là que se réfugie mon protestantisme. Les catholiques ne peuvent comprendre cela. J'en ai connu beaucoup ; et même, à la seule exception de Jean Schlumberger, je n'ai que des catholiques pour amis. Les catholiques n'aiment pas la vérité.

« – Le catholicisme enseigne l'amour de la vérité, me dit-il.

« – Non ; ne protestez pas, Maritain. J'ai trop souvent vu, et par trop d'exemples, quels accommodements étaient possibles. Et même (car j'ai ce défaut d'esprit, que me reprochait Ghéon, de prêter trop facilement la parole à l'adversaire et d'inventer pour lui des arguments) je vois ce que vous pourriez me répondre : que le protestant confond souvent la Vérité avec Dieu, qu'il adore la Vérité, ne comprenant pas que la Vérité n'est qu'un des attributs de Dieu...

« – Mais ne pensez-vous pas que cette vérité, que prétend manifester votre livre, peut être dangereuse...

« – Si je le pensais, je n'aurais pas écrit celui-ci, ou du moins je ne le publierais pas. Pour dangereuse qu'elle puisse être, cette vérité, j'estime que le mensonge qui la couvre est plus dangereux encore.

« – Et ne pensez-vous pas qu'il est dangereux pour vous de la dire ?

« – C'est une question que je me refuse à me poser.

« Il me parla alors du salut de mon âme, et me dit qu'il priait souvent pour elle, ainsi que plusieurs de ses amis convaincus comme lui que j'étais désigné par

Dieu pour des fins supérieures, auxquelles, en vain, je cherchais à me dérober.

« – Je crois volontiers, lui dis-je en souriant, que vous vous inquiétez du salut de mon âme beaucoup plus que je ne m'en inquiète moi-même.

« [...] Comme l'heure s'avançait, il fit mine de se lever :

« – Je ne voudrais pas vous quitter avant de... Me permettez-vous de vous demander quelque chose ?

« – Demandez toujours, dis-je avec un geste indiquant que je ne répondais pas de répondre.

« – Je voudrais vous demander une promesse.

« – ?...

« – Promettez-moi que, lorsque je serai parti, vous vous mettrez en prière et demanderez au Christ de vous faire connaître, directement, si vous avez raison ou tort de publier ce livre. Pouvez-vous me promettre cela ?

« Je le regardai longuement et dis :

« – Non.

« Il y eut un long silence. Je repris :

« – Comprenez-moi, Maritain. J'ai vécu trop longtemps, et trop intimement, vous le savez, dans la pensée du Christ, pour consentir à l'appeler aujourd'hui comme on appelle quelqu'un au téléphone. Même il me paraîtrait indigne de l'appeler sans m'être mis préalablement en état, moi-même, de l'entendre. Oh ! je ne doute pas que je n'y puisse parvenir. Je sais de reste, cet état, comment on l'obtient ; j'en tiens la recette. Mais il y entrerait de ma part, aujourd'hui, de la simagrée ; j'y répugne. Et puis, vous l'avouerai-je : jamais, même au temps de ma plus grande ferveur, même au temps où je priais, je ne dis pas seulement : chaque jour, mais à toute heure, à tout instant du jour – jamais ma prière n'a été autre chose qu'un acte d'adoration, qu'une action de grâces, qu'un abandon.

Peut-être suis-je en ceci très protestant... Et puis non ; je ne sais pourquoi je vous dis cela. Il est au contraire très protestant de demander conseil à propos de tout. Il y en a certains qui consulteraient le Christ pour savoir comment lacer une paire de bottines ; je ne peux pas ; je ne veux pas. Il m'a toujours paru indigne de rien réclamer de Dieu. J'ai toujours tout accepté de lui, avec reconnaissance. Non ; ne me demandez pas cela.

« – Je vais donc devoir vous quitter déçu ? m'a-t-il dit tristement en me tendant la main.

« – *D'abord*, ai-je répondu, mettant dans ce mot tout ce que je pouvais d'intention, sans du reste trop savoir laquelle. Et là-dessus nous nous quittâmes [54]. »

Le salut de l'âme d'André Gide est alors une des obsessions favorites des écrivains catholiques et chacun d'eux use avec le récalcitrant de sa stratégie propre. Claudel, celle de l'intimidation, Du Bos et Ghéon, de l'intrigue pieuse, Mauriac, de la compréhension à mi-voix. Aucune que n'ait su contourner, en maître de l'esquive, le fondateur de la NRF. Confronté à un homme aussi dépourvu d'artifices que Maritain, et sans détours littéraires, Gide choisit de s'avancer démasqué, quittant le registre de l'ironie et de la témérité pour mieux dissiper toute équivoque autour de son refus de Dieu, d'un « non sans retour », d'un « non donné une fois pour toutes [55] ». Mais, son visiteur prenant congé, Gide ne serait pas tout à fait lui-même si, joueur impénitent, il ne concluait leur entretien d'un mot qui paraît, cependant, vouloir en différer l'issue...

De fait, le débat entre les deux hommes ne s'arrêtera pas un matin de décembre 1923, dût-il en rester là sur le plan spirituel. Et c'est ailleurs, autrement, qu'ils trouveront douze ans plus tard l'opportunité de nouveaux échanges. Maritain aura acquis alors la seule influence capable de rivaliser, dans les milieux intellectuels, avec celle de l'intraitable auteur de *Corydon*. L'alternative à la suprématie de Gide, au rayonnement de la revue qu'il contrôle, à l'emprise du cénacle qu'il préside, a commencé de s'élaborer à Meudon dans la première moitié des années 1920, au lendemain d'un rendez-vous manqué.

« On était là comme au fond de la province, dans une tranquillité si profonde qu'elle en devenait presque mystérieuse, se souvient Julien Green. J'étais toujours frappé de la qualité du silence dans laquelle résonnait la sonnette de la grille, au bas du petit jardin. C'était le silence qu'il fallait [56]. » À mi-hauteur d'un versant de colline escarpé que surplombe le plateau de l'observatoire, la maison du 10, rue du Parc à Meudon jouit d'une « situation excellente » pour un philosophe aussi ennemi des mondanités que disponible pour les visiteurs de passage. Une maison assez spacieuse pour travailler en paix, assez éloignée de Paris pour s'affranchir des milieux littéraires, assez vaste pour abriter une chapelle. Après avoir souvent déménagé entre Paris et Versailles, les Maritain rêvaient d'une résidence définitive et plus appropriée à leur vie nouvelle. Le 12 mars 1923, Véra découvre le pavillon de Meudon au hasard de ses recherches, mais soutenue en secret par ses prières à saint Joseph. « Véra a son air de fête, on devine qu'elle a le sentiment d'avoir été aidée, observe Jacques. Cela nous donne à Raïssa et à moi beaucoup d'espoir et un préjugé favorable, parce que c'est notre petite sœur et grand ministre de la Providence qui a fait la découverte [57]. »

La décision d'acheter la maison sera prise par Jacques et Véra, sans que Raïssa, trop souffrante pour les accompagner à leur première visite, ait pu « voir les choses par elle-même ». Le contact avec une habitation nouvelle sera toujours pour Raïssa source d'inquiétude et de malaise. À son arrivée à Meudon elle sera saisie d'« une impression d'étouffement, d'humidité, d'ombre ». Son bonheur, trois mois plus tard, sera de pouvoir transformer une des chambres en chapelle et d'y garder le Saint-Sacrement, « grâce insigne, et que nous devons après Dieu à Mgr Gibier qui a très chaudement recommandé notre demande à Rome ». « Jésus habitera avec nous », note Jacques. Le 8 juin, jour du Sacré-Cœur, l'abbé Sarraute, ami du peintre Gino Severini, célèbre la première messe dans l'oratoire de la rue du Parc. « J'ai béni les ornements, raconte celui-ci. Maritain m'a servi la messe à laquelle assistaient le prince Ghika, Henri Ghéon, Altermann, le Dr Pichet et un autre. Ils ont communié de mes mains. J'ai déjeuné avec eux et R. Maritain, petit cénacle bien fervent [58]. »

Cénacle ? Le mot sied davantage à la mouvance gidienne, vouée à la dévotion d'un seul homme et s'organisant en entier autour de lui. Il ne suffit pas à restituer l'esprit et le climat de Meudon, foyer très ouvert, où l'écoute de l'autre, l'attention inlassable portée au « plus réservé de lui-même [59] » exigeront effacement et don de soi. Foyer dans lequel Jacques, Raïssa, Véra, chaque composante du « petit troupeau » aura sa tâche propre. Jacques toujours en première ligne et à la merci des passants. Raïssa plus en retrait, partagée entre les exigences de la vie d'oraison et les sollicitations extérieures, mais captant tout des parties souvent très serrées qui se jouent autour d'elle et ne s'y insérant qu'au moment le plus propice à une intercession décisive. Véra veillant sur les deux premiers et sur la vie de l'ensemble comme « une chargée d'affaires de Jésus [60] », humble, secrète et s'employant de tous côtés.

Lorsqu'elle entrera pour la première fois dans la maison de Meudon, au début des années 1930, Helen Iswolsky découvrira, assise dans un fauteuil du salon, une Raïssa « fragile et délicate », « la tête étroite, les cheveux noirs brillants, le profil fin et les yeux bruns pleins d'une lumière intense », « flamme spirituelle concentrée », et une Véra très occupée, aux « mouvements mesurés », aux « yeux attentifs et sérieux », affairée « sans vaine agitation ». « Je passai quelques minutes à parler avec les deux sœurs, évoquant notre pays natal commun ; elles étaient russes de naissance, quoique vivant en France depuis longtemps. Puis la porte de la bibliothèque s'ouvrit et Jacques Maritain vint s'asseoir à nos côtés [61]. »

Jacques comparera la place de Raïssa et Véra à celle de Marie et Marthe, l'une plus adonnée à la contemplation, l'autre plus engagée dans la vie active. Inspiratrice, instigatrice, présence d'airain, Raïssa veille secrètement sur l'œuvre et la destinée de Jacques comme au juste arrangement de toute chose. Énergique, téméraire et expéditive, Véra incarne pour le couple sa plus fidèle protectrice, « grand Ange auxiliateur [62] » qui fait barrage aux imposteurs, filtre les appels téléphoniques, affronte les fournisseurs, secourt Raïssa dans les tâches ménagères et tape à la machine les manuscrits de Jacques. « Elle ne nous aidait pas seulement, elle nous défendait [...] dans toutes les petites difficultés de la vie, confie celui-ci. Elle aurait voulu, mais Raïssa l'en empêchait, prendre pour elle tout ce qu'il y avait de moins bon. » Indifférente à toute coquetterie et dépourvue de légèreté apparente, aussi rêveuse et désordonnée que Raïssa peut être soucieuse d'organisation et d'harmonie, Véra paraît de prime abord n'avoir en commun avec celle-ci qu'une même voix pure, claire et douce qui empêchera toujours de les distinguer au téléphone. « Mais rien n'était plus beau et plus émouvant, se souviendra Jacques après leur disparition, que de voir les deux sœurs aller [...] dans l'existence, Raïssa, la première, Véra la seconde, inséparables ; et cette acceptation si simple et si généreuse du rôle de seconde, et de la fonction de seconde, conférait à Véra une pareille et éminente dignité. Car c'est un aussi grand amour qui les faisait aller l'une et l'autre [63]... » Une même sensibilité, un même raffinement de nature où leur compagnon distingue la marque des enfants d'Israël.

« Depuis qu'elle était venue nous rejoindre à Heidelberg, en décembre 1906, Véra a toujours vécu avec Raïssa et moi. Nous avons fait ensemble notre apprentissage de convertis, chacun usant d'une franchise totale envers les deux autres et tâchant d'aider les deux autres en s'aidant soi-même. À cette lointaine époque elle était encore très *touchy*, et se sentait souvent blessée par des vétilles ; de cette susceptibilité naturelle elle s'est vite guérie, et je crois qu'en cela les plaisanteries que nous ne lui ménagions pas lui ont rendu service. C'est dès lors que tous trois nous avons formé une petite communauté étroitement unie où, en employant d'abord, tout au début, quelques pratiques de piété idiotes (telles que le compte journalier du nombre de fautes et de "victoires" sur soi-même), – ça n'a pas duré longtemps, et d'illusoires moyens de mortification suggérés par les Vies de saints que nous dévorions sans discernement mais avec délices (ceintures pourvues de pointes, cilices, poudre amère discrètement jetée dans l'assiette, que sais-je), – cela aussi a assez vite passé, – puis, sans grand profit, la lecture et méditation privée des "Exercices" de saint Ignace, – et un peu plus tard (cela enfin était raisonnable) certains usages empruntés à la vie monastique tels que les "chapitres" réguliers (on dirait aujourd'hui, dans le vocabulaire au rabais où les gens se sentent à l'aise, les "révisions de vie"), nous faisions nos premiers pas vers une voie lactée qui s'éloigne à mesure qu'on avance. [...]

« Je suppose qu'elle [Véra] a eu comme tout le monde une période d'hésitation concernant les voies où elle dirigerait sa vie, n'étant pas attirée par le mariage et se demandant ce que Dieu voulait d'elle. Tout s'est éclairé lorsque (à quel moment, je ne saurais le dire ; peut-être quand nous sommes devenus à Oosterhout oblats de Saint-Benoît, [...]) nous avons décidément compris tous les trois que notre petite communauté laïque formait une unité à part [...].

« [...] C'est dans cet esprit-là, et avec une parfaite netteté, que Véra a pris conscience de sa destinée. Si elle a choisi de rester avec Raïssa et moi, ce n'est pour aucune sorte de raison temporelle, fût-ce son amour pour sa sœur, c'est en raison de sa vocation personnelle et de la donation à Dieu, et d'un appel qu'elle savait venir du fond de l'éternité.

« La vocation dont je viens de parler est la racine surnaturelle du sublime dévouement qu'elle a eu pour nous. Elle explique aussi pourquoi elle ne s'est sentie à aucun instant une sœur et belle-sœur quelque peu isolée en face du couple Raïssa et Jacques. Il y avait entre nous trois une unité profonde et tranquille, une unité radicale que nous avons toujours tenue pour une immense grâce de Dieu. »

Véra gardera pour elle jusqu'en septembre 1939 le secret de sa vie spirituelle, seul le père Dehau étant dans la confidence. Ce n'est qu'à la veille d'un nouvel exil qu'elle s'en ouvrira à Raïssa et Jacques : depuis plusieurs années Dieu s'adresse à elle fréquemment, lui délivre des messages de sa confiance et de sa miséricorde, l'assure qu'Il veille sur eux trois. Ces témoignages ont toujours été d'une telle douceur qu'éprouvant les grâces qui lui sont ainsi prodiguées Véra a souvent pleuré de tendresse et d'émerveillement.

La première retraite des cercles thomistes s'est tenue à Versailles, du 30 septembre au 4 octobre 1922, autour du père Garrigou-Lagrange et des membres fondateurs. Un an plus tard, le groupe se retrouve à Meudon. Le nombre des participants ne cessera de croître jusqu'en 1938. Par-delà les réunions d'études, c'est un véritable réseau d'influence qui a commencé de s'organiser autour des Maritain, avec l'approbation manifeste de Rome*. Réseau si intimement lié au rayonnement du philosophe et à son pouvoir d'attraction qu'il se déploiera bientôt en tous sens, entrecroisé de relations et d'amitiés aussi diverses, aussi disparates que la vie même des hôtes de Meudon.

Avant de déborder le milieu catholique, c'est à partir de lui que se forme le circuit – de l'Institut supérieur de philosophie de Louvain – où Maritain donne une série de conférences dès 1921, à l'université de Fribourg, foyer de la renaissance thomiste en Suisse romande, en passant par l'Institut catholique de Paris, d'où vient, entre autres, un jeune étudiant, Yves Congar**. Directeur des cercles, Garrigou-Lagrange fait plus encore office de protecteur et de représentant permanent à Rome, pièce maîtresse du système et garant de sa légitimité. L'un de ses pôles essentiels sera bientôt l'abbé Charles Journet, avec

* Où Maritain est reçu le 19 novembre 1923 en audience privée par le Saint-Père.
** Futur cardinal (1994).

lequel Maritain entretient déjà une correspondance confiante et assidue.

Frêle visage d'« agneau aux yeux bleus », selon l'expression de Véra, traits d'ascète doux, sourire affable et bienveillant, voix grave et paisible, épaules couvertes d'une pèlerine hiver comme été, le vicaire de Fribourg a l'âme d'un contemplatif et l'insoupçonnable fougue d'un soldat de Dieu. Ami des pauvres et des artistes, pédagogue d'instinct, pasteur au sens le plus humble du mot, Journet est au cœur de la Suisse romande l'animateur très actif d'un mouvement de renaissance catholique si alerte qu'il ne va pas sans inquiéter les autorités protestantes. Les Maritain le rencontrent dans le val d'Illiez en juillet 1922. C'est un admirateur fervent que Jacques trouve en lui, avant qu'il devienne l'ami et le conseiller de tous les instants, le théologien intuitif consulté à chaque pas et intimement associé au parcours. « Voilà longtemps que j'aime vos écrits, à cause de l'amour de la vérité que j'y sens, de cette sagesse surnaturelle dont vous parlez si bien », lui écrit Journet le 4 novembre 1920, deux ans avant de faire sa connaissance. Dès lors, l'échange se poursuivra entre eux comme un long débat fraternel et convergent, sans cesse relancé, ravivé par une méditation nouvelle, une idée en germe, l'actualité du combat commun, où il s'agira toujours de « vaincre en étant vaincus [64] ».

C'est le jeudi de Pâques 1921 que Raïssa et Jacques ont reçu la visite du « saint curé » de La Courneuve, l'abbé Lamy, qui rejoindra les cercles d'études dès leur première retraite. Le vieux prêtre, « anéanti dans son humilité un peu farouche [65] », réduit aux moyens les plus pauvres, plus familier des chiffonniers et des voyous de banlieue que des réunions intellectuelles, s'est pris d'amitié pour les Maritain et leur esprit de liberté. « Il apportait avec lui cette *pré-*

sence substantielle, pacifique et tendre où la sainteté se fait connaître, se souvient Jacques [...]. L'influence du saint abbé Lamy était plus vaste qu'on ne pourrait croire. [...] Des milieux les plus divers on avait recours à lui. De combien de prêtres il était le confident ! » Ce « protégé » de la Sainte Vierge bouleversera un soir d'octobre 1922 le petit groupe des retraitants par l'humble majesté de ses paroles, « heure de beauté unique », notera Raïssa. Cette figure de curé d'Ars paraît assurer d'emblée le petit groupe de Versailles d'une protection venue d'en haut.

Au sein du premier équipage thomiste, se signalent entre autres disciples Vladimir Ghika et Jean-Pierre Altermann, dont la vocation religieuse ne tarde guère à s'affirmer. Baptisé orthodoxe, Ghika s'est converti en 1902, à l'âge de trente ans, à Rome, pressé de tout quitter pour se consacrer à Dieu. Sur le conseil de Pie X, il s'oriente vers un apostolat laïc avant d'accéder au sacerdoce auquel tout en lui le destine. Sans doute la fermentation spirituelle qu'il trouve auprès des Maritain a-t-elle précipité sa décision de devenir prêtre. Le 7 octobre 1923, le petit-fils du dernier prince régnant de Moldavie est ordonné dans la chapelle des Lazaristes, rue de Sèvres, devant les reliques de saint Vincent de Paul. « Le plus beau de tout fut le prince Ghika lui-même, tout en Dieu, exténué, bien plus victime que sacrificateur, note Raïssa [66]. Tel nous l'avons vu après l'ordination, debout, revêtu de l'aube, lorsqu'il donnait ses mains à baiser dans un geste digne d'Angelico, tant il exprimait d'humilité et d'abandon. » La vocation de Jean-Pierre Altermann suivra un cheminement plus imprévisible encore, mais conforme au caractère péremptoire et passionné de cette « âme de feu [67] ». Issu d'une famille juive de Russie, poète, peintre et critique d'art, Altermann s'est converti brusquement à vingt-sept ans dans un monastère de Vieille-Castille, bouleversé par sa découverte de l'Espagne. Vient-il pour la première fois chez les Maritain dans le sillage de Maurice Denis ou de l'abbé Lamy ? Il se lie d'une affection profonde avec les Maritain, familier de Versailles et de Meudon au point de devenir ce « thomiste intraitable » auquel François Mauriac, chrétien aux abois en quête d'« épaules robustes [68] » se verra plus tard confronté si rudement. Ordonné en 1925, Jean-Pierre Altermann recevra aussitôt mission de seconder Ghika à l'église diocésaine des étrangers, prolongeant par là-même leur filiation première.

Si, de Garrigou-Lagrange à Charles Journet, l'armature du réseau est de métal catholique, sa texture même sera faite peu à peu de liens plus composites. D'écrivains et d'artistes proprement dits, de ceux dont Maritain a reçu charge d'âmes avant tous autres, on ne remarque guère encore à Meudon que le critique et dramaturge Henri Ghéon, transfuge de la NRF, rallié tout ensemble à Maurras et à Dieu au lendemain de la guerre, adepte précoce des cercles thomistes où il manifeste une ferveur larmoyante. Mais c'est en 1923 que Maritain, alerté par Yves Congar, procure au peintre futuriste Gino Severini les fonds nécessaires à l'ouverture d'une académie privée. En 1923 encore, que lui parviennent *Thomas l'Imposteur* et *Le Grand Écart*, dédicacés par « son admirateur, Jean Cocteau », à l'homme « qui aime toutes les formes de la grâce ».

Dieu ou Jean Cocteau ?

> « Si dans les débuts l'expérience humaine est amère, elle peut devenir avec le secours de Dieu une source de douceur. »
>
> Raïssa MARITAIN,
> *Journal de Raïssa.*

La création d'*Antigone* au théâtre de l'Atelier, le 20 décembre 1922, est-elle promise au même scandale que celle de *Parade* cinq ans plus tôt ? Les spectateurs en étaient alors venus aux mains, un quart d'heure après le lever du rideau. Revue et corrigée par Jean Cocteau, l'œuvre de Sophocle paraîtra tout au plus méconnaissable. La plupart des spectateurs choisiront d'en rire, ne voyant dans le décor de Picasso qu'une crèche de Noël et dans ses masques antiques qu'une « vitrine de Mardi gras[1]. » La musique d'Honegger ? Une partition nasillarde. Unanimement salués, en revanche, les costumes de Gabrielle Chanel, tandis qu'un Dullin ivre d'obstination et de rage dans le rôle de Créon, un Antonin Artaud imprécateur et vociférant dans celui de Tirésias laissent pour finir le public sous le choc. Seul contestataire : au moment où Antigone affirme que Créon « attache la plus grande importance à l'exécution de ses ordres », un spectateur réplique du balcon : « Il a tort ! » Cocteau reconnaîtra la voix d'André Breton[2].

Jacques Maritain est-il présent, comme on le présume, le soir de la première d'*Antigone*, dans le petit théâtre de Montmartre ? La première rencontre avec le poète du *Prince frivole* date-t-elle de ce 20 décembre 1922 ? « Comme je comprends votre amour pour Antigone ! écrira-t-il plus tard à Cocteau. Elle-même toutefois nous dit, et c'est pourquoi elle vous est chère, qu'en violant la loi humaine elle suivait un commandement meilleur, les lois non écrites et non changeantes. La liberté d'une vierge obéissant aux lois des dieux est plus belle que celle du poète ou du philosophe. C'est à une plus haute encore que nous sommes appelés, à la liberté des âmes dont l'esprit s'est rendu maître [3]. »

Née sous le signe d'Antigone, leur amitié ne met qu'un an à se déclarer. Maritain, le premier, lui ouvre la voie. Avec une intuition fulgurante – « la merveille de votre coup d'œil c'est qu'il est pur et droit » lui dira Cocteau [4] –, l'auteur d'*Art et Scolastique* a su contourner tous les clichés qui pèsent déjà sur l'esprit le plus scintillant de Paris et déceler sous les masques légers de l'artificier de salon, derrière les miroirs déformants du dandy subversif, un poète à l'état pur, un sourcier des grandes profondeurs, un familier des anges. « Je vous connaissais avant que vous sachiez mon nom. Je suivais vos mues de poète avec une curiosité diligente, je vous regardais comme une espèce de djinn occupé à surprendre les jeux purs et impurs des fées, au surplus rassasié de tristesse et fait pour un autre monde. L'énorme consommation de scaphandres que vous faisiez me frappait beaucoup. Avec *Le Cap de Bonne-Espérance*, le scaphandre devenait avion, je trouvais là un élargissement de mystère dont la témérité même faisait ma joie. J'admirais *Les Mariés de la Tour Eiffel*, j'y voyais délivrée au théâtre la libre imagination qui jadis inventa les contes éternels [5]. » Avec Cocteau, le philosophe poussera jusqu'au mimétisme l'aptitude à s'assimiler, à s'incorporer aux autres sans rien perdre de lui-même, usant des métaphores, adoptant les tics et les pirouettes de cette âme blessée comme pour mieux en déchiffrer le code. Non que le vif-argent d'un style tout en pied de nez, en jeux de trapèze fasse illusion sur celui qui paraît le reprendre à son compte : pour lui cet acrobate ne cesse en réalité de jouer avec la mort. « Vous jongliez si haut et si franc avec vos couteaux que l'accident n'était pas inévitable : on vous verrait le cœur ouvert par le désespoir, ou par la grâce de Dieu. » Mais pourquoi accorder à Cocteau tant d'intérêt, lui marquer tant de sollicitude, sinon parce que l'ami de Picasso, de Proust et d'Apollinaire semble cristalliser le génie de son époque, ses fastes et ses dérives, au temps du Bœuf sur le toit, du gin, du jazz et du charleston, des folles nuits blanches de l'après-guerre ? S'adressant à Cocteau, Maritain ne s'adresse pas seulement à un ami désarmé, mais à tous ceux qui, de près ou de loin, lui font escorte.

De son côté, le rigoureux auteur d'*Antimoderne* est-il devenu à son insu un personnage si à la mode qu'il n'a pu passer inaperçu d'un « spectateur mondain » comme Cocteau, d'un détecteur d'étoiles filantes aussi avisé ? Alerté par Georges Auric, le jeune poète de trente ans s'étonne d'être attendu par « ses amis de Versailles ». « Mon œuvre aimée chez vous, cela surprenait à tel point votre milieu qu'on la croyait aimée par gentillesse. "Votre ami Cocteau" vous disait un de vos intimes que j'ai connu bien avant de vous connaître. Il ne pouvait comprendre alors que me citant*, vous ne me connaissiez pas [6]. »

En mars 1923, Raymond Radiguet, romancier de vingt ans qui partage la vie de Cocteau, adresse *Le Diable au corps* à Maritain en « admirateur d'*Anti-*

---

* Dans *Art et Scolastique* : « Nous abritons un ange que nous choquons sans cesse. Nous devons être gardiens de cet ange. Abrite bien ta vertu... »

moderne », suivi deux mois plus tard de Cocteau lui-même qui fait parvenir *Le Grand Écart* à Versailles avec une dédicace admirative et complice – « À Jacques Maritain, ce livre antimoderne, c'est-à-dire douloureux ». Le philosophe répond aussitôt à cet envoi en forme d'appel :

« 26 mai 1923

 « Cher Monsieur,

 « Merci de m'avoir envoyé *Le Grand Écart*. Je suis, vous le savez, avec un vif plaisir de l'esprit le développement de votre œuvre. C'est une rare et enviable victoire, que de réussir, comme vous l'avez fait, à rendre ''l'ordre'' aussi neuf et aussi inquiétant que ''l'anarchie'', la lumière, la grâce et la simplicité aussi surprenantes que ces *abîmes* dont Jacques Rivière se plaint avec tant de naïveté qu'on manque en France.

 « Il y a dans votre roman avec les qualités d'une poésie exquise une émotion, une gravité, une humanité, qui n'étonneront que ceux qui n'ont jamais cherché à discerner le vrai visage de votre art – et qui me paraissent répondre de façon très exacte au point de perfection si justement défini dans votre conférence : ''Après bien des malaises (?) et bien des solitudes, l'art tout nu s'équilibre et oppose aux richesses du costume les richesses du cœur... Le cœur s'exprime avec réserve et ajoute au sens des proportions cette légère dérive sans quoi l'architecture semble morte.''

 « Permettez-moi de vous dire que la lecture de votre dernier livre et de votre conférence au Coll. de France* ont encore accru la sympathie que j'éprouve depuis longtemps pour leur auteur, pour une âme si

---

* Allocution de Jean Cocteau, au Collège de France, le 3 mai 1923, intitulée « D'un ordre considéré comme une anarchie ».

sollicitée par les anges, et qui peut si mal *se passer de scaphandres*.

« Croyez-moi, cher Monsieur, votre cordialement dévoué.

« Jacques Maritain. »

À peine entamé, le dialogue entre le prieur et l'arlequin se heurte à un premier malentendu. Maritain n'ayant fait qu'une allusion à Cocteau dans l'interview accordée à Frédéric Lefèvre en octobre 1923 et mis plus en avant le rôle de Max Jacob dans la recherche d'une esthétique nouvelle, la sensibilité de son correspondant en est aussitôt atteinte :

« 14 octobre 23
« Dimanche, 10 rue d'Anjou
« Cher monsieur,
« Vous aurait-il coûté trop cher d'écrire (sans rien changer autour) "Max Jacob, Jean Cocteau et les jeunes dont il essaye…" ? (Ces jeunes sont, du reste, les musiciens – alors ?)

« Votre phrase m'a fait beaucoup de peine. C'était m'exclure en me mettant en vue.

« Je suis certain de ne pas mériter ce régime.

« Pourrai-je vous voir ? Un grand nuage entre nous, je le supporte (je le supporte à cause de mon esprit profondément religieux) mais un petit me fait du froid. Car vous êtes parmi les 4 ou 5 hommes que je souhaite atteindre.

« Je suis à votre disposition pour le jour, l'heure etc.
« Jean Cocteau. »

Jacques Maritain à Jean Cocteau, le 16 octobre 1923 :

« Cher Monsieur,
« Votre lettre me rejoint ici, après un détour à Versailles. Je suis désolé que cette phrase de l'interview vous ait fait de la peine. Vous n'avez pas compris mon

intention, qui n'était nullement de vous exclure, mais bien de vous mettre à la tête de ces jeunes dont je parlais (je ne pensais pas aux musiciens, mais à des écrivains comme Radiguet). Je voulais aussi faire allusion par là à votre conférence du Collège de France.

« Il se peut que Frédéric Lefèvre fasse de cette interview une petite brochure, en tout cas je pense qu'elle paraîtra avec les autres dans le second volume d'*Une heure avec*. Soyez assuré que je corrigerai alors ma phrase, et mettrai : "Max Jacob, Jean Cocteau et les jeunes…"

« J'ai des remords de ne vous avoir pas remercié de votre *Plain-Chant*. Mais j'ai été tellement débordé depuis trois mois ! Nous en reparlerons.

« Je pars pour Avignon dans deux jours. Voudriez-vous venir à Meudon quand je serai de retour, un jour du début de novembre par exemple ? (Le 30 octobre ou le 1er novembre vers 4 heures vous conviendrait-il ?) Je serai très heureux de causer avec vous.

« Encore mes excuses pour la peine que je vous ai faite très involontairement. Et croyez-moi votre sincèrement et sympathiquement dévoué. »

Est-ce la crainte de sa « gaucherie native [7] » qui retient Jacques Maritain de précipiter leur rencontre ? La « honte » du « mauvais élève [8] » de comparaître devant le philosophe, qui de son côté retient Jean Cocteau ? Toujours est-il que ce premier rendez-vous ne cessera d'être différé jusqu'à l'été 1924. La mort de Radiguet, le 12 décembre 1923, suspend toute communication entre eux pendant plusieurs mois. « Il était dur ; il fallait du diamant pour avoir prise sur son cœur, écrira Cocteau trois ans plus tard. […] Pardonnez-moi si j'insiste, mais, vous le savez, c'est une de mes peines que vous ne l'ayez pas connu [9]. » Anéanti par la disparition du jeune homme, cet « Antinoüs hiératique [10] » que Mauriac observait sur son tabouret du

Bœuf sur le toit, pris dans la bacchanale des « gazés »
de l'après-guerre, Cocteau se réfugie à Monte-Carlo,
s'abîme dans l'opium, affirme qu'il n'écrira plus. En
juin 1924, il joue le rôle de Mercutio dans sa propre
adaptation de *Roméo et Juliette*, flanqué d'un page de
dix-huit ans qu'il emploie dans la vie comme secrétaire
et garçon de courses, Maurice Sachs. Chaque soir Cocteau meurt sur scène. « Mon habilleuse avait l'habitude
de dire : "Avant la mort de Monsieur Jean" ou "après la
mort de Monsieur Jean", confiera-t-il encore à Maritain, et c'est vrai, je n'ai jamais joué la scène du duel
sans espérer que ma pantomime tromperait la mort, la
déciderait à me prendre [11]. »

Le 1er juin 1924, la NRF entreprend la publication
du *Bal du comte d'Orgel*. « Je viens de lire le Radiguet
dans la *NRF*, écrit aussitôt Maritain à Henri Massis. Je
trouve cela tout à fait bien et important. Ne serait-ce
pas l'occasion de parler de lui ? En soi, cela me paraîtrait très souhaitable. De plus, je sais que Cocteau et
ses amis le désirent beaucoup et ce serait très oppor-
tun. Le moment est venu, me semble-t-il, d'accueillir
tout ce mouvement et de ne pas le laisser capter par la
NRF qu'il contrarie en réalité [12]. » Huit mois après
l'échec de sa visite à Gide, l'homme de Meudon semble
piloter à distance l'offensive anti-*NRF* dont Massis se
fait le bras armé. Mais c'est sur lui-même avant tout,
bien plus que sur un moyen de pression relatif comme
La Revue Universelle, que Maritain doit compter pour
gagner à sa cause une partie du monde littéraire. Sa
réputation, si peu que ce mot puisse lui convenir, ne
cesse de grandir sous le manteau. Assez, du moins,
pour que l'un des maîtres de ce temps-là, inventeur
avec Pierre Reverdy et Blaise Cendrars de la poésie
cubiste, prince mendiant de l'équivoque et du fantasque, s'adresse à lui comme à « la conscience de
notre époque ». Max Jacob lui écrit de Saint-Benoît-

sur-Loire où il fait retraite depuis trois ans. Sa conversion au catholicisme, après que Jésus lui fut apparu
sur le mur de sa chambre, n'est jamais passée auprès
de ses pairs que pour une facétie de plus. « Je me
reconnais comme entièrement senti par vous, confie-t-
il à Maritain le 20 mai 1924 [...]. Ne vous attendez pas
à voir un autre homme qu'un vieux monsieur fatigué
par trente ans de luttes, de souffrances et, faut-il
l'avouer, de lamentables plaisirs, un fakir de la littérature un peu purifié peut-être et incapable de voir autre
chose que de la psychologie sur terre [13]. »

À la mort de Radiguet, lequel ironisait sur cette
époque où « quand on ne se mariait pas, on se convertissait [14] », Max Jacob conseille à Cocteau de se
confesser et de communier. « Quoi, s'étonne Cocteau,
tu me conseilles l'hostie comme un cachet d'aspirine ?
– L'hostie doit être prise comme un cachet d'aspirine », répond Max. La religion comme antidote à
l'opium, à l'errance, au désespoir ? « Je demandais
grâce, écrira Cocteau. Il était si simple de demander
la Grâce. Comme ces Niçois dont les persiennes se
trouvent prises dans les grosses lettres d'une réclame,
j'habitais Dieu et je n'étais jamais sorti pour voir ma
fenêtre du dehors [15]. »

En juillet 1924, Georges Auric l'entraîne à Meudon, où Reverdy de son côté l'a pressé de se rendre,
tenant d'un père jésuite « que vous pourriez me calmer ». On sait peu de chose sur cette première visite,
hormis les impressions qu'en retireront séparément
Cocteau et son hôte. Le premier retrouve dans la salle
à manger de Meudon « l'odeur de Maisons-Laffitte où
je suis né [16] », le second observe que chez cet homme
« en miettes », « le plus grand artifice est la sincérité [17] ».
Leur face-à-face ? Celui de deux enfants qui se dévorent des yeux « d'un bout à l'autre d'une table de
grandes personnes », rapportera Cocteau. Les enfants

voient clair, se regardent tels qu'ils sont. Cet œil d'enfant posé sur lui, Cocteau n'a pas fini d'en éprouver la tenace exigence. « Sans doute au lieu de me laisser tomber faudrait-il tendre les mains vers le haut, écrit-il peu après à Maritain. J'ai honte de ne plus en avoir la force [18]. » C'est l'appel que Maritain attendait.

Que leur amitié doive passer en quelques années de l'effervescence au désaccord, et souffrir quiproquos et illusions réciproques, n'enlève rien au fait que, dès cet instant-là, son confident le moins complaisant a compris, aimé, accepté Jean Cocteau comme personne avant lui. Tout semble se jouer dans leur correspondance, entre septembre et octobre 1924, tissée d'élans irrésistibles :

« 5 septembre 24

« Mon cher ami,

« Je vous remercie de votre lettre qui m'a profondément ému. Votre souffrance me peine à l'extrême. De tout mon cœur je voudrais qu'il ait raison cet étonnant jésuite dont vous a parlé Reverdy. Et si peu que puisse hélas, mon amitié, vous savez que vous pouvez compter sur elle. Mais Dieu seul peut apaiser une douleur dont il est bien vrai que nul regard créé ne connaît la profondeur.

« Laissez moi vous dire au moins ceci : cette usine de cristal que la mort de R. a mise en miettes, dans sa réalité spirituelle elle est toujours debout. Cet enfant n'a pas emporté votre âme avec lui, et j'en ai la certitude vous êtes seulement au seuil de votre œuvre et de votre action. Vous me donnez l'impression de passer (quant à la création artistique) par cette nuit obscure de l'esprit qui dans la vie mystique débouche sur la plus grande lumière, mais il y faut beaucoup d'amour. Oui, tendez les mains vers le haut, les saints vous y aideront. Je vous prie de faire bon accueil à une sainte qui nous est très chère, Gertrude la grande dont je vous envoie le livre*. J'espère que vous aimerez cette âme très pure qui sait réconcilier la sainteté et la beauté dans la blancheur du plus ardent et du plus pacifiant amour.

« Dans 8 jours, le 14, j'irai en pèlerinage à N.-Dame-des-Bois**, humble sanctuaire auquel je dois beaucoup. J'y prierai pour vous avec la plus grande affection. Ma femme me prie de vous dire toute sa sympathie.

« Je vous embrasse.

« J.M. ».

« Villefranche 12.9.1924

« Mon cher ami,

« Votre lettre me fait beaucoup de bien et votre envoi me touche plus que n'importe quel trésor. J'ai une grande confiance dans votre prière à Notre-Dame-des-Bois, nom charmant qui évoque un refuge d'ombre fraîche et de solitude. Si vous avez une heure à perdre écrivez-moi encore ; vous accomplirez une bonne œuvre.

« Croyez-moi, madame Maritain et vous, votre ami fidèle.

« Jean Cocteau. »

« Villefranche, 22 octobre 1924

« Mon cher Maritain,

« Votre écriture me fait du bien. Je sens que j'aurai en vous un appui profond. Je vous aime toujours mieux.

« Jean Cocteau ».

---

* *Sainte Gertrude, sa vie intérieure,* de D.G. Dollan (Paris, Lethielleux, 1922).

** Pèlerinage près de Violot en Haute-Marne, où la Vierge est apparue à l'abbé Lamy.

« Pax

« Meudon, 10 rue du Parc

« 29 octobre 24

« Mon cher ami,

« Ce qui est sûr, c'est que je donnerais beaucoup pour vous être vraiment utile, et que Dieu met dans mon âme une grande affection pour la vôtre. Quand rentrez-vous à Paris ? Je serai heureux de vous voir à votre retour. Je pars bientôt pour la Belgique, mais je ne serai absent que quelques jours. Croyez-moi votre tout dévoué

« Jacques Maritain. »

Que chez Maritain l'œuvre et la vie se répondent et renvoient sans cesse l'une à l'autre, l'ouvrage qu'il publie au même moment suffit à le prouver. *Réflexions sur l'intelligence et sa vie propre*, paru durant l'automne 1924 à la Nouvelle Librairie nationale dans la collection qu'il dirige, semble tout imprégné de cette passion des choses humaines qui le porte alors vers les autres. Comme la majorité de ses livres, celui-ci couvre un itinéraire, embrasse une pensée en mouvement qui s'exprime comme par étapes, d'articles en conférences. La dominante ici est moins la critique toujours virulente de l'idéalisme cartésien et les accusations réitérées contre Kant, Rousseau et Schopenhauer, coupables d'avoir provoqué une « abdication de l'esprit » dans la philosophie moderne, que l'aspiration du continuateur de saint Thomas à « rejoindre l'être », à féconder « tous nos liens avec l'expérience humaine », à établir toute théorie sur « l'objet de connaissance tel qu'il se présente naturellement, sans mutilation ni restriction arbitraire ». La connaissance se doit de prendre en compte « chacun de nous, un pauvre point dans l'univers, une âme d'homme, qui ne pèse rien [...] et néanmoins contient le tout ». Se demande-t-on ce qui entraînera si souvent ce philosophe loin de ses bases ? S'interroge-t-on sur la nécessité pour lui de tant d'investigations, de tant d'expériences aventureuses ? Tout le sens de l'odyssée future pourrait tenir dans ce portrait de Pascal, dont il ne s'inspire guère par ailleurs : « Pascal ne nous livre pas une doctrine, une chose faite, c'est de sa vie même, c'est de ce qu'il y a de plus secret, de plus complexe et de plus mobile au monde, d'un cœur gravitant dans l'univers spirituel, que sa grande raison pathétique promène devant nous le reflet. [...] Ni théologien ni philosophe ; nullement métaphysicien. C'est proprement d'un spirituel, c'est d'une âme touchée de grâces mystiques, et aiguillonnée du Saint-Esprit, que sortent ses *Pensées*. Voilà ce qui fait leur force.

« C'est ici qu'il s'oppose le plus foncièrement à Descartes, et que vraiment seul à la fin, de la dure solitude des douleurs de l'intelligence, il dresse, comme un haut signal, la revendication de la conscience chrétienne en face de l'apostasie rationaliste qu'il sent venir, et dont le vent mortel glace d'horreur sa chair malade [20]. »

Soulignant que « toute grande période de culture est commandée par une certaine idée que l'homme se fait de l'homme », seule doit prévaloir pour Maritain celle qui affirme le « primat de l'être » par un retour au réel et à la « primauté de l'esprit ». Le monde est en proie à « un immense besoin de spiritualité ». Rentrant de leurs saisons en enfer et autres séjours dans la maison des morts, les héritiers de Rimbaud et de Dostoïevski ne sont plus que « des enfants perdus », courant parmi les épines à la recherche de leur amour crucifié, « sans même savoir » quel est celui qui les appelle. Si l'acte d'intelligence s'impose comme l'acte libérateur entre tous, c'est qu'il « force à lever la tête », à considérer « l'objet en tant qu'autre », à se subordonner à « un être indépendant de moi ». La connaissance, état de « dépendance absolue à l'égard de ce qui est » impose de se laisser « vaincre, convaincre, assujettir par lui ».

L'exercice de l'intelligence – intelligence inséparable pour le philosophe de la notion de concept en tant que « moyen de voir » et de connaître* – signifie pour Maritain exploration inlassable de l'intégralité du réel, voyage au long cours dans l'immensité de l'existant. Pessimiste comme l'est Thomas d'Aquin quant au « plus grand nombre des cas individuels », mais optimiste quant aux « ressources de l'espèce », il voit dans ce « conflit » une obligation essentielle « à aller toujours de l'avant ». L'optimisme de saint Thomas, ajoute-t-il, est « sans limite du côté de la grâce ».

Examinées sous l'angle de la vie qui est alors devenu la sienne, ces *Réflexions sur l'intelligence* situent parfaitement la position de Maritain dans le siècle : celle d'un chrétien confronté à « l'étude de l'homme dans sa condition concrète ».

Salué par Léon Daudet comme « le plus beau livre et le plus important de l'année », au point qu'il tentera lui faire attribuer le prix Goncourt, l'ouvrage témoigne aussi d'un style éblouissant, le philosophe mêlant à l'aridité de l'exposé on ne sait quel charme, quelle musique qui lui sont propres.

---

* Un vif débat oppose à ce propos en 1923 Maurice Blondel et Jacques Maritain. Voir l'étude de Pierre Gauthier, « Maurice Blondel et Jacques Maritain », publiée dans *Jacques Maritain et ses contemporains* (Paris, Desclée, 1991).

Les mains enserrant le visage, le visage empreint d'une souffrance retenue, les yeux cernés et las comme à force d'attendre, où en est Raïssa à cette époque ? Elle qui a intuitivement contribué à flécher la route de Jacques, se trouve plus que jamais démunie devant son existence propre. Son journal trahit une sorte de résignation : son devoir est d'être « aux côtés de Jacques », puisque la volonté de Dieu l'empêche de « vivre comme une recluse [21] » parmi les siens. La petite *Règle de vie* qu'elle compose en 1923 et recopie de sa main en trois exemplaires tente d'accorder « les devoirs de chaque instant dans leurs obscures apparences « au temps donné à l'oraison, à la solitude et au silence ». « Soyons bienveillants pour toutes créatures. Abstenons-nous de juger le fond des âmes, et dilatons assez notre cœur pour admirer partout et pour comprendre autant que possible la liberté, la largeur et la variété des voies de Dieu [22]. » Mais il suffit de lire son quatrième carnet, celui de l'année 1924, pour comprendre à quel tournant crucial Raïssa est alors confrontée.

« Quelques instants d'amour indicible, note-t-elle le dimanche de Pâques. Le cœur liquéfié. Larmes. » Raïssa opère ce jour-là la distinction décisive entre ses relations avec Dieu, celles de l'amour fou, et ses relations avec Jacques, celles d'une amitié sainte. Comment mieux prouver à Dieu son amour qu'en se donnant à Lui « de telle manière qu'aucun autre *amour* n'y habite jamais » ? « En ce sens Dieu est jaloux, écrit-elle. Il n'est pas jaloux de nos amitiés, au contraire, il les favorise. Mais il est jaloux de ce don particulier du cœur qui est l'amour, qui est total et exclusif de sa nature. D'où le prix de la virginité corporelle *comme signe* de l'intégrité du cœur. » Ce don du cœur, de son cœur « pauvre et misérable », Raïssa en connaît le prix : c'est le sacrifice d'un autre amour.

« Tout mon attrait est vers l'intérieur. Ce que je fais à l'extérieur est maintenant contraire à ma vie profonde. Je ne suis vraiment en repos, en paix, en activité spirituelle que seule, à l'oraison. Le reste me fait violence. Me fait vivre à la superficie de moi-même, – alors que je suis attirée vers l'intérieur, – et dans une sorte d'insincérité puisque je parais m'intéresser à ce qui ne m'intéresse pas vraiment. »

Le « dégagement » qui se fait en elle l'éloigne même du père Dehau. « Vivre avec Dieu seul ? Ne voir en lui que toute chose. Compter pour rien ce qui vient des hommes. Car "tout homme est menteur" même quand il est très véridique, car il ment sans le vouloir lorsqu'il déçoit celui qui a mis en lui quelque espérance. [...] Oh ! tout est là ! Vivre à découvert avec Dieu, le supplier sans cesse de purifier notre cœur. [...] Dieu, mon Dieu, ayez pitié de moi, permettez-moi de vivre en votre présence, l'âme droite, toute dressée de Vous [...]. Car si j'ai d'autres joies, celles qui me viennent de la tendresse bénie de Jacques – et de Véra, et de maman –, je sais bien que si vous me faisiez savoir un jour avec certitude que votre amour n'a jamais habité mon âme, toute joie s'éteindrait pour moi, et j'aurai perdu ma raison de vivre [23]. »

Lisant la vie de saint Jérôme, elle observe que les chrétiens sont devenus trop timides depuis les premiers temps du christianisme, trop prudents, trop réservés avec « l'amour de Dieu pour nous ». Qu'ils ne croient plus assez à l'amour. Que trop de prudence confine aux « pires imprudences ».

Mais certains jours la douleur qui s'abat est si dure, la violence du choc si terrible, qu'elle se décrit comme un « oiseau aux ailes brisées », errant « au seuil de la mort », s'interrogeant en vain sur ce que Dieu attend d'elle.

Et c'est dans une autre mêlée, non moins brutale, qu'il lui faut entrer malgré elle à partir de 1925.

« Les blessés et les morts, on en voyait tomber beaucoup d'entre eux, se souvient François Mauriac, et ils les ramassaient, et ils en ont guéri beaucoup, et ressuscité quelques-uns [24]. » N'est-ce pas la période où le romancier, qui porte en lui *Thérèse Desqueyroux* comme sa propre déroute, s'apprête à entamer à son tour sa « course de bête errante [25] », suppliant en vain qu'un prêtre le voie et devine sa souffrance ? Dans ce qui fera brusquement de Meudon, au milieu de l'année 1925, ce champ de bataille confus décrit par le romancier, il sera difficile de distinguer toujours entre simulateurs, faussaires et victimes réelles, entre nécessités profondes, entraînements momentanés et jeux de dupes. Tout ira très vite, trop vite, « à un train d'enfer » dira Maritain [26]. Sur la nature d'un tel combat, mené dans l'urgence et la précarité, la seule explication est sans doute celle que le philosophe s'efforcera de donner : « des sortes de flambées cultu-relles à certains moments particulièrement propices », où l'important est moins « le résultat qu'on peut attendre de la flambée, que le travail de la flamme elle-même tant que la flambée dure [27] ». Devenu l'ami des pécheurs et des naufragés de toutes sortes – « on n'aide pas les gens sans être réellement leur ami [28] » –, Maritain prend son parti, dès le début de l'aventure, des dangers encourus au regard des « justes », sollicité de se commettre toujours plus avant par l'ampleur même de l'incendie. De ce feu dont il connaît le prix.

Dès le début de leur relation, Maritain ne dissi-mule rien à Jean Cocteau de la finalité qu'il poursuit, l'assurant d'une amitié sur laquelle il pourra toujours compter mais lui désignant, aussitôt après, Dieu comme seul authentique recours. Il prescrit au poète la lecture des saints, soucieux de lui révéler le « rapport d'analogie [29] » entre le mystère poétique et l'expérience de la sainteté, avec tout ce qu'il comporte de « parenté et de distance [30] ». Il tente de lui désigner l'origine véritable du désespoir qui l'habite. Sans rien brusquer encore, il le conduit peu à peu sur un autre terrain que celui de la seule création artistique, captant les aspirations du poète à la solitude, à la blancheur, et s'appuyant sur elles pour mieux lever ses objections. Maritain a-t-il conscience dès ce moment-là que l'enjeu n'implique pas seulement Cocteau, mais la poésie elle-même ? Que sauvant les poètes, c'est une région de l'âme qu'il protège ? L'expérience de Meudon ne va cesser d'alimenter chez lui la réflexion engagée par *Art et Scolastique* ni d'encourager son exploration des multiples « formes de la grâce [31] ».

« Il y a un ébranlement singulier dans les âmes, écrit-il à l'abbé Journet le 14 février 1925. Si les catholiques savaient en profiter ! Ils dorment, ils font de la basse politique, ils laissent le Seigneur agoniser dans les âmes sans avoir une pensée pour lui. » Maritain est tout occupé à cette date par l'idée d'une « collection-revue » qui réunirait des écrivains « sous le signe catholique », « un centre de regroupement spirituel pour la littérature moderne qui n'a actuellement que la NRF ».

Le philosophe s'est entretenu du projet durant l'automne 1924 avec quelques amis dont Ramuz* et l'un de ses jeunes disciples, Stanislas Fumet. Des contacts ont été pris en décembre avec les éditions Grasset et Plon. Ces dernières, réputées pour leur traditionalisme, retiennent l'idée d'autant plus favorable-

---

* Maritain a rencontré l'écrivain en 1921 lors de son premier séjour en Suisse romande.

ment qu'elles comptent Henri Massis parmi leurs collaborateurs.

À la recherche de formules nouvelles, l'époque est
en proie à une véritable frénésie des collections littéraires. Toutes gravitent autour d'un directeur prestigieux, tel Daniel Halévy pour les *Cahiers verts* chez
Grasset, et tentent d'imposer à travers lui une marque
particulière. Floraisons diverses qui s'épanouissent
sans inquiéter aucunement, en réalité, la suprématie
de la NRF et de Gallimard réunis, où la plupart des
écrivains rêvent d'être accueillis, catholiques ou non.
Comment répliquer à l'influence de Gide sans lui
opposer un pôle d'accueil capable d'attirer à son tour
Claudel, Larbaud, Mauriac et Cocteau lui-même ?
Comment implanter un renouveau catholique dans le
milieu littéraire en abandonnant ce dernier tout
entier au camp adverse ?

Le moment où s'élabore ce qui deviendra six mois
plus tard « Le Roseau d'Or » est aussi celui où la NRF
change de mains. Non que Gide s'en écarte, mais c'est
Jacques Rivière, « l'homme de barre* », le chef d'état-
major de la revue depuis sa fondation, qui disparaît
en février 1925, mort à quarante ans de la fièvre
typhoïde comme Radiguet. Par un singulier retournement des choses, c'est au « Roseau d'Or » que paraîtra
moins d'un an plus tard sa tumultueuse correspondance avec Paul Claudel. Maritain éditeur de Jacques
Rivière ? Outre le fait qu'Isabelle Rivière y veillera personnellement, cette manière de rapprochement posthume entre deux hommes qui ne se sont jamais
affrontés que par personne interposée – Massis, en
l'occurrence, au sujet de l'Action française – n'aura
d'autre justification que le catholicisme lui-même.
Indécis chez lui et souvent remis en cause, le catholi-

---

* La formule est de Joseph Delteil.

cisme a toujours hanté l'auteur d'*À la trace de Dieu*. Ce
que Rivière eût retiré d'un échange avec Maritain sur
le sujet ? L'occasion ne s'en est jamais présentée. « Je
n'ai pas connu Jacques Rivière, regrettera Maritain.
Sa mort m'a ému comme un ami ». À la lecture d'*À la
trace de Dieu*, Maritain observera qu'une « certaine
insuffisance métaphysique » a été longtemps inséparable chez le jeune écrivain de « l'espèce de dégoût
irrité qu'un esprit si soucieux de ne rien méconnaître,
si passionné de comprendre et de justifier, si curieux,
si sensible à toutes les recherches et à toutes les douleurs de son temps, a dû éprouver, je le suppose, de
voir les positions intellectuelles nécessairement tranchées, parfois sommaires, parfois, en matière d'art,
bien offensantes en effet, de ce qu'on peut appeler le
monde religieux ». Par crainte de « laisser échapper
tout ce réel impur mais chargé de beauté qui passe
dans les fleuves du monde », le croyant Jacques
Rivière « laissait sommeiller ce qu'il avait de plus cher
pour suivre un temps le goût de *l'autre* [32] ». On ne saurait mieux définir l'esprit de Rivière à la direction de
la NRF que par ce « goût de l'autre » précisément, qui
fera de lui l'homme de toutes les ouvertures littéraires
et esthétiques, sensible « aux moindres bruissements
de la beauté [33] », aussi avide de musique, de peinture
que de littérature et, en ce dernier domaine, sachant
accueillir Montherlant, Jouhandeau aussi bien
qu'Aragon, se faire à la fois le critique, le confident et
l'éditeur de Valéry, de Proust et de Saint-John Perse
sans être soumis à aucune de ses admirations ni prisonnier de l'ondoyante protection de Gide. Mais ce
qui semblait le séparer le plus radicalement de
Maritain, hormis Maurras, c'était l'idée que Rivière se
faisait de sa mission, dépourvue d'autre finalité pour
lui que la littérature elle-même. Si autonome que dût
être à ses yeux la création sous ses multiples formes,

Maritain n'en poursuit pas moins alors une ambition résolument autre que la seule défense des écrivains : « redresser les esprits » avant tout, « les reclasser [34] ».

En Jacques Rivière, Maritain perd l'un des rares interlocuteurs potentiels qu'il comptait au sein de la NRF, plus que jamais infiltrée après lui par le mandarin d'Auteuil sous l'autorité ludique de Jean Paulhan. Peut-être sa résolution d'entrer en lice en aura-t-elle été avivée.

Sous quelle enseigne se déploiera une collection vouée à rassembler des écrivains « très différents les uns des autres, voire opposés » mais qui devront avoir en commun un « souci spirituel supérieur à toute littérature [35] » ? En 1908, Copeau, Gide, Schlumberger, tâtonnant entre *Ulysse*, *Aujourd'hui* et *La Revue future*, s'étaient rabattus sur l'appellation la plus convenue et cocardière, sinon la plus étrangère à leur idéal littéraire – la *Nouvelle Revue Française*. En 1925, Maritain, Massis, Stanislas Fumet, hésitant entre *Écrits de ce temps*, *Œuvres et Chroniques*, *L'arc-en-Ciel* et *L'Arche d'alliance**, sacrifient en dernier ressort à un emblème trop révélateur de leur démarche pour ne pas en limiter la portée – *Le Roseau d'Or*. Inspiré de l'*Apocalypse de Jean*, ce roseau d'or signifiera que « les choses de l'esprit ont une mesure qui n'est pas du monde [36] ». Mais l'entreprise est marquée d'emblée par une ambiguïté qui ne tardera guère à se révéler, entre « l'intention spirituelle » qui l'anime et le refus de se définir par « aucun programme d'école », entre une dominante catholique manifeste et un désir d'ouverture confessionnelle, entre le souci de servir « les valeurs authentiques » et l'affirmation d'une « sympathie très large à l'égard des recherches nouvelles [37] ». Comment concilier ici orthodoxie doctri-

---

* Proposé par Cocteau.

nale et liberté de jeu sans aboutir tôt ou tard à cet esprit d'école que Maritain entend pourtant récuser ?

Quoi qu'il en soit, l'initiative semble promise à un grand rayonnement. Claudel, Reverdy, Cocteau, Max Jacob, entre autres, lui apportent leur soutien. Au printemps 1925, le fondateur du *Roseau d'Or** adresse au monde littéraire quelques signaux de connivence qui sont pour lui autant de moyens de se situer.

Ainsi fait-il l'éloge de Jean Cocteau, en mars 1925, lors de la parution de *Poésie 1916-1923* chez Gallimard : «À une époque où chacun veut être tout et n'importe quoi, Jean Cocteau se contente d'être poète», écrit Maritain. Saluant chez lui une «constante recherche de la poésie pure», «une promptitude divinatrice, un génie d'intuition aiguë», il souligne dans «la ligne propre» de son art «une sorte d'héroïsme et de vœu» qui annonce «une spiritualité plus complète et la familiarité d'un ange qui cette fois n'aura pas volé son nom». Au ruissellement de l'hommage se mêle un clin d'œil que seuls les initiés peuvent alors saisir.

Plus inattendu, le soutien qu'il apporte à Joseph Delteil, auteur d'une très iconoclaste *Jeanne d'Arc* qui fait scandale dans les milieux catholiques conservateurs. Cette Jeanne vue comme une jeune fille de dix-huit ans, en chapeau cloche et bas de soie, lui semble-t-elle moins défigurée que celle de Péguy ? À peine Maritain paraît-il regretter que l'écrivain, s'affranchissant des «imageries pieusardes», ait imaginé une sainte «trop semblable à nous, une simple fille de J. Delteil [38]». À peine rappelle-t-il que la théologie seule a compétence pour traiter de la vie des saints. Le ton de sa lettre** à l'auteur déborde d'une

* Le conseil de direction comprend, outre Maritain, Henri Massis, Frédéric Lefèvre et Stanislas Fumet.
** Reproduite avec son autorisation par *Les Nouvelles littéraires*.

sorte d'approbation fraternelle. Le philosophe prend le parti des écrivains contre celui des bonnes consciences catholiques, au risque d'être accusé de complaisance et taxé de « mauvaises relations littéraires » par un certain Jean Guiraud, auteur d'une brochure plutôt malveillante. Maritain se pose en défenseur des droits de l'intelligence et plus encore en connaisseur du milieu littéraire, assez avisé de ses mœurs pour espérer les réformer. « À raison de son ignorance complète de la littérature contemporaine, M. Guiraud n'a pas pu *situer* le livre de M. Delteil. Il a pris pour un blasphémateur et un sacrilège un Peau-Rouge » vêtu seulement d'un rayon de soleil, « comme dit le R.P. Tapie, et assistant dans ce vêtement à la messe du missionnaire [...]. Les écrivains ont une âme, il est triste d'avoir à le rappeler à certains catholiques ; quand même parfois elle ne se respecterait pas elle-même, cette âme a toujours droit à notre respect [...]. Il importe de ne jamais taire la vérité, mais il importe aussi de ne pas rejeter du côté du diable, à force de mépris et d'incompréhension, tout ce mouvement de l'art et de la poésie qui [...] de nos jours, au milieu de mille folies, et de quelle angoisse, cherche la vraie lumière. C'est du côté de l'intelligence que la renaissance catholique a actuellement ses meilleures chances [...]. M. Jean Guiraud ne paraît pas très informé de l'état présent des cœurs [...]. Il ne sait pas quelle guerre spirituelle se livre sous les dehors des agitations artistiques. Quelques catholiques travaillent sur des frontières que ses cartes de géographie ne mentionnent pas ; ils demandent à leurs frères de ne pas leur tirer dans le dos [39]. »

Ce passeur clandestin, à la frontière entre catholicisme et littérature, ce missionnaire dépêché au pays des Peaux-Rouges ne doit-il pas veiller avant toute chose à se fondre dans le paysage où il a choisi de s'avancer ? Dût-il se défendre de n'avoir accueilli que ceux qui ont désiré le voir, sans jamais chercher à « faire la connaissance de personne [40] », le philosophe n'en a pas moins commencé discrètement à jeter en direction des intellectuels et des écrivains toutes les passerelles possibles.

La visite à Meudon de Nicolas Berdiaev, en février 1925, témoigne de l'intérêt subit suscité par le disciple de saint Thomas. Que vient chercher du côté de Maritain ce philosophe russe soucieux de poser à la conscience chrétienne « des problèmes nouveaux [41] », de l'ouvrir à un plus grand humanisme social ? Sans doute l'interlocuteur catholique susceptible de favoriser les échanges interconfessionnels qu'il préconise. C'est Jeanne Bloy qui le dirige vers Maritain, réputé pour son influence sur la jeunesse catholique. Les deux hommes vont très vite se lier d'amitié, malgré une imprégnation religieuse et philosophique différente.

« Il aimait les Russes, les préférant aux Français, se souviendra Berdiaev. Lui-même avait quelque ressemblance avec l'intellectuel russe, et sa maison aussi était différente d'une maison française ordinaire. Elle était très fréquentée et il y avait souvent des conférences contradictoires. Au début certaines de ces réunions m'impressionnèrent péniblement, j'étouffais dans cette atmosphère thomiste. Mais M[aritain] lui-même était charmant. Il n'est pas orateur et ne sait point discuter, c'est un écrivain, un bon écrivain. Il n'a pas beaucoup de présence d'esprit pendant la discussion et la réplique ne lui vient que le lendemain. Pour participer à l'entretien, il est obligé de prendre des notes qu'il lit ensuite [42]. »

Maritain et Berdiaev organiseront ensemble, dans les années 1930, des réunions interconfessionnelles consacrées à l'étude de la mystique, où se croiseront des hommes de tous horizons comme Louis

Massignon, Gabriel Marcel, Etienne Gilson, Charles Du Bos entre autres.

Mais c'est sur Cocteau que l'attention de Maritain se focalise depuis l'automne 1924. Les deux hommes se sont revus à Meudon en décembre. « C'est pour parler de Dieu que vous veniez, rappellera Maritain à son visiteur. Dieu ne vous laissait pas en repos. Vous vous trouviez dans cet état de ligature intérieure qui est comme une agonie de l'esprit, et dont Jésus a coutume de se faire précéder. Que pouvez-vous ? Attendre, prier [43]. » Seul recours contre la détresse qui l'étouffe depuis la mort de Radiguet, l'opium, dont il abuse jusqu'au suicide, mine la santé de Cocteau, le rendant incapable d'écrire. Mais l'opium est « quiétude », confiera-t-il à Maritain, il ressemble à « une vitesse en velours », « il ajoute ce qui manque ». En février 1925, sur la pression de Maritain et de Max Jacob, le poète accepte d'entreprendre une cure de désintoxication, dans une clinique privée, Les Thermes urbains, 15, rue de Chateaubriand.

« On me cache, écrit-il à Maritain le 16 mars. On me refuse les visites – mais après, je vous ferai signe, vous viendrez, vous m'aiderez. Excusez cette écriture hirsute. Mes mains tremblent et je n'ai guère de forces [44]. » Pour la première fois depuis longtemps, le poète est coupé du reste du monde. « Vous savez que nous demandons chaque jour à Dieu de vous consoler, lui répond Maritain, et de « sceller sur vous la lumière de son visage », comme dit le Psaume ; et il nous semble sentir qu'il est bien décidé de le faire. Il y a longtemps que nous attendions pour vous son passage. [...] Vous, vous portez le nom de ce Jean très pur, qui devine par amour les secrets de Dieu. C'est pourquoi vous ne serez bien que dans la douceur du Saint-Esprit [45]. » Le jour des Rameaux, Cocteau envoie un message à Raïssa Maritain : « Chère "amie" (vous permettez ?), C'est à vous que je m'adresse ce matin parce que vous étiez malade et que les malades correspondent avec des silences. Je traverse une rude épreuve. J'ai des heures très dures, d'autres très douces. Jamais je ne cesse de penser à l'avenue du Parc. Êtes-vous remise ? À vous et à Maritain cette petite branche [46].» Après deux mois d'isolement complet, la première visite rue de Chateaubriand est celle de Jacques.

À sa sortie de cure, Cocteau se retire à la demande de ses médecins dans un hôtel de Versailles. Le ton nerveux, saccadé de ses lettres à Maritain trahit son impatience de le revoir. Le 15 juin, il dîne à Meudon, en compagnie des principaux collaborateurs du *Roseau d'Or*. On parle du volume que Cocteau promet de publier dans la collection. Le poète a prévu de repartir tôt pour assister à une première des Ballets russes. La voiture qui doit le ramener à Paris est en retard. C'est alors que surgit le Père Charles Henrion. Un télégramme a annoncé aux Maritain le jour même son retour en France et sa visite pour ce soir-là.

Henrion est missionnaire au Sahara. Une grande amitié l'unit au couple depuis leur rencontre en 1913. Aidé dans sa conversion par Paul Claudel, recherchant l'union à Dieu la plus solitaire et enclin à une vie de missionnaire laïc, il consent à devenir prêtre au lendemain de la Grande Guerre sans renoncer à son rêve d'ermitage. Son vœu est exaucé peu après : il se retire dans le désert tunisien, fonde, avec le père Malcor, la fraternité de Sidi-Saad et prodigue des soins médicaux aux nomades.

L'homme qui apparaît à Meudon dans la soirée du 15 juin 1925, «beau et plein d'aisance», revêtu d'une robe blanche sur laquelle se détache l'emblème du père de Foucauld – un cœur rouge surmonté d'une croix –, produit aussitôt une «impression considérable ». Raïssa, qui rapporte la scène dans son journal, voit Cocteau « debout, silencieux, dans l'embrasure de la fenêtre, *pris* ». C'est le signe qu'il paraissait attendre.

« La foudre déconcerte, écrira-t-il. Il lui arrive d'être une boule rouge très légère, d'entrer dans une chambre, de se promener et d'en sortir sans faire de mal. Jacques était-ce votre piège ? Guettiez-vous cette minute ? Un cœur entra ; un cœur rouge surmonté d'une croix rouge au milieu d'une forme blanche qui glissait, se penchait, parlait, serrait des mains. Ce cœur m'hypnotisait, me distrayait du visage, décapitait le burnous. Il était le véritable visage de la forme blanche et Charles avait l'air de tenir sa tête sur sa poitrine comme les martyrs. Aussi bien la tête brûlée de soleil semble un reflet du cœur, un mirage dans toute cette lumière d'Afrique. Les pommettes et le menton en dessinent les reliefs et la pointe. Je distingue ensuite un regard mal mis au point pour les courtes distances et des mains d'aveugle, je veux dire des mains qui voient.

« Je vous choquerais en insistant. J'arrive à ce qui importe : l'aisance de cet homme. En face d'elle que devenait la mienne ? un charme de cabotin. Lui souriait, racontait, échangeait des souvenirs avec Massis. Moi, stupide, *groggy*, comme disent les boxeurs, je regardais derrière une vitre épaisse la chose blanche se mouvoir au fond du ciel.

« Je suppose que votre femme et vos hôtes durent se rendre compte ; salon, livres, amis, rien n'existait plus.

« C'est alors, Maritain, que vous m'avez poussé. Poussé dans le dos d'un coup de votre âme qui est un athlète, poussé la tête la première. Tous virent que je perdais pied [47]. »

Rien chez Cocteau n'échappe au « mal rouge »,

cette passion pour l'univers du théâtre, ses lustres, ses velours et ses monstres sacrés, qui l'étreint depuis l'enfance. Dieu paraît entrer dans sa vie comme entrerait sur scène le héros masqué d'une pièce de Jean Cocteau. La vision subite d'un soldat de Dieu à la beauté foudroyante emprunte à toutes les obsessions du poète comme à son goût du trompe-l'œil et des sortilèges.

Maritain est-il tout à fait maître du jeu auquel il se prête, recourant à la fantasmagorie du poète pour favoriser son retour à Dieu ? « S'il y a eu complot, écrit-il à Cocteau, il est le fait des anges [...]. À son entrée, par un grand remous de silence dans l'âme, et qui dura jusqu'à la fin, nous avons su tout de suite qu'il ne venait que pour vous. Ce cœur que vous dessinez au bas de vos lettres, il le portait sur la poitrine ; mais avec la croix plantée dedans [48]. » Maritain pousse le mimétisme littéraire jusqu'à paraître s'aveugler lui-même sur la réalité de la mutation de Cocteau, sous-estimant l'instabilité de l'écrivain et sa tendance aux transformations successives. Mais comment agir sur l'âme du poète autrement que dans l'illusion de l'instant et le vif de la flamme ? Comment peser sur elle sans se faire le partenaire du drame qu'elle s'invente ?

« Jamais libellule ne fut si évidemment condamnée à rester libellule, écrira François Mauriac, lors de la mort de Cocteau en octobre 1963. Ou il eût fallu le miracle auquel Jacques Maritain un instant a cru et qui a raté (en apparence du moins, car ce qui reste de la grâce dans une vie qui n'en fut qu'à peine touchée, nous n'en sommes pas juges). Mais enfin, visiblement, le passage de la libellule à l'ange, comment eût-il pu s'accomplir [49] ? » Pour Mauriac la cause de l'ami d'autrefois est alors entendue et les jeux faits : ce Jean « qui nous a tant fait rire » aura échoué à sortir du cercle de lumière et à rejoindre ce qui pour lui s'est tramé dans l'ombre, naufragé retourné à son propre néant et qui se croit le plus fort. Maritain en jugera autrement. En fin de compte, pour lui le vrai Cocteau restera celui qu'il a vu, lors de la mort de Raïssa trois ans plus tôt, prier près de son corps comme un enfant – « plus près de la foi que les gens ne le croient [50] ».

Quelles que soient les volte-face, les dérives ultérieures du converti, Maritain semble n'avoir jamais douté de la gravité de ce qui s'est passé dans la vie de Cocteau un soir de juin 1925, à Meudon. Le Saint-Esprit n'est pas à l'œuvre « seulement dans les institutions durables », écrira-t-il, il l'est aussi dans « les aventures sans lendemain qui sont toujours à recommencer [51] ». Le fond du débat, entre eux deux, aura moins porté, d'ailleurs, sur l'authenticité ou non de la foi de Cocteau, que sur l'usage qu'il en fera, cette propension du poète à entraîner Dieu dans son propre jeu qui lui vaudra les fermes rappels à l'ordre du philosophe.

Journal de Raïssa, mardi 16 juin 1925 : « Pierre Reverdy est venu nous voir pour la première fois. Nous parlons de Cocteau, de Charles. Reverdy trouve qu'il ne faut plus attendre, qu'il faut que Cocteau se confesse à Charles, et communie avec nous le 19. Tout de suite Véra téléphone à l'évêché de Versailles, et demande pour Charles, à son insu, les pouvoirs de confesser chez nous. Ce qui est accordé. Nous en parlons ensuite à Charles qui regimbe fort, se débat, mais ne peut cependant refuser la charge que nous lui imposons sans pitié. » Mercredi 17 juin : « Jacques est allé voir Cocteau pour l'encourager à se confesser tout de suite à Charles. Démarche délicate autant que pénible. Cocteau a promis de venir demain *parler* à

Charles, rien de plus. » Jeudi 18 juin : « Jacques est allé prendre Jean chez lui, et l'a amené chez nous vers quatre heures. Cocteau s'est entretenu longuement avec Charles au salon... Enfin nous avons entendu Charles et Cocteau monter à la chapelle. Puis Charles a appelé Jacques. Jean s'est confessé, a vu Jacques, puis il est parti tout bouleversé. » Vendredi 19 juin : « Fête du Sacré-Cœur. Charles a dit la messe dans notre chapelle. Cocteau a communié avec nous... Maman comme toujours a assisté à la messe. Un exemple de plus pour elle. *Misericordias Domini*... »

La « conversion » de Cocteau ne reste pas longtemps secrète. Prévenu par Charles Henrion, Claudel manifeste aussitôt son « immense joie ». Cocteau lui confesse éprouver « la courte honte de marcher sur la robe de la Sainte Vierge à chaque pas [52] ». Son retour à la foi devient l'événement littéraire et mondain de cet été 1925. Plus que jamais l'attrait de Maritain paraît « un peu miraculeux [53] » au jeunes protégés du poète, ces « gosses », ces « anges » qui prennent à leur tour le chemin de Meudon.

« Confiant dans mes vertus de père portier, vous m'envoyiez ces âmes que votre exemple éclairait. Aussi échangions-nous nos amis, chacun les donnant à l'autre sans les perdre pour cela [54]. » Une « escadrille » de jeunes écrivains reconnaît en Maritain son « capitaine ». Tous épris de poésie, peu ou prou revenus du surréalisme, ayant frôlé les mêmes abîmes que Cocteau un an plus tôt. Certains arrivent à Meudon in extremis, leurs forces déjà consumées lorsqu'ils se tournent vers Maritain – tel André Grange, un poète de dix-neuf ans anéanti par l'expérience surréaliste. Maritain convertit le jeune homme quelques mois avant sa disparition par la grâce de l'*Abrégé* de saint Jean de la Croix, qui agit aussitôt sur lui « d'une manière merveilleuse », se souvient Raïssa. Gravement malade et se sentant perdu, André Grange fait appeler un prêtre le 22 janvier 1926 peu avant de mourir. Après avoir communié, il lui dit « toute sa joie [55] » et s'écrie au moment de le quitter : « Monsieur l'abbé, que le monde est corrompu ! »

Depuis son passage à Meudon le 16 juin, Pierre Reverdy a trouvé en Maritain le repère qui manquait à son parcours spirituel intense et réservé. De tous les écrivains que les Maritain ont fréquentés à cette époque, il n'y en a pas eu chez qui la foi fut aussi farouche, aussi exigeante, aussi cabrée contre les séductions du monde*. Ce Méridional « ténébreux et solaire [56] », le cheveu très noir, le teint basané d'un Gitan de Camargue, le regard sombre, noir aussi, d'une noirceur de silex profonde et envoûtante, a rompu peu à peu, et souvent sans ménagements, avec tout ce qui lui paraissait entaché de mondanité. Un obscur désir de fuite, de solitude absolue travaille en secret ce rebelle qui cultive d'imperturbables apparences de notaire provincial, cravate sobre et veston croisé, coiffé d'une casquette anglaise comme par mégarde, mais pour qui la vie en société n'est qu'une « vaste entreprise de banditisme [57] ». Étranger aux modes et peu enclin à se mêler aux groupes qui les inspirent, réfractaire à quelque stratégie littéraire que ce soit, il se tient à l'écart du mouvement surréaliste, où cet intransigeant sera attendu en vain. Bientôt aucun de ses amis n'aura plus grâce aux yeux de Reverdy, ni Max Jacob taxé de « dispersion jacassante », ni Juan Gris suspect de compromission mondaine. Bientôt plus personne ne pourra retenir le poète contre la tentation de l'ombre. « La poésie est dans ce qui n'est pas, écrit-il. Dans ce qui nous

---

* Voir le très beau portrait que lui a consacré Edmonde Charles-Roux dans *L'Irrégulière ou mon itinéraire Chanel*, Paris, Grasset, 1974.

manque. Dans ce que nous voudrions qui fût. » C'est au moment où son aspiration au silence semble sans retour que Reverdy, fils de libre penseur, se tourne soudain vers la foi. À sa manière : la plus irréductible qui soit. Une conversion brutale et sans concession aucune à l'exhibitionnisme pieux d'un Max Jacob, son parrain de baptême, ni à l'étalage mondain d'un Jean Cocteau, qu'il intimide.

« Ce que Dieu nous demande ce n'est pas ceci ou cela, c'est tout, écrit-il à Maritain en octobre 1924. J'ai peur, je me méfie de tout ce qui présente une partie de soi et qui la laisse engagée sur le terrain dangereux de l'activité mondaine. Où s'arrête la recherche de soi, le plaisir de vivre pour soi où se cache-t-il ? […] Mais il est peut-être et même sans doute vrai que ce n'est pas tellement de ce qui nous est extérieur que nous devons nous méfier, mais de notre propre complication. […] Aussi je veille. »

Quel secours espère-t-il de Maritain, le visiteur de juin qui ne sent d'autres ressources que d'aller jusqu'au bout de sa foi, de tout donner à Dieu sous peine de ne rien lui donner ? Cherche-t-il un confident assez familier des écrivains pour admettre sa nausée de toute littérature, assez retiré du monde pour comprendre qu'on veuille s'en abstraire tout à fait ? Reverdy aspire à la vie la plus dépouillée, celle qu'il a trouvée dans la blancheur de Solesmes. « Maintenant c'est fini, la lutte pour qui que ce soit dans l'ordre des clartés humaines est finie. Qu'on me connaisse ou non, peu importe. Plus ou moins, qu'importe. Mieux ou plus mal, qu'importe d'ailleurs, je ne suis rien. Tout est fini, hors la prière et l'insondable amour[58]. » Plusieurs tête à tête à Meudon précéderont la décision irréversible que prendra Reverdy le 30 mai 1926 de brûler ses manuscrits, de se retirer à Solesmes, dans une petite maison jouxtant l'abbaye, aux murs de laquelle il rêve de s'appuyer « comme une treille ». Il y vivra trente ans, ne préservant au-dehors que les rares amitiés susceptibles de se conformer à son absence.

« Vous avez sauvé Satie », déclarait Cocteau à Maritain le 16 mars 1925, en une de ces formules lapidaires qui traversent ses lettres comme des feux follets. L'auteur d'*Art et Scolastique* distinguait le compositeur comme l'un des créateurs les plus authentiques de son époque. Il l'admirera de loin dans les années suivantes sans jamais l'aborder, avant qu'au début de 1925, à l'instigation d'un jeune poète, Pierre de Massot, membre de l'« escadrille », il ne lui rende visite dans sa chambre d'hôpital.

« Vous savez, je ne suis pas si antibondieusard que ça, s'écrie le compositeur à la vue du philosophe. Quand je serai guéri, je changerai ma vie, mais pas tout de suite, pour ne pas scandaliser mes amis. Et puis j'ai toujours fait mon signe de croix tous les matins. » Regardant le crucifix, Satie confie à Maritain qu'il n'espère qu'« en celui-là ». Prompt à saisir le moindre éclair dans les âmes indécises, le philosophe lui propose de voir un vieux prêtre de ses amis, curé de La Courneuve, qui lui plaira sans doute. Le musicien, tout en glissant à Massot : « Il va vite, Maritain », accepte.

On court chercher l'abbé Lamy, auquel Jacques tente d'expliquer qui est Erik Satie – un grand artiste, très susceptible. « Nous entrons dans la chambre, le prêtre et le malade se saluent avec beaucoup d'attention et de respect, et une conversation invraisemblable s'engage aussitôt. Le saint curé avait tout oublié de mes informations préalables. On parle de la pluie et du beau temps, de la santé et des maladies, des remèdes de bonne femme (ils étaient tous deux assez ferrés sur ce chapitre, et semblaient lutter de recettes absurdes). Puis comme Satie faisait, en passant, allusion à la musique : "Ah, dit l'abbé Lamy, vous êtes musicien ? – Oui, un peu, fait modestement Satie. – Vous dirigez un orphéon ? – Non, dit Satie souriant dans sa barbe. – Alors vous donnez des leçons de piano ? – Non, fait-il derechef. – Ah, je vois vous êtes un maître…" Je mourais de confusion, me disant : tout est perdu. Pas du tout ; l'innocence de ces propos faisait tout justement l'affaire du vieil ironiste au cœur doux. Mais à la fin, changeant complètement de ton, et avec cette gravité majestueuse qui en pareil cas transfigurait sa bonhomie, l'abbé Lamy demanda à Satie : "Consentez-vous à ce que je vous donne la bénédiction de la Sainte Vierge ?" Et sur la réponse affirmative de notre ami, le vieux prêtre le bénit lentement, solennellement. En sortant il me dit : "C'est un honnête homme, une âme droite. – Vous reviendrez le voir, Monsieur le Curé ? – C'est inutile, M. l'Aumônier fera ce qu'il faut." Et de fait tout se passa le plus simplement du monde avec M. l'Aumônier, qui, quelques semaines après, passa auprès de Satie comme auprès des autres malades pour leur demander s'ils voulaient faire leurs Pâques [59]. »

Le malade se confesse le soir du samedi saint, demande peu après à communier, confiant à Reverdy ses actes de piété avec une gravité mêlée d'ironie. Il revoit Maritain fréquemment dans les semaines qui précèdent sa mort, s'entretient avec lui de musique et « des plats étonnants que lui préparait Brancusi [60] ». Un jour où Jacques est assis près de son lit, récitant son chapelet à voix basse, Satie lui dit en s'éveillant : « C'est bon d'être ensemble, quand on pense de même. » Le compositeur mourra le 2 juillet 1925, après avoir reçu l'extrême-onction. En pleine conscience ? Maritain l'affirmera [61], tandis que Maurice Sachs rapporte dans *Le Sabbat* que Satie aurait dit pour conclure : « Puisque ça leur fait plaisir… »

Tant de conversions, précipitées, haletantes, réglées comme en un tournemain, ne peuvent manquer d'irriter aussi bien les autorités ecclésiastiques que les adversaires de l'Église. De tous côtés on commence à guetter les faux pas, les imprudences de l'homme de Meudon qui paraît s'enferrer chaque jour davantage dans sa naïveté et son zèle intempestif : l'intérêt de ses détracteurs sera toujours d'ironiser sur ces succès décrochés à la hâte, ces trophées trop vite conquis. Les apparences jouant parfois cruellement contre les Maritain, il est vrai... Rien de tout cela, pourtant, qu'ils n'aient compris et admis en conscience. « Jacques a une mine pitoyable, observe Raïssa le 12 mars 1925. Mon Dieu, comment cela va-t-il finir ? Voilà encore tout un groupe de jeunes catholiques qui lui tombe sur les bras ; ils lui demandent une direction intellectuelle, des entretiens, des conférences. Ils sont pleins d'ardeur, mais ils veulent s'élancer au combat sans préparation intellectuelle et spirituelle suffisante. On ne peut les repousser, mais ils seront peut-être des disciples compromettants. Mais encore une fois comment les repousser ? Ils ont le mérite d'être jeunes, d'être de la même génération que nos écrivains les plus fous, et de vouloir les combattre. La plupart de nos amis trouvent Jacques "trop bon". Mais nous, nous trouvons que trop souvent les catholiques se contentent de jouir en paix de la vérité conquise, et oublient que d'autres sont allés à leur secours alors qu'ils étaient jeunes et fous eux-mêmes... Assurément il y a une mesure à garder. Et c'est là que gît toute la difficulté[62]. » Transmettre à de jeunes écrivains en détresse ce qu'ils ont reçu au même âge de Péguy et de Bloy peut-il aller sans audace et témérité ?

Le meilleur démenti à cet empressement forcené est la longue patience, l'entière discrétion qui entourent au même moment la conversion la plus chère au cœur des Maritain. Un lent mûrissement qu'ils auront certes espéré, favorisé, mais sans rien brusquer. La conversion d'Ilya Oumançoff, treize ans plus tôt, avait pris l'allure d'un rapt. Celle de la mère de Véra et de Raïssa procédera d'une acclimatation progressive jusqu'au début de 1925. Partageant la vie de ses filles et de son gendre, la vieille dame de Marioupol, toujours hantée par le souvenir des pogroms, s'est peu à peu libérée de ses préventions sans se départir tout à fait de sa réserve. Quand, le 24 février 1925, Vladimir Ghika, revenu en hâte de Rome pour célébrer dans la chapelle de Meudon la messe anniversaire de la mort d'Ilya Oumançoff, s'enhardit après l'office à l'interroger sur son propre baptême, elle lui répond seulement qu'elle accomplira la volonté de Dieu. « En descendant dans la salle à manger je trouve maman blanche comme un linge, raconte Raïssa. Je sens qu'elle est profondément bouleversée et comme effrayée. » Elle en veut à Ghika de sa démarche. Raïssa s'emploie à l'apaiser, l'assure qu'elle garde toujours « sa liberté entière » et ne subira aucune autre pression. Mais l'intervention de Ghika a au moins permis de rétablir entre Raïssa et sa mère une confiance sur les questions religieuses. « Maman m'interroge maintenant très souvent sur tel ou tel point de doctrine. Je lui ai copié le *Pater* en caractères russes, et elle le dit tous les jours, et même plusieurs fois par jour. » Raïssa lui procure un petit livre de prières en russe, puis le catéchisme utilisé par son père avant de mourir, enfin le Nouveau Testament.

Quelques mois plus tard, Raïssa sent le moment venu de lui conseiller le baptême : «Attendre davantage ferait du mal à maman » dit-elle à Jacques le 29 juillet. Ce soir-là, mue par le même pressentiment, elle descend retrouver sa mère dans la salle à manger, la surprend en train de lire l'épître de saint Jacques « le visage paisible, heureux » : « "C'est très beau", me dit-elle ; je réponds : "Oui maman, et tu sais beaucoup de choses maintenant ? – 'Tu crois ?" me dit-elle ; et puis : "Alors tu crois que je suis prête ? – Oh ma chère maman, je le crois ! Quel indicible bonheur !" [63] ». Raïssa s'élance dans l'escalier pour alerter Jacques. Tous trois s'embrassent, « ivres de joie ». « Maman nous a dit qu'elle était anxieuse ces derniers jours, mais aujourd'hui même toutes ses inquiétudes s'étaient évanouies, et elle avait pris la résolution de se faire baptiser, et de nous le dire dès que Véra serait rentrée de Paris. Je suis descendue une heure trop tôt, mais vraiment j'y étais poussée. »

Le baptême a lieu le 3 août 1925, date anniversaire de la première communion de Raïssa, Véra et Jacques. La veille, Raïssa, « le cœur gonflé de bonheur et d'actions de grâces » depuis le « grand événement », trouve au salon un jeune homme envoyé par Jean Cocteau « pour être instruit dans le catholicisme ». Son nom est Maurice Sachs.

L'auteur du *Sabbat* datait de sa seizième année la naissance du personnage « louche, fuyant, combinard, ivrogne, prodigue, désordre, curieux, affectueux, généreux et passionné », formé parfois malgré lui et souvent avec sa complicité, que l'on connaîtrait sous le nom de Maurice Sachs. En 1922, à son retour d'Angleterre, l'adolescent est happé par le vertige des nuits parisiennes, qui ne sont qu'appels au plaisir, fièvre des sens, levée de tous les interdits. L'époque a son quartier général, « Le Bœuf sur le toit », rue Boissy-d'Anglas, où, surexcités, chauffés à blanc par l'alcool et le jazz, « les jeunes gens émerveillés », avides de transgressions et de sensations nouvelles, peuvent contempler les idoles de l'avant-garde, frôler Picasso, Breton, Aragon, Morand, Marie Laurencin, Erik Satie, René Crevel, Drieu La Rochelle, et rêver d'être Jean Cocteau. « Ces étoiles nous laissaient un éblouissement dans l'âme [...]. Nous étions là juchés sur les tabourets du bar, comme au spectacle. Nous ne nous rassasions jamais de regarder ces hommes qui nous semblaient aussi glorieux que les plus grands et l'idée de serrer la main de l'un d'eux nous eût presque jetés en transe [...]. Mais j'ajoute que pour étourdis que nous fussions nous n'étions pas absolument dépourvus de gravité [64]. »

Le Sabbat est un livre trompeur comme la vie même de Sachs, un merveilleux exercice d'illusionniste qui aboutit à l'un des tableaux les plus véridiques de l'entre-deux-guerres. Tout mémorialiste rêve de réinventer sa vie et Sachs plus que tout autre, obsédé par le sentiment de son indignité et en quête d'absolution, mais rattrapé jusque dans l'effort de sincérité par son goût du double jeu et son instinct de faussaire. Écrit au pire moment de ses errances, l'année 1942, *Le Sabbat* est l'ultime tentative d'exorcisme d'un homme qui se vit comme un « repoussoir ». Et comme toujours avec Sachs un charme étrange opère à force de haine de soi et de candeur lucide, comme si quelque grâce réparatrice s'insinuait dans cette chronique d'une déchéance programmée.

« Je suis né, voici trente-deux ans, dans une famille aussi désordonnée que possible. On s'y mariait, on y divorçait avec une incroyable facilité. On y avait le goût de l'aventure, et de quelques défauts capitaux qui m'ont été transmis. [...] J'héritai de mon père sa paresse, de ma mère son manque d'équilibre et sa passion, de mon grand-père Sachs la curiosité et l'amour des lettres, de ma grand-mère la frivolité, un certain bon goût et une curieuse forme d'égoïsme (la plus dure), qui est une sorte d'indifférence de fond ; et de chacun d'eux un besoin de luxe, un grain de folie et une très grande robustesse dans le squelette, dans les organes et dans l'âme [65]. »

La conscience d'une identité dévoyée hantera Maurice Sachs toute sa vie. Très tôt il se considère comme un être à part, aux origines mal élucidées, à la personnalité indécise : juif présumé, de père quasi inconnu. Le fruit d'une équivoque. Maurice porte le nom de sa mère, Andrée Sachs, qui ne s'occupera jamais mieux du sort de son fils qu'après sa mort, pour traquer les dividendes d'une gloire posthume. Dans cette famille éclatée, la position dominante revient aux femmes, toutes indifférentes à leur progéniture et d'un égocentrisme forcené, d'une légèreté sans retenue. Andrée Sachs délaissera son fils comme sa mère l'a elle-même abandonnée, l'une et l'autre accaparées par des liaisons de hasard et des mariages sans issue. Livré à ses seules pulsions, l'enfant mal aimé prend violemment goût au risque et à l'aventure. Instruments de plaisir et de culpabilité à la fois, les expériences les plus fortuites lui servent d'apprentissage. Première volupté, celle que Maurice tire de menus larcins. Il devient voleur par défi, par solitude. Premier « sabbat », celui où le plonge l'univers du pensionnat. Il devient homosexuel par entraînement, par désir de se perdre, par besoin d'intimité et d'affection.

À quatorze ans, l'adolescent à la dérive est fasciné par le destin tragique de Jacques Bizet. Fils d'une des égéries de Marcel Proust, Geneviève Straus, et du compositeur de *Carmen*, celui-ci a été marié un temps à la grand-mère de Maurice. Alcoolique et morphinomane, Bizet vit un revolver à la main, tirant par la fenêtre et sur les bibelots de son appartement, mimant à longueur de journée son futur suicide, avant de passer à l'acte le 3 novembre 1922. « Quand tu en auras assez de la vie, tu appuies là comme ça, et ce sera fini[66] », dit-il à Maurice en lui mettant le canon de l'arme dans la bouche. « Cet homme déchu, je l'ai aimé comme le fils le plus fier peut aimer le père le plus illustre, confiera Sachs. Lui seul, chancelant, irresponsable, m'a servi de famille[67]. » L'adolescent s'attache à cette épave comme à une figure de légende, fasciné par le « sombre théâtre[68] » de sa douleur et de sa décrépitude. Il rend visite chaque matin à ce fantôme vacillant qui, certains jours, ne sait « presque plus parler[69] ». Hanté toute sa vie par le souvenir de ce « père spirituel », Sachs tendra irrésistiblement à s'identifier à lui. « J'eus envie, à cause de lui, confesse-t-il, de drogues, d'alcools, envie d'engraisser, envie de m'avilir. Je voulus lui ressembler à tout prix, faire des dettes, imiter sa chienne de vie, et tout cela pour tenter de le justifier finalement aux yeux de je ne sais qui[70]. » En mourant, Bizet lui abandonnait en gage tous ses démons, « le seul héritage que me laissa mon ami[71] ».

La formation intellectuelle de Maurice Sachs n'est pas sans évoquer celle d'un André Malraux au même âge : chasse boulimique et débridée à toutes les formes de connaissance, vagabondages esthétiques et littéraires effrénés, investigations flâneuses. Le grand jeune homme replet, lascif, quelque peu maléfique, qui compare son charme à celui du fakir devant les serpents, sait de même gagner les protections nécessaires pour entrer dans le monde. Ainsi parvient-il, d'une relation à l'autre, à s'infiltrer dans l'entourage de Cocteau, où seul lui importe de capter l'attention du poète. En février 1924, son ami Gérard Magistry le conduit rue d'Anjou où l'accueille un Cocteau malade, en pyjama de soie noire, un foulard rouge autour du cou, étendu sur un lit recouvert d'un édredon à fleurs. « Quand nous quittâmes ce magicien, je savais, à n'en pas douter, que je n'allais plus vivre que pour lui [72]. »

Faute d'être retenu comme amant, Sachs est engagé par Cocteau comme secrétaire, garçon de courses et figurant dans son adaptation de *Roméo et Juliette*. Il travaille dans le même temps à la réception de l'hôtel Vouillemont. Rien de tout cela ne peut lui assurer le train de vie éclatant qu'il commence à exhiber. Sachs s'habille chez les plus grands tailleurs, porte chemises fines, capes argentées et œillet à la boutonnière, passe ses nuits au « Bœuf sur le Toit », accumulant dettes et escroqueries pour exister au regard de son dieu vivant.

Tout ce qui vaut pour Cocteau vaut pour son suivant ébloui, dont le destin oscille entre sauve-qui-peut et mimétisme, entre détresse et exaltation. Il suffit que l'idole prononce un jour le mot *Dieu*, « en semblant y donner de l'importance [73] », que de Dieu il en arrive à parler de Jacques Maritain, pour qu'en Maurice Sachs cette nouveauté fasse aussitôt son chemin. Un soir du début de 1925, on annonce l'arrivée de Maritain rue d'Anjou. « J'étais là avec Maurice, raconte Gérard Magistry, et tout le monde fumait, couchés sur des matelas [...]. On ouvrit les fenêtres, on ramassa les matelas, on rangea le matériel, les pipes, la lampe, l'aiguille, la résine d'opium, et Maritain entra. Cocteau et lui conversèrent longuement, sans que Maurice ou moi intervenions... [74] » Maritain est venu dire au poète que « l'opium ne console pas des malheurs aussi bien que la Grâce [75] ». Maurice Sachs ressent d'abord la conversion de Cocteau comme un abandon, une trahison de sa nouvelle raison de vivre. Puis il se ravise. « L'autre soir, vous m'avez parlé, lui écrit-il le 15 juillet 1925. J'ai tout de suite compris qu'il y avait une force surnaturelle ailleurs. Jusqu'à ce jour vous m'avez donné mon *seul bonheur*, mais auprès de vous tout est horrible, toute comparaison atroce. Il n'y a rien, rien dans la vie. [...] Deux fois à bout, je me suis agenouillé devant votre portrait. [...] Venez à mon secours. Il reste la foi. Vous vous êtes tourné vers elle. Ne m'abandonnez pas. J'ai besoin, j'ai besoin de prier[76]... » Les initiales de Jean Cocteau ne se confondent-elles pas avec celles du Christ ? Et, à tout prendre, une conversion ne serait-elle pas la meilleure manière d'en finir par la même occasion avec l'imbroglio de ses origines ? L'exemple de Max Jacob le convainc de suivre la même voie. Il promet de s'y montrer fidèle, « là plus qu'ailleurs[77] ». C'est alors que Cocteau l'incite à voir Maritain...

Rendez-vous est fixé à Meudon, à la fin de juillet 1925[*].

« J'étais anxieux de le rencontrer, mais ce n'était peut-être encore que par curiosité indirecte ; je voulais savoir comment était l'homme qui avait tant de poids sur celui que je croyais supérieur à tous les autres hommes. Je montai à Meudon comme on part en expédition. Et quelle expédition en effet !

« On me fit entrer dans une maison très bien tenue, parquet brillant et glissant, cuivres éclatants, livres alignés, rideaux tombant bien, fleurs très droites dans leurs vases, pas un grain de poussière visible, une maison qu'on pouvait regarder au microscope. Je vois encore sur la cheminée tenant leurs distances les portraits de Léon Bloy, de saint Thomas et d'Ernest Psichari, au mur le Rouault, le Severini (auquel devaient s'ajouter plus tard un Jean Hugo et

---

* La première entrevue précède, si l'on en croit leur correspondance, la visite du 2 août où Raïssa rencontre Sachs pour la première fois.

un Chagall) ; je revois la commode bien polie et je ne sais quelle odeur de confort me monte aux narines, comme si le salon sentait le pain frais ; quel appétit me revient du poulet du dimanche que l'on mange le cœur content.

« Quand la porte s'ouvrit, je vis entrer un homme qui ressemblait à toutes les images du Christ ; je n'avais jamais vu de traits transportant une plus grande douceur ; l'œil bleu clair et droit était humide de tendresse et la grande mèche qui lui couvrait une partie du front lui donnait un air d'enfant. Avec cela quelque chose d'un peu gauche dans sa démarche, une timidité qui le prenait, je crois, quand il approchait d'une âme inconnue sur laquelle Dieu peut-être appelait son attention. Je me sentis fondre sous ce regard, rapetisser, devenir tout enfant, je sentis se détacher aussitôt de moi et comme par miracle les épaisseurs d'impureté. Mes culpabilités brûlaient au feu de cet amour du bien qui occupait un homme tout entier, et rien qu'à le regarder je me sentais absous de toutes mes fautes, renouvelé et parfaitement heureux [...].

« Rares sont les hommes qui font faire aux autres hommes de pareils retours sur eux-mêmes. Maritain fut le premier que je rencontrai. Son effet sur moi fut immédiat, absolu et total. Ce premier contact avec la vertu (je ne parle même pas de vertus confessionnelles, mais de vertus toutes humaines) me réchauffa l'âme. La solitude affreuse dont je souffrais parfois jusqu'à n'avoir plus envie que de me tuer, tout à coup n'était plus. Maritain m'ayant ouvert le cœur d'une incision de son regard, et l'esprit du mot de passe auquel toutes les civilisations ont répondu m'avait donné un compagnon qu'il appelait Notre Seigneur.

« J'étais venu seul, je partis avec un ami, – ce confident et ce complice dont parle Baudelaire. Mais ce Dieu si vivant en moi après une heure de conversation avec un homme saint, venu m'habiter en un clin d'œil parce que j'attendais depuis des années la venue d'un Messie, qui était-il ? Œdipe, le Christ, moi-même ou Maritain [78] ? »

Au retour de Meudon, dans le train qui le ramène à Paris, Sachs pleure de joie et de délivrance – larmes purificatrices qu'il compare à « l'eau du Jourdain sur le cou du pécheur », une existence nouvelle et inespérée s'offre à lui, une famille véritable, une communauté humaine authentique – au-delà des Maritain, l'Église tout entière –, « le foyer jamais connu ». A-t-il jamais rêvé d'autre chose depuis l'enfance que d'ordre et de vertu, « tentation égale à ce qu'est pour d'autres celle du vice » ? Au comble de la fébrilité, Maurice se croit sauvé. Comme si, à dix-huit ans, ne subsistait pour lui que cette ultime chance de tout racheter, il veut brûler les étapes, balayer d'un « rire amer » – « le rire des abandonnés et des solitaires » –, les griefs de trahison qu'on assènera au Juif fourvoyé « avec les calotins », n'entendre que sa seule résolution. Il s'empresse d'écrire à Maritain :

« 18 juillet 1925

« Mon ami, mon maître,

« Je suis profondément heureux et profondément ému de vous avoir vu.

« Jean m'a montré le chemin, vous, m'avez ouvert la première porte sur les choses divines.

« Une sotte pudeur m'a retenu de vous embrasser en vous quittant, et de pleurer.

« Je suis heureux et le calme entre en moi.

« J'ai prié avant de me coucher, pour ma mère, pour Jean, pour vous et pour que la Grâce soit un jour sur moi.

« Je penserai toujours à vous dans mes prières.

« Rien ne me presse que le baptême, je regrette ces années vides de foi qui sont derrière moi.

« Je pense à vous, je vous embrasse, et je vous remercie de tout mon cœur,

« et je vous demande : priez pour moi.

« Maurice Sachs [79]. »

Quelques jours plus tard, il remercie Maritain de lui avoir fait porter un chapelet par Cocteau. Il a acheté un « petit catéchisme au diocèse parisien [80] » et lui promet de l'étonner par ses progrès. En attendant, il apprend par cœur le *Pater* et l'*Ave*. « Qu'il est doux de penser que même l'abbé Pressoir prie pour mon âme et sans me connaître. » Directeur du Séminaire des Carmes, le père Pressoir accueillera Maurice Sachs à la demande de Maritain pour compléter son instruction, une fois prise sa décision d'être baptisé.

Le 2 août 1925, de retour à Meudon, le jeune homme se présente à Raïssa Maritain, absente lors du premier contact avec Jacques. À partir de ce moment-là, un passage de relais semble s'être opéré dans le couple pour accompagner la conversion de Sachs : non que Jacques prenne ses distances ; mais Raïssa porte d'emblée une attention personnelle à ce déraciné. « Elle était une juive du temps du Christ, observe Sachs, mince, aiguë, menue mais flambante, et cette flamme jamais éteinte qui brûle les pages de la Bible, sans qu'elles s'y consument, faisait briller, dans ses yeux châtaigne, un feu orangé. »

Pour la première fois depuis sa naissance, il rencontre une famille unie, un couple heureux :

« Cela se voyait non seulement à la tendresse de leurs gestes, à l'exquise attention des regards qu'ils s'adressaient, mais à certaines espiègleries d'enfants qui les faisaient tout à coup se jeter des miettes à table en riant beaucoup ou se livrer à quelque farce de gentils amoureux. Leurs âmes étaient doucement unies comme ne le sont généralement que les corps après l'amour.

« Il y avait en eux une complicité pour le bien qui se révélait par un clin d'œil furtif, qu'ils ne pouvaient s'empêcher d'échanger, lorsqu'un ami était pris en flagrant délit de vertu positive.

« Derrière eux, Madame Oumançof (*sic*), la mère de Raïssa, avec sa figure toute ronde, placide, tendre, où souriait la bonne Russie des longues chansons, des longues patiences, aidait Véra, la sœur, à tenir la maison. Celle-ci était ronde comme sa mère, affectueuse, discrète et réservée dans l'ombre aux besognes heureuses et familières qui demandent du mouvement. [...]

« J'ai rarement vu d'êtres appartenir moins apparemment à la terre. On ne sait s'ils se couchent ; on ne le croit pas, on les observe manger avec surprise et les cabinets dans la maison paraissent tout à fait inutiles. Quand une fois je vis Jacques Maritain au saut de son petit lit de camp, se laver à l'eau froide de la cuisine, ç'avait un air un peu farce et pas vrai.

« Il avait toujours ressemblé au Christ, bien avant sa conversion, mais à la façon dont son épaule gauche tombait un peu, dont il inclinait toujours la tête sans doute par l'étude, on eût dit qu'il avait porté la croix[81]. »

Maurice Sachs se prépare au baptême chaque jour, poussé à la conversion par « la tendresse de Dieu » qu'il ressent dans les paroles de Maritain et la présence du père Pressoir. La messe du matin à la chapelle des Carmes lui est d'une « douceur sans pareille ». Mais il lui faut lutter dans le même temps contre les tentations de son ancienne vie, refouler en lui un personnage qu'il tient pour révolu. Son élan

n'est-il pas voué à le perdre, si vigilant soit-il, à le préserver des facilités mondaines ?

Au milieu d'août, Maurice, toujours employé à
l'hôtel Vouillemont, s'inquiète du séjour professionnel
qu'il doit effectuer à Dinard. Il fait part à Jacques de
sa crainte d'une rechute. Leurs pensées, leurs prières,
assure Raïssa, ne le quitteront pas :

« [...] Il ne faut pas avoir peur. Dieu vous aidera.
Faites-vous une cellule dans votre cœur, et là, au
milieu de toutes les mondanités, si vous ne pouvez y
échapper, pensez à nous, et priez dans le secret. Ne
pourriez-vous aussi, pour vous isoler, invoquer le prétexte d'écrire à vos amis ? Et si en effet vous en profi-
tiez pour nous écrire longuement, j'en serais ravie ; je
voudrais vous connaître mieux et savoir en particulier
ce qui vous attire à Dieu ? Pour moi ce fut (et c'est
toujours) la révélation merveilleuse de la Sainteté des
Saints.

« Mais je ne veux pas aujourd'hui entamer ce chapitre. Je vous dirai seulement que, quelle que soit ma
propre médiocrité, je me sens pourtant de grandes
ambitions pour celui que j'aurai bientôt la joie très
douce d'appeler mon filleul. Je voudrais qu'il ne soit
pas un chrétien qui pense tout juste à son salut, et à se
confesser avant de mourir. (Pourtant, c'est déjà beaucoup et combien de fois Notre Seigneur très miséri-
cordieux s'en contente !). Non, je voudrais que vous
soyez un grand chrétien qui donne vraiment son cœur
à Dieu, et le centre même de son cœur, ce fond intime
où se nouent les affections exclusives, et dont Dieu est
jaloux, et qui est exactement ce qu'il demande de nous
pour nous sanctifier.

« Mais que ces exigences ne vous effraient pas.
Notre vie austère est au fond une vie plus libre, plus
heureuse que celle... comment dire... des immora-
listes. Dieu fait presque tout et ne nous demande

qu'une intention droite et de la bonne volonté. Et il nous donne en échange son propre amour, qui est le plus réel de tous les amours, sans satiété et sans déception. Vous le savez, le Baptême vous donnera une vie nouvelle, la Vie et la Grâce ; les sacrements vous donneront la force de rester droit et pur, et si un cœur humain peut vous être secourable, sachez que vous pourrez toujours venir à nous, et tout nous dire. Ce ne sera pas notre office de blâmer, mais seulement de compatir, de consoler et de secourir. Votre marraine s'y engage dans la mesure de ses forces et vous demande en retour de l'aider aussi de votre affection et de vos prières.

« Jacques vous embrasse. Je vous dis encore toute mon amitié en Notre Seigneur,

« Raïssa Maritain [82]. »

Pourquoi celle qui a observé la « mêlée brutale » des derniers mois sans déroger à sa réserve, s'engage-t-elle ici à part entière, s'attachant à Sachs, au point de se substituer à Jacques dans la préparation du baptême entre tous le plus improbable, le plus sujet à caution ? Pourquoi fonder de si grandes espérances, une semaine seulement après leur rencontre, sur un protégé de Cocteau dont elle ne sait à peu près rien, ni surtout ce qui l'« attire à Dieu » ? Est-ce, chez Maurice Sachs, son air de fils prodigue, revenu de toutes les malédictions, son errance absolue de jeune juif anonyme qui lui inspirent cette tendresse, cette crainte presque maternelles ? Si « quelque chose d'obscur [83] » l'inquiète dans le même temps chez ce nouvel arrivant, aussi bien jugera-t-elle qu'il existe parfois « de beaux dangers à courir [84] ».

« Tout ce qu'il y a de bon en vous recevra récompense, sera amplifié, magnifié par la grâce de Dieu » écrit-elle à Sachs peu après [85], insistant sur « la très tendre affection » qui les unit, « un don exquis de Dieu ». Assuré de pouvoir se livrer sans crainte d'être blâmé, le futur filleul confesse, peu avant son baptême, que le diable n'a pas manqué de le « torturer » ces derniers temps : il est tombé amoureux, « pris » de nouveau. « Je sens que m'éloigner de vous est un danger constant, car je m'éloigne de Dieu. » Son âme aspire à s'élever, mais sa chair le rabaisse sans qu'il soit lui toujours possible de lutter.

Le 29 août, Maurice Sachs reçoit les sacrements du baptême dans la chapelle privée du 10, rue du Parc. En l'absence de Cocteau, Jacques Maritain lui sert de parrain par procuration. Raïssa est sa marraine. « Malgré tout je ne suis pas rassurée », s'avoue-t-elle ce jour-là. Dans la « fièvre heureuse de la conversion », l'auteur du *Sabbat* reconnaîtra après coup s'être abandonné à « l'idée de Dieu » par volupté plus que par réflexion, ignorant tout encore des notions de bien et de mal qui « préexistaient en Maritain comme en Monsieur Pressoir (*sic*) ». Il gardait encore à dix-huit ans « un peu trop de fumier » dans son âme et les Maritain n'avaient été que candeur à son égard. « Leur imagination, leur générosité, un goût un peu gauche mais sincère des arts les fourvoya dans des admirations imprudentes où ils montrèrent tout à coup de cette naïveté qu'ont tous les spécialistes qui quittent leur spécialité. [...] On ne s'y reconnaissait plus ni d'un côté ni de l'autre, mais on était ravi de se découvrir. Ce fut une grande duperie où Maritain fut la première dupe de sa confiance [86]... »

En contrepoint à l'inquiétant baptême de Sachs, celui d'un autre intime de Cocteau, Jean Bourgoint, un jeune homme éblouissant de beauté, auquel le poète dit avoir donné « sa première bouffée d'opium dans un baiser [87] » et qu'il a entrepris de « sauver » à son tour en l'envoyant à Meudon. Raïssa voit un heureux présage dans le fait que Jean Bourgoint, « qui a l'air d'un ange [88] », entre « dans la vie de grâces » le jour de la fête de Notre-Dame-du-Rosaire. Le modèle des *Enfants terribles*, avec sa sœur Jeanne, terminera sa vie chez les trappistes sous le nom de frère Pascal.

Loin de tourner court, l'engagement de Sachs semble devoir se radicaliser à l'automne 1925. Le 3 octobre, il demande à ses « très chers et doux amis » de l'encourager à persévérer dans la voie où il se sent « poussé » par eux, « la voie de la difficulté » :

« […] Je vous le disais hier, ce n'est pas le courage qui me manque, c'est le courage de ce courage. Or ce courage c'est encore le *courage pur*.

« Le premier pas ne coûte pas, mais ce sont ces quotidiens derniers pas qui me coûtent.

« Je marche dans du provisoire côté humain, parce que tout côté humain est effectivement provisoire, hormis ce que vous possédez *l'équilibre absolu de ce provisoire qui est la vie terrestre*.

« Je ne puis songer à vous imiter. Dieu vous protège particulièrement. Je n'ai pas les mêmes forces. Je m'en remets intégralement à Dieu.

« […] Le Baptême m'a tout apporté, mais je suis *indigne de ses richesses*, croyez-moi.

« […] Là où je vous demande conseil, c'est où je vois une sorte de dilemme : ou l'égoïsme (ou du moins la recherche pour soi-même du bonheur) ou le sacrifice du retour sur soi-même pour se consacrer ENTIÈREMENT à l'homme. Mon esprit est faible, distrait, tiède parfois, mon corps est parfois secoué par le Démon.

« C'est à la force des poignets du cœur que je veux marcher.

> « Priez pour moi. [...]
> « Maurice [89]. »

Mais comment distinguer entre ferveur réelle et exaltation factice dans sa résolution subite d'entrer dans les ordres ? « La complicité de Dieu était chaude et bonne », confiera l'auteur du *Sabbat*. Mais que recouvre précisément cette complicité : nouvelle fuite en avant ou désir de purification ? Sachs s'apprête à renoncer au monde au moment où, assiégé par ses créanciers, il se croit en outre abandonné sans retour par Cocteau, Dieu ne lui servant peut-être que d'ultime refuge et d'échappatoire. Quoi qu'il en soit, les Maritain apportent à l'initiative de leur filleul un soutien sans réserve apparente. Ont-ils cherché malgré tout à le mettre en garde contre « la gravité redoutable [90] » de sa décision ? Sur l'instant, la satisfaction du couple tranche avec la méfiance de Cocteau, ouvertement plus circonspect. Mais la prudence est-elle la vertu des desperados et des risque-tout ?

Le 19 octobre, Sachs confirme aux Maritain sa résolution. Jacques est en route pour Fribourg où il doit donner une conférence. Raïssa réagit la première :

> « Meudon, 20 octobre 1925
> « Mon cher ami,
> « Votre lettre n'est arrivée que ce matin après le départ de Jacques ! J'espère qu'il aura eu du moins la joie de vous voir quelques instants encore à la gare de Lyon. Et moi je vous attends ce soir, mais comme vous ne viendrez pas seul sans doute, je vous écris. Ce dernier dimanche aura été pour moi plus lourd que

tous les autres. Mais peu importe ! Je rends grâces à
Dieu des grandes choses qu'il fait en vous. Oui, je le
remercie, mais avec un cœur moins calme que le
vôtre. Je suis bouleversée de joie et d'angoisse. Dieu,
en vous, dépasse mes espérances, je n'étais pas prête à
tant recevoir. Je ne suis pas tout à fait prête non plus à
envisager pour vous les souffrances qui vous attendent dans la voie que vous avez choisie. Pardonnez-
moi d'être en cette circonstance d'une faiblesse
comme maternelle. Les sacrifices que j'accepterais
pour moi avec joie, je voudrais qu'ils vous soient épar-
gnés.

« Mais votre désir est trop beau, trop juste pour
que je ne veuille pas de tout mon cœur le voir réalisé.
Et aussi la vie que vous désirez est trop parfaite pour
que je ne domine pas en mon cœur l'immense joie de
vous la voir choisir.

« Vous me rattachez à la terre, mon cher Maurice,
mon ami, mon enfant aussi. Je pensais n'avoir plus
rien à souhaiter que la mort (après le bonheur de ceux
que j'aime) – et maintenant, je voudrais vivre assez
pour recevoir Dieu de vos mains pures.

« Priez pour moi qui suis tendrement fidèlement à
vous en notre Seigneur.

« Raïssa.

« Ce sera à votre confesseur de décider en dernier
lieu sans doute. Et s'il approuve votre résolution, Dieu
vous accordera aussi l'adoucissement que vous sou-
haitez à ceux qui vous aiment. Il faut nous fier pour
cela au Cœur Sacré de Jésus [91]. »

Observons toutefois que Raïssa ne fait pas même
mention de l'événement dans son journal intime, où
le cas de l'« enfant » aux « mains pures » occupe moins
de place que l'histoire tragique et lumineuse d'André
Grange. Une carte postale de Jacques, griffonnée en

hâte le 23 octobre dans le train qui le conduit de Lausanne à Vallorbe, salue les « nouvelles admirables » qu'il reçoit de son filleul par procuration. « Je suis heureux de revenir, de vous voir, de parler de tout. »

En novembre 1925, soucieux de se mettre à l'abri des tentations parisiennes jusqu'à son entrée au séminaire, Maurice Sachs, qui vient d'être congédié de l'hôtel Vouillemont, demande aux Maritain de l'héberger à Meudon.

« Comment ne serions-nous pas heureux de vous garder quelque temps auprès de nous avant votre entrée au Séminaire, ne vous êtes-vous pas fait dans notre cœur la place d'un enfant très aimé ? s'enthousiasme Raïssa. Et celui que Dieu appelle à son service, c'est un honneur pour nous que de lui rendre un léger service. Je suis seulement inquiète du peu de confort que vous trouverez chez nous.

« Vous commencerez ainsi à quitter la voie peut-être trop large de l'hôtel Vouillemont.

« Et puis vous aurez la présence du Très-Saint Sacrement. Et la douce influence de Jacques qui est une vraie bénédiction. Vous le sentirez de plus en plus, Jacques est un être essentiellement bienfaisant parce qu'il n'a rien gardé de son cœur pour lui-même, mais qu'il l'a entièrement donné à Dieu. C'est cela la Sainteté. [...]

« Si nous ne savions par expérience l'absolue vérité de ces choses, jamais nous ne vous aurions laissé aborder la vie difficile.

« Allez donc généreusement. De toute notre affection et de nos meilleures prières, autant que Dieu le permettra, nous vous aiderons. Et vous nous aiderez de même, n'est-ce pas, mon ami très cher ? [...]

« Pensez à faire signer vos actes de baptême par le père Pressoir [92]. »

Quoi de plus étranger à l'homme de Meudon que cette manière de confession publique, cet échange à ciel ouvert, où l'entraîne Jean Cocteau au printemps 1926 ? L'intimité des cercles et des instituts, la solitude de la vie d'oraison, l'aventure secrète des grandes amitiés constituent son territoire de prédilection. Est-ce le climat d'urgence dans lequel évolue ce catholique en alerte qui l'incite à sortir de l'ombre ? La gravité de l'enjeu, au moment où « les meilleurs vont au pire [93] », qui le décide à faire cause commune avec le créateur le plus en vue de son époque ?

Le fait est que Maritain accueille sans réserve aucune l'initiative de Cocteau, promettant d'emblée de relever son défi – une lettre ouverte à laquelle il répondra. Ainsi les deux hommes vont-ils débattre en plein jour des rapports entre la religion, l'art et la poésie, tenter d'élucider pour eux-mêmes et leurs contemporains ce qui peut rapprocher un disciple du *Docteur Angélique* et un poète revenu de toutes les dérives. « Il vaut mieux se dire les choses, déclare Cocteau le 17 août 1925. Voilà : j'écris un livre et ce livre est une lettre et cette lettre est adressée à vous. Si vous usez du droit de réponse, je décroche la timbale [94]. » L'affaire se trame comme un complot de collégiens, dans un climat de tendre connivence où aux « Jacques chéri » de l'un font écho les « Mon très cher Jean » puis les « Jean chéri » de l'autre.

« Oserai-je jamais vous montrer la lettre et, du reste, parviendrai-je à l'écrire ? s'interroge Cocteau quelques semaines plus tard. J'estime que la seule valeur de cet écrit vient de ce que *je ne change rien* et que je parle de religion comme si je parlais de musique. Pascal prouve qu'on le peut. Cette lettre choquera – on la trouvera ridicule – mais elle nous engage à quoi que ce soit. La seule chose qui m'y plaise, c'est que grâce à elle je suis sans cesse près de vous [95]. » Raïssa l'encourage à poursuivre ce « beau travail », cette « mystérieuse lettre à Jacques » dont celui-ci, assure-t-elle, est « par avance si fier [96] », si rempli de joie et de confiance. Cocteau s'attend à voir sa lettre « moquée, rejetée, méprisée, déchirée [97] », mais il est porté par la « masse d'amour invincible » qu'il sent entre eux trois. « Ma principale occupation c'est, vous le savez, d'écrire à Jacques, confie-t-il à Raïssa. Je lui écris une longue lettre, un météorite ou "pain des anges". Loin de contraindre la liberté du créateur, c'est à accéder. À mes yeux, c'est pareil. On oublie trop la force explosive du ciel et qui ne s'exprime que par la foudre [98]. »

En « cachette », ils confrontent leur copie au début de 1926. Bouleversé par cette « collaboration mystérieuse », Cocteau relit « chaque beauté, chaque signe d'amour et d'intelligence [99] » recueilli dans l'émouvante *Réponse* de Jacques. Il s'inquiète toutefois de « certains passages » où il croit déceler un « procès de la poésie », un « blâme très dur au poète ». Mais d'un commun accord les deux protagonistes révisent leur texte jusqu'à atteindre à l'« équilibre merveilleux » qu'ils se doivent de rechercher.

« Je viens de recevoir vos épreuves et ma copie, écrit Maritain le 26 février 1926. Je vais porter lundi le tout à Stock. Je suis très content. Vos corrections sont parfaites, la lettre est tout entière admirable, merci pour tout. Votre ange gardien a conduit votre main. J'ai une grande joie à penser à ces deux lettres qui vont voler ensemble dans le monde et où nos noms sont unis. Je prie Dieu qu'elles éclairent des âmes, j'espère. »

Si, revue et corrigée par ses auteurs, cette correspondance publique ne laisse filtrer aucune divergence, un autre débat s'engage ailleurs au même moment, le seul en réalité qui puisse à terme opposer le poète et le philosophe. La publication de *L'Ange Heurtebise*, un poème inspiré par Radiguet et tout empreint de désir homosexuel, se heurte chez Plon, où il doit paraître dans la collection du « Roseau d'or », à de fortes réticences. « On me dit qu'il y a là [...] des allusions scandaleuses, un clavier secret où Ange donne un autre son, confie Maritain. Je n'avais pas vu cela, ou plutôt j'avais tout de suite mis la main devant les yeux, vous aimant trop pour rien penser de mal à votre sujet, et m'étais persuadé de n'avoir rien vu. Hypocrisie des réactions inconscientes ! Maintenant l'œil de Plon a envoyé un rayon noir dans ma béatitude [mot incertain]. Voudrez-vous, mon cher Jean, supprimer "Heurtebise" de ce recueil ? Cela est d'autant plus faisable qu'il doit paraître à part [?]. Étant donné l'esprit et le but de notre collection, il est impossible que rien y paraisse où, même à tort et sans raison, les gens pourraient faire jouer une telle clef [100]. » Mais le philosophe, qui se défend de « faire le moraliste », saisit cette occasion – fortuite ? – pour mettre en garde son ami contre l'illusion de ne devoir jamais choisir entre Dieu et Jean Cocteau, ni « *être occupé* sans être occupé tout entier ! ». Tous les termes du différend à venir sont posés dans cette longue lettre de février qui retentit comme un rappel à l'ordre : griefs sous-jacents de « double langage », de tolérance à l'égard du « mal ».

« Vous avez une grande responsabilité, visible et invisible, souligne Maritain. Beaucoup d'âmes ont confiance en vous, auront de plus en plus confiance en vous, il faut les mener à la lumière sans aucune ombre. Des fils qui ne se voient pas vous relient à une foule d'amis inconnus. Un geste de l'âme, une pensée de vous, bonne ou mauvaise, pèse un poids terrible pour leur bien ou pour leur malheur, pour leur vie ou pour leur mort. Jean, vous êtes un prédestiné, vous savez comme Dieu s'y prend avec les prédestinés qui regimbent sous l'aiguillon. Il ne faut pas d'autres morts. »

Maritain est-il si peu convaincu par l'« union parfaite [101] » scellée entre eux qu'il doive dans le même temps pousser Cocteau dans ses retranchements, le contraindre à se démasquer davantage ? C'est l'époque où un jeune écrivain américain, Glenway Wescott, accuse le poète d'hypocrisie parce qu'il continue de fumer tout en corrigeant les épreuves d'une *Lettre à Jacques Maritain* où il associe son renoncement à l'opium et son retour aux sacrements [102]. À rebours de l'ingénuité qu'on lui a si souvent prêtée dans sa relation avec Cocteau, Maritain manifeste plutôt à l'égard de l'imprévisible converti une confiance doublée de rudes exigences.

Mais c'est avant tout à l'exaltation de leur rencontre qu'ils consacrent les deux lettres parues simultanément à la Librairie Stock en mai 1926. Investigations réciproques, autoportraits croisés forment la trame d'un échange éblouissant où les deux hommes, en apparence les plus opposés qui soient, confrontent leurs vies et leurs expériences, se reconnaissant « dépaysés du même genre », étrangers à la malice – « le Malin trouverait en nous des traîtres », écrit Cocteau –, l'un « poisson des grandes profondeurs », l'autre équilibriste contraint sans cesse à se « maintenir en l'air [103] », et tous deux voués à se cogner « contre tout ». « Que suis-je ? s'interroge Maritain. Un converti, un homme que Dieu a retourné comme un gant. Toutes les coutures sont dehors, l'écorce est à l'intérieur, elle ne sert plus à rien [104]. » Leur terrain d'entente ? Un même « souci des Anges » dont « la tendresse », « la force »,

« le danger », « la pureté » hantent l'œuvre du poète comme la pensée du philosophe. « Logique de notre rencontre, conclut Maritain. Les anges qui nous gardent se regardaient depuis longtemps ; ils ont tiré leurs plans de loin [...]. Imaginez-vous leur prière ? Nous sommes à leurs yeux comme deux petits points d'ombre se déplaçant dans la flamme, mais que Jésus a aimés. »

L'énigme du rendez-vous ainsi fixé à un « paysan du Ciel » et à un « homme de solitude et de plaisirs sauvages », tous deux vont chercher à la déchiffrer, chacun sondant son propre cheminement en direction de l'autre. De la mort de Radiguet à sa chute à pic dans l'opium, Cocteau reprend l'itinéraire d'une « âme écœurée », s'épuisant en « embuscades, écoles buissonnières, affûts spéciaux », mourant de « mystère en désordre ». « Dieu ne vous laissait pas de repos, lui répond Maritain. Vous vous trouviez dans cet état de ligature intérieure qui est comme une agonie de l'esprit, et dont Jésus a coutume de se faire précéder. » À ce vivant en sommeil, Maritain apporte la révélation foudroyante qu'on peut sortir de soi, non par la littérature, l'art, le rêve ou quelque « idéal de joie », mais par l'amour, la foi, la « démarche de Jésus » qui « scandalise toujours ».

Étincelant de mille feux et trop théâtral sans doute pour la gravité du sujet, le témoignage du converti appelle en dernier recours son destinataire à formuler la *réponse* attendue par tous ceux qui hésitent encore « au bord du ciel[105] ». Cette « lettre d'amour » s'achève par un appel à l'aide. « Déniaiser le cœur regarde les poètes. Les soutenir est votre rôle, mon cher Jacques. Je n'ai, moi, que la force de crier : "Rien ne va plus !" »

Les mystérieuses convergences que le poète a pressenties à travers « l'œuvre de Dieu », il revient au philosophe de les explorer plus avant. Ainsi une préoccupation nouvelle s'impose-t-elle à Maritain sous l'impulsion de Jean Cocteau, celle de la poésie, préoccupation d'autant plus cruciale qu'elle engage le sort des âmes autour de lui. Maritain a conscience d'être placé à un moment déterminant de l'histoire de la poésie où, plus que jamais confrontée à son propre mystère, impliquée dans les « luttes suprêmes de l'esprit », tiraillée entre « les bons et les mauvais anges », celle-ci peut basculer « du côté de Dieu » ou s'échouer ailleurs. « Voilà le point vif : l'art symbolise avec la Grâce, déclare-t-il à Cocteau. Entre le monde de la poésie et celui de la sainteté il y a un rapport d'*analogie*, je prends ce mot dans toute la force que lui donnent les métaphysiciens, avec tout ce qu'il signifie pour eux et de parenté et de distance. » L'inspiration du poète rencontre « au sein du créé le regard de Dieu », « collabore à des équilibres divins, déplace du mystère », « connaturalisé aux puissances secrètes qui se jouent dans l'univers ». La création poétique puise aux sources mêmes de l'esprit. Elle est de « pure essence spirituelle ».

   « Qui a compris mieux que vous tout ce qui se reflète de sagesse évangélique dans l'âme infatuée de la poésie ? écrit-il à Jean Cocteau. Elle s'impose, elle aussi, la voie étroite, elle suppose une certaine faiblesse sacrée – la beauté boite, dites-vous, et Jacob boitait après sa lutte avec l'ange, et le contemplatif boite d'un pied, dit saint Thomas, car ayant connu la suavité de Dieu il reste faible du côté qui s'appuie sur le monde ; en un sens la poésie n'est pas du monde, elle est à sa manière un signe de contradiction... » En quelques pages denses, lumineuses, froidement lucides parfois, l'ami de Bloy, de Rouault et de Reverdy cerne la « condition tragique » du créateur de son temps, en quête « d'une fin qui n'est pas sa fin », s'illusionnant à chercher sa propre perfection dans le « seul épanouissement de sa nature » et entraîné par là au « désespoir total ». La réponse de Maritain au drame des poètes n'est pas de substituer la mystique à la poésie – on ne mêlerait leurs essences qu'en « les souillant l'une et l'autre » –, mais de sortir, comme le suggère Cocteau, de la seule littérature pour pouvoir y « toucher sans en mourir ». « J'espère autre chose, comme vous j'attends une poésie neuve, dégagée de Rimbaud tout en sachant ce qu'elle doit à Rimbaud, une poésie de matin de Pâques [...]. Hors Dieu et son ombre, il n'est que mystères truqués. » La liberté du créateur peut accéder à une liberté plus haute, celle des « âmes dont l'Esprit s'est rendu maître ».

La force et la singularité d'un tel message résident moins dans sa vigueur doctrinale que dans la sensibilité intuitive dont il est parcouru, son intelligence des êtres, l'étendue de son humanisme. Elles tiennent plus encore à l'engagement personnel de son auteur dans la « plus ambitieuse aventure » qui soit à ses yeux, celle du thomisme pour lequel « le temps est venu de travailler philosophiquement dans le monde », d'y rassembler « l'héritage dispersé de la sagesse ».

Délibérément provocante, l'association Cocteau-Maritain ne manque ni de surprendre ni de scandaliser. Critiques et sarcasmes se concentrent sur l'auteur d'*Orphée*, les plus féroces à son égard venant des surréalistes. Trop habitué aux virevoltes du poète pour accorder quelque crédit à sa plus récente mutation, le monde littéraire marque sa circonspection. De Pierre Reverdy, alerté par le côté « trop littéraire » de la *Lettre*, à Max Jacob, inquiet de cette nouvelle « route de Jean », les mises en garde affluent à Meudon. Au seuil de la grande amitié qui le liera toute sa

vie à Jacques Maritain, Julien Green s'avoue déconcerté. Observant qu'il lui serait déjà difficile de livrer
les secrets de son cœur et de son âme, Green confesse
qu'il lui serait impossible de prendre à témoin le
public d'un fait aussi intime. Cela dit, il a beaucoup
aimé la réponse de Maritain, trouvant en elle plus
qu'il ne saurait dire [106]. François Mauriac gardera
longtemps de ces deux lettres « un souvenir confus de
sainteté dupée et, pour finir, bafouée [107] », bien qu'il
en ait salué sur le moment la « divine imprudence [108] ».

Mais c'est l'apparition au grand jour de l'homme
de Meudon, ce « rai de lumière » jeté sur son « action
secrète » qui retient avant tout l'attention des critiques. Le rayonnement du philosophe « sur la jeunesse intellectuelle de ce temps » fait l'objet, entre
autres, d'un long article dans la revue *Études*, familière de tout ce qui relève de la direction des âmes :
« [...] Maritain est un composé original d'intransigeance et de douceur, d'intellectualisme étincelant et
de profond mysticisme, écrit Joseph de Tonquédec.
C'est cela qui fascine. Et puis, à ceux qui viennent
réclamer son secours, il montre encore autre chose :
une charité fraternelle qui interprète tout en bien
jusqu'aux limites du possible, un parti pris d'indulgence à l'égard de toute faiblesse humaine, combinés
– l'alliance est naturelle – avec le souci de jeter les
malades dans le bain de lumière pure qui seul peut
les guérir. [...] Combien d'esprits tâtonnants et de vies
désemparées sont venus chercher, près du jeune
maître, la sécurité d'un thomisme sans compromission, la contagion d'une âme profondément religieuse ! Maritain nous apparaît aujourd'hui entouré
d'une constellation de disciples et de convertis, –
quelques-uns venus de fort loin, de l'extrême gauche
des gauches, – car il n'est pas de ceux qui se taillent

un domaine particulier dans les terrains déjà conquis par l'Église, mais un missionnaire qui s'avance en pays vierge. Ses ennemis les plus haineux reconnaissent, non sans dépit, ce succès : "M. Maritain, écrit un rédacteur de la jeune revue *l'Esprit**, a pris une place importante dans la pensée française ; il fait figure de rocher et déjà l'on voit descendre vers ce rocher les cargaisons de noyés. Les inquiets qui réclament une guérison et un remède... [*je supprime ici quelques injures...***] tous se tournent vers lui et sont au moins impressionnés par sa solidité, sa constance et son éloquence... M. Maritain a donc beaucoup de renommée ; il a mieux : il a des disciples... Il a du talent, tant mieux... Il en faut comme cela de l'autre côté... À ce souhait, dicté par une sorte de rage impuissante, nous qui sommes du *même côté* que Maritain, nous n'avons qu'un mot à répondre : Ainsi soit-il [109]." »

Le sentiment profond que lui inspirent sa relation avec Cocteau et la responsabilité qu'il vient publiquement de s'assigner dans le siècle – guide, mentor ou simple suivant d'un troupeau égaré ? –, Maritain ne l'exprimera qu'à l'abri de tous, dans l'échange entretenu avec l'abbé Journet :

« Les souffrances, les périls qu'il y a derrière cette correspondance, lui écrit Jacques, vous les avez devinés. Il faut beaucoup prier pour notre cher Cocteau, pour tous ses amis, pour bien des âmes qui viennent encore (et de quels abîmes) et auxquelles nous ne pouvons pas nous dérober. [...] Je suis comme un

---

* Cette revue qui n'a rien à voir avec celle du même nom, que dirigera plus tard Emmanuel Mounier, est d'inspiration communiste.
** Précision de l'auteur de l'article lui-même.

homme placé sur un terrain glissant et qui porte à bout de bras un poids trop lourd. Gare au moindre faux mouvement. Que voulez-vous, à la grâce de Dieu. Il n'y a qu'à fermer les yeux, et laisser faire [110]. »

Le bruit des sources cachées

« Et voici accompli le plus vieux rite
humain, qui veut que l'on partage quelque
chose à la croisée des pistes... »

Saint-John PERSE,
Lettres à l'Étrangère.

Aux frontières de l'art et de la poésie, l'homme de
Dieu chasse sur des terres où aucun des siens
jusqu'alors ne s'est aussi profondément aventuré. Les
terres favorites du Prince de ce monde, écrira-t-il plus
tard[1], celles où, pour naître, *Tristan* a besoin des
amours coupables de Richard Wagner et de Mathilde
Wesendonck, et où l'œuvre d'art a toujours partie liée,
peu ou prou, avec la beauté du diable. Maritain doit à
sa rencontre avec Georges Rouault la révélation fascinante de l'âme des peintres, des poètes et des musiciens. Ses échanges avec Érik Satie, Max Jacob, Pierre
Reverdy ou Jean Cocteau l'ont éclairé plus encore sur
la véritable nature du conflit inhérent à l'intuition
créatrice, le mystère spirituel qui en est la source. La
Réponse faite à l'auteur d'*Orphée*, au printemps 1926,
précise les « intérêts propres » de l'art et de la mystique, ne les distinguant que pour mieux les appeler à
se rejoindre à leur point extrême de convergences,
« juste au croisement des bras de la croix ». Elle situe
par là même le champ d'influence du plus tardif des
disciples de saint Thomas, voué à réconcilier, à

rassembler à son tour «tous les fragments dérobés à l'unité». Il entre ainsi dans ses «devoirs de philosophe» d'avoir «un regard sur tout[2]», et plus particulièrement sur la «situation spirituelle des lettres françaises[3]».

C'est à travers l'ambitieuse entreprise du «Roseau d'or», lancé chez Plon en juin 1925, que s'exerce en partie l'apostolat de ce laïc entre les laïcs. Le rayonnement acquis en peu de temps par une collection qui, forte déjà du concours de Paul Claudel, de Jean Cocteau, de C.-F. Ramuz, révélera deux jeunes romanciers, Georges Bernanos et Julien Green, confère à son directeur une autorité particulière dans le monde littéraire. Découvreur, animateur, régulateur de la vie intellectuelle comme l'était Jacques Rivière aux commandes de la NRF, et comme lui ami, confident, conseiller de la plupart de ses auteurs, Maritain entend faire du «Roseau d'or» un lieu d'accueil délesté de tout esprit d'école, grand ouvert aux «feux nouveaux», aux «couleurs jamais vues» (se référant à l'«émouvante sagesse» d'Apollinaire), pour peu que ceux-ci portent «un signe de pureté et d'authenticité». Embrassant tout ce qui est «dit de vrai ou fait de bon en quelque lieu du monde», le programme de la collection exprimera «l'universalité spirituelle» du catholicisme sans parti pris esthétique, démarche proprement confessionnelle ni «arrière-pensée de prosélytisme». Comment concilier cependant libre expression de toute recherche nouvelle et «réinvention de l'ordre véritable qui s'impose à notre temps», sans sacrifier l'une à l'avantage de l'autre? C'est tout le dilemme que la diplomatie thomiste, souvent plus expéditive qu'accommodante chez Maritain, aura bientôt la charge de résoudre…

Les premiers temps, la diversité de l'équipage donne un charme inédit à l'atmosphère du bord. «Étrange groupe, se souvient Jean-Pierre Maxence, où les uns, comme Paul Gilson, ne juraient que par Cocteau, où les autres attendaient encore la postérité de Jean Moréas, les derniers préférant se réserver avant de choisir leurs fidélités. On y saluait avec le plus juvénile enthousiasme Claudel et Rivière, Ghéon et Bernanos ; on y reprenait, en tentant de les rajeunir, les thèses critiques de Pierre Gibert ; on y ressuscitait Lagrange ; on y plaidait pour Ramuz ; on y publiait gentiment, côte à côte, des poèmes de Max Jacob et des poèmes de M. Jacques Reynaud. Un point sur lequel tous, ou à peu près, étaient d'accord : Massis et Maritain étaient nos « maîtres » et c'est au « Roseau d'or » qu'il fallait chercher les voies d'un avenir intellectuel. C'est de là que nous sommes partis. Avec l'optimisme de la jeunesse, nous nous composions une synthèse de ces éléments souvent disparates. Un nationalisme qui s'élargissait à l'universel dans le catholicisme ; un catholicisme qui, en proposant un ordre vraiment vivant, respectait et fortifiait la personne : voilà, sommairement, ce que nous tirions de Maurras, de Massis, de Maritain [...]. Nous sentions qu'il fallait rompre certains cadres, renouveler certaines positions, désolidariser le catholicisme de certaines contingences temporelles, le nationalisme de certaine esthétique étroite, de certaine superstition du capital et de l'injustice établie. Tout cela, comme naturellement, nous inclinait à faire confiance aux directeurs et à l'esprit du « Roseau d'or ». Entre nous, nous nous refusions à avoir des divergences sourdes, prêtes pourtant à éclater [4]. » Plus intimement associé à l'entreprise, Stanislas Fumet évoque un temps où « bien des portes s'ouvraient », laissant passer « beaucoup de lumière » [5].

Le premier ouvrage paru au « Roseau d'or », en juin 1925, semble restreindre d'emblée, pourtant, l'ouverture de compas recherchée par son fondateur.

L'auteur en est Maritain lui-même, un Maritain plus incisif, plus implacable encore qu'à l'ordinaire, et d'une dureté de cristal dans l'art du réquisitoire. *Trois Réformateurs* désigne Luther, Descartes et Rousseau comme les grands corrupteurs de la pensée moderne, pères de « l'avènement du moi », maîtres du scepticisme et de la mauvaise conscience qui a envahi le monde. Disséquant le caractère, la physionomie, la destinée de chacun d'eux en une féroce leçon d'anatomie, c'est dans les replis, les sinuosités de leur moi, précisément, que Maritain traque les germes de leur doctrine. Dans l'« âme agitée et charnelle », la « résignation perverse », le « regard d'orgueil », l'égocentrisme maladif du moine déchu, il situe l'une des sources de la théologie réformée. À travers les « crises passionnelles », les « impuissantes frénésies », « le narcissisme équivoque », la « lâcheté devant le réel » du philosophe des lumières, il détecte les origines de la religion naturaliste. « La cellule où Luther a discuté avec le diable, le poêle où Descartes a eu son fameux songe, l'endroit du bois de Vincennes où Jean-Jacques, au pied d'un chêne, a trempé un gilet de pleurs et découvert la bonté de l'Homme naturel, voilà les lieux où le monde moderne a pris naissance. » Dédié à Geneviève Favre, ce livre de colère et de révolte retentit dans la vie de Jacques comme un dernier acte de rupture avec l'enfance, congé donné sans recours à son hérédité, exorcisme du « mal caché » qui le poursuit. Inaugurant l'entreprise du « Roseau d'or », *Trois Réformateurs* laisse transparaître, mieux que tout avertissement, quels élans, quelles exigences en inspireront le cours.

C'est lui, l'immense, l'envahissant, l'intransigeant Claudel, tout en coups de boutoir, en imprécations rocailleuses, en fureur conquérante, qu'on s'attend à trouver à Meudon tôt ou tard, comme en tout lieu où il reste sans doute quelques écrivains à convertir, quelques âmes à sauver. Raïssa Maritain signale son passage le 10 septembre 1925. L'auteur de *Tête d'or* assiste à la messe du père Charles Henrion dans la chapelle privée du 10, rue du Parc. « Chrétien vrai. Ame forte. Mais caractère bizarre », observe-t-elle simplement. Dans son propre journal, Claudel ne fait mention que d'une visite plus tardive, à la Noël de cette même année, où il s'effare de la présence chez les Maritain d'un « jeune juif converti par Copeau (*sic*), Sachs, qui va entrer au séminaire (!!) [6] ». Notations brèves, sèches de part et d'autre, sans affinités manifestes. Le milieu Maritain est trop composite pour attirer davantage un notable du catholicisme. Claudel ne s'y acclimatera que le temps d'une aventure, vitale à ses yeux, celle du « Roseau d'or », l'anti-NRF dont il a toujours rêvé.

Mal aimé par le plus grand poète catholique de son temps, Jacques Maritain ne place pas moins très haut « le génie de Paul Claudel [7] », génie si peu conforme à la mesure française, si encombrant et de « commerce malaisé », qu'« un des éléments dramatiques de sa propre vie a dû être la nécessité terrible de soumettre à Dieu et à la foi catholique cette abominable entité – qui vient de Dieu aussi, du Dieu qui a fait le ciel et la terre et toute la nature... [8] ». Partant pour la Chine au lendemain de sa conversion, le consul dépêché à l'extrémité du monde « emportait avec lui la *Somme théologique* », et son *Art poétique* exprimera « une conception du monde issue de la métaphysique du *Docteur Angélique* ». « Un scolastique non sectaire, un thomisme poétique, peut-on imaginer cela ? »

Fulminant contre les dérives d'une NRF trop influencée par Gide, Claudel avait invité Jacques

Rivière au lendemain de la guerre à refondre tout entière une revue devenue impie à son goût et à lui substituer, non « une revue strictement catholique », mais « un endroit où toutes les idées du temps soient acceptées et essayées, une espèce d'établissement institutionnel, comme ce qui existe par exemple pour les métaux précieux ou pour le conditionnement des soies, avec une ferme direction supérieure catholique [9] ». Toute l'entreprise du « Roseau d'or » avant la lettre... En 1925, l'initiative de Maritain donne au poète l'opportunité de la plus éclatante entrée en sécession vis-à-vis de la NRF : la publication au « Roseau d'or » de sa correspondance avec Rivière précisément, un Rivière longtemps disputé à Gide et enfin soustrait *post mortem* à l'influence de Ménalque.

En décembre 1925, c'est encore à la librairie Plon que Paul Claudel fait paraître la *Première Journée* du *Soulier de Satin*. Mais le numéro d'août 1926 des *Chroniques** du « Roseau d'or », où se côtoient Berdiaev, Max Jacob, Jean Cocteau, Daisy Ashford, l'insupportera autant que certaines parutions de la NRF. Jugeant alors l'équipée non moins loufoque, il rompt avec « cette bande de toqués [10] ».

Les relations de Maritain avec la plupart des grands écrivains catholiques de son temps s'avéreront toujours plus malaisées, plus délicates que celles entretenues dans le même temps avec des hommes venus d'ailleurs – la secrète prédilection du sourcier allant peut-être davantage à l'écoute des « germinations invisibles », du « bruit des sources cachées [11] ». Intraitable avec Péguy – l'irrégulier –, il ne se montrera guère plus conciliant envers un autre insoumis, Georges Bernanos.

---

* Celles-ci rassemblent en un volume de courts ouvrages d'auteurs très divers.

Avec, dans l'apparence, le caractère et le style, la rudesse, la fougue, l'orgueil, l'exigence désespérée d'un Léon Bloy et dans l'âme l'ombrageuse, la souveraine passion de liberté et de grandeur d'un Charles Péguy, le romancier semble incarner à la fois tout ce que Maritain a le plus vénéré et tout ce qu'il a le plus combattu, goût de l'absolu et insoumission spirituelle. Est-ce l'origine des « sentiments étrangement contradictoires [12] » que Bernanos éprouve d'emblée à l'égard du philosophe, de l'« espèce de crainte obscure » qu'il lui avoue presque aussitôt[13] ? « Quand je me croyais rebuté par votre douceur, ce que je craignais sans doute, c'était votre force », lui écrit-il, déjà tiraillé entre instinct de révolte et tentation de se rendre. Genèse d'une « amitié difficile ».

Refusé chez Grasset, le premier roman de Bernanos, *Sous le soleil de Satan*, reçoit chez Plon le meilleur accueil de son directeur littéraire Henri Massis. En octobre 1925, décision est prise de le publier, sans que Maritain paraisse s'être mêlé des négociations qui aboutiront pourtant à sa parution au « Roseau d'or ». Remplissant sa fiche d'auteur, en janvier 1926, l'écrivain de trente-huit ans, avide de témoigner de sa foi, signale qu'il est de religion « catholique depuis son baptême – pas même converti ! [14] ». Pourtant visé ici semble-t-il, Maritain ne cherche guère plus à s'informer du contenu de la fiche qu'à prendre véritablement connaissance du manuscrit.

Le 6 février, Bernanos remet à Stanislas Fumet les premières épreuves corrigées. Une semaine plus tard, le rejoint à Bar-le-Duc une lettre du directeur du « Roseau d'or » mettant en question le fond du livre et sollicitant sa révision. Blessé, décontenancé, l'écrivain, déjà accablé de soucis familiaux, se résigne à opérer les « corrections » demandées, ou plutôt à biffer « seulement çà et là », n'ayant plus le temps de tout refaire.

« Puis-je vous prier cependant d'aller au fond, tout au fond de l'impression douloureuse, du malaise que vous avez ressenti ? s'enhardit-il néanmoins, en réponse à Maritain. Oui ou non, le chapitre des consolations, ferveurs, élans de l'âme – le chapitre de la joie – est-il tout à fait indépendant de la vie mystique ? Il s'y ajoute, à mon sens, ou ne s'y ajoute pas.

« On écrit toujours un livre pour certaines âmes qu'on aime, à leur intention ; j'ai écrit le mien pour celles qui cherchent encore Dieu, et que la fadeur dévote rebute. Il ne faut pas que le sang de la croix nous fasse mal au cœur.

« Mais je vous écrirai à ce sujet plus longuement. L'heure du train me presse.

« De tout cœur à vous,

« Bernanos [15]. »

Le lendemain, 14 février 1926, Bernanos affirme plus fermement sa position dans une longue lettre à Maritain :

« Cher Monsieur,

« Permettez-moi d'ajouter quelque chose à ma lettre d'hier, écrite en hâte et non relue.

« Il ne s'agit pas ici des corrections que vous proposez.

« J'y consentirai de bon cœur. Je ne les aurais refusées à personne. Mais il reste ce scrupule que je suis bien inquiet d'avoir fait naître, non pas chez celui-ci, ou celui-là (je m'en moque) mais en vous. Vous ne pouvez ignorer ce que vous êtes pour moi.

« Des substitutions de mots, quelques ratures ou surcharges n'y changeront rien. Le problème se posera de nouveau pour le livre que j'écris. Vos corrections me permettent d'esquiver adroitement certaines critiques. Elles laisseront subsister l'essentiel : l'esprit.

« C'est tellement vrai que je ne discuterai pas à fond les textes – affaire d'avocat [...].

« Je me demande si votre charité – celle de votre cœur et celle de votre intelligence – n'accorde pas trop d'importance à certaines petites âmes femelles qui recherchent Dieu, non pas pour se laisser visiblement travailler par sa grâce, mais pour le serrer dans les bras et pleurer sur son épaule. Je n'éviterai pas de scandaliser ces âmes-là.

« J'ai d'ailleurs un grand dégoût d'elles, un amer dégoût. La prétention d'atteindre d'emblée à l'expérience vécue de l'amour divin qui ne fut accordée aux plus grands qu'après les plus périlleuses et les plus fortes épreuves témoigne d'une ignoble facilité. Évidemment on peut toujours emprunter un vocabulaire, en remettre même, et, pour peu qu'on ait le cœur tendre et les sens ingénus, jouer inconsciemment de l'équivoque de certains mots, ou de certaines larmes. Mais on ne passe pas si aisément du lyrisme à la contemplation, ni même de la dévotion à la sainteté (pas plus du talent au génie).

« [...] Pourquoi Dieu se refuse-t-il à qui le désire et l'aime ? Voilà le problème [16]. »

Les réserves de Maritain portent avant tout sur la sainteté attribuée à l'abbé Donissan – héros principal du livre avec Mouchette, la jeune meurtrière –, sur la cruauté du « Dieu bourreau » et la séduction du mal, autant d'ambiguïtés qui légitiment à ses yeux une réelle refonte du texte. Au risque d'attenter, cependant, à l'un des principes affichés par le directeur du « Roseau d'or », celui de la responsabilité intime du créateur par rapport à son œuvre. C'est moins à

Maritain lui-même, au demeurant, que riposte Bernanos, en un contournement habile, qu'aux pressions d'une censure exercée en sous-main par « certaines petites âmes femelles », ces catholiques incapables de sauver « un Bloy, un Barbey qui cherche Dieu ». Il n'en reste pas moins que, sur le problème central soulevé par ce livre des abîmes, le scandale du mal et de la cruelle passivité de Dieu, le débat qui s'est ouvert met seuls aux prises le philosophe et le romancier.

Doit-on attribuer à l'« exquise délicatesse* » dont use peu après Maritain à son égard, l'assurant que Raïssa et lui prient pour ses malades, la volte-face de Bernanos ? « J'envoie aujourd'hui à la maison Plon, écrit celui-ci le 20 février, mes épreuves en pages, qui portent les mêmes corrections, et quelques autres encore, inspirées par vous [...]. Je tiens *absolument* (*sic*) à ce qu'on en tienne compte, et je vous serais bien reconnaissant d'intervenir en mon nom, si vous le jugez utile. » Une telle reddition, qui laisse finalement « carte blanche » au censeur, résulte-t-elle de quelque sursaut de prudence ou de lâcheté chez un jeune romancier ambitieux, avant tout soucieux de protéger ses intérêts ? De son excessive sensibilité aux réactions des autres ? Ou bien de la « forte et surnaturelle amitié » envers l'âme, l'œuvre et la destinée de Jacques Maritain dont témoigne de manière inattendue sa lettre du 28 février ? Quoi qu'il en soit, l'accord consenti par Bernanos à son éditeur aboutit purement et simplement à un abandon moral de son œuvre. « Dites-moi ce que vous pensez de ces nouvelles pages, interroge Bernanos pour finir, le 28 février. Je voudrais que vous les jugiez belles. Je ne

---

* Thèse avancée par William Bush (voir note 14) et qui ne repose, faute de connaître les lettres de Maritain à Bernanos, que sur des hypothèses.

les ai pas écrites en service commandé, mais avec beaucoup d'amour. »

Les universitaires, de René Guise et Pierre Gille* à William Bush, qui ont examiné de près le manuscrit, sondé corrections et retouches, ont pu reconstituer en détail l'intervention de Maritain. Celle-ci ne consiste pas seulement à atténuer ici et là quelques remarques peu flatteuses sur le clergé, elle vise le cœur même du livre, en réalité, en expurgeant la scène où le prêtre et la petite pécheresse se reconnaissent une même âme fraternelle dans la « tentation du désespoir », et se regardent comme frère et sœur dans la main de Dieu – image de cette « universelle rédemption » qui hante tout l'imaginaire de Bernanos. « Résultat des passages biffés [...], observe William Bush, le désespoir de Donissan a été rendu non seulement moins explicite, mais s'est évanoui au moment même où la vision du romancier aurait dû atteindre son plus haut point. Cette fusion si réussie et esthétiquement si riche en valeurs purement littéraires (pour ne rien dire de ses aspects théologiques) se disperse complètement. C'est qu'il fallait admettre que le désespoir de Donissan eût été semblable à celui de Mouchette pour que cette fusion réussît et Maritain en était malheureusement incapable [...]. Supprimée la citation tirée de la bio-graphie de sainte Thérèse de Lisieux que Dieu "est content" d'elle. [...] Supprimée aussi la prophétie de Menou-Segrais** concernant la solitude où se trouve-rait Donissan qui n'aurait *"nul soulagement à l'effroyable incertitude"*. Supprimée la moindre trace

---

* *Sous le soleil de Satan. Sur un manuscrit de Georges Ber-nanos.* Mémoire publié par l'université de Nancy-II, Nancy, 1973.

** L'abbé présenté dans le livre comme le juste voué au salut des âmes, et dans lequel Bernanos déclare à Maritain qu'il se reconnaîtra.

des rapports fraternels entre Donissan et Mouchette, tous deux enfoncés dans le désespoir et tous deux rejetant l'espérance comme un poison. Supprimée enfin l'idée salvatrice d'une vérité spirituelle indéniable que le péché n'a jamais rien d'unique et que *"la route commune"* des pécheurs se ressemble toujours, là où les pécheurs sont "tous pareils, tous tristes, d'une tristesse honteuse" [17]. »

Ainsi l'un des chefs-d'œuvre de la littérature française du XXe siècle s'est-il trouvé amputé, démantelé sous le soleil de Dieu. Maritain craignait-il de « blesser une conscience catholique » en publiant tel quel le premier roman de Bernanos ou d'ameuter d'emblée contre « Le Roseau d'or » la partie essentielle du public de la collection ? L'explication majeure ressort d'une lettre à Ramuz, le 15 avril 1925. Désireux de rassurer l'écrivain, Maritain lui indique clairement que, laissant toute liberté à la création littéraire de s'exprimer, il se réserve cependant d'exercer un magistère intellectuel sur tout ce qui relève de la pensée philosophique [18], ainsi que les statuts du « Roseau d'or » l'annoncent sans ambiguïté. Or, *Sous le soleil de Satan*, débordant le seul romanesque sans empiéter sur la philosophie, indifférente à Bernanos, pénètre largement en revanche dans le champ du spirituel, domaine où l'auteur de *Trois Réformateurs* s'estime en droit d'exprimer un « malaise », voire d'imposer ses vues. Mais en s'en prenant à la vision proprement spirituelle du romancier, n'est-ce pas l'essence même de son œuvre qu'il remet en question et sa vérité d'écrivain ?

Avec la même acuité que se présente à lui la question de la poésie – sa *Réponse à Jean Cocteau* est alors sur le point de paraître –, surgit à travers Bernanos un débat touchant plus encore au secret des âmes et aux profondeurs de l'être, celui de la responsabilité du romancier catholique. Il est appelé à s'amplifier.

« Je n'entendais rien à la théologie de Jacques Maritain, mais lui, dès notre première rencontre, m'a fait une impression inoubliable, confiera-t-il à Franz-Olivier Giesbert soixante-sept ans plus tard. Ce fut peut-être la plus grande rencontre de ma vie ; sur le plan de la foi et de l'amitié, certainement. Il me comprenait sans me faire de morale. Quand il entrait dans une pièce, il faisait beau [19]. »

De toutes les amitiés littéraires qui ont peuplé la destinée de Jacques Maritain, aucune ne paraît avoir été aussi exempte de désaccord ou de malentendu, aussi préservée de tout rapport de forces que la relation tissée avec Julien Green à partir de 1926. Se déployant sans intermittences ni éclipses à travers un demi-siècle, elle ne cessera de gagner en densité, en plénitude avec le temps, quelque « grand et terrible » que soit parfois le débat spirituel engagé intimement entre eux deux.

Quelles affinités prédisposent le jeune romancier de nationalité américaine et le futur éditeur d'*Adrienne Mesurat* à une entente si fraternelle ? En quoi l'inconnu de vingt-six ans et le très influent directeur du « Roseau d'or » sont-ils faits pour se rejoindre et ne plus se quitter ? Plus qu'aucune autre, l'alchimie de cette amitié emprunte aux élans du cœur, aux mystères de l'âme. Ici le jeu des circonstances et des similitudes le cède à l'intuition et au sentiment dans l'immédiate perception de l'autre. Et c'est à travers l'invincible, « de l'autre côté du rideau [20] », dira Maritain, que les deux hommes sauront toujours se comprendre.

Rien n'oriente-t-il au départ Green vers Maritain, comme l'affirme Henry Bars [21] ? Ces deux « voyageurs sur la terre » ont en commun d'être des exilés de l'enfance, enfance non moins obsédante pour l'écrivain qui en cultivera l'inépuisable nostalgie que pour le philosophe qui l'aura sans cesse récusée. Une même ligne de partage traverse la jeunesse de ces déracinés, l'expérience de la conversion. Comme Maritain, Julien Green a été élevé dans la religion protestante. Sa mère disparue, que la lecture quotidienne de la Bible faisait pleurer d'amour, confiera-t-il, l'adolescent est abandonné à une foi indécise, traversée cependant de moments de bonheur indicible, quand, à l'âge de quinze ans, bouleversé par la découverte d'un livre du cardinal Gibbons, *The Faith of Our Fathers* (*La Foi de nos pères*), il résout de devenir catholique. Déjà converti lui-même en secret, son père le dirige vers un prêtre qui se chargera de l'instruire. Le 29 avril 1916, dans la chapelle des Sœurs blanches rue Cortambert à Paris, le jeune Julien abjure la religion de son enfance en faveur de la « religion catholique, apostolique et romaine ». Mais dix ans plus tard, au moment de ses premiers échanges avec Maritain, la ferveur du converti qui vient de terminer ses études aux États-Unis s'est muée en révolte déclarée, n'offrant presque à leur relation qu'un terrain de discorde. Ce qui les rapproche d'instinct est en réalité l'univers des grands spirituels, une même vénération pour les écrits du père Surin, de sainte Catherine de Gênes ou de saint Jean de la Croix, la passion de l'absolu, le goût de l'invisible.

« C'est au *Pamphlet contre les catholiques de France* que je dois d'avoir connu Julien Green, se souviendra

Jacques Maritain. Quand la petite brochure, introuvable aujourd'hui, parut dans l'éphémère *Revue des pamphlétaires*, de Pierre Morhange – il y a trente-huit ans, comme le temps passe! et quel temps a passé – mon admiration pour la dureté de ces beaux contours pascaliens enfermant je ne sais quel tremblement de détresse et le sentiment de me trouver soudain en face d'une âme exceptionnellement profonde me firent désirer de rencontrer l'auteur.

« Il aimait se dérober; je finis par le découvrir. Qui était Théophile Delaporte? Un jeune homme de vingt-quatre ans qui avait déposé chez Plon le manuscrit de son second roman[22]. »

Écrit en quelques jours, «avec une fureur sombre et joyeuse» confiera Green, le *Pamphlet contre les catholiques de France* paraît en octobre 1924, dans une indifférence presque générale. Jacques Maritain est un des rares avec Max Jacob à savoir capter ce cri d'ange exterminateur et à identifier sa source : le désespoir d'un jeune catholique au milieu du drame spirituel de son époque. « L'expérience de Théophile Delaporte était celle qu'un garçon de vingt ans affamé du paradis pouvait avoir du milieu intellectuel et bourgeois qui était le sien. Son pamphlet vise un certain catholicisme, le catholicisme moyen de ce monde-là, une religion de classes dirigeantes à leur déclin, d'académie, d'affaires et de salon, pénétré du naturalisme et de l'"athéisme pratique" que Léon Bloy dénonçait chez ses contemporains, la religion de ceux qui croient en Dieu et vivent comme si Dieu n'existait pas. En même temps, Julien Green dénonçait une maladie qui est chronique parmi les hommes et qui ne périra pas de sitôt, la maladie de la tiédeur[23]. »

Un an et demi s'écoule avant qu'ils fassent connaissance, à l'initiative de Maritain, en mai 1926. Derrière ce pseudonyme empesé d'un chroniqueur du

siècle passé et qui a pour Green une signification précise en réalité – « comme j'aimais Dieu, je me baptisai
Théophile », confiera-t-il dans *Jeunesse* – apparaît un
jeune écrivain au visage très pur, beau et d'une douceur pensive, voilée d'une mystérieuse tristesse.
Méfiant au premier abord devant ce philosophe thomiste auquel il déclarera tout de go ne rien comprendre à ses livres, Green est très vite subjugué.
Depuis sa conversion, dix ans plus tôt, il n'a jamais
pu s'entretenir de problèmes religieux avec un seul
catholique, problèmes considérés autour de lui
comme « trop personnels pour n'être pas gênants [24] ».
Maritain, le premier, lui permet de rompre la solitude
dramatique où il n'a cessé de s'enfermer, aux prises
avec les exigences intolérables à ses yeux du christianisme et un tourment intérieur irrésolu. Green* a
l'impression de rencontrer un homme venu d'ailleurs,
dont les yeux ont la couleur de régions qui n'appartiennent qu'à lui. Devant un visiteur aussi singulier,
le jeune écrivain se sent lourd et terrestre. Il n'a
jamais entendu de telles phrases et sent sa foi transportée du domaine de l'ordinaire à celui de l'extraordinaire où tout revêt une intensité spirituelle
vertigineuse. Saisi par la force de la présence de
Maritain, au point de ne pouvoir se souvenir de ce
qu'il lui a dit, il ne se rappellera distinctement que de
son visage : celui d'une statue médiévale. Maritain lui
parle de son pamphlet. Green rougit de constater que
son interlocuteur a découvert dans son livre des
choses que lui-même ignorait y avoir mises. Il se sent
pris au sérieux par ce philosophe catholique capable

---

* L'auteur s'est vu interdire par Julien Green de citer des
extraits de sa correspondance publiée avec Jacques Maritain,
ainsi que des extraits de textes consacrés au philosophe.

de pressentir ce qu'il y a derrière tout. Il avouera en avoir éprouvé une satisfaction extrême[25].

En vain Maritain incitera-t-il son visiteur, peu après leur entrevue de Meudon, où ils sont convenus de prier désormais l'un pour l'autre, à séjourner quelques jours à Solesmes pour s'en remettre aux conseils de Dom Delatte, le directeur de conscience dont Maritain a reçu quelques-unes de ses orientations spirituelles majeures. Green, qui avoue se sentir « dans la situation d'une fourmi devant un tas de grains[26] », impuissante à « emporter grand-chose » quel que soit son appétit, déclinera de s'y rendre « encore cette fois[27] ».

En vacances à Saint-Jorioz (Haute-Savoie) en juillet 1926, le directeur du « Roseau d'or » se passionne pour *Mont-Cinère*, le premier roman du jeune écrivain, y trouvant « non seulement de la profondeur et de l'autorité, mais de la grandeur, et cette présence invisible, ce contact ininterrompu avec l'âme, qui fait la qualité des vrais romans[28] ». Nul doute à ses yeux que Julien Green romancier doive être publié désormais dans une collection qui connaît, avec *Sous le soleil de Satan* de Georges Bernanos, un succès spectaculaire – bientôt soixante mille exemplaires. Apprenant que la NRF s'apprête à éditer sa prochaine œuvre, une longue nouvelle intitulée *Le Voyageur sur la terre*, il demande à Green de réserver au « Roseau d'or » sa parution en volume. « Je ne vous dirai jamais assez quelle estime j'ai pour ce que vous faites, et tout ce que j'espère de votre œuvre[29]. » Résistant mal à la tentation d'orienter – non pas d'« annexer », il est vrai – la « renaissance de l'art », Maritain prédit, tout en se défendant de « proposer aucun but systématique » au jeune écrivain, qu'on devra à un créateur comme Julien Green « cette sorte de purification en profondeur[30] » nécessaire au roman. Il se soucie beaucoup, dès cette époque, de la responsabilité particulière qui, à ses yeux, incombe aux romanciers dans le traitement de leurs personnages. Julien Green lui apparaîtra toujours à cet égard comme une sorte de modèle.

Green propose à Maritain de confier au « Roseau d'or » son prochain livre, ou les suivants « si celui-là ne vous convenait pas [31] », prêt à lui offrir tout ce qu'il a à offrir. Il pense à lui avec beaucoup d'affection. Faisant le bilan de ce que Dieu lui a accordé dans l'année, il retient sa rencontre avec Maritain, la découverte du père Lebbe*, et la lecture de *La Vie de Marie des Vallées***[32].

Déjà leur correspondance multiplie les signes de cette confiance, de cette tendresse mutuelles qui ne se dissiperont jamais. Ménageant entre eux l'imperceptible distance d'une fraternité qui n'aura jamais rien de possessif, d'une affection « tout à fait unique à vrai dire », dont seule est exclue la familiarité, les deux hommes semblent avoir trouvé l'accord le plus juste – ce quelque chose de retenu et d'ouvert, de pudique et de tendre, de lointain et d'infiniment proche, dont l'équilibre est le secret même d'« une grande amitié » qui gardera toujours pour l'un et l'autre une intensité particulière. Si naturel qu'il soit dans les premiers temps, l'ascendant de l'aîné sur le jeune homme en danger prend la forme d'une assistance presque paternelle, d'un accompagnement discret dans la traversée des abîmes.

« Il me semble toujours, écrit Maritain le 19 octobre 1926, que nous avons beaucoup à nous dire. Quoiqu'on se dise beaucoup aussi dans le silence et par la prière. »

* Missionnaire en Chine, que Maritain a présenté à Green en juin 1926 à Meudon.
** *La Vie et les Révélations de Marie des Vallées* d'Émile Dermenghen, qui vient de paraître au « Roseau d'or ».

Plus inattendue, plus mystérieuse encore, la relation établie au même moment avec René Crevel ou Antonin Artaud. Quel « apaisant bienfait [33] » ces naufragés vont-ils trouver auprès de Jacques Maritain ? Quels sursauts d'espoir, de confiance et de vie dans la traversée nocturne qui mène l'un au suicide, l'autre à la folie ?

Ponctuée de « deux ou trois conversations [34] », la brève correspondance échangée au printemps 1926 entre Crevel et l'homme de Meudon témoigne d'une rencontre étonnamment libre, sans détours ni complaisance. Klaus Mann, qui fréquente à cette époque le jeune écrivain homosexuel – « moitié-archange moitié-boxeur [35] » –, est saisi par sa haine « presque maniaque » de l'Église catholique, de l'armée et de l'Académie, « ennemis personnels, dont les intrigues lui semblaient menacer sa vie, empoisonner son atmosphère ». Pour Crevel, la « foi nouvelle » dont le siècle a besoin est contenue dans la révolution surréaliste. Mais c'est un être aux prises avec des forces contraires qui paraît alors chercher discrètement* auprès de Maritain ce qu'il n'obtient pas tout à fait du côté d'André Breton. Avide d'absolu, hanté par la mort comme promesse de vérité, ce « mystique qui n'a pas trouvé Dieu [36] » envoie au philosophe, en avril 1926, son livre *Mon corps et moi* comme un appel de détresse.

Au lendemain de sa visite à Meudon, Crevel confie à son hôte l'espoir qu'il met en « ces rares mais réelles possibilités de communions, de discus-

---

* Si discrètement que son biographe, Michel Carassou (*René Crevel*, Paris, Fayard, 1989), semble tout ignorer de cette relation inédite avec le philosophe catholique.

sions, d'échanges [37] ». De son côté Maritain réagit vivement à la lecture de *Mon corps et moi* : « [...] je vous mentirais en ne vous disant pas le sentiment dont il m'a rempli, écrit-il, une immense compassion pour votre âme. Il y a en vous des dons certains, et quelque chose de l'enfance qui émeut le cœur, donne un fond authentique à votre sincérité, autorise l'espoir. Vous avez une riche expérience du corps, vous voyez très bien la désolation, la solitude à laquelle ce cher corps réduit l'âme. Comment en sortirez-vous ? Les miracles sont possibles, mais il faut les vouloir, ou au moins les demander. Avez-vous lu le *Dialogue de l'âme et du corps* de sainte Catherine de Gênes ? Celle-là savait, et voulait. Était pour de bon désespérée d'elle-même. Puissiez-vous aimer votre âme, avoir pitié d'elle. Il y a à la fin de votre livre une prière qui reste en route. Rappelez-vous que les meilleures prières ne se font pas avec des mots, mais avec le seul désir. C'est aujourd'hui le dimanche de Pâques. Votre Corps et vous, vous ressusciterez aussi [38]. »

Une solitude écrasante se referme de nouveau sur le fugitif qui erre l'été suivant d'hôtels en sanatorium. En voyage à Berlin quelque temps plus tard, où il s'abandonne à une « grande sensualité à répétition [39] », Crevel n'en assure pas moins Maritain de sa volonté de « demeurer docile à l'esprit, de quelque exigence soit la chair ». Son correspondant s'efforce de lui répondre, aussi débordé que désemparé : « Brouillon pour Crevel, note Maritain en marge d'un début de lettre restée inachevée. Je ne savais vraiment que lui dire [40]. » En 1932, trois ans avant de mettre fin à ses jours, l'auteur du *Clavecin de Diderot* enverra à son confident de Meudon le plus surréaliste de ses livres, avec cette dédicace en manière de conclusion : « À Jacques Maritain, aux antipodes. »

Est-ce peu après son exclusion du mouvement surréaliste, en novembre 1926, qu'Antonin Artaud trouve refuge à son tour auprès du moins institutionnel des catholiques ? Si elles ne suffisent pas à restituer l'itinéraire d'une rencontre à première vue insolite, ses lettres à Maritain laissent pressentir toutefois le répit que cette « âme psychologiquement atteinte » y puisera momentanément.

« Je pense souvent à vous et non sans remords, confie l'insurgé. J'ai reçu vos livres avec la plus grande émotion. Je vous demande de ne pas vous hâter de désespérer de moi. Soyez persuadé que je cherche la santé. Je suis très loin d'être indifférent à mon salut. Mais il se peut que j'entende ce dernier mot sous un sens peut-être très hétérodoxe. Depuis que je vous ai vu, j'ai fait certainement plusieurs pas en arrière. Et toujours cet obstacle central, qui m'empêche de jeter le moindre regard sur moi-même, de déterminer le point où j'en suis. Rien de possible pour moi dans quelque sens que ce soit tant que je n'aurai pas retrouvé le plein usage de mon esprit. Je suis désolé de vous mettre en face de mon abominable fatalité. Mais croyez qu'elle me presse [41] ! »

Dans le travail « candidement [42] » entrepris à Meudon au milieu des années vingt, quel « terrain gagné » le sera-t-il pour longtemps ? Les visites sans lendemain d'un René Crevel, d'un Antonin Artaud, entre autres, attestent tout autant la précarité de ces « sortes de combats [43] » que leur nécessité profonde. Pour les Maritain, tous participent en réalité de ce que Raïssa appellera le « devoir de l'espérance [44] », au regard duquel rien n'est jamais perdu dans l'histoire des hommes, et tout peut-être finira par être sauvé. Ainsi la plus risquée des aventures où ils se soient trouvés engagés gardera-t-elle toujours à leurs yeux une signification ineffable...

Entré au séminaire des Carmes, rue d'Assas, au début de janvier 1926, Maurice Sachs s'est initié à sa vie nouvelle sous l'attention vigilante du couple qui l'aide à régler ses problèmes de créanciers. Maritain intercédant auprès de ses supérieurs, il a obtenu de pouvoir revêtir la soutane dès son arrivée : le voici prêt, de pied en cap, à entrer dans les voies du salut. Solitude et chasteté ont sur lui, les premiers temps, l'effet d'une convalescence, avant de lui devenir intolérables « vingt semaines [45] » plus tard. Le pieux séminariste qui se présente à Meudon chaque dimanche a très vite senti ses ferventes résolutions se fissurer. Déjà, après une visite de Maritain, en février, il s'est entrouvert à lui de ses doutes : « Je prie mal, je prie peu. J'ai fait avant l'Adoration ma retraite du mois : bilan : marche en arrière, paresse, routine, légèreté, pas d'amour, et pourtant d'où Dieu m'a-t-il tiré ! [...] Ce qu'il y a d'étonnant sur tous ces visages de futurs prêtres, c'est l'énigme du passé. D'où Dieu prend-il ses serviteurs ? Quelle drôle de serre, quel curieux élevage [46] ! »

Restées jusqu'ici inédites, les lettres de Sachs aux Maritain démentent qu'il ait systématiquement recouru à un double jeu vis-à-vis de ses protecteurs, sous le prétexte de les ménager*. La plupart d'entre elles s'avèrent d'une sincérité désarmante. Ainsi Sachs confie-t-il à Jacques, le 30 mai 1926, qu'il sort d'un « affreux malaise, le plus dur depuis mon entrée ici [...], une torture de cœur [...], tentations sur tenta-

* Version complaisamment entretenue par l'auteur du *Sabbat* lui-même.

tions et débandade de pensées et du cœur ; cœur à vif, cœur à l'envers ». Comme Cocteau, Sachs s'adresse à Maritain en l'appelant « Jacques chéri ».

« L'épreuve par laquelle vous passez est inévitable, lui répond Raïssa, et elle se renouvellera d'une manière ou d'une autre, sans doute encore bien des fois. Ce n'est pas sans luttes cruelles que la nature cède à la grâce. Soyez courageux, mon cher Maurice, ne cédez rien à l'ennemi, et vous sortirez plus fort de l'épreuve que vous n'y êtes entré, et plus heureux aussi. »

Réapparaissant dans la vie de Maurice un matin de juillet 1926 comme le diable en personne, sa grand-mère, Alice Bizet, hilare de le trouver « en pareil endroit », convainc le jeune homme en soutane de l'accompagner pour quelques semaines de vacances sur la Côte d'Azur. Inquiet de ce départ impromptu, Maritain accompagne l'étrange couple jusqu'au train, gare de Lyon. « Nous pensons à vous de tout notre cœur, écrit-il à Maurice dès le lendemain. C'était bon de vous voir à la gare. Donnez de vos nouvelles. Je voudrais tant que tout aille bien pour vous, que vous aillez (*sic*) l'an prochain ce qu'il vous faut, et la vraie paix [47]... »

Maurice et sa grand-mère descendent à Juan-les-Pins, annexe estivale du « Bœuf sur le toit ». Le Tout-Paris est là, Cocteau en tête. L'arrivée de Sachs en tenue de séminariste est pour tous un grand sujet d'attraction. On l'entoure, on le presse de raconter. « Quand nous avons appris que tu étais dans le *Séminaire*, lui déclare un habitué des soirées parisiennes, nous avons cru que c'était une nouvelle boîte de nuit [48]. »

« J'ai vu Maurice – plus noir que sa soutane et portant/prêchant nos œuvres sur les plages », signale Cocteau à Maritain. Un écart de Sachs est inévitable en ces lieux. On guette son moindre faux pas comme on regarderait une mouche s'égarer dans une toile d'araignée. Le faux pas ne tarde pas à se produire : Maurice tombe fou amoureux d'un adolescent américain, Tom Pinkerton, en compagnie duquel il s'exhibe sur les plages en soutane... ou en maillot de bain rose. Le scandale est tel que, sur ordre de Cocteau, Sachs rentre précipitamment au séminaire des Carmes. Il songe à faire retraite à Solesmes, s'en ouvre humblement à Maritain. « Je crois que ce qui m'arrive n'est pas une tentation mais la tentation, lui écrit-il. Cher Jacques, vous savez quels étaient mes rêves et quelle douceur j'y prenais [...]. Mon cas est aussi vulgaire et ordinaire qu'il est possible [...]. Votre amitié, la tendresse de ma Marraine et la vôtre sont ma planche de salut. »

Ce qui ressort une fois de plus du comportement des Maritain, et avec plus d'acuité encore en une circonstance si coûteuse à leur propre réputation, est l'expression d'une confiance entière et comme inaltérable envers celui dont on fêtera bientôt le premier anniversaire du baptême. Le 28 août, Maurice reçoit un message affectueux de Raïssa évoquant « ces grands souvenirs qui ne sont pas des réalités passées », sans la moindre allusion aux événements récents. Un mois après le scandale, le jeune homme est sur le point de quitter définitivement Juan-les-Pins où il n'a pu s'empêcher de retourner, toujours bouleversé par sa rencontre avec Tom Pinkerton mais à la merci désormais d'une accusation de détournement de mineur...

Lettre de Maurice Sachs à Jacques Maritain, le 29 août 1926 :

« Jacques chéri,
« 29 août – 1 an.
« Je viens de recevoir votre tendre dépêche – et cet

anniversaire m'apporte la plus grande épreuve que j'ai eue jusqu'ici et si grande qu'elle le restera pour le reste de ma vie chrétienne.

« Depuis quatre jours je vis dans un désarroi et un désespoir horribles.

« Je prends le seul remède, je quitte Juan demain pour Solesmes. Là, j'espère me retrouver.

« Je n'ai aucune envie d'y aller, ni aucune envie de rien. Je rassemble pour y partir tout ce qui me reste de raison basée sur la certitude de ce que Dieu EST.

« En quatre jours toutes mes occupations quotidiennes me sont devenues odieuses.

« Je suis fou d'amour voilà la vérité et comme je ne peux aimer sans pécher, je pars. Mais avec la mort dans l'âme et une angoisse de chaque minute dans tout le corps.

« J'ai lutté mais aujourd'hui je suis à bout de forces et si je ne partais pas je m'enliserais dans une affreuse affaire qui rejaillirait sur nous tous.

« Je mets en vous, en la Sainte Vierge tout mon sort et mon cœur. Je ferai *tout* ce que Dieu voudra de moi. Je ne me retire pas de Lui.

« Mon cœur est en mille morceaux. Je souffre. Je souffre de partout. Priez Jésus qu'Il m'*humilie* et qu'Il me courbe. Je suis à Lui et tout moi voudrait être ailleurs.

« Je serai dans 2 ou 3 jours à Solesmes.

« ÉCRIVEZ.

« Votre photographie, votre pensée à vous, à ma Marraine bien-aimée m'ont tant aidé, mais Mon Dieu je suis si malheureux.

« Je vous embrasse dans une immense tendresse devant le Christ dont je n'ai pas le droit de porter l'habit (autre souffrance).

« Maurice.

« J'embrasse ma Marraine chérie.

« Affection à tous.

« Ma grand-mère vous envoie mille choses. »

« Bouleversé » par son passage à Solesmes, Maurice est convaincu d'avoir enfin trouvé sa voie. La solution pour lui est de quitter Paris, où il ne sera jamais qu'un « mauvais prêtre », et de se soumettre à « une règle plus sévère ». Mais à peine Maritain a-t-il le temps de se réjouir – « Maurice est en bonne voie... », écrit-il le 19 septembre 1926 à Max Jacob –, qu'une autre résolution l'a déjà emporté : rentrant à Paris, Sachs résilie son sursis militaire et, dans l'attente de son incorporation, rejoint Max Jacob à Saint-Benoît-sur-Loire. C'en est bien fini cette fois du séminaire des Carmes et des projets de prêtrise. Mis devant le fait accompli, Maritain réplique par une mise en garde sévère, mais toujours empreinte néanmoins d'une étrange affection :

« +   1er octobre 26

« pax

« Solesmes

« Mon cher Maurice,

« J'avais commencé une lettre pour vous le jour de la Saint-Maurice, j'ai été tellement bousculé que je n'ai pas pu la terminer [...]. Je vous aime trop cependant pour ne pas vous dire la vérité.

« Ne vous trompez pas vous-même. Si la décision de rentrer dans le monde, prise en soi et abstraitement, ne comporte en effet aucun péché même véniel, vous savez parfaitement qu'en réalité et dans votre cas, elle est l'aboutissement de *beaucoup* de péchés véniels, de négligences, de lâchetés. C'est précisément pourquoi, *prise dans ces conditions*, elle m'effraie pour votre avenir.

« Quand je vous ai vu pour la première fois vous

désiriez le baptême. Après cela nous vous avons connu plein de la grâce baptismale, et voulant vous donner à Dieu sans partage. Le Maurice d'autrefois nous ne l'avions pas connu. Cette fois, pendant les quelques jours que vous avez passés à Meudon, nous avons fait sa connaissance. Lui et le Maurice chrétien étaient *en même temps* devant nous, faisant ensemble une mauvaise paix. En quelques semaines, combien vous aviez cédé à l'ancien Maurice, quelles complaisances, quels arrangements, quelle lâche politique vous aviez avec vous-même !

«Cela s'est peut-être redressé à Solesmes, je le souhaite. Ce qui importait avant tout, c'était de reprendre une position *pure* en face de Dieu. Après seulement vous aviez le droit de choisir.

« Je pense que vous avez songé aux risques que vous courez. Retarder d'un an votre rentrée dans le monde, le dommage était petit pour le monde. Refuser cette année, pour aller tout de suite à l'aventure, le risque était immense du côté de Dieu.

« Le baptême, l'entrée au séminaire, n'ont presque pas été des sacrifices pour vous, vous étiez rassasié du mal, et la grâce sensible vous soutenait. C'est maintenant qu'il faut voir si vous aimez Dieu pour de bon.

« Rien ne vous forçait d'entrer au séminaire, tous vos amis, et nous les premiers*, vous ont montré la gravité redoutable de cette décision. Il était si facile de rester où vous étiez. Vous avez passé par-dessus tout avec une étonnante obstination, et en imposant aux autres les plus lourdes charges et les pires soucis, pour réaliser votre désir. Vous avez édifié, tourné vers Dieu beaucoup de jeunes gens que votre histoire émerveillait, et que vous passiez votre temps à

* Ce qui ne transparaît pas, cependant, dans leur correspondance de l'époque.

exhorter. Ce que tout le monde regardera comme une pantalonnade leur fera beaucoup plus de mal que si vous étiez resté tranquille et les aviez laissés tranquilles.

« Vous avez vécu d'une manière affreuse avant d'être chrétien. Que Dieu vous demande maintenant des sacrifices déchirants, cela était dans l'ordre. En tout cas c'était la seule manière dont vous pussiez lui témoigner votre volonté de *réparer*.

« Cette vie d'autrefois a laissé des traces profondes en vous, qu'un long usage de la plus stricte vie chrétienne pouvait seul effacer. Ce que vous cédez maintenant sur un plan, je crains bien que vous ne le cédiez ensuite sur un autre plan.

« Le goût de la vie qui vous a repris, votre désir d'écrire (un romancier de plus, un prêtre de moins), votre envie de voyager, sont manifestement de ces tentations classiques que le démon fait jaillir quand le cœur s'obscurcit. En réalité ce sont des éléments d'appréciation absolument négligeables.

« Je ne sais dans quel état cette lettre vous trouvera. Je sais que je n'ai sur vous aucune influence, et je ne cherche à exercer aucune influence sur vous. Mais je tiens à ce que vous soyez
AVERTI.

« J'espère de tout mon cœur que vous sortirez meilleur de la présente épreuve, l'intensité de cet espoir ne me dissimule pas sa fragilité. Cependant vous avez reçu trop de grâces authentiques, vous avez trop vraiment désiré le bien pour que Dieu vous délaisse maintenant. Je Le supplie toujours de vous éclairer et de vous fortifier. Pour moi je ne peux pas me faire à la façon dont vous avez en quelques jours oublié tout ce que vous nous aviez dit et promis (Jacques je ne ferai jamais rien sans vous consulter, etc.) Nous vous avions donné notre confiance, et de quelle façon totale, vous le savez. Maintenant, de toute manière, il faudra la mériter.

« Je vous embrasse [49]. »

Il faut « aimer beaucoup » Sachs, écrit-il peu après à Cocteau, « en raison même des dangers qu'il va courir [50] ». De son côté, Raïssa semble avoir refusé tout net de revoir son filleul.

Une semaine avant son départ à l'armée du Rhin, Maurice, qui vient d'écrire un roman* dédié à Tom Pinkerton, aussi mal reçu par Cocteau que par Maritain, adresse à Meudon une longue lettre contenant, assure-t-il, « tout ce que je pense et les projets que je forme ». Qui peut être plus lucide sur lui-même qu'un mystificateur de vingt ans, revenu de tous les stratagèmes ? Qui sera plus enclin à tomber le masque soudain, à tout révéler au risque de tout perdre ? Sachs n'en peut plus de dissimuler, de tricher. Il a besoin de parler, besoin d'écrire pour se « décongestionner », besoin de vivre de sa « vie propre quelle qu'elle soit », besoin d'aimer un Tom Pinkerton sans cesser d'aimer Dieu. C'est sa révolte et sa douleur de damné, qu'il hurle ici longuement, toutes plaies dehors, à l'homme au visage de Christ :

« Il faut savoir une fois pour toutes si mon affection pour Tom me damne. Non. J'en suis profondément convaincu. Donc si je ne me damne pas j'ai le droit d'avoir ouvertement cette amitié. Si je dois la cacher je renonce à toutes relations avec les hommes. JE NE PEUX PAS VIVRE en me dissimulant. On n'écrit qu'avec le profond de soi-même. Le profond de moi-même est une lutte épouvantable entre le bien et le

---

* *Le Voile de Véronique, roman de la tentation*, qui paraîtra chez Denoël en 1959.

mal [...]. Je suis plein jusqu'à la gorge. Mon roman est un vomissement. Il est sorti de tout. Des larmes bébêtes et des crachats, du vrai et de l'étrange, etc. des ulcères et des beautés. [...]

« Parce que ce livre est moi-même, tel que je suis en ce moment, je ferai tout ce que je pourrai pour le publier. Il restera à voir si devant le public il me faudra faire un acte qui dégage VOS responsabilités.

« Une seule chose m'empêchera : si je dois perdre par là votre affection et celle de Jean. Si cela était je renoncerais à le publier, votre amitié m'étant plus précieuse que le livre.

« Ce n'est pas une vanité d'auteur qui me pousse, mais le besoin absolu de vivre SEUL et INDÉPENDANT de ce qui se passe autour de moi.

« Vous allez dire que c'est de l'orgueil. Sans doute, mais je NE PEUX ABSOLUMENT PLUS continuer à faire des grimaces de tous les côtés (grimace ne pas publier, grimace feindre d'oublier Tom).

« Je suis dans une situation impossible : on ne me connaît pas. Je suis indifférent à tous, mais on m'observe à cause de vous et de Jean que l'on connaît et pour voir quelle gaffe je vais faire qui fera ricaner de tous trois. Torture, parce que j'ai besoin de parler et que si je parle je vous compromets.

« Entre l'amitié et l'amour...

« *Il importe par-dessus tout que vous et Jean me conserviez une tendresse profonde au fond du cœur que je vous rends de tout le mien*, mais il faut peut-être que vous vous retourniez contre moi en ce qui concerne vos amis et vos lecteurs.

« Il est impossible que je ne vive pas de ma vie propre quelle qu'elle soit. [...]

« Vous direz que c'est diabolique. Peut-être. Je suis tous les offices absolument torturé. Hier à vêpres, je mordais la chaise parce que le Saint Sacrement me mettait dans un état de rage épouvantable. Je pense à Dieu avec CRAINTE et RÉVOLTE. Je me soumets en me poussant à coups de poing. Je rentre de tout cela épuisé, cramponné à Dieu par la raison qui me dit : Continue, c'est à Dieu qu'il faut aller. Alors j'y vais et je continuerai d'y aller.

« Mais qu'au moins, on me laisse vomir, souffrir, sans dire que j'attente à la morale et à la réputation de tous dans le moment que je me rive à cette Morale divine comme un noyé. [...]

« À la lettre je n'en peux plus. Je hais le monde, l'humanité et je suis désolé d'avoir été créé. Je ressemble au fou dont je vous ai envoyé l'histoire.

« Je ne peux m'en sortir qu'en me déchargeant à raison de 15 pages par jour mon cœur et mon corps. Si je dois gêner tout le monde qu'on me chasse. Ce sera une autre lutte, mais pas plus dure que celle contre moi-même.

« Mon amour pour Tom est-il acceptable tel qu'il est ? Je ne peux actuellement vivre qu'avec cela. L'opposé appelle l'irréparable offense à Dieu dont à Juan j'étais à deux doigts et qui est le suicide. Je ne le commettrai d'ailleurs pas, par peur et par lâcheté.

« Puis-je vivre dans le cadre du catholicisme dont j'ai comme tout pécheur un BESOIN ABSOLU ?

« Mon cher Jacques, au-dessus de tout cela il y a dans mon cœur une immense tendresse pour vous et ma Marraine bien-aimée, une tendresse indéracinable quoi qu'il se passe et quelle reconnaissance.

                                                     « Maurice [51]. »

Ce que ressentirent les Maritain à la lecture d'une telle lettre, il ne nous est pas donné de le connaître.

Toute correspondance avec leur filleul semble avoir été suspendue* jusqu'en février 1927, où Raïssa, de nouveau, l'assurera de pouvoir «toujours compter[52]» sur leur affection. Mais comment l'âme de ce «filleul indigne» ne fût-elle pas restée pour eux deux, plus que jamais et au risque de toujours se méprendre une des plus chères entre toutes?

* Sachs leur confiera le 12 novembre 1926 avoir rompu avec Tom et rencontré une jeune fille... «la seule personne que je connaisse qui puisse toucher mon cœur d'une affection amoureuse propre à me sortir du vice».

Retour de Rome

> « En somme, ce que je tente en ce moment,
> c'est une *autocritique*, aussi rigoureuse que possible. »
>
> Michel LEIRIS,
> *Journal 1922-1989.*

Lorsqu'il arrive à Saint-Jorioz, au début de l'été 1926, Jacques Maritain se sait promis à des vacances laborieuses – réédition d'*Art et Scolastique*, examen de manuscrits pour le « Roseau d'or », correspondances en cours... À peine pourra-t-il s'accorder le loisir, entre deux visites à l'abbé Journet et à Gino Severini, de brèves randonnées en Suisse romande, du côté de la Chartreuse de La Valsainte et de l'abbaye d'Agaune – le pays de Ramuz. Une affaire le préoccupe avant tout, qui viendra assombrir la fin de son séjour en Haute-Savoie : le conflit imminent entre le Saint-Siège et l'Action française. Affaire où tout le destine, lui plus qu'un autre, à se trouver impliqué. Le réquisitoire du cardinal Andrieu contre un système de pensée accusé de paganisme et d'amoralisme ouvre les hostilités le 27 août. Le 5 septembre, l'archevêque de Bordeaux reçoit l'approbation de Pie XI dans une lettre renduepublique par l'*Action française*. Aussitôt l'abbé Journet presse Maritain d'écrire un article sur Maurras pour la revue qu'il dirige, *Nova et Vetera*. « Il semble bien que ce soit

Dieu qui marque l'heure de votre intervention », lui écrit le vicaire de Genève.

Si s'impose très vite le devoir d'intervenir, c'est en raison, non seulement de l'émotion et de l'inquiétude que soulèvent en lui les risques d'une telle confrontation, mais de sa propre position, au confluent des deux forces en présence. Proche de Maurras et cofondateur avec lui de la *Revue Universelle*, le philosophe thomiste jouit dans le même temps à Rome d'un crédit assuré. C'est en situation de médiateur, convaincu de possibles conciliations, que Jacques Maritain s'empresse d'agir dès son retour à Paris, au début de septembre 1926.

Médiateur ? À travers les vains « pourparlers » de l'automne 1926, c'est à dénouer ses propres contradictions que le chrétien se verra contraint avant tout, bientôt entraîné par l'ampleur de la crise à une autocritique radicale. S'efforçant de limiter la rupture entre une idéologie à laquelle, peu ou prou, il continue de se rattacher et une autorité à laquelle il n'a cessé de vouer obéissance, il tente de contenir par avance son propre dilemme. La ligne de partage est en lui, qu'il s'emploie à réduire au-dehors.

« Pris au dépourvu [1] », Maritain ne saurait l'être tout à fait en réalité. Nul mieux que lui, professeur à l'Institut catholique de Paris et docteur des Universités romaines, lié de près ou de loin à la plupart des futurs protagonistes du drame, n'était à même d'en percevoir les signes précurseurs. La menace latente d'une condamnation de l'Église pèse sur l'Action française depuis 1911 où, à l'instigation de quelques évêques français, une mise à l'index de la revue et de certains livres de Maurras est évoquée pour la première fois. Menace limitée dans le même temps par les soutiens puissants dont l'organe monarchiste bénéficie au sein de l'épiscopat. En janvier 1914,

Maurras ne doit qu'à la bienveillance de Pie X, pape *antimoderne*, d'échapper à la promulgation* du décret condamnant sept de ses ouvrages ainsi que l'Action française elle-même, jugés non conforme à la doctrine et injurieux pour la religion chrétienne. C'est ce même décret qui, treize ans plus tard, sera exhumé pour sanctionner le « maître de la jeunesse ». Entre-temps s'est ouvert un nouveau pontificat**, celui de l'audacieux et lucide Pie XI, auquel on devra en mars 1937 la publication de deux encycliques dénonçant toute forme de totalitarisme.

Les raisons de condamner le mouvement royaliste ne seront pas toutes d'ordre théologique ; mais la désapprobation de Rome se fonde en premier lieu sur un constat d'incompatibilité doctrinale entre les principes de l'Église et ceux d'une école politique ne reconnaissant pas la primauté du spirituel. Incompatibilité rendue plus sensible encore, à l'évidence, par le magistère intellectuel considérable qu'exerce dans le monde catholique, au nom du « nationalisme intégral », de l'ordre moral et de l'antiparlementarisme, un homme dénué de toutes convictions religieuses.

Ainsi la grande crise de 1926 ne peut-elle avoir été pour Jacques Maritain que très prévisible. Que l'auteur d'*Antimoderne* ne soit nullement préparé à l'affronter, qu'il n'ait pu en devancer l'issue en prenant ses distances assez tôt avec le milieu maurrassien, est une autre question. Celle précisément qui fera de lui un dissident de la dernière heure et, avant cela, le conciliateur impuissant de l'automne 1926.

À Henry Bars*** qui n'arrivait pas, trente ans plus

----

* La Congrégation de l'Index ayant tout à la fois décidé de proscrire les œuvres de Maurras et de laisser la publication du décret « à la sagesse du Souverain Pontife ».

** Qui succède à celui de Benoît XV.

*** Il préparait son livre, *Maritain en notre temps*.

L'aventure
d'un couple

Jacques et Raïssa Maritain
à Meudon, vers 1935.
Deux êtres unis par
des liens complexes,
une relation inédite,
un amour singulier,
des destinées mêlées
et autonomes.

Paul Maritain. Un avocat sans
ambition. L'ombre d'un père.

Geneviève Favre et son fils.
Divorcée de Paul Maritain, la fille de
Jules Favre affirme l'autorité d'une
éducatrice et l'énergie d'une
pasionaria.

Jacques enfant.
Un destin tracé d'avance ?

Enfances

Jacques, vers 1890.
Vif, indépendant et doux.
Rebelle d'instinct.

Devant la montée
de l'antisémitisme,
les parents de Raïssa et de
Véra décideront de quitter
la Russie et de s'exiler
à Paris.

La rencontre

Raïssa à Paris, vers 1900. Étudiante en
Sorbonne, elle est en quête de « la joie de
l'intelligence, de la lumière de la
certitude, d'une règle de vie établie dans
une vérité sans défaut ».

Jacques Maritain, jeune
dreyfusard de dix-sept ans,
admirateur de Jaurès,
effervescent et passionné, pour
qui « l'homme est son seul
Dieu à lui-même ».

A Crécy, un jeune dandy
encore en proie à « une
peur si horrible de la vie,
de ma vie qui venait ».

Léon Bloy, en famille, dans
sa maison de Montmartre.
Le paria, le désespéré qui crie
sur les toits « la vérité divine ».

A Meudon, le charme, l'emprise
d'un philosophe voué à la rencontre,
à l'écoute de l'autre…

Ernest Psichari,
l'ami fraternel,
le Centurion épris
d'absolu.

Les grandes amitiés

Péguy, « pour notre conscience,
un aiguillon jamais en repos ».

Julien Green trouve auprès
de Maritain le recours
qui lui manquait depuis
sa conversion, un homme
prêt à tout entendre.

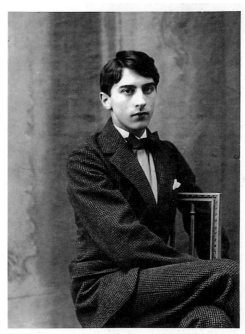

Nul ne comprit mieux
Jean Cocteau que Jacques
Maritain son ami le plus
exigeant et le plus attentif.

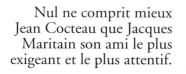

Guides et inspirateurs

Bergson, « notre maître ».

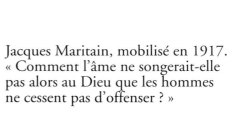

Le père Clérissac, directeur de conscience « aux yeux pleins de secret et de connaissance ».

Jacques Maritain, mobilisé en 1917. « Comment l'âme ne songerait-elle pas alors au Dieu que les hommes ne cessent pas d'offenser ? »

Le père Dehau, le « guide providentiel » qui « ne s'enveloppait pas seulement de châles et de couvertures, mais aussi de secret ».

Abbé de Solesmes, dom Delatte, « l'envoyé de Dieu » des premières années.

Le père Garrigou-Lagrange, le théologien des cercles thomistes.

Avec l'abbé Journet, futur cardinal. Deux compagnons de route.

Le messager du Vatican

Pie XI.
La clairvoyance
d'un grand pape.

Avec Paul VI, « une mutuelle
attention aux mystères de la
réalité ».

Ambassadeur près
le Saint-Siège en 1945,
l'envoyé du Général de
Gaulle représente
auprès de Pie XII une
« France blessée et
meurtrie ».

Les années d'Amérique

Deux disciples :
Yves R. Simon – le presque égal –,
Saül Alinsky – « de la vraie race
des pionniers ».

Véra, devant leur maison
de Princeton.

Aux États-Unis,
Maritain
retrouve, après
la guerre,
l'influence qu'il
a perdue en
France,
le contact avec
la jeunesse.

« *Le petit troupeau* »

Véra, Raïssa et Jacques
au palais Taverna, en 1946.

Une amitié « sainte »
unirait indissociablement
jusqu'au bout Raïssa et Jacques.

Pages manuscrites du *Court traité de l'existence et* ▷
de l'existant (1947). Critiques de Raïssa et réponses (*en gras*) de Jacques.
Raïssa apporte son concours vigilant et discret à tous les combats,
tous les travaux de Jacques.

VI

ok supprimer dans ce passage intelligence ?

P. 100 — 3ᵉ ligne du bas ajouter qqd comme (et le cri de S. Paul — *ma vie mort...*)

ok 101 — que toutes les théodicées ok !

101 et 102 le mot (attaque) ? intonation ? position ? insistance OK
prendre

102 elle fait l'homme de foi — (ou le désespéré de Dieu)
oui

103 tu es aussi professeur de φ . mais je suis un homme
libre. et faut l'aimer ça
parce que c'est vrai.

— φ _____

105 — "l'horreur du néant être libre ..."
onze lignes bien difficiles à suivre
si non à comprendre à la longue . voir p. 105

108

VI suite

109 — 108 (?)
route de l'héroïsme spirituel (?)
110 — l'âme des Saints (au lieu de les âmes)
retors et artificieux (parce que
111 — le divin 3 adjectifs impairs philosophe ?
l'enfer [ne faudrait-il pas une parenthèse
disant que tu ne trouves pas que as
existentialistes-là commencent leur enfer
éternel] ?
117
119 gagner (répéter) soit
120 — à générosité de l'être
123
125 — (?)

Voilà le témoignage d'une
grande expérience — bouleversant de
beauté.

Imprimatur !

Le paysan de la Garonne

Se voulant retiré de tout,
l'ermite de Toulouse
n'en reste pas moins engagé
dans le siècle.

Sur le parvis de Saint-Pierre,
le 8 décembre 1965. Chargé par
Paul VI de remettre aux hommes
de pensée le message de Vatican II.

Avec Pierre Van der Meer, à Toulouse, devant la « baraque » qu'il occupe chez
les Petits Frères de Jésus.

Jacques et Raïssa

Dans le cimetière de Kolbsheim,
recueilli devant la tombe de Raïssa,
le vieil homme est photographié à son
insu par une religieuse. « Raïssa m'aide
tout le temps tandis que je trébuche
sur les pierres du chemin », écrit-il à
Julien Green.

Sans elle, écrit-il, « il n'y aurait pas eu de Jacques
Maritain »… Treize ans après la mort de Raïssa, un
simple prénom viendra s'ajouter sur la stèle de grès.

Le mendiant du Ciel

A l'extrême fin de sa vie, il revêt l'habit
des Petits Frères. En quête jusqu'au bout
de filiations nouvelles, de départs
impromptus…

tard, à s'expliquer un aveuglement aussi prolongé, Maritain tenterait de fournir, non sans nervosité, des éclaircissements définitifs. Réfutant sa « grande amitié » présumée pour Charles Maurras – « dont la brutalité de caractère m'a toujours répugné [2] », confiait-il –, mais considérant que le moment où celui-ci se trouvait « en danger » n'était pas propice à « faire des réserves à son égard », le philosophe avouerait avoir cru « stupidement, jusqu'à la condamnation, en la possibilité de l'évolution interne d'une école fixée en réalité dans l'esprit de parti et les passions de parti ». Si l'on en croit Raïssa Maritain, c'est aussi l'espoir secret d'une conversion du chef de l'Action française qui avait motivé la longue patience de Jacques à son égard [3]. Autant de justifications invérifiables. Ce qui ressort des textes et de la correspondance privée de Maritain à cette époque suffit en revanche à attester une adhésion sans équivoque, mais non sans réserves, à la plupart des thèses maurrassiennes.

« Séparé de toute activité de parti [4] », extérieur à l'Action française proprement dite, le contempteur de Descartes, de Rousseau et de Bergson n'en figure pas moins une sorte d'« allié naturel de Maurras, encore qu'ils n'eussent en tous les domaines, précise un familier de Meudon, Maurice de Gandillac, ni les mêmes amis ni les mêmes ennemis [5] ». Tenu pour un catholique de droite, voire d'extrême droite, Maritain est en France le chef de file d'un néo-thomisme qui tend à se confondre avec le maurrassisme. Lié à l'auteur d'*Enquête sur la monarchie* par ce que Philippe Bénéton appelle une « communauté d'hostilité philosophique [6] », de Luther à Hegel et à Kant, il l'est tout autant par une hostilité déclarée au « démocratisme », à l'« utopie égalitariste », à l'« ordre » présent. « Nous ne luttons pas, écrit-il dans *Antimoderne*, pour la défense et le maintien de l'« ordre » social et politique *actuel*. Nous luttons pour sauvegarder les éléments de justice et de vérité, les restes du patrimoine humain, les réserves divines qui subsistent sur la terre, et pour préparer et réaliser l'ordre nouveau qui doit remplacer le présent désordre. Georges Valois a droit à notre reconnaissance pour avoir vigoureusement affirmé cette vérité dans le domaine économique, comme Maurras l'a l'affirmée – avec quelle lucidité magnifique – dans le domaine politique : elle vaut dans tous les domaines [7]. »

Cette analyse politique commune n'en est pas moins marquée par des divergences essentielles. Le nationalisme de Jacques Maritain est indissociable d'une aspiration constante à l'universel, à « l'union des hommes par-dessus toute divergence dogmatique, l'union, voire l'unité universelle par l'homme et pour l'homme [8] ». Ainsi, au contraire de Maurras, le philosophe verra-t-il dans la création de la Société des Nations une entreprise « pleine de promesses » et conforme à son propre idéal. D'une manière générale son jugement sur le monde moderne, non moins virulent que celui du directeur de *L'Action française*, a une tout autre portée, dépassant la seule critique d'un système politique pour stigmatiser l'état d'une civilisation tout entière. Son décalage est ici d'autant plus manifeste avec Maurras qu'à ses yeux la tare première de cette civilisation est « d'empêcher l'homme de se souvenir de Dieu [9] ». Nous en arrivons par là même à l'« équivoque fondamentale [10] » et longtemps occultée, sur laquelle repose l'« entente cordiale [11] » entre les deux hommes – l'un affirmant la priorité du politique, l'autre la primauté de la métaphysique.

« En principe, cette divergence de préoccupation n'entraîne pas une opposition de fond, observe Philippe Bénéton : le "Politique d'abord" ne contredit pas le "Métaphysique d'abord" et comme Maurras reconnaît la légitimité de la primauté du religieux pour les catholiques, il semble qu'il y ait non contradiction mais complémentarité. En fait cette complémentarité apparente ne fait que masquer l'équivoque car la position de Maurras reste incertaine sur les conséquences de la primauté de la métaphysique, tant en ce qui concerne l'obéissance à l'Église que l'interprétation de sa propre pensée [12]. »

Tenant avant tout à son intelligence avec Rome pour une saine concordance d'intérêts, Maurras ne se reconnaît pas pour autant assujetti à la « sainte obéissance ».

Ainsi Jacques Maritain, comme l'ensemble des catholiques français proches de l'Action française, et parmi eux des théologiens aussi influents que le cardinal Billot, le père Pègues ou le père Garrigou-Lagrange, se trouve-t-il placé dans une situation qu'on ne saurait appeler autrement qu'irrégulière. Mais la méprise sera d'autant plus vive pour le disciple de Dom Delatte et du père Clérisac que c'est tout à la fois par obéissance à ses premiers directeurs spirituels qu'il s'est rallié au maurrassisme et au nom de cette même obéissance qu'il se verra contraint de rompre avec celui-ci sans délai.

Un an avant le déclenchement du drame, en octobre 1925, Maritain entreprend une étude sur christianisme et maurrassisme à la demande d'une revue étrangère. Cette dernière renonçant peu après à son enquête, l'étude reste dans le secret d'un tiroir de Meudon jusqu'à la fin de l'été 1926, où elle revêt soudain une pressante actualité. Le philosophe y trouve aussitôt matière à une brochure mise au point en quelques semaines – « l'usine a repris ici à toute vapeur » écrit-il à Journet – et qui paraît un mois plus tard à la Librairie Plon, *Une opinion sur Charles Maurras et le devoir des catholiques*. L'intention avouée de son auteur n'est ni de défendre ni d'accuser l'Action française, mais « d'exposer les choses avec justice, et par là même, peut-être, de servir à un apaisement », d'aider les esprits alliés aux vues politiques de l'organe monarchiste à « un travail de discernement qui leur pouvait rendre plus facile la reconnaissance de la vérité totale, et l'obéissance au souverain juge spirituel [13] ».

Preuve, s'il en était besoin, de la volonté d'apaisement qui l'anime, Maritain envisage dans un premier temps de soumettre son texte tout ensemble au pape et à Maurras. L'ouvrage ne peut satisfaire ni l'un ni l'autre, en réalité, tant il reflète les ambiguïtés de son auteur à l'heure même d'un choix radical.

Maritain rappelle* son admiration pour le fondateur de l'Action française, « un de ces vrais républicains (*sic*) dont le type a été formé dans les petites cités de la Grèce ou les municipes de la Renaissance » et qui « ne désespère jamais du salut de la patrie ». Il voit en lui, non le paganisme dont on lui fait grief, mais plutôt « dans un tout ordre, une sorte d'amour de préférence et une certaine délectation du fini et du parfait créé (comme si aucune vérité ou perfection créée pouvait suffire !) – une étrange impuissance à comprendre que la nature est blessée, à envisager le grand mystère de l'introduction de la mort par le péché, à attendre une rédemption. Mais entre cette disposition d'âme et ses théories politiques, il n'y a qu'un rapport contingent ; il le sait bien lui-même et en témoigne au besoin. Il serait déraisonnable de vouloir tout lier dans un homme comme dans un traité

* Il écrit alors en octobre 1925.

de géométrie. Je sais les textes qu'on peut reprocher à Maurras et qui blessent cruellement notre foi. Aucun chrétien n'est prêt à passer sur eux l'éponge. Lui-même, toutefois, ne prétend pas faire dépendre d'eux toute son œuvre, et l'on peut croire qu'ils expriment l'aspect de sa pensée auquel il est le moins attaché. » En combattant les dogmes du libéralisme et les principes de la Révolution française, Maurras a « nettoyé l'intelligence ».

Toutefois, les catholiques ne sauraient se reconnaître dans ses idées politiques « comme saint Thomas a bâti sur Aristote ». Maurras est extérieur à l'Église et « le principat politique exercé sur la jeunesse politique d'Action française par un esprit privé de la grâce de la foi » comporte des risques de déviance spirituelle. Il s'agit de définir maintenant* le moyen de « garantir les intérêts de la foi et de l'esprit catholique dans l'association elle-même qui les réunit... » Bref, d'aménager pour les catholiques d'Action française au sein même de l'organisation, une sorte d'enclave – « un groupement spécial, religieux et non politique [...], constitué non par des sections politiques mais par des centres d'études, dirigé par des théologiens, et directement contrôlé par l'autorité ecclésiastique ».

Maritain exprime-t-il ici le fond de sa pensée ou ne vise-t-il qu'à prévenir le pire, au risque de quelques artifices ? La brochure de septembre 1926 paraît un mois à peine après la déclaration du cardinal Andrieu, où rien d'irréparable n'est encore survenu, où subsistent les chances d'un compromis. Éloge appuyé de Maurras, rappel du devoir des catholiques et esquisse d'une sorte de *modus vivendi* (improbable, à vrai dire) ne constituent-ils pas autant de signaux adressés

---

* Maritain écrit ce qui suit en septembre 1926.

publiquement de part et d'autre en vue d'une pacification ? «Il n'y a personne pour veiller au bien commun, écrit-il à Henri Massis. Quelles bassesses nous allons voir [14] ».

Le 25 septembre 1926 une rencontre secrète se tient à Meudon à l'instigation de Jacques Maritain. «Maurras est venu un matin pour une entrevue avec le père Garrigou dont j'avais beaucoup espéré, notera-t-il peu après, mais qui ne donne rien à cause de la faiblesse du Père devant l'obstination de cet homme [15] ». Le mot de faiblesse ne devant être entendu ici que dans le sens de la complaisance ou de l'indulgence... tout espoir pourtant ne semble pas perdu.

Lettre de Raïssa Maritain à l'abbé Journet, un mois plus tard :

«+ Meudon, 30 octobre 1926.
«vigile de la fête du Christ-Roi

«Très cher Ami,
«Je vous envoie la copie d'une lettre écrite à Jacques par Mgr Baudrillart. Ce qu'il écrit là se dit déjà à Rome et à Paris, et peut se dire, mais il ne faut pas le publier. Le Saint Père aurait parlé à Mgr Rivière aussi, de l'*Opinion*... disant que Jacques avait réussi à faire tomber certaines de ses préventions contre Maurras, que la deuxième et la troisième partie de la brochure sont admirables, et que la solution proposée par Jacques lui agrée. Mais de tout ceci nous ne sommes pas certains, parce que les choses rapportées par des tiers il faut s'en méfier comme vous le savez. (Je ne parle pas, bien entendu, de la lettre de Mgr B.)

«On dit aussi que Pie XI ne demande pas que les catholiques quittent l'A.F. et le parti – mais seulement l'*école* d'A.F. Il reste que tout cela n'est pas clair, pratiquement ; et ce ne sont pas les commentaires des journaux même catholiques qui apporteront la lumière pacifiante, parce qu'ils sont presque tous entachés de mauvaise foi.

« Jacques a reçu un grand nombre de lettres qui montrent que son opinion était bonne à exprimer. On suit je crois son conseil dans quelques diocèses, à Lyon et à Tours, notamment.

« Merci pour vos articles et vos très chères lettres. Je crois qu'il est inutile que je vous dise encore combien tout ce qui nous vient de vous nous fait de bien. Vous comprenez Jacques comme personne, et votre cœur ne se trompe jamais.

« [...] J'ai été longtemps accablée, je dois l'avouer aussi, par la tristesse qui nous vient de Maurice*. Je n'ai encore jamais souffert *de la sorte*, car je n'ai jamais vu une âme résister à Dieu avec cette désinvolture, cette froideur, cette légèreté [...]. Ces derniers temps il est auprès de Max Jacob qui le fait se confesser presque tous les jours et communier tous les jours; il le fait participer à ses exercices de piété qui sont nombreux, chemins de croix surtout.

« Dieu en soit béni; les lettres de Maurice accusent un réveil de la conscience, le désir de faire son possible dans le monde. Hélas, avec sa légèreté et sa mondanité, avec son hérédité terrible, où ira-t-il, mon pauvre filleul? Et seul, sans famille pour toute sa vie. Heureusement les miracles de la miséricorde divine sont la meilleure espérance de notre salut. Voulez-vous en priant pour moi ne pas séparer de moi ce pauvre petit? Merci de tout mon cœur. [...]

« Voilà, très cher ami, les saillantes nouvelles. Écrivez-nous bientôt. N'êtes-vous pas trop fatigué? Que Dieu vous garde, et vous fortifie corps et âme dans votre lourde tâche. Jacques est si heureux de ce que

---

* Nous sommes à cette date en plein scandale Sachs.

vous faites avec *Nova et Vetera*. Il me semble que j'ai encore mille choses à vous dire, sans doute parce qu'il y en a une bien profonde et bien vive, notre affection pour vous in Xto Rege.

« Raïssa [16]. »

Le 12 octobre, sur la suggestion de Maritain, Charles Maurras écrit directement au souverain pontife. Dans une longue lettre respectueuse et conciliante, le chef tutélaire de l'Action française se défend de tenir pour ennemis les « directions » et « les sentiments de la foi catholique [17] ». Le message restera sans réponse. Mais la position du pape semble de plus en plus s'inspirer du plaidoyer de Maritain et de sa suggestion de cercles d'études catholiques intégrés au mouvement royaliste – initiative qui « peut créer, en effet, une louable sauvegarde [18] » estime alors Pie XI. Les dirigeants de l'Action française adressent des demandes en ce sens à l'archevêque de Paris et aux supérieurs de grands ordres religieux. Le 30 novembre, celles-ci sont brutalement rejetées par les autorités ecclésiastiques, sur ordre du Saint-Siège. Au même moment, les principaux journaux catholiques intensifient leur campagne contre Maurras.

Le 20 décembre 1926, Pie XI prononce devant les cardinaux réunis en consistoire une condamnation solennelle de l'Action française, interdisant aux catholiques d'adhérer à « l'école de ceux qui placent les intérêts des partis au-dessus de la religion et veulent mettre la seconde au service des premiers », de « soutenir, de favoriser, de lire des journaux dirigés par des hommes dont les écrits, en s'écartant de nos dogmes et de notre doctrine morale, ne peuvent pas échapper à la réprobation... ». L'émotion qui envahit le monde catholique est immense et d'abord en

France naturellement où, du plus éminent dignitaire ecclésiastique jusqu'au plus humble curé de campagne, l'implantation des idées maurrassiennes n'a cessé de s'étendre.

Le lendemain, Maritain écrit à Charles Maurras pour lui témoigner sa «fidèle affection personnelle» et l'encourager à croire qu'«il n'y a plus de recours» pour la France comme pour lui-même «qu'en Dieu seul». «Il aime votre âme, il la veut, il emploie pour arriver à ses fins les durs moyens de l'amour. Je ne puis m'empêcher de penser que tandis qu'il frappe et saccage au-dehors, il parle au-dedans. Si cela est vrai, que nul souci étranger, si haut soit-il, ne vous détourne d'obéir à cette voix!

«Quant au reste, que va-t-il se passer? Les catholiques doivent obéir et obéiront à leur chef. Quelle que soit la position adoptée par l'Action française, une chose me paraît claire : *diminuer* la question ne vaudrait rien. En appeler du Pape mal informé au Pape mieux informé, ou tout réduire aux effets de la propagande "boche ou proboche" au Vatican, ne saurait que faire beaucoup de mal sans servir à rien de bon. Ce serait à mon sens une attitude inadmissible. Vous savez ce que je pense de l'obéissance due à l'Église. En toutes circonstances la juste main de Dieu passe à travers les moyens humains, et atteint un but que la lettre peut ne pas toujours manifester, mais que notre sens spirituel doit pouvoir discerner.

«Croyez, cher Monsieur et ami, à ma respectueuse affection [19].»

À cet appel à l'obéissance comme à la condamnation qui vient de le frapper, Maurras réplique officiellement trois jours plus tard par un article collectif intitulé *Non Possumus*, qui dénie au pape le droit de demander à un journal non catholique de changer de but, de méthode ou de chefs, et conteste sans précaution aucune désormais l'autorité d'un pape circonvenu par « des influences malhonnêtes » et engagé dans des « entreprises nuisibles ». Il arrivera plus tard à Charles Maurras de regretter ce *Non Possumus*, « la grande erreur [...] qui décida de toutes les autres [20] ». Tel a bien été le sentiment de Jacques Maritain sur le moment.

« Mon cœur va vers vous dans cette grande tristesse qui passe sur nous tous, écrit-il à Henri Massis. On peut prévoir une série de déchirements sans fin dans le pays. Le *Non Possumus* de l'A.F. se justifie très bien *humainement*. Mais c'est encore et toujours du négatif. Et derrière les justifications humaines, n'y a-t-il pas des réalités plus profondes, que nous devons tâcher de voir ? Sous une lettre qui apparaît comme manifestement entachée d'injustice, n'y a-t-il pas un esprit de justice qui frappe l'A.F. pour un tas de fautes et surtout d'*omissions* accumulées depuis des années ? Hélas, ce que l'on constate clairement, c'est la carence des dirigeants catholiques d'A.F. Il y a quatre mois, la situation pouvait encore être sauvée, mais elle ne pouvait l'être que par une action positive, héroïque, pleine à la fois d'énergie et de générosité, et animée d'un grand esprit religieux. Rien n'est venu. Maintenant quelle est la signification des actes du Pape, sinon un avertissement de désespérer de toute action de masse, de tout travail humain d'ensemble, de tout effort politique, de laisser le monde se décomposer, mourir de misère, et de se retrancher dans le travail solitaire que chacun peut faire en essayant de témoigner pour la vérité ? Je ne peux guère comprendre les choses autrement.

« Toutefois il y a des questions pratiques, hélas,

qui se posent. La situation de la R.U.*, dans les circonstances présentes, me préoccupe beaucoup. Le Pape interdit aux catholiques de soutenir et favoriser l'A.F. et ses œuvres. [...]

« Il ne faut pas laisser péricliter cette œuvre. Quelle solution ? Je n'en aperçois qu'une : sans rien changer à sa ligne propre naturellement, que la R.U. prenne, d'accord avec Maurras et ses amis, sa parfaite autonomie à l'égard de l'A.F. La chose pourrait être préparée et réalisée dès maintenant – de façon à pouvoir, quand cela sera nécessaire, être rendue publique – le rattachement à l'A.F. étant public.

« Alors tout serait net, et le travail commencé par la Revue pourrait être continué sans interruption, elle pourrait même servir à maintenir groupés bien des éléments qui sans cela se disperseront.

« Peut-être même, pour rendre la chose plus sensible, conviendrait-il qu'on vous désigne alors comme co-directeur de la Revue avec Bainville.

« Nous reparlerons de tout cela, je n'ai pas résisté au besoin de vous dire tout de suite ma pensée. Je vous embrasse avec grande affection fraternelle mon cher Henri. Et bonnes fêtes de Noël, quand même [21]. »

Où l'on voit que l'attitude d'obéissance préconisée par le philosophe n'est pas allée pour lui-même sans quelque esprit de contournement... Au lendemain de la condamnation implacable du mouvement d'Action française et à la veille de la mise à l'index de la revue et de sept ouvrages de Maurras (29 décembre), le collaborateur de la *Revue Universelle* semble moins s'acheminer vers une rupture radicale que vers une sorte d'arrangement masqué.

Toute équivoque sera levée le 11 janvier 1927 : indigné par un article injurieux à l'égard du pape paru

* La *Revue Universelle*.

le jour même dans *L'Action française*, Maritain décide d'annuler son abonnement au journal et, pour la première fois depuis le début du conflit, prend ouvertement le parti du Saint-Père, réprouvant le « scandale affreusement douloureux » que constitue à ses yeux une telle mise en cause de l'autorité de l'Église. Protestant aussitôt auprès de Maurras, il s'efforce, par une ultime mise en garde, de le convaincre de « la gravité des dangers » qu'il encourt. « Le Corps du Christ forme une société parfaite, une société parfaite suppose une autorité à laquelle l'obéissance est due, une conscience, même là où cette autorité est faillible. Et le pouvoir indirect de l'Église serait vain si l'obéissance ne lui était due lorsqu'elle commande au nom de ce pouvoir [...].

« Dans ma brochure j'ai essayé, vous savez avec quel élan de cœur, de rendre justice et de faire rendre justice à votre pensée, tout en signalant les dangers de celle-ci au point de vue catholique. Le Pape seul est juge de la gravité effective de ces dangers. Mais de plus il n'y a pas que l'ordre théorique à considérer, celui auquel je m'étais limité. Il y a aussi l'ordre pratique. On est forcé de considérer que la conduite de l'A.F. ces derniers temps a fait la preuve que les appréhensions du Pape *étaient fondées*. En particulier le refus d'obéissance opposé aux prescriptions du Pape a été une négation pratique du pouvoir indirect de l'Église sur le temporel. Il était demandé aux catholiques d'A.F. de discerner les choses avec les yeux de la foi. Quand ils disent que le Pape intervenant comme chef de l'Église pour leur interdire de lire le journal ou d'adhérer à ses organisations leur commande un péché contre la patrie, « assassiner leur mère », ils font injure à l'Église. Dieu veille sur son Église. Même là où le Pape est faillible il ne lui laissera jamais commander, comme chef de l'Église, un péché. Et j'ai indiqué tout à l'heure comment l'obéissance, en pareil cas, si elle peut causer le plus cruel déchirement du cœur, ne comporte aucune faute contre la patrie.

« Je vous le disais il y a quatre mois, ce serait une situation tragique pour vous que de vous trouver, ou bien abandonné par les catholiques fidèles à leur chef spirituel, ou bien à la tête d'une troupe de catholiques révoltés. C'est une chose étrangement paradoxale d'en appeler contre les mauvaises raisons de catholiques mal éclairés ou de théologiens passionnés, à un esprit qui se croit lui-même étranger à la foi. C'est cependant ce que je fais. J'en appelle à votre raison. S'il se forme autour de vous et de vos amis une secte en rébellion contre le Pape, soulevant les passions nationales contre l'autorité spirituelle, et déchaînant la lutte entre catholiques pour combien de temps dans le pays, croyez-vous que la France en tirera du bien ? C'est parce que je vois ce danger surgir que, le cœur bouleversé, et ayant, quant à moi, fait mon choix, je vous supplie de réfléchir encore et de songer au vrai bien de la patrie.

« Je fais appel aussi à quelque chose de plus profond que votre raison. Nul ne sait si la foi est morte ou seulement endormie dans votre âme. Les prières d'une multitude d'âmes généreuses et aimantes, et dont quelques-unes sont déjà auprès de Dieu, se pressent autour de vous. Est-ce que vous n'aurez pas, vous aussi, un mouvement pour demander d'être éclairé ? Humainement vous vous trouvez seul, tragiquement seul entre Dieu qui vous éprouve et vos troupes qui vous obéissent. Vous avez toute votre vie travaillé dans le sens du Pape. Est-il possible de rester jusqu'au bout avec le Pape sans être aussi, et d'abord, avec Dieu ? Vous avez voulu toute votre vie servi le bien commun ; est-il possible de servir le bien commun jusqu'au bout (le bien commun « immanent », celui de l'armée selon le mot d'Aristote) sans reconnaître et servir aussi le *Bien commun séparé*, le Chef de tout l'univers, qui vous aime, lui, et vous a créé ? voilà, je crois, la grande question qui se pose. Moi aussi j'aime votre âme, c'est pourquoi je vous parle ainsi [22]. »

Passé cet ultime appel à Charles Maurras, la rupture de Jacques Maritain avec l'*Action française* peut être considérée comme consommée. C'est alors qu'à travers les doutes et les interrogations des premiers mois de l'année 1927, comme vingt ans plus tôt à travers les « approches de la foi [23] », va commencer de s'opérer dans la vie du philosophe une mutation intellectuelle et spirituelle non moins déterminante que celle de la conversion. Dérouté comme nombre de catholiques par le schisme de l'hiver 1926, Maritain redevient ce voyageur en quête de destination qui, dans les lueurs indécises d'un « crépuscule du matin [24] », s'apprête à franchir une nouvelle ligne de passage.

À peine quelques mois se seront-ils écoulés qu'il reconnaîtra dans le grand rappel à l'ordre de Rome, pour lui-même comme pour l'ensemble de la chrétienté, non une mise au pas, mais une « crise de libération et de délivrance [25] » qui a dessillé son propre regard sur le monde. Mesurant les limites d'une vision foncièrement réfractaire à la modernité et nostalgique de l'ordre ancien, il prend conscience de la nécessité d'intéresser plus largement l'enseignement de l'Église au destin des sociétés contemporaines et de restituer au christianisme l'intégralité de sa mission temporelle, au plus près de l'aventure humaine et des affaires de la cité. Tel est bien au demeurant le sens premier de l'action de Pie XI depuis sa première encyclique, *Ubi arcano*, en décembre 1922 : réaffirmer dans le siècle la primauté du spirituel, restaurer le

« règne du Christ » dans la conscience des hommes de son temps, sans que l'Église abdique ses responsabilités en ce domaine entre les mains de quelque allié de circonstance. C'est « en avant », selon sa propre formule [26] que la sagesse chrétienne invite à se déplacer désormais l'homme qui s'est résolu à choisir, au nom du « bien commun », le difficile parti de l'obéissance. En avant, et bien au-delà de ses premières avancées...

Soumis depuis sa conversion à la tutelle de directeurs spirituels successifs, dont la plus éclairante à l'égard de sa mission dans le siècle restera celle du père Dehau, Jacques Maritain semble voué pour la première fois à s'en remettre à lui seul ou presque. Mais son parcours alors ne serait pas tout à fait ce qu'il est sans la présence discrète et passionnée de l'abbé Journet, son immuable coéquipier dans la plus solitaire des traversées. Très vite l'un et l'autre ont pris conscience de naviguer à rebours des vents dominants. « Prêtres et religieux, c'est à qui obscurcira avec le plus d'ardeur l'esprit des laïques d'Action française, lui écrit Maritain en janvier 1927. On a même parlé d'évêques. En tout cas l'épiscopat français dans son ensemble ne marche que très faiblement derrière le pape [27]. » Sous l'impulsion de Journet, le dissident envisage alors d'écrire une « nouvelle brochure », en vue, comme le lui suggère son correspondant, de « délivrer la conscience française [28] ». « Je suis dans une période assez amère, confesse-t-il un mois plus tard (11 février 1927), sentant mon impuissance radicale devant un sujet qui m'écrase [...]. Que sortira-t-il de tout cela ? Et comment le bon Dieu jugera-t-il ma dispersion ? Il me semble que je suis en loques. » À cette date, Maritain, inquiet, surmené, est parti se reposer en Hollande, dans l'abbaye d'Oosterhout, où Raïssa, Véra et lui sont devenus oblats de l'ordre de Saint-Benoît.

Le 28 mai, le manuscrit de *Primauté du spirituel* est prêt pour l'impression. « À mon avis le moment est venu où il faut choisir absolument, et où le poids de la fidélité à la chaire de Pierre doit tout emporter. Il va falloir essayer de redresser et de regrouper les forces intellectuelles en dehors de l'A.F. [...]. Du côté des jeunes, il y a bon espoir. Mais la génération précédente est figée dans l'erreur ou la brutalité. C'est un peu la lutte contre Goliath. Nous nous attendons à toutes les calomnies. Et n'avons espoir qu'en Dieu. Le spectacle des hommes est écœurant. »

Paru au *Roseau d'or* en juillet 1927, *Primauté du spirituel* constitue dans l'œuvre de Maritain à la fois « le dernier témoignage d'une époque qui finit », ainsi que l'observe Henry Bars [29], et la première étape d'une réflexion d'ensemble sur l'avenir de la civilisation chrétienne. « Ceux qui ont regardé *Primauté du spirituel* comme un itinéraire de fuite se sont lourdement trompés », rappellera-t-il quelques années plus tard [30]. Avant toute chose, *Primauté*, livre de combat et non traité d'obéissance passive, marque un engagement décisif dans la vie et la pensée du philosophe. Rappelant « l'universelle royauté du Christ » sur le monde, tant spirituelle que temporelle, et la suprématie naturelle de l'Église sur le « gouvernement terrestre », en raison même du « spirituel qui s'y trouve engagé », Maritain s'emploie à démontrer l'entière légitimité, dans le cas de l'Action française comme dans celui de Philippe le Bel face à Boniface VIII, du pouvoir d'intervention de « l'Autorité vivante ». Au milieu des dangers qui viennent des régions les plus opposées* menacer les âmes, l'Église avance, « frappant tantôt d'un côté, tantôt de l'autre [...]. Elle a plus de mé-

* À l'heure où il écrit, Maritain pense aussi bien à la montée du fascisme en Europe qu'à tout ce que l'Église a condamné jusqu'alors : libéralisme, socialisme, laïcisme, modernisme.

moire que nous, l'expérience de toute l'histoire. C'est folie de refuser le conseil d'une sagesse, ou de s'inquiéter de ses voies. » Cette réaffirmation des exigences spirituelles est d'autant plus salutaire aux yeux de Maritain qu'elle participe d'un travail plus profond au sein de l'Église, en vue d'une renaissance de la chrétienté qui s'annonce de tous côtés. « On dirait que l'Église rassemble tout son amour, écrit-il, et prépare quelque œuvre divine avant les grandes douleurs. » Parti d'un plaidoyer souvent austère en faveur du catholicisme romain, *Primauté du spirituel* débouche sur la vision magnifique d'un universalisme chrétien n'excluant « rien de ce qui est », embrassant « l'Orient et l'Occident dans le même amour incréé », un « universalisme intégral développé dans la raison sous la lumière de la foi » et dont saint Thomas d'Aquin sera le « grand metteur en œuvre ». La « grande entreprise attendue de Dieu » exigera de mobiliser la « forme la plus évoluée et la plus parfaite de la pensée chrétienne », seule apte à assumer et intégrer « dans la lumière du Verbe incarné », sans porter atteinte à leur autonomie, les multiples richesses des diverses cultures. « Croisade de l'esprit, esprit de croisés. Les positions purement défensives, les accommodements, les réduits provisoires, les vérités partielles ne sont plus de rien. C'est à une expansion universelle de l'intelligence que nous sommes appelés par l'amour. Il est temps. L'âme demande à adhérer purement à l'absolutisme de la vérité et de la charité. Il doit venir des hommes libres de tout sauf de Jésus [...]. Divisant en toutes choses la lumière d'avec la nuit, ils entreprendront de réconcilier dans la justice les oppositions humaines, et de rendre tout l'homme à Dieu. »

Pour l'auteur de *Primauté du spirituel*, cette action temporelle doit être ordonnée à la contemplation et à l'union à Dieu : c'est eux-mêmes, avant de la proposer

au monde, que les « amis de Dieu » doivent appeler à
la perfection de l'amour. « Sans la contemplation,
toute doctrine philosophique et théologique, même
vraie, tourne à la secte ; tout zèle, même bon, à la riva-
lité. Parce qu'elle rend l'homme un seul esprit avec
Dieu, elle fait vraiment l'unité dans l'homme, et entre
les hommes. »

Ainsi Maritain dégage-t-il en quelques pages les
lignes de force de ce qui lui apparaît la « grande tâche
d'aujourd'hui » pour une Église missionnaire et universaliste, capable à nouveau de descendre au milieu
des hommes. Tâche « immense et ardue », observe-
t-il, tâche improbable, même au regard de l'état du
monde, mais dont la prise de conscience est pour le
chrétien en recherche de 1927 un « supplément de
lumière [31] ».

En prenant ouvertement le parti de l'obéissance à
Rome dès janvier 1927, Jacques Maritain a fait se
lever contre lui des haines durables – non moins
durables que le soupçon de maurrassisme qui ne cessera jamais tout à fait de poursuivre l'ancien collaborateur de la *Revue Universelle*. Passé à l'ennemi,
l'auteur de *Primauté du spirituel* fait figure de traître
et d'opportuniste aux yeux d'une grande partie des
catholiques – celle-là même qui, de Salamanque à
Vichy, épousera toujours les causes qu'il réprouve.
« N'a-t-on pas le droit de se demander, remarque Maurice Pujo dans l'*Action française*, quelle est la valeur
doctrinale et morale du catholicisme de M. Maritain,
petit-fils d'un politicien peu estimé et dont la vie
publique a été funeste, né lui-même protestant, et
contractant un mariage juif avant de trouver son chemin de Damas sur les pas d'un catholique aussi per-

turbé que Léon Bloy[32] ? » Le ton est donné, presque modéré encore, des insinuations et des calomnies qui seront déversées contre lui.

Certaines amitiés, parmi les plus anciennes, ne survivront pas au clivage qui vient de s'opérer dans la vie du philosophe : celles de dom Delatte et bientôt d'Henri Massis. Déjà précaires, les rapports du directeur du *Roseau d'or* avec Georges Bernanos s'en trouveront plus encore altérés. Le romancier explose d'indignation à la lecture de *Primauté*, accusant Maritain de déshonorer « par d'inutiles palinodies la notion même de l'obéissance et l'humble soumission des cœurs[33] » et de lui avoir fait plus de mal que personne avant lui.

À Massis, pâle réplique de Maurice Barrès, qui le supplie de ne pas s'éloigner, Maritain oppose une détermination irréversible : « La vérité est efficace, lui dit-il. Dans les moments de ténèbres, elle doit être proclamée davantage. Et puis, nous n'avons pas à régler notre action sur les résultats à espérer ou à redouter : ils ne sont pas dans notre main, et relèvent de Dieu. Quand même un grand nombre faibliraient, l'essentiel est que la vérité totale soit vue, d'un si petit nombre que ce soit. [...] J'estime qu'actuellement, c'est l'essence même de la vie chrétienne qui se trouve en jeu dans notre pays ; que l'A.F. est purement et simplement schismatique, et a détruit en quelques mois tout ce qu'elle avait pu faire pour la cause de l'ordre ; que le bilan de l'opération de Maurras aura été de rassembler ce qu'il y a de plus sûr et de plus traditionnel en France en un bloc *insensible* à la voix de l'Église ; que l'Église a frappé là un esprit de naturalisme et de pharisaïsme national aussi corrupteur de la vertu de charité que le modernisme était destructeur de la vertu de foi. Telle est pour moi la leçon, terriblement évidente, de ce qui s'est passé depuis un an[34]. »

Hier médiateur en quête d'un improbable armistice, mué quelques mois plus tard en exégète des volontés romaines, Maritain est dans tous les cas l'un des hommes le plus impliqués dans l'affrontement qui n'en finit pas de déchirer le monde catholique. Bête noire de l'*Action française* et cible principale des griefs rentrés d'une partie de l'épiscopat, il est devenu dans le même temps la figure de proue des courants novateurs. La plupart des contre-feux allumés ici et là le sont en relation avec Meudon, épicentre d'une résistance spirituelle encore éparse et réticente à trop se déclarer.

À la fin de l'été 1927, Maritain s'inquiète de la situation de l'un de ses disciples, le père Bernadot, au couvent dominicain de Saint-Maximin. Directeur de la *Revue thomiste* et de *La Vie spirituelle*, celui-ci est en butte à l'ostracisme du très maurrassien père Pègues, régent des études, qui lui dispute le contrôle de ces publications. Il presse Maritain d'intervenir auprès du Saint-Siège pour dénouer la crise et garantir la survie des revues.

Un voyage à Rome ? En résidence à Saint-Jorioz, le philosophe prend aussitôt l'avis du père prieur de La Valsainte, dom Florent Miège, un des rares chefs religieux à ce moment-là en qui puisse aller toute sa confiance. « Dans l'instant de l'immense déception causée par Solesmes et par les dominicains comme par les bénédictins, note-t-il dans son carnet, voilà que Dieu nous envoie les grands contemplatifs blancs* pour nous appuyer sur eux comme sur sa paternité [...]. Et pour nous orienter dans ce qui paraît bien être une partie vraiment nouvelle de notre vie, nous fait connaître sa volonté par eux sur l'œuvre à entreprendre [35]. » Alors qu'il vient de recevoir du

* Les chartreux.

nonce un accueil favorable, Maritain se voit décon-
seiller par le prieur de La Valsainte, le mardi 30 août,
d'effectuer un tel déplacement. « Nous voilà tous abat-
tus, confie-t-il, il semble que c'est un signe de la
volonté de Dieu de dernier moment pour éviter un
acte peut-être très malencontreux... » La situation
paraît sans issue, quand le lendemain Raïssa, se sou-
venant de ce qu'ils doivent à l'intercession du père
Pègues – c'est à travers son Commentaire de la
Somme théologique qu'ils ont découvert saint Thomas
en 1909 –, fait comprendre à Jacques que les « raisons
péremptoires » du voyage à Rome dépassent le problème de Saint-Maximin. « Et moi qui sais comme
Dieu éclaire ma bien-aimée et comme sa voix se fait
entendre d'une façon imperceptible, je décide qu'en
effet il faut partir, et même si le père prieur répondait
non, parce que Raïssa est près de moi, [...] et
embrasse le tout de notre vie. »

Le départ est fixé au vendredi 2 septembre. « Tous
ces événements ont beaucoup mûri en moi [...], ce
que je dois dire au Saint-Père, note Jacques. Saint-
Maximin, le père Bernadot n'est plus le tout de ce que
je dois dire. Cela doit rentrer dans un ensemble plus
général. » Le sentiment du prophétisme de Raïssa est
encore accru en lui par le télégramme qu'il reçoit
alors en provenance de La Valsainte : « Oui, partez ! »

Il arrive en gare de Rome le 4 au matin, va communier à Sainte-Marie-Majeure – « Que deviendrais-
je sans la communion ? » –, avant de s'enquérir d'une
chambre d'hôtel et de gagner le Vatican, où il est
informé qu'on ne reçoit pas le dimanche. Il prie pour
Raïssa, lui écrit un mot en rentrant à l'hôtel, puis un
second le soir même au retour d'une promenade nocturne dans Rome. Le lendemain de ce séjour impro-
visé, Jacques loue un habit en vue de sa rencontre
avec le pape. Il cherche à voir le cardinal Gasparri.

Celui-ci est absent. Un monsignore lui confie que Pie
XI lit ses livres et a *Primauté du spirituel* sur sa table.
Longue attente à la secrétairerie d'État, où Mgr Bor-
gangini Ducca, « aimable mais beaucoup plus
réservé », lui glisse qu'en réalité le Saint-Père n'a lu
que la moitié de son livre, qu'il le lit lentement. « J'ai
l'impression que ce n'est pas vrai, mais qu'ainsi le cardinal veut montrer que ce livre n'est qu'à moitié
connu. » Son interlocuteur lui conseille d'adresser un
mémoire au souverain pontife, achevant de le
convaincre qu'il se trouve ici en terrain peu favorable.
À sa sortie, Jacques va se réfugier dans un café en
attendant la fin de l'orage qui vient d'éclater sur
Rome. Déprimé, il prend « mélancoliquement »
quelques notes sur l'Église et le Saint-Esprit. Message
du Vatican à 6 h 30 : « L'audience est pour demain. »
    Le mardi 6 à midi, il est reçu par le Saint-Père.
Visage rond, front haut, menton volontaire, yeux
bleus cerclés de fines lunettes, Pie XI montre à
soixante-dix ans l'air de santé robuste que cet amateur
d'alpinisme semble avoir gardé de ses escalades du
Cervin ou du Mont-Rose. Jacques est frappé par son
visage paisible, si préoccupé qu'il soit de la situation
en France. À propos de Saint-Maximin, le Saint-Père
« réfléchit, visiblement veut faire quelque chose ». Il
ne discutera pas avec Maurras. Dans ses livres, « ce
profond refus de croire ». « Comment la jeunesse
catholique n'a-t-elle pas été en danger sous une telle
influence ? C'est de la défense de la foi qu'il s'agit. »
Pie XI parle de la nécessité de rapprocher science et
philosophie, « le témoignage de Dieu dans la nature »,
puis revient à l'Action française, « terrible » : « Mais
enfin, il y a les responsables [...]. Avec quelle crainte
pour leur âme on pense à eux. Maurras a connu la
vérité, il l'a repoussée, il n'a pas la conscience tranquille. » Il lit à son visiteur un passage d'*Anthinéa*, où

Maurras parle de « trente millions de Français indif-férents à toute pensée religieuse et d'esprit tout à fait instable ». « Peut-on davantage injurier la France ? interroge le Saint-Père. L'obstacle est l'orgueil de cette âme. Il se réjouit qu'on prie pour lui. C'est un moyen subtil de se complaire en lui-même. » C'est par la peur que l'Action française tient tant de gens. « Ils jugent tout et cependant la plus petite des vérités nous juge tous. Il faut beaucoup prier, cher monsieur le Profes-seur. C'est Dieu qui change les cœurs, qui se les sou-met sans porter atteinte à leur liberté. C'est dans la prière qu'il faut mettre sa confiance […]. La lumière se fera dans les cœurs. » Le pape se lève, félicite Jacques pour son livre, lui donne sa bénédiction. Leur entretien a duré une heure trois quarts.

Le 7 septembre, Jacques a déjà rendu l'habit loué pour la circonstance, qu'il doit en commander un autre : une nouvelle audience privée aura lieu, à la demande du pape, en fin d'après-midi. « Taxi, j'arrive à la porte de bronze à 6 h 40. "Ah ! ah ! professeur Maritain, fait le domestique. Hier, une heure trois quarts. Aujourd'hui, combien de temps ?" Pie XI : "Une idée m'est venue, de la part de Dieu, je le crois. Je vous la communique. Il me semble que c'est la Pro-vidence qui vous a fait venir ici en ce moment." » Le Saint-Père lui demande de se charger, avec une équipe de théologiens et de philosophes, de la rédac-tion d'un livre démontant patiemment les « arguties » de Maurras. Maritain observe chez lui « la plus abso-lue, la plus inflexible détermination. Ici, je vois la main de Dieu si nettement que j'accepte dans mon cœur avec joie, comme une croix sans doute, mais donnée par la main de Jésus. Alors tout va bien. » Le pape affirme qu'on ne le fatiguera ni ne le découra-gera. « J'ai le visage de Jésus en face de moi », écrit encore Jacques, remarquant qu'« une grande douceur et égalité de voix » va de pair chez le successeur de Benoît XV avec « une volonté terrible », un « regard triste, pénétrant, très bon, mais qui vient de si loin, qui porte à la fois une telle fatigue et une telle résolution, comme éteintes et fixées pour toujours, qu'on a peur ».

Le pape indique le plan du livre à faire – il connaît visiblement très bien Maurras. Il s'agit de défendre l'apostolat des laïcs, la nécessité d'une nouvelle évangélisation par les missions, de dénoncer la montée de l'antisémitisme... « Pie XI écoute très peu, il s'intéresse à ce qu'on lui dit dans la mesure où c'est pour lui une occasion de préciser sa pensée, de mieux voir. Semble très en défense de se laisser impressionner par opinion d'autrui. » Jacques lui dit en partant que sa volonté sera faite.

Il quitte Rome aussitôt après l'entrevue pour Assise – « éblouissement et douceur », note-t-il à son arrivée dans la ville de Frère François.

Messager de saint Pierre, Jacques Maritain ne l'est, à son retour de Rome, qu'au titre de la confiance particulière du pape. Pie XI est-il si peu assuré de ses ministres qu'il ait préféré s'en remettre à un simple laïc – un de ces hommes, il est vrai, dont il souhaite promouvoir le rôle au sein de l'Église ? A-t-il décelé dans l'auteur de *Primauté* l'un des meilleurs interprètes de sa pensée profonde sur le renouveau de l'Église ? Le fait est qu'entre ces deux hommes les deux longs entretiens de septembre 1927 ont scellé une manière d'accord qui ne cessera de se vérifier – le pape le plus éclairé de cette première moitié du siècle trouvant toujours en Maritain le plus inspiré de ses émissaires.

Pourquoi Rome a parlé paraît à la fin de l'année

1927, œuvre collective des pères Doncoeur, Bernadot et Lajeunie – un jésuite et deux dominicains –, des abbés Lallement et Maquart, et de Jacques Maritain. Cette réponse aux attaques virulentes de Maurice Pujo dans l'*Action française* sera suivie deux ans plus tard d'une nouvelle mise au point, *Clairvoyance de Rome**, chacune contribuant tout autant à éclairer le débat qu'à figer les positions de part et d'autre pour longtemps.

« Ce qui importe dans l'épreuve, c'est la manière dont elle est supportée, conclut Maritain pour lui-même. Elle n'est même employée – par définition – que pour éprouver les dispositions des cœurs [36]. »

---

* L'essentiel du débat portant sur la nature de la décision du Vatican, politique pour l'Action française, religieuse pour Maritain, sur les notions de pouvoir direct ou indirect, enfin sur la question de l'obéissance et celle de la résistance. Voir l'étude de Philippe Bénéton, *Jacques Maritain et l'Action française, op. cit.*

Le plus trouble de nous-même

> « Un poète est un enfant qui ne ment pas,
> un enfant qui survit, privé des anges tutélaires de
> l'enfance, un enfant sans garde-fou, en proie à
> toutes les passions d'un cœur d'homme, d'une chair
> d'homme, à toute l'obscure frénésie du sang. »
>
> François MAURIAC
> *Mémoires intérieurs.*

« Dieu ne se laisse pas duper, il déteste la littérature. Il a aimé l'œil bleu de Satie. » Dans sa *Réponse à Jean Cocteau*, Maritain distingue vigoureusement entre le « littérateur », faussaire qui fait profession de singer Dieu, et le poète, « apprenti du Créateur » qui collabore à l'achèvement de son œuvre. D'un côté, le démiurge qui prétend substituer les « intérêts propres » de l'art à « l'alchimie du Sauveur », de l'autre, l'« artisan » qui atteint dans la pureté de son œuvre à « la plus haute ressemblance naturelle de l'activité de Dieu ». D'où probablement la considération souvent très critique que le philosophe portera, non à la littérature en général, mais au genre romanesque en particulier. Il voit dans la poésie, comme dans la musique ou la peinture, une image de la grâce*. Le roman relève d'un exercice d'autant plus ambigu à ses yeux qu'il se mêle du secret des âmes.

---

* « Je pense au *Socrate* de Satie, aux *Noces* de Stravinski, aux figures de Rouault et de Picasso, à votre *Orphée*, mon cher Jean », écrit-il à Cocteau. (*Réponse...*, *op. cit.*)

« À la différence des autres genres littéraires le roman a pour objet, non pas une chose à fabriquer ayant [...] sa beauté propre et dont la vie humaine fournit seulement des éléments, écrivait l'auteur d'*Art et Scolastique*, mais la vie humaine elle-même à conduire dans une fiction, comme fait dans la réalité l'Art providentiel. C'est l'humanité elle-même à former, scruter et gouverner comme un monde, qui est son objet de création. » Parce que, touchant à la connaissance de l'homme, il touche au « mystère de la création proprement dite », le romancier doit s'en tenir avec ses personnages à une « hauteur » qui lui interdira toute connivence. Les observer du dehors ? Non, les suivre au contraire de l'intérieur, mais sans complaisance, en simple scrutateur. Ainsi du Stavroguine des *Possédés* que Dostoïevski « conduit jusqu'à son misérable suicide avec une sévérité, une clairvoyance, une logique sans pitié[1] ». Le romancier ne saurait prétendre lire au fond d'une âme, « jusqu'à entr'apercevoir le monstre de singularité » qui gît « en chacun de nous[2] », sans savoir de quoi il va rendre témoignage ni à quoi lui-même s'engage. « La question essentielle est de savoir à quelle hauteur il se tient pour faire cette peinture[3] » – à moins de se placer, comme Proust avec ses personnages – « en concurrence d'avilissement, à la fois manipulateur et complice[4] ». Bref, c'est ici, plus que jamais, de la responsabilité du créateur par rapport à son œuvre qu'il est avant tout question dans cette approche d'un genre littéraire où se déploie le génie de Georges Bernanos, de Julien Green ou de François Mauriac – tous catholiques, au demeurant, et diversement proches du directeur du *Roseau d'or*.

S'il ne s'agit pas pour lui d'instituer un « roman catholique » en tant que tel – « Dieu ne demande pas d'art religieux[5] », assurait-il à Cocteau –, Maritain ne se soucie pas moins d'une littérature libérée de ce qu'elle a souvent comporté « d'épaisseur charnelle et d'ostentation, de complaisance, de fausse entente, de perfection frelatée[6] ». Un roman neuf, dégagé de l'influence de Proust comme la poésie de celle de Rimbaud, un roman « de matin de Pâques » ? Un roman qui refuse toute collusion avec le mal et sache même pousser un peu au-delà. « Des saints ont été rois, artisans, prédicateurs, médecins, curés, peintres, poètes. Pourquoi ne seraient-ils pas romanciers[7]. »

Le débat est dans l'air du temps. En réponse à Marcel Arland qui déplorait la « perte de Dieu » dans la littérature contemporaine, Jacques Rivière plaidait en 1924 pour une conception plus laïque que sacramentelle de l'écriture[8]. En juin 1926, le plus éminent critique de l'époque, Albert Thibaudet, livrait dans la *NRF* ses réflexions sur la condition du romancier catholique. L'intervention de Jacques Maritain revêtira d'autant plus d'acuité qu'elle émane d'un philosophe catholique qui exerce sur le milieu littéraire un magistère sans égal – plus encore praticien que théoricien. Un homme d'autant plus à même de peser sur la création de son temps qu'il est mêlé de près à l'existence de quelques-uns de ses écrivains majeurs. Du plus éloigné d'entre eux, André Gide, aux plus proches, Jean Cocteau, Julien Green et bientôt François Mauriac, échanges et controverses à propos de l'exercice romanesque seront indissociables, au demeurant, d'une donnée essentielle de la sensibilité et de la vie de chacun d'eux, l'homosexualité.

Renoncer à *Corydon* pour le salut de son âme ? Gide avait opposé une fin de non-recevoir catégorique au visiteur qui le priait, un jour de décembre 1923, de consulter le Christ sur l'opportunité de publier son livre. La littérature, domaine de « l'abandon à *soi* », est inconciliable à ses yeux avec « l'abandon de *soi*[9] » exigé par la foi chrétienne. Pour l'écrivain qui, selon la formule de François Mauriac, « a pris le parti de ne rougir ni du Christ ni de lui-même[10] », la création esthétique relève tout autant que la sexualité d'une exigence où il ne se sent pas tenu de suivre d'autre vérité que la sienne propre. Encore moins de subordonner l'usage de la sincérité ou la liberté du désir à la recherche d'une perfection qui leur serait étrangère.

C'est à propos d'un autre *Corydon* que Maritain va réitérer, cinq ans plus tard, l'offensive manquée contre Gide, lancée cette fois en direction de Cocteau. L'objet de la discorde, qui éclate en février 1928, est double en réalité, et les raisons de s'indigner décuplées d'autant pour Maritain : la publication d'un livre de Jean Desbordes, le nouveau « fils » du poète, successeur à ses yeux de Radiguet, et la préparation par Cocteau lui-même d'une autobiographie érotique qu'il s'apprête à publier en sous-main, sans nom d'auteur et à exemplaires limités – tous deux exaltant l'homosexualité. L'affrontement – d'une violence extrême – achève de mettre au jour le différend sous-jacent à leur relation depuis un an et de porter à son comble leur souffrance de ne plus se comprendre.

La première alerte date peut-être de ce 7 décembre 1926 où Maritain s'inquiète d'une exposition, « Poésie plastique. Objets, dessins », dans laquelle Cocteau présente une « boîte d'allumettes hermaphrodites », un dessin « où il y a une profusion d'urinoirs », des bustes d'Orphée et d'Eurydice accompagnés d'« espèces de symboles mâles et femelles » : ne pourrait-il retirer ce qui risque d'être le plus « mal compris » ? Maritain déplore que « l'esprit de l'ensemble » ait « une certaine part avec le diable » : « Ce qui est sûr, cher Jean, c'est que votre place et votre force sont dans la lumière [11]. » C'est en réponse, une fois encore, au désarroi de Cocteau, à ces appels au secours étoilés qui traversent la plupart de ses lettres, que son ami de Meudon en vient à aborder plus nettement le problème de fond. Le dimanche des Rameaux 1927, Cocteau – « votre révolté qui vous aime » – adresse à Maritain une lettre où il se dit prêt « à rejoindre les coulisses de l'Église » (c'est un homme de théâtre qui parle), ayant rapporté du fond de ses « sommeils » la certitude qu'« on communie en Dieu à travers une de ses créatures » et qu'on ne saurait l'aimer « comme au Moyen Âge, en brûlant les médecins et les pédérastes après leur avoir coupé la main droite ». Il demande comment reconnaître le bien et le mal dans « ce qu'on décrète le mal [12] ». Maritain met près de trois mois à lui répondre. Il sait le poète aussi bouleversé par sa rencontre avec Jean Desbordes que par celle de l'auteur du *Diable au corps*, et mesure la confusion qui s'installe déjà dans la vie de Cocteau entre ses multiples tentations. Il vient de donner le bon à tirer de *Primauté du spirituel*, le 6 juillet 1927, quand il décide de livrer à Cocteau la « réponse » qu'il porte en lui depuis des semaines.

Quelque réserve que puisse inspirer le jugement du philosophe sur l'homosexualité, on simplifierait de beaucoup l'analyse en le confondant avec le puritanisme ordinaire des bonnes consciences catholiques et bourgeoises. Ce jugement a ceci de singulier, en premier lieu, qu'il émane d'un homme lié par une affection indéfectible à des écrivains – Sachs, Green, Cocteau, entre autres – dont la vie amoureuse n'a jamais été dissimulée. Ceci de singulier encore, qu'il vient d'un affranchi dont la propre vie amoureuse se situe en marge de toute norme, et n'est guère moins exposée à l'incompréhension et à l'ironie. Un fou d'amour, non une sentinelle des mœurs. Les exigences de Jacques Maritain, pour lui-même comme pour ceux qui sont venus à lui, portent essentiellement sur l'amour. C'est moins une forme de sexualité qu'il réprouve que le modèle éthique ou simplement romanesque qu'à l'instar de Gide, de Proust on serait tenté d'y chercher, cet « abandon à soi » revendiqué précisément par l'auteur de *Corydon*. Ce qu'il ne laissera de condamner ici en réalité est, non une « différence » par elle-même, mais l'impasse tragique qui en résulte à ses yeux, cette « torture constante » dont en novembre 1926 Maurice Sachs lui faisait l'aveu. Mais cette question n'aurait sans doute pas la même gravité pour lui si elle n'impliquait des écrivains catholiques ou considérés comme tels.

Il mûrit encore sa réponse à Cocteau, en juin 1927, quand Julien Green se confie à lui, soucieux qu'il ne se trompe pas à son sujet. Tourmenté par les appels obsédants du désir charnel et de la trop fascinante beauté des corps, talonné par cet « autre » en lui qui fausse et corrompt le dessein divin, l'auteur d'*Adrienne Mesurat* a pressenti très tôt que la question essentielle est le conflit de l'âme et du corps. Maritain a si bien perçu la violence du combat engagé par l'écrivain contre lui-même qu'il lui déclare aussitôt avoir « compris ce que vous ne m'aviez pas dit [13] » et être assuré « pour toujours » de la noblesse qui fait « toute la substance » de son être.

« Je vous parlerai franchement : une conversation comme celle que nous avons eue, une lettre comme celle que je reçois ce matin me jettent devant Dieu en appelant la mort. Parce que Dieu me fait comprendre que je *dois* aider des âmes comme la vôtre à débrouiller le problème où elles sont. À quoi donc suis-je bon si je ne m'acquitte pas de ce service ? Impuissant à vous aider par mes misérables paroles, que puis-je, sinon offrir pour vous les souffrances et la mort qu'il plaira à Dieu de m'envoyer ? Je fais cette oblation de grand cœur. Car nous sommes engagés dans un grand et terrible débat. À quelque prix que ce soit, et quelque temps qu'il faille y mettre, il faut que nous tâchions d'éclaircir ces choses. Je vous demande d'en reparler souvent avec moi, non pas certes pour empiéter indiscrètement sur ce qui vous concerne, mais pour essayer d'examiner le problème dans la lumière de la vérité et, par là même, sans que nous sachions peut-être comment, aider certaines âmes.

« Saint François pleurait parce que l'Amour n'est pas aimé. Ce qui rend tout si grave, c'est qu'il s'agit là de nos devoirs envers l'Amour incréé. L'Évangile ne nous dit nulle part de mutiler notre cœur, mais il nous conseille de nous faire eunuques pour le royaume de Dieu. C'est ainsi que la question se pose à mes yeux.

« Je connais des gens mariés qui pour l'amour du Christ ont fait vœu de continence, et dont l'amour mutuel en a divinement grandi. Pourquoi, dans d'autres cas, la même séparation ne pourrait-elle se faire ? Ou bien faut-il évacuer la croix du Christ ? et la remplacer par une croix de votre choix [14] ? »

Se défendant de porter un jugement sur Green — « je sais trop peu de votre vie pour me permettre à son sujet la moindre appréciation touchant votre conscience [15] » —, il ne veut être là que pour l'aider à dénouer les « problèmes très dangereux et très obscurs » qui se poseront, « dans cette terrible vie de la terre », à une âme appelée plus qu'une autre « à voir un peu de l'autre côté du rideau » [16].

Plus abrupte, malgré la tendresse qui continue de

s'y manifester, sera la mise en garde adressée à Cocteau le 6 juillet suivant : l'amour « spirituel et charnel à la fois » ne peut excéder une limite qui est « la loi de la différence des sexes [...], la loi du mariage [...], la loi de procréation dans le mariage [...]. Ainsi la croix est partout [...]. Partout la croix, partout des amours défendus, le chrétien est celui qui ne prétend pas que Dieu doit se justifier devant lui des choses qu'il a faites. L'homosexualité détruit cet ordre. Amour charnel, elle est amour stérile. Amour spirituel, elle porte à l'infini l'empire du sexe [...]. Elle est à l'amour ce que la magie est à la sagesse. Non, ce n'est pas l'effet d'un préjugé dû à saint Paul ou à l'éducation du séminaire, c'est pour des raisons éternelles que l'Église la condamne [...]. Ce qui peut changer, c'est la *manière* dont on traitera les âmes – qui sont parfois parmi les plus nobles, et les plus poursuivies de l'amour de Dieu, – atteintes, parfois sans leur faute, de ce mal mystérieux. Mais il restera toujours un mal. Un refus profond de la croix. » Maritain en vient alors à ce qui est en réalité la « seule solution » à ses yeux, la « seule issue » pour répondre à « la main tendue de Dieu » et comprendre « de quel côté est la délivrance » : la chasteté, « l'amour de Dieu par-dessus tout »[17].

Un mois plus tard, le 11 août 1927, c'est sur le ton d'une adjuration douloureuse, et comme assurée déjà de n'être pas entendue, que Jacques appelle Cocteau à persévérer sur la voie de Dieu :

« Jean, rien ne sépare mon cœur de votre cœur, mais mon incapacité à vous faire désirer le cœur de Dieu m'est une douleur sans fond. Qu'ai-je su faire pour vous, mon Jean ? Tant d'impuissance me fait honte, découvre atrocement ma misère, condamne peut-être ma présomption. Je n'ai pas su vous apprendre à prier jusqu'au point où la douceur de Dieu se fait connaître à l'âme et préférer à toute autre expérience. Car ce n'est pas assez de reconnaître Dieu dans la beauté des créatures, qui sont encore des images, il faut encore vouloir offrir à Dieu un cœur si purifié qu'il puisse s'y montrer avec sa beauté propre. Alors seulement disparaissent tous les doutes au sujet de ses commandements.

« En réalité vous avez encore beaucoup de choses à apprendre sur l'Église et de l'Église, sur les saints, sur des mystères qui sont seuls le mystère, sur un amour qui est l'amour.

« Un jour ne consentirez-vous pas à faire seulement une retraite d'un mois, pleinement à Dieu, dans le silence de tout. Auprès du P. Charles peut-être, dans le désert de Sidi Saad ? N'obtiendrai-je pas cela de votre amitié ? […] Dieu seul peut vous instruire, il faut seulement lui en donner le temps, et assez de silence pour entendre une voix qui fait moins de bruit qu'un rayon sur l'eau. Il est l'amour même, avec qui l'enfer serait doux, l'amour capable de nous dédommager de toute perte terrestre, et de surprendre et rassasier le cœur le plus amoureux. Je sais mon très cher Jean que tout cela est vérité, et quoiqu'il m'en coûte de le dire, je le sais autrement que par les livres [18]. »

La réponse de Cocteau tient en une phrase, mais qui suffit à tout dire : « J'ai besoin d'amour et de faire l'amour aux âmes [19]. » Pour lui l'expérience de Dieu ne saurait limiter ni entraver celle des cœurs. L'une et l'autre participent d'une même effervescence, corps et esprit mêlés, d'une même énergie créatrice. Qui plus est, cet idéal évangélique auquel Maritain lui demande de soumettre sa vie entière, le poète tolère d'autant moins de s'y résoudre qu'il devrait lui sacrifier jusqu'à la liberté de son art. C'est sur ce terrain-là précisément que le différend rebondit en février 1928 et ne va cesser de s'envenimer.

J'adore, le premier livre de Jean Desbordes, est un

recueil assez médiocre de confessions homosexuelles, où l'auteur déclare entre autres que le saint sacrement « n'est plus dans l'Église mais dans l'âme des amants[20] ». « Le livre de Jean révoltera, me perdra – me sauvera, écrit Cocteau à Maritain. Ne craignez rien et désavouez-moi si cela vous semble nécessaire[21]. » Il ne croit pas si bien dire : « Je reçois les bonnes feuilles d'un livre dans la préface duquel Jean Cocteau se donne le ridicule de célébrer l'auteur comme un Adam d'avant le mal, ironise le philosophe dans une chronique du *Roseau d'or*, et de convoquer la jeunesse à une nouvelle religion de l'amour – de la pureté de tout amour. Le dernier soupir des Charmettes. On adore ! Dieu et le sexe (et la page d'écriture). Je sais tout ce qu'il y a là de puérilité, mais pour trahir le Christ avec la plus atroce inconscience. Je sais aussi quelle souffrance tragique habite le cœur de Cocteau. Je voudrais pouvoir me taire. Souffrir la profanation de l'Évangile, la confusion d'une sensualité délirante avec la religion, cela est impossible[22]. »

Le livre lui apparaît d'autant plus indigne et révoltant qu'il utilise certains de ses propos. Très meurtri, Cocteau l'accuse de commettre « un contresens aussi atroce qu'une erreur judiciaire[23] ». Réplique de Maritain, le surlendemain : « Il ne s'agit pas de juger Desbordes, je laisse cela à Dieu. […] Il s'agit de savoir si l'onanisme et l'amour pédérastique forment une châsse convenable pour les Noms de Jésus, de la Vierge et des saints[24]. »

En juin 1928, Maritain apprend par une indiscrétion, faute d'en avoir été informé par l'intéressé luimême, la prochaine publication par Cocteau d'un bref récit autobiographique, *Le Livre blanc*, chronique de sa jeunesse homosexuelle au lycée Condorcet et dans les bains populaires de Marseille. « Ce projet est du diable, s'insurge-t-il aussitôt. […] C'est la première fois que vous feriez un acte public d'adhésion au mal. Souvenez-vous de Wilde et de sa déchéance jusqu'à la mort. Jean, c'est votre salut qui est en jeu, c'est votre âme que je dois défendre. Entre le diable et moi choisissez qui vous aimez. Si vous m'aimez, vous ne publierez pas ce livre et vous me laisserez la garde du manuscrit. » Le 15 juin, jour anniversaire de la rencontre du poète avec le père Charles Henrion, trois ans plus tôt, les deux hommes ont une longue conversation à Meudon. À minuit, Maritain écrit à Cocteau pour le convaincre à nouveau de renoncer à publier un livre « qui revient à dire que *Dieu est vaincu*, qu'il enferme les hommes dans l'impossible ». C'est l'échec de son intercession spirituelle qu'il pressent ici pour la première fois avec une acuité pathétique : l'âme du poète n'a cessé d'aller et venir, en vérité, « agile surtout à [...] glisser entre les doigts » de Jésus. Bien que convaincu de ne pas se trouver « en faute », Cocteau capitule trois jours plus tard, demandant pardon « à Raïssa et à vous Jacques », mais espérant néanmoins obtenir leur accord pour que « cette publication inévitable et *secrète* se poursuive », à la condition de ne jamais la rééditer par la suite. « Cher Jacques, ne croyez pas que je glisse agilement entre les doigts du ciel. Sans ma liberté parfaite je ne vaux rien, et c'est cette liberté parfaite que je défends lorsque vous me croyez spécieux et alerte [...]. Jacques, Raïssa, je vous aime vous le savez, croyez-moi, croyez que je sens le pur et l'impur, que je ne m'arrange pas avec des mensonges – mais que ma vie sur laquelle je ne vous ai jamais donné de faux renseignements, m'oblige à des contacts énigmatiques avec cette chair de l'esprit dont je vous parlais plus haut. [...] Ayez pitié de moi – de l'inextricable des choses humaines... [25]. »

Le 22 juin, Maritain reçoit une lettre de l'éditeur du *Livre blanc* l'avisant de l'impossibilité d'arrêter sa publication. Il s'agit ni plus ni moins que de Maurice Sachs, devenu directeur d'une collection de prestige à la Librairie des Quatre-Chemins. Le jeune homme marque sa solidarité avec Cocteau dans le différend qui l'oppose à Jacques en faisant grief à ce dernier d'user « des mots cœur et amitié tout autrement que nous et d'une façon qui me laisse stupéfié [26] ». C'est l'époque où Maritain écrit à l'abbé Journet qu'il perdrait cœur si Raïssa ne le secourait de « sa prière et de sa paix [27] ». Jamais le sentiment d'être dupé, voire trahi n'a été si fort en lui – « ceux qui se moquaient de ta naïveté auront eu raison [28]. » Tout en assurant à Cocteau qu'il ne l'abandonnera jamais, Maritain décide d'interdire toute réédition de leurs lettres de 1926 aussi longtemps que l'équivoque entre eux ne sera pas levée*. « Suivez votre route sans compromis et laissez-moi suivre la mienne, répond Cocteau bouleversé. En imitant la vôtre je me fausserais et je fausserais *la créature*. Laissez-moi tout de même vous approcher, vous regarder, vous aimer comme une blancheur qui repose [29]. » Jacques, le lendemain : « Pour nos lettres, ne voulez-vous donc pas comprendre qu'il s'agit uniquement de ceci : sont-elles *encore* VRAIES ? À vous de répondre à cette question. » Après la publication de *J'adore* de Jean Desbordes en juin, accueillie par Maritain comme l'on sait, celle quasi clandestine du *Livre blanc*** un mois plus tard porte à son paroxysme l'amère incompréhension entre les deux hommes. Leur correspondance rythme un duel de plus en plus douloureux pour chacun d'eux, un affrontement terrible comme on en imagine seulement entre les anges, l'esprit se faisant aussi dur que le cœur reste doux. Blessé dans ce qu'il « aime par-dessus tout », Maritain

---

* Rééditées seulement en 1964. À la mort de Cocteau...
** Sans nom d'auteur ni d'éditeur et à quelques exemplaires.

ne voit plus en Cocteau qu'un être « infiniment malheureux », livré au « tragique » de son âme, le poète
jugeant de son côté qu'un tel « manque d'indulgence,
de générosité [...] insulte l'Évangile ». Mais le premier
ne conclura jamais autrement chacun de ses messages que par un « Je vous aime quand même », le
second par un « Je vous aime » qui ne laisse de témoigner de sa « tendresse sans l'ombre d'une ombre [30] ».

Le 15 août 1928, de passage à la Chartreuse de la
Valsainte où il trouve désormais la paix que Solesmes
lui procurait naguère – lieu « où la contemplation
paraît la seule réalité » –, Jacques prie pour son ami.
« J'ai pitié de votre âme, je tremble pour elle. » En
novembre, accablé par les attaques féroces dont est
victime le livre de Desbordes (la pire étant celle de
Claudel qui assure l'avoir jeté dans les w-c) et à la
veille de subir une nouvelle cure de désintoxication*,
Cocteau esquisse un retour vers Meudon. « Il existe en
moi un espace *très vague*, mais intact et blanc comme
neige. Je souffre beaucoup. Sans votre tendresse, sans
Raïssa, sans Meudon, je serais perdu. Mon cœur est
bête. C'est une chance ! Mon esprit lui donne un autre
air qui trompe, qui gâche tout [31]. » Il demande à lire le
Traité des anges et livre à Maritain le « vrai motif » de
sa cure : se poser « certaines questions graves » sans
qu'« entre la question et la réponse » puisse intervenir
« la moindre *complaisance organique* ».

Le plus surprenant n'est pas qu'ils se rencontrent,
à la fin des années vingt, sous l'impulsion d'un ami
commun, Charles Du Bos, mais bien qu'ils aient dif-

---

* À la maison de santé de Saint-Cloud, où il écrira *Les
Enfants terribles*.

féré si longtemps l'occasion de se connaître autrement que par livres interposés. Durant plusieurs années, François Mauriac et Jacques Maritain ont communiqué à distance sans engager plus avant leur relation. Les raisons d'un éloignement si manifestement entretenu de son côté, l'auteur du *Bloc-notes* les imputera, trente ans plus tard, à son allergie au thomisme et plus encore aux réticences suscitées en lui par les troubles conversions de Cocteau et de Sachs. Le fait est que Mauriac s'est tenu, peut-être prévenu par son flair de Gascon, résolument à l'écart de Meudon au temps de sa plus grande effervescence, attendant le reflux pour accoster enfin à la petite maison de la rue du Parc. Entre-temps, le romancier n'en a pas moins trouvé en Jacques Maritain une manière d'ange gardien*, aussi prompt à ouvrir avec lui un dialogue contradictoire que soucieux de se tenir à « l'écoute [32] » de sa vie.

Tout distingue a priori l'un et l'autre le si mouvant, si chatoyant, si ingénieux propriétaire de Malagar, aux yeux de chevreuil sarcastique, à la longue et langoureuse silhouette de pin maritime, à la voix presque éteinte d'où fusent des murmures, et le « chevalier de l'absolu [33] » comme venu de l'invisible, au regard transparent de sourcier candide, tout empreint d'une intransigeante douceur. Ici, un écrivain, un journaliste en qui dominent une sensibilité frémissante, une lucidité ironique, le sens aigu des valeurs bourgeoises et des évasions mesurées ; là, un intellectuel, un philosophe chez lequel priment la passion de l'intelligence, la fidélité au dogme et aux concepts, l'indifférence aux biens matériels et la tentation du déracinement. Ici un barrésien, féru d'égotisme et de mondanités, un fami-

* La formule est de Mauriac lui-même dans une interview au *Monde*, en 1964.

lier de Guermantes, un pascalien amoureux de *Phèdre* ; là un jaurésien, épris d'humanisme et de fraternité, un filleul de Léon Bloy, un ami des irréductibles et des réprouvés. Il n'est jusqu'aux origines de leur adhésion commune et provisoire au maurrassisme qui ne les sépare en réalité, réflexe de conformisme social, d'antiparlementarisme de classe et de puritanisme pieux chez l'héritier de Guyenne, l'élève des pères marianistes ; quête d'un nouvel ordre évangélique et rejet du modernisme chez le disciple du père Clérissac et de dom Delatte. Mauriac ne rompra tout à fait avec l'Action française qu'au début de l'hiver 1928, un peu moins de deux ans après le départ de Maritain.

Mais leurs divergences les plus profondes résident moins dans les disparités de caractère, d'origines ou d'appartenance, que dans leur rapport au catholicisme. Au moment où Jacques Maritain résout de se convertir, François Mauriac, impatient de fuir Bordeaux, s'apprête à remettre en cause la religion de son enfance. L'un se fait sillonniste et compagnon de route de Marc Sangnier, quand l'autre chemine vers saint Thomas et l'apprentissage de la *Somme théologique*. Et c'est l'étouffante rigueur d'un christianisme répressif et culpabilisant que dénonce l'auteur de *Thérèse Desqueyroux* alors même que l'homme de Meudon presse Green et Cocteau de se soumettre à la loi de Dieu. Nous sommes en 1928 et François Mauriac vient de publier un petit livre intitulé *Le Roman*, où il s'est hasardé à prendre le contre-pied d'une réflexion de Maritain extraite de *Trois Réformateurs* et fustigeant le romancier qui « lit sans vergogne » dans les yeux de la femme adultère « et mène son lecteur au spectacle ».

La controverse semble inévitable entre l'écrivain pour qui l'instinct créateur « pousse à mettre en lumière, à fixer le plus obscur, le plus trouble de nous-même [34] », et le philosophe qui réprouve toute connivence entre le romancier et « tel aspect du mal [35] », réclamant de celui-ci des « vertus surhumaines » dans le traitement de son sujet. Toute l'œuvre romanesque de François Mauriac s'inscrit en faux contre les théories de l'auteur d'*Art et Scolastique*. Du *Fleuve de feu* au *Désert de l'Amour*, de *Thérèse Desqueyroux* à *Destins*, le « regard perforant [36] » de l'écrivain catholique – plus officiellement catholique encore que Bernanos ou Green – ne cesse de prendre parti pour ses créatures, d'accompagner leurs errances, de justifier leurs actes, avocat de leurs souffrances, complice de leur ambiguïté, solidaire de leur enfermement. Tout en *Thérèse Desqueyroux* contredit, contrebat les postulats maritainiens : non seulement Mauriac, loin de se tenir à distance de son héroïne, se fait ici l'interprète de son geste et tient le crime de l'empoisonneuse pour explicable, mais il cède à travers elle à l'autoportrait, le « Mauriac des abîmes [37] » affleurant à chaque pas sous la révolte de la fugitive.

« Nous avons perdu – et c'est peut-être un grand malheur – le sens de l'indignation et du dégoût, observe le romancier en réponse à Maritain, nous osons lire dans les pauvres yeux, parce que rien ne nous indigne, rien ne nous dégoûte de ce qui est humain. » La réplique jaillit dans *Le Roseau d'or* : « Je crains qu'il n'y ait chez Mauriac une espèce de manichéisme, cause première de ses tourments. Il est tout près d'imaginer, comme Gide, que le diable collabore à toute œuvre d'art, et que de soi le roman est en complicité avec le mal. De même, sous prétexte que chaque individu porte en soi les quatre blessures du péché originel, il va, ce qui est tout différent, supposer en chacun, même dans les plus purifiés, un certain privilège du mal, un droit réservé au péché, une tare secrète mais actuelle, une perversité cachée. Abîme de solitude, soit ! L'individu peut se définir ainsi. Mais par l'esprit les âmes communiquent. Et il est des abîmes que la grâce habite, où elle met l'ordre et la lumière, il est des abîmes de charité [38]. » Mais pour le créateur de Maria Cross et de Bob Lagave, l'intimité de l'observateur avec la « chose observée » est la « condition même » de son art, sauf à retourner aux « vieilles conceptions du naturalisme [39] ». « Il faudrait être un saint, conclut Mauriac, mais alors on n'écrirait pas de romans. La sainteté, c'est le silence [40]. »

Ce qu'il appelle la « question Mauriac » dans une lettre à Charles Du Bos, le 2 octobre 1928, au moment où l'écrivain publie *Souffrances du chrétien* à la *NRF*, revêt d'autant plus de gravité aux yeux de Maritain qu'à travers elle se fait entendre « le cri d'une âme à demi asphyxiée [41] ». En proie à une crise religieuse d'une telle violence que « pendant deux ou trois ans, confiera-t-il, je fus comme fou [42] », Mauriac recourt à la création romanesque comme à un exercice d'exorcisme, transformant alors une *Vie de Racine* en implacable examen de conscience. Devra-t-il apprendre à son tour le silence pour taire « les angoisses cachées de sa vie » comme l'auteur de *Phèdre* sur ordre de son confesseur et faute de pouvoir « songer à son art comme à une aide ou un soulagement [43] » ? Ou considérer qu'on ne saurait « mieux servir la religion catholique qu'en faisant mieux connaître l'homme », et refuser de se taire ? La révolte du chrétien de quarante ans contre le « pharisaïsme éternel [44] » d'un christianisme figé dans ses règles et ses interdits, un christianisme de culpabilité et de scrupule qui paraît oublier que « Dieu est amour », cette révolte vient précisément de ce qu'il n'a cessé de réprimer, de refouler, cette part de lui-même contre laquelle il a soudain perdu la force de lutter.

« L'objet de notre tentation, écrivait-il à Gide à propos de *Corydon*, il ne dépend pas de nous que ce soit celui-ci ou celle-là, mais ce qui dépend de nous c'est le refus [...]. Ne savoir qu'aimer et donner la mort spirituelle : comment échapper à ce dilemme ? Je parle pour moi [45]. » L'homosexualité de Mauriac, il semble qu'on ne puisse en parler, comme lui-même, qu'à mots couverts. Revendiquée ou simplement assumée par Gide, Green ou Cocteau, elle restera chez l'adolescent d'autrefois tentation réfutée, obsession dominée et non moins obsédante, au terme de la révision déchirante que le chrétien de 1928 accomplira sur lui-même.

« L'essentiel, c'est que Mauriac revienne, écrit Maritain à Charles Du Bos le 16 février 1929, et que nous puissions la semaine prochaine avoir avec l'abbé Altermann, lui et moi, les quelques entretiens indispensables pour déblayer le terrain, lesquels me permettront sans doute de vous apporter déjà le dimanche 24 les précisions dont nous avons encore besoin [46]. » L'intervention décisive, au lendemain de la publication de *Souffrances du chrétien*, a été l'œuvre de « Charlie » – ainsi appelle-t-on Du Bos dans le milieu littéraire – qui, lui-même converti un an plus tôt et « dans tout le feu » encore de son retour à Dieu, a su rendre à l'écartelé confiance en l'incarnation du seul amour véritable. Prenant le relais, le très rigide abbé Altermann achèvera de convaincre Mauriac, en dépit de tout, qu'il est aussi un bonheur de chrétien « dès que pénètre la Grâce [47] ». Mais c'est dans l'« intervention indirecte [48] » de Maritain, et son appel à s'obliger à une « héroïque espérance », que le romancier, assuré qu'écrire sera toujours « se livrer » et qu'un livre est un « acte violent, une voie de fait, quelquefois un viol [49] », puise en fin de compte la seule réponse à Gide, à *Corydon*, au « compromis rassurant qui permet d'avoir Dieu sans perdre de vue Mammon[50] », la seule réponse qui puisse préserver en lui, entre chair et âme, le chrétien et le créateur : « Le plus humble prêtre me dira, après Maritain : "Soyez pur, devenez pur et votre œuvre aussi reflétera le ciel. Purifiez d'abord la source..."[51]. »

Le 4 avril 1929, achevant la lecture de *Bonheur du chrétien*, Maritain exprime son émotion à l'écrivain rendu à Dieu : « Il y a là un accent de grâce, je ne sais quoi d'évangélique et de désarmé, de vaincu, d'authentiquement vaincu par Dieu, qui vaut mieux que tout. [...] Cette espèce de tremblement de l'âme devant le bonheur dont elle parle [...], rien ne peut mieux toucher les cœurs, parce que c'est une chose elle-même divine. [...] Non, ne souffrez pas de ce que vous publiez ces temps-ci. Il fallait que vous parliez. [...] Je crois que la littérature n'est une prostitution que si précisément on s'y livre comme à un vice plus fort que soi dont on a honte, non comme à une tâche consentie. Il y a là-dessus chez Claudel vis-à-vis de son propre art, chez Massignon vis-à-vis de l'expression littéraire, une attitude que je crois encore trop compliquée, et trop crispée[52]. »

Reste qu'en se posant en théoricien du roman, soucieux de « tracer le moins mal possible des limites que le jeu naturel de la production littéraire ne trace pas de lui-même[53] », le directeur du *Roseau d'or* a sans doute mené son combat le plus chimérique. Où donc le romancier, fût-il le plus proche de l'état de sainteté, trouverait-il la source de son œuvre sinon en ce plus trouble de lui-même, précisément, qu'est son propre imaginaire ? Et qui, de Mauriac, de Green, de Bernanos, pourrait longtemps s'interdire de mêler leur substance à celle d'Élisabeth Gornac, de Fabien Especel ou du jeune curé d'Ambricourt ?

Mauriac – le purifié, dix ans après sa «conversion», affirmera : «Rien ne peut faire que le péché ne soit l'élément de l'homme de lettres et les passions le pain et le vin dont il se délecte. Les décrire sans connivence, comme nous y invitait Maritain, c'est sans doute à la portée du philosophe et de l'artiste, non de l'écrivain d'imagination dont tout l'art consiste à rendre visible, tangible, odorant un monde plein de délices criminelles, de sainteté aussi, nous ne l'ignorons pas [54].» Entre «falsifier la vie» et «exciter les convoitises de la chair», le romancier, conscient de ses responsabilités morales, est voué à poursuivre sa marche risquée entre deux abîmes.

La plénitude du jour

« Salut donc, ô monde nouveau à mes yeux,
ô monde maintenant total ! »

Paul CLAUDEL
Deuxième Grande Ode.

Un soir de mai 1929, Jacques Maritain dîne en tête à tête avec Julien Green. Soudain, il s'interroge : « Est-ce que je ne me suis pas trompé ? Ai-je eu tort de m'occuper de tous ces hommes de lettres ? » Au moment de se séparer, Green remarque son « air triste, désemparé », en dépit d'un sourire.

Est-ce le sentiment d'échec que lui inspire alors la lecture des *Enfants terribles*, où plus que jamais Cocteau lui paraît s'avancer « dans les cavernes de la mort » et commercer avec les « puissances obscures [1] » ? La tristesse de n'avoir pu retenir Sachs dans le dédale de ses errances ? La douleur d'être en proie aux « calomnies [2] » de Bernanos ? Nul plus que l'auteur de *Sous le soleil de Satan* n'a contribué sans doute à déstabiliser le philosophe dans ses relations avec les écrivains. « Je prête seulement ma pauvre voix à quelques-uns de ceux auxquels vous êtes un scandale intolérable, lui écrivait le romancier en février 1928. Si vous êtes là, comme vous le dites, de la part de N.S. Jésus-Christ, je n'en sais rien [...]. Vous n'avez pas même de la hiérarchie reçu la moindre délégation d'autorité. Vous ne tenez celle que vous avez que de vos livres, de votre talent, de vos actes [...]. Le rôle de justicier *volontaire*, d'exécuteur *bénévole* ne vous convient peut-être pas autant que vous le supposez [...]. Je vous aime de tout mon cœur, je dois vous aimer plus que personne au monde, parce que personne ne m'a fait autant de mal que vous [3] ! » Suspect, Maritain ne l'est-il pas devenu tout autant aux yeux des catholiques eux-mêmes, au point de devoir s'expliquer de ses amitiés littéraires au plus intraitable de ses disciples, Jean-Pierre Altermann : « J'ai mesuré dès le début le péril que cela crée pour moi, je l'ai accepté une fois pour toutes. Je sais que l'opinion, elle, n'y peut rien comprendre [...]. Mais des choses comme la réponse à Cocteau je les referais sûrement dans les mêmes conditions, car c'était mon devoir de les faire. Et je n'abandonnerai jamais Cocteau. Tout cela, dites-le, si vous le jugez bon, à ceux qui vous interrogent à mon sujet, et dites-leur de prier pour moi [4]. » Rares alors sont ceux qui, tel le père Couturier, ont compris le sens de sa mission et le presse d'en parler. « Vous avez beaucoup de choses à nous dire, des choses qui intéressent trop la charité...[5] » Mais c'est une ombre de désabusement et de souffrance qui pèse alors sur l'homme de Meudon, peut-être nécessaire à cette mue qui s'opère en lui depuis la publication de *Primauté du spirituel* et sa prise de conscience d'une redistribution des enjeux.

Reflets des problèmes nouveaux qui se posent à lui, d'autres amitiés se sont créées autour de Maritain depuis l'automne 1927, le réseau s'ouvrant désormais plus nettement aux philosophes, aux professeurs, aux religieux français et étrangers. Hier, pôle de la vie littéraire, la maison de la rue du Parc va devenir au début des années trente la plaque tournante d'échanges intellectuels et spirituels rapprochant, confrontant disciplines et croyances les plus diverses. Ni caste ni cénacle, une manière de port d'attache tourné vers le grand large, où se croisent, jusqu'à la guerre, visiteurs familiers et hôtes de passage, disciples et observateurs, missionnaires d'Extrême-Orient, réfugiés d'Europe Centrale et universitaires des Amériques, le maître des lieux n'étant lui-même jamais ici qu'en transit. Courant de Milan à Salzbourg, de Rome à Toronto, de Chicago à Poznan, happé de tous côtés, il ne rentre à Meudon que pour y terminer, entre deux entretiens, livres, articles et conférences. « C'était la quête inlassée de tout ce que l'époque pouvait inventer de bon, de beau, de vrai », se souvient un des participants les plus assidus des « Dimanches de Meudon » et des multiples réunions d'études, le normalien Olivier Lacombe. « Le souci de rester à l'écoute de la vie intellectuelle, artistique du temps [...], les déplacements à Paris pour y garder contact avec la musique, la peinture, la poésie, y suivre les mouvements de pensée [6]. »

Cette seconde époque de Meudon, on en voit se manifester les prémices à partir de 1927. La crise de l'Action française opère alors un clivage brutal entre les amis de Maritain – certains s'éloignant à jamais, d'autres se rapprochant pour longtemps. C'est le moment où de jeunes intellectuels récusant tous les modèles politiques de leur temps et inquiets de la mollesse des démocraties face à la montée des dictatures [7], tels René Perrin, Jean de Fabrègues, Maurice de Gandillac, Étienne Borne, Maurice Merleau-Ponty, font connaître à Maritain leur désir d'assister aux réunions d'études. Le moment encore où un philosophe qui a suivi les cours de Maritain à l'Institut catholique, Yves Simon, « frère d'armes [8] » des quarante années à venir, se rend à Meudon pour la première fois, invité par son ancien professeur à une « réunion avec de jeunes Russes orthodoxes [9] ». Simon deviendra très vite l'un des protégés de Jacques Maritain qui le conseille dans sa carrière universitaire – « C'est par un acte tout intérieur, un petit déclic invisible qu'il faut commencer, par lequel vous ferez entière démission de vous-même entre les mains de Notre Seigneur [10] » –, le presse de ne pas s'enliser dans « la philosophie aimée pour elle-même » et d'aller vers « l'élément concret, le contact vital avec l'expérience [...] et les réalités singulières [11] ».

Le tournant décisif est 1929. L'année où Maritain demande à Charles Du Bos de conduire Gabriel Marcel « un soir à Meudon [12] », peu après le baptême de celui-ci. Jugeant sa conversion précipitée, Gabriel Marcel trouve en Maritain une écoute fraternelle. « Même si je ne puis m'accorder tout à fait avec vous sur certains points, vous serez là du moins pour me repérer, lui écrit le futur auteur du *Journal métaphysique*. C'est de ce repérage que j'ai besoin actuellement. Je me sens un peu perdu [13]. » Ennemi de tous les systèmes, Gabriel Marcel n'aborde pas le disciple de saint Thomas sans réticences, peu ou prou suspect à ses yeux d'être le tenant d'une doctrine trop structurée. Mais il puisera dans leur rencontre une incitation nouvelle à découvrir sa propre voie, croisant en outre à Meudon des hommes eux-mêmes en recherche, tel Emmanuel Mounier. Mounier fait partie de ces jeunes catholiques formés par la lecture de *Primauté du spirituel* et aux yeux desquels Maritain incarne le « philosophe exigeant » qui a « dénoncé l'utopie théocratique » et transmis à toute une génération « le goût de la force intellectuelle [...] et d'une certaine dureté saine dans les mœurs de l'esprit [14]. » Il a pris contact avec Meudon, en 1928 à propos d'un travail sur Péguy. « Avez-vous averti les Péguy ? interroge

Maritain. Ils ne sont pas commodes! Depuis que les enfants ont été baptisés, je n'ai vu personne [15]! »

Meudon, 2 décembre 1929 : « Il y a là Maritain qui se fait petit contre la cheminée, entre sa mère* et le conférencier, rapporte Mounier. Du Bos prépare ses phrases lisses. Gabriel Marcel, éternel enfant battu, a trouvé "his just place" à un bout du divan contre la porte. Des pianistes. Un comte russe qui fut conseiller d'Empire. Ghéon, dont les moindres pensées grimacent sur le visage, etc. – Nabokoff ** parle du "phénomène de l'Inspiration en Musique"… et montre la distinction à faire entre l'inspiration naturelle et l'inspiration spirituelle dont aujourd'hui nous sommes de plus en plus sevrés…

« Du Bos insiste sur la distinction des deux inspirations… puis passe au problème des deux morales : la morale de l'artiste et la morale de l'homme.

« La conversation se disloque. Maritain me parle un instant de mon *Péguy* : "La difficulté est de le présenter dans la lumière et la vérité, et cependant sans le déformer et choquer ses amis incroyants…" Je demande à Nabokoff si cette question de l'inspiration spirituelle et de la nécessité qu'elle soit soutenue par l'humanité ne serait pas éclairée par la considération de ces trous ou de ces faux pas que l'on trouve au milieu des œuvres les plus hautes (ainsi le "Credo" dans la messe de Franck, Satan dans les "Béatitudes" : "Oui, mais ces trous me choquent peu chez Franck, car on l'a estimé, je crois (mais je le connais très peu, en effet, comme musicien), bien au-dessus de ce qu'il vaut. Mais je vois telles 'Fugues' de Bach qui commencent très inspirées, qui finissent très académiques…"

* Geneviève Favre séjourne assez fréquemment à Meudon à cette époque.
** Nicolas Nabokoff, compositeur et auteur de livrets d'opéra. Cousin de l'auteur de *Lolita*.

« Sur le quai de la gare, je rejoins Du Bos. Je pense que la coupure n'est pas seulement entre la vie de l'artiste et celle de l'homme. Mais souvent dans l'homme même, entre une haute spiritualité et une nature qui tire en son sens sans que l'un des deux chasse l'autre. L'art pourrait alors puiser dans cette spiritualité de l'homme et ainsi se ferait le lien entre les vies...[16]. »

En cette aube des années trente, l'esprit de Meudon se nourrit ainsi des composantes les plus diverses, d'un commentaire sur une fugue de Bach comme d'un récit de missionnaire en Afrique noire, d'un propos sur Freud comme d'une réflexion sur « l'amour de Dieu pour les créatures [17] ». Ouverture incessante sur les mystères de l'âme et les réalités du monde, multiplicité des approches, éclectisme des interventions...

En 1929 toujours, Maritain participe aux réunions interconfessionnelles qui s'organisent chez Nicolas Berdiaev, ne posant qu'une seule condition à ces rencontres œcuméniques entre orthodoxes russes et catholiques français : qu'il n'y eût jamais de protestants ! Ici se côtoieront un spécialiste de la mystique musulmane comme Louis Massignon, un historien de la philosophie médiévale comme Étienne Gilson, des catholiques tels l'abbé Altermann, Charles Du Bos et Stanislas Fumet.

Les réunions des cercles thomistes qui se tiennent à Meudon dès l'année suivante reflètent bien la démarche nouvelle de leur fondateur. On y traite notamment de la logique bouddhiste et de la Baghavad Gîta. On y débat de questions sociales, de la notion de travail. Si ces dernières sont depuis toujours familières au fils de Geneviève Favre, les premières doivent beaucoup à l'apport de Massignon, grande figure, déjà, de l'orientalisme et brûlant défenseur du dialogue entre musulmans, juifs et chrétiens. Ce catholique aux yeux de prophète est alors un des meilleurs connaisseurs de la pensée du Mahâtma Gandhi. Maritain s'intéresse à cette recherche d'une alliance entre la purification intérieure et l'action politique et sociale qui fonde la théorie de la non-violence [18]. C'est lui qui suggère à Olivier Lacombe sa vocation d'indianiste [19]. Mille chemins ouverts* qui nourrissent d'autant de directions nouvelles et de visions inédites le grand dessein universaliste esquissé dans *Primauté du spirituel*. Mû par un nouvel esprit missionnaire, Maritain a pressenti dès 1927 l'œuvre majeure qui s'offrait à un christianisme soucieux de réaffirmer pleinement son rayonnement dans le siècle. Là s'exprime en réalité le fond du désaccord qui l'oppose irréversiblement désormais à Maurras et aux tenants d'une sorte de nationalisme chrétien, tel Henri Massis. « Il y a des pierres d'attente du christianisme qu'il ne faut pas rejeter mais utiliser, écrit-il en mars 1927 à l'auteur de *Défense de l'Occident*. Le P. Wallace a été converti à la foi catholique, en s'exerçant d'abord, quand il était protestant, à la vie spirituelle bouddhique. Nous devons bien plutôt défendre l'Orient authentique contre ses contrefaçons occidentales que le déclarer (comme vous semblez le faire), encore plus mauvais. [...]

« Je pense au Père Lebbe**, aux missionnaires qui vont mourir là-bas pour étendre le royaume de Dieu, pour faire comprendre à toutes ces âmes que le Christ est venu les sauver comme les autres, et qu'elles peuvent, en devenant chrétiennes, maintenir, augmen-

* Titre d'un livre de Julien Green.
** Entré chez les lazaristes en 1895, Frédéric Lebbe passera toute sa vie en Chine comme missionnaire, au point d'y prendre la nationalité chinoise. Son exemple a fait grande impression sur Maritain.

ter, fortifier, toutes leurs justes revendications nationales, culturelles, leur fond de mœurs traditionnelles,
etc., etc. Votre livre, traduit et commenté en Orient,
sera une arme contre eux, risque d'être un obstacle à
la prédication de l'Évangile. On leur dira : voilà ce que
pensent de nous les catholiques, voilà comment ils
font droit à nos justes plaintes. On vous lira, on vous
commentera à l'Université de Tagore, et dans quel
esprit. Dans l'Inde, des jésuites font le même effort
que le P. Lebbe en Chine. Le débat tel que vous l'insti-
tuez se retournera contre eux. Puisse votre Défense de
l'Occident ne faire verser le sang d'aucun missionnaire occidental de plus. C'est terrible de toucher aux
choses de l'esprit dans un tel moment d'exaspération
universelle. Certaines phrases de votre livre, entourées
d'un commentaire convenable, iront frapper comme
des flèches l'œuvre de tous ces apôtres, et du P. de
Foucauld et d'Henrion en Islam, car c'est partout la
même chose. [...]

« D'une façon générale tous ces peuples attendent
de nous un mot de justice et d'amour. Un témoignage
de compréhension humaine aurait chance d'atteindre
leur cœur. Vous vous présentez à eux, l'arme au poing,
ne leur offrant que le désespoir au bout de votre
lance.

« Ils *existent* pourtant. Et que voulez-vous qu'ils
deviennent ? Vous leur dites que la culture occidentale
les gâte irrémédiablement, et que la culture orientale
est une mutilation monstrueuse de l'être humain.
Leurs aspirations politiques sont traitées de xénopho-
bie, tout leur vieux fond de culture est à rejeter
comme ennemi du genre humain. Alors que leur
reste-t-il ? Le suicide ou la haine exaspérée. Ils ne se
suicideront pas tous. [...]

« Une dernière remarque. Vous parlez plusieurs
fois du judaïsme en note, et avec raison. Mais ne

pensez-vous pas qu'une page sur le Christ lui-même, juif et "oriental" de race et dans sa nature humaine, serait utile ? Lui seul, placé au centre de tout, peut réconcilier l'Orient et l'Occident. Et il domine la tradition gréco-latine de toute la hauteur de Dieu. Notre culture est gréco-latine, notre religion ne l'est pas [20]. »

Indiquant deux ans plus tard à l'abbé Journet le « désir très grand » de communication intellectuelle des catholiques allemands « sous le patronage de saint Thomas », il s'insurge contre l'inertie des catholiques français, « abominablement arriérés et empoisonnés de préjugés nationalistes », pour qui l'Évangile semble « une manne trop peu savoureuse [21] ». Et d'inciter alors Yves Simon, déjà l'un de ses plus proches disciples, à s'établir en Allemagne où il sera « l'ange thomiste unissant les esprits d'un bord à l'autre du Rhin [22] ». Voici désormais pour lui-même la tâche primordiale : « un travail d'apostolat intellectuel » et de « mobilisation du thomisme [23] ». Dans l'extraordinaire climat de fièvre, d'urgence et « d'allégresse au milieu des larmes [24] » où vit à ce moment-là l'homme de Meudon, le confident essentiel, l'aiguillon, la référence théologique reste plus que jamais l'abbé Journet, dont les propres analyses ne cessent de converger avec les siennes.

C'est en premier lieu toute l'actualité du thomisme que Maritain s'emploie à mettre en relief en 1930 dans *Le Docteur angélique*, « philosophie essentiellement synthétique et assimilatrice, la seule à vrai dire qui tente à travers les siècles et les mondes une œuvre de continuité et d'universalité [25] ». L'œuvre du « sage architecte », comme il appelle saint Thomas, est seule à même de rendre à la culture chrétienne son unité perdue. « Une vérité me semble commander ici tout le débat, prévient Maritain : *l'homme ne trouve pas son unité en lui-même. Il la trouve hors de lui, au-dessus de lui*. » Et c'est à travers les « deux activités les plus dignes de l'homme », l'intelligence « en tant qu'elle est fidèle à l'objet » et l'amour « en tant qu'il nous unit à notre principe et à notre véritable Tout », que cette unité pourra se reformer dans son cadre naturel, l'« univers tout entier », hors des « barrages de protectionnisme intellectuel » et des limites de races ou de castes.

« Un jour, à la fin des années vingt, raconte Maritain, trois philosophes causaient ensemble : un orthodoxe et deux catholiques ; un russe, un allemand, un français : Nicolas Berdiaeff, Peter Wust, et l'auteur de ces pages. Nous nous demandions comment concilier deux faits en apparence contradictoires : ce fait que l'histoire moderne semble entrer, selon le mot de Berdiaeff, dans un *nouveau moyen âge* où l'unité et l'universalité de la culture chrétienne seront retrouvées, et étendues cette fois à l'univers tout entier, – et cet autre fait que le mouvement général de la civilisation paraît l'entraîner vers l'universalisme de l'Antéchrist et sa verge de fer plutôt que vers l'universalisme du Christ et sa foi libératrice, et interdire en tout cas l'espoir de l'unification du monde dans un "empire" chrétien universel.

« Pour moi la réponse est la suivante. Je pense que deux mouvements immanents se croisent à chaque point de l'histoire du monde et affectent chacun de ses complexes momentanés : l'un de ces mouvements tire vers le haut tout ce qui dans le monde participe à la vie divine de l'Église, laquelle est dans le monde et n'est pas du monde, et suit l'attraction du Christ, chef du genre humain. L'autre mouvement tire vers le bas tout ce qui dans le monde appartient au prince de ce monde, chef de tous les méchants. C'est en subissant ces deux mouvements internes que l'histoire avance dans le temps [...].

« Dès lors il est bien vrai que nous allons vers un nouveau moyen âge, vers une unité et une universalité retrouvées de la culture chrétienne. Mais, quoi qu'il en soit des triomphes terrestres plus ou moins durables que nous pouvons espérer pour l'Église, on comprend que cette restauration de la chrétienté, tant dans l'ordre social que dans l'ordre de l'esprit, doive se produire dans un monde de plus en plus tragiquement disputé.

« C'est dire qu'au lieu d'être groupée et rassemblée, comme au moyen âge, dans un corps de civilisation homogène et intégralement chrétienne, mais limitée à une portion privilégiée de la terre habitée, il semble que l'unité de la culture chrétienne doive s'étendre maintenant sur toute la surface du globe, mais ne plus représenter en revanche que l'ordre et le réseau vivant des institutions temporelles chrétiennes et des foyers chrétiens de vie intellectuelle et spirituelle répandus parmi les nations dans la grande unité supra-culturelle de l'Église. Au lieu d'un château fort dressé au milieu des terres, il faudrait penser à l'armée des étoiles jetées dans le ciel. »

L'idée de « nouvelle chrétienté » constituerait-elle une réponse durable à la dislocation du monde moderne, si elle n'intégrait cette ambivalence qui rythme le mouvement de l'histoire, entre l'aspiration au bien et la pesanteur du mal, et par là ne reconnaissait la « grande loi [26] » qui ordonne la progression des sociétés ? Pourrait-elle offrir quelque alternative à l'essor des totalitarismes, rouge ou brun, si elle ne partait d'une perception du réel tout entier ? Dans l'esprit de Maritain, en fait, il ne s'agit pas davantage de mépriser le monde que de s'identifier à lui, mais d'établir, dans un monde qui ne saurait trouver en lui-même sa finalité, de nouveaux rapports entre spirituel et temporel. « Disparaît ainsi le mythe du progrès nécessaire, disparaissent toutes les formes de millénarisme, observe Jean Laloy. Disparaît notamment l'idée du royaume de Dieu établi sur la terre qui a hanté Dostoïevski. Apparaît, à moins qu'on ne prétende se réfugier dans l'absurde (mais est-ce un refuge ?), l'idée d'un sens à découvrir, d'une valeur propre, fragile, "brisable", des choses temporelles, valeur relative à la fin ultime, la cité de Dieu, relative aussi à ce qui se trouve dès maintenant reflété ou ébauché dans le temps, des perfections de cette cité. D'où les notions d'âges historiques, d'idéal historique concret, de nouvelle chrétienté, toutes trois attribuant aux choses temporelles une certaine valeur, mais refusant de les absolutiser. Ni théocratie, ni anthropocratie. Ni Maistre, ni Lamennais. Autre chose [27]. »

Cet « autre chose » entraîne dans le même temps l'auteur d'*Antimoderne* à une nouvelle lecture de la modernité. Le 23 avril 1930, Maritain prononce à Fribourg une conférence décisive à cet égard, publiée un peu plus tard dans la collection « Questions disputées » qu'il vient de fonder avec Charles Journet chez Desclée de Brouwer. Étape essentielle de la mutation qui ne laisse de s'opérer en lui depuis 1927, *Religion et Culture* doit beaucoup aux plongées successives de Maritain dans l'univers de la création contemporaine. La caractéristique positive à ses yeux de l'âge moderne est la prise de conscience chez l'homme de son pouvoir créateur. « Tandis que le monde moderne se détournait de la spiritualité par excellence, observe-t-il, l'univers de l'immanence s'ouvrait, parfois par des portes basses, un approfondissement subjectif découvrait à la science, à l'art, à la poésie, aux passions mêmes de l'homme et à ses vices leur spiritualité propre [...]. Bref, en vertu de l'ambivalence de l'histoire, l'âge réflexe, avec toutes les diminutions et les pertes connotées par ce mot, comportait par ailleurs un enrichissement incontestable, et qu'on doit tenir pour un gain acquis, dans la connaissance de la créature et des choses humaines, quand même cette connaissance devait déboucher sur l'enfer intérieur de l'homme en proie à lui-même. Ce chemin ténébreux n'est pas sans issue, et les fruits cueillis en y passant ont été incorporés à notre substance. » Le fait essentiel de la culture moderne, expliquera-t-il plus tard, est « l'avènement spirituel, non pas de l'ego centré sur lui-même, mais de la subjectivité créatrice[28] ». Prise de conscience qui tout aussitôt en appelle une autre chez Maritain : celle de la « tâche intellectuelle du catholique » dans le monde moderne. Médiateur « entre le temps et l'éternel », il s'agit pour lui d'atteindre au « juste point » entre les deux. « Qu'on ne s'y trompe pas, ce sont les problèmes les plus ardus et les plus graves, et qui touchent du plus près au cœur et à la chair de l'humanité, qui se pressent maintenant devant l'intelligence chrétienne, comme s'ils avaient été longtemps tenus en réserve pour un assaut général ; ce sont des philosophies, des recherches de science ou d'art, des modes de pensée et de culture d'une technicité rare et d'une précieuse qualité humaine que cette intelligence doit affronter, réduire ou assimiler. [...] La pensée catholique doit être élevée avec Jésus entre ciel et terre, et c'est en vivant le paradoxe douloureux d'une fidélité absolue à l'éternel étroitement jointe à la plus diligente compréhension des angoisses du temps, qu'il lui est demandé de travailler à réconcilier le monde à la vérité. »

Changement d'époque. Tandis que *Le Roseau d'or* périt peu à peu de son « heureuse solitude[29] », victime aussi bien de ses conflits internes, d'un certain repli sur ses positions que des « fertiles marécages du monde littéraire[30] », une autre aventure prend forme au début de 1931, le projet d'une revue ouverte à « l'immensité du christianisme [31] ». Maritain souscrit d'emblée à l'idée d'Emmanuel Mounier et de Georges Izard. « Il l'accueille avec son habituelle charité [32] », note Mounier le 22 février 1931 non sans ironie. Évoquant l'une des conditions posées à la réalisation de leur projet, l'esprit d'universalité, le jeune homme glisse à Izard que cet esprit est cependant « non conforme au petit Maritain qui est inclus dans la compréhension du grand [33] ». Ambiguïtés de départ qui ne manqueront pas de resurgir, Mounier semblant mettre en doute dès ce moment-là l'évolution réelle du philosophe.

Se pose précisément le problème de l'ouverture de la future revue. Maritain conseille d'en fixer assez tôt les limites, d'exclure notamment « les idéologues venant avec des systèmes tout faits [34] ». Hésitant sur Malraux et Jouhandeau, il suggère de faire appel à René Schwob, Stanislas Fumet, Jules Supervielle, Jacques Madaule, Henri Ghéon, Julien Green... « Puisque vous voulez que rien d'humain ne nous soit étranger, il faut pouvoir publier des extrêmes [...], par exemple des révolutionnaires [*sic*]. » Autres questions en suspens : le choix de l'éditeur et les moyens financiers. Maritain convainc son ami Pierre Van der Meer de Walcheren d'intéresser les éditions de Brouwer à l'entreprise et participe à la campagne de souscription qui permettra son lancement, lequel ne cessera, se heurtant à des difficultés de tous ordres et surtout financières, d'être différé jusqu'en octobre 1932. Au cours de l'été, on s'active à préparer le premier numéro d'*Esprit*. « Parfaite entente sur tous les points avec Maritain en cinq heures de conversation », note Mounier le 17 juillet. Mais le philosophe s'inquiète du peu de « copie » dont on dispose encore. « Ce que vous avez prévu pour le premier numéro me paraît un peu léger [...]. Tâchez donc d'avoir quelques poèmes de Rouault (il en fait beaucoup, il faut choisir), son nom est important pour nous. Voilà quelques noms qui me viennent à l'esprit. Avec Berdiaeff, cela ferait un ensemble intéressant [35]. » L'essentiel à ses yeux, en tout cas, est de préserver l'indépendance d'*Esprit*. « Je suis persuadé que les ruptures les plus graves valent mieux que de laisser *Esprit* devenir "l'organe" d'un mouvement politique. Ce serait le monde renversé, c'est l'esprit qui se sert d'organes, en bonne philosophie ! Toujours la vieille querelle du "mystique" et du "politique". Il est essentiel que vous soyez dès le principe d'une fermeté absolue [36]. »

Mais telle est déjà entre eux la pierre d'achoppement. Pour Maritain, *Esprit* est trop lié au mouvement politique que dirige alors Georges Izard, la « Troisième Force », celui-ci disposant d'une chronique régulière dans la revue. Mounier se veut plus nuancé. « Chez Maritain, désir de ce qu'il appelle neutralité confessionnelle, et qu'il croit avoir réalisé au "Roseau d'or", observe-t-il. Mais quelle faible frange de non-catholiques il y drainait ! Je pense que tout dépend de la souplesse dans l'appréciation des articles et de l'équilibre entre articles contraires ou complémentaires. Mais cacher le Christ, nous ne le pouvons pas ; c'est bien assez que les temps nous obligent à faire ce travail d'exilés [37]. » Maritain n'en reste pas moins sur une impression d'équivoque, *Esprit* lui paraissant dans le même temps trop neutre à l'égard du catholicisme.

Le 3 novembre 1932, il explose à la lecture d'un article d'Izard dans le second numéro d'*Esprit*, où celui-ci impute à tous les catholiques « une part de trahison ». « Cette phrase sonne comme un véritable reniement, écrit-il aussitôt à Mounier. Non seulement vous n'osez pas vous dire catholiques, mais vous vous mettez de l'autre côté de l'eau, en vous retournant vilainement contre *tous* les catholiques (et dans *tous* les catholiques il y a les Papes, il y a Ozanam, il y a Léon Bloy...). Vous trahissez par là même la mission de votre revue et pour flagorner les "révolutionnaires", sans aucune dignité. Au lieu d'affirmer la disjonction du catholique et du monde bourgeois, vous sacrifiez le catholicisme aux ennemis du bourgeois. Vous rendez-vous compte de la situation morale où vous mettez vos amis catholiques, et moi en particulier, qui vous ai aidé tant que j'ai pu, en comptant sur votre loyauté ? Comment pourraient-ils désormais collaborer à cette revue sans paraître accepter cette injure ? Moi, je n'encaisse pas. Cette phrase montre toute la gravité du problème dont je ne cesse de vous entretenir. Il est urgent que nous nous voyions [38]. » Maritain se reprochera peu après son excès de vivacité, mais non sans réitérer ses craintes de voir le directeur d'*Esprit* placer la « logique interne » de ses positions « avant le Christ ».

Le coup de semonce paraît suffisamment porter en tout cas, pour que Mounier en vienne bientôt à assurer Maritain de sa volonté de se déclarer « fils de l'Esprit avant d'être des partisans de la Révolution* ».

Provocant, stimulant, aussi minutieusement attentif aux autres qu'énergiquement enclin à les diriger, le Maritain de cinquante ans qui se pose en tuteur d'Emmanuel Mounier semble s'être mué en chef de réseau, en commandeur d'une nouvelle génération de catholiques.

---

* Révolution spirituelle, s'entend.

Cinquante ans. L'âge auquel Thomas d'Aquin était déjà mort, son œuvre accomplie, remarquera-t-il un jour. S'apprêtant à embarquer pour Toronto, peu avant son anniversaire, il confie à Charles Journet qu'il perdrait la tête s'il regardait en arrière – « je veux dire vers moi-même » – et qu'il doit continuer « à fuir en avant » [39]. Tant d'expériences, d'aventures, de rencontres, à travers un premier demi-siècle d'existence, n'auraient-elles servi, au bout du compte, qu'à exacerber cette hantise du passé qui inspirait à l'adolescent un fatalisme si absolu ? La conjuration des morts aurait-elle davantage pesé sur son destin en réalité que l'intervention des vivants ? De ruptures décisives en épreuves libératrices, la conquête de son « véritable soi [40] » se serait-elle révélée à chaque étape plus inaccessible ? C'est au prix de remises en cause permanentes, de révisions de plus en plus brutales qu'une telle vie ne cesse de se construire. Ainsi, comme émancipé d'une longue adolescence, l'homme de cinquante ans est-il redevenu cet exilé volontaire qui se réinvente comme à rebours de lui-même, affranchi de son passé, en route pour une identité nouvelle et se changeant peu à peu en personnage d'exode, en figure de nulle part...

Ni bilan ni jugement rétrospectif, le seul retour sur soi véritable aura été, à ce moment-là, la longue préface accompagnant la réédition de *La Philosophie bergsonienne*, en mai 1929, où Maritain se livre à une autocritique significative de ses positions de jeunesse. Hier « porte-parole d'une doctrine d'Église [41] », il parle désormais en son seul nom, tant pour reconnaître la dette contractée envers son premier maître que pour restituer à l'intuition, « dans les moments incomparables de *découverte intellectuelle* », le pouvoir qu'il lui récusait autrefois. « De tels moments nous laissent le souvenir grave de toute naissance, écrit-il, et ce qui naît alors en nous, naît pour toujours. » Son propre itinéraire n'est-il pas fait d'autant d'élans intuitifs et de renaissances successives ?

Jamais sans doute Jacques Maritain n'a disposé aussi complètement de lui-même qu'au moment où il se sent « terriblement » pressé par Dieu « d'aller de l'avant [42] ». Le philosophe est dans la plénitude de son autorité et de son rayonnement. C'est aux alentours de la cinquantaine qu'il publie son ouvrage le plus ambitieux, *Distinguer pour unir ou les Degrés du savoir*, et s'affirme comme philosophe chrétien, à cet âge-là qu'il commence à parcourir l'Europe et effectue ses premiers séjours à Toronto et Chicago.

Distinguer pour unir paraît chez Desclée de Brouwer en 1932. Examinant en neuf cent vingt pages serrées tout l'univers de la connaissance et du « connaissable », le disciple de saint Thomas s'emploie à mettre en lumière à la fois la « hiérarchie interne de causalités et de valeurs » qui compose la structure du savoir et le mouvement qui « élargit, exhausse, transforme » la vie propre de l'esprit « de degré en degré ». Entreprise thomiste par excellence que cette exploration multiple des territoires de la connaissance et de la pensée universelle dans leur rapport à Dieu.

« C'est à dessein que nous avons parcouru un si vaste ensemble de problèmes, esquissé une synthèse qui commence à l'expérience du physicien et se termine à l'expérience du contemplatif, et dont la solidité philosophique a pour garant les certitudes rationnelles de la métaphysique et de la critique. Ainsi seulement pouvions-nous montrer la diversité organique et l'essentielle compatibilité des zones de connaissance traversées par l'esprit dans ce grand mouvement de quête de l'être auquel chacun de nous ne peut

collaborer que pour un mince fragment, et en risquant de méconnaître l'activité de ses compagnons
attachés à d'autres ouvrages fragmentaires, mais dont
l'unité d'ensemble réconcilie comme malgré eux, dans
la pensée du philosophe, des frères qui s'ignoraient. À
ce point de vue on peut dire aussi que l'œuvre à
laquelle la métaphysique semble appelée aujourd'hui
sera de mettre fin à l'espèce d'incompatibilité
d'humeur que l'humanisme de l'âge classique avait
créée entre la science et la sagesse. »

Démontrant les liaisons vitales entre tous les
modes du savoir, Maritain conclut à la supériorité de
la sagesse sur la science et à la primauté de l'amour.

Si élaborée et organisée que puisse apparaître
son analyse du champ de la connaissance, elle ne
saurait constituer pour autant aux yeux de Maritain
un « système ». Le thomisme « n'est pas un système,
insiste-t-il, c'est un organisme spirituel » dont
chaque composante a sa virtualité propre et « existe
de l'existence du tout ». « La pensée n'y fait pas un
choix personnel entre les éléments du réel, elle a une
ouverture infinie sur eux tous. »

Cette somme métaphysique est accueillie diversement, machinerie pesante pour les uns, œuvre de
haute lumière pour les autres. Dérouté par le langage
trop scolastique du philosophe, Gabriel Marcel
s'inquiète du risque de faire apparaître la doctrine de
l'Église comme une « doctrine surannée et qui n'a plus
sa place aujourd'hui [43] ». Dans la *Revue thomiste*, Gustave Thibon, que sa ferveur maurrassienne n'a pu tout
à fait éloigner de Maritain, salue « l'œuvre la plus
ample, la plus forte, la plus lucide » du philosophe :

« Une synthèse du savoir humain – non pas une de
ces pseudo-synthèses univoques, semblables à la nuit
où toutes les vaches sont grises, comme disait
Hegel, – mais un édifice harmonieux, construit avec

ce sens profond de l'analogie qui caractérise les grands métaphysiciens, où toutes les sciences, depuis l'humble connaissance du monde sensible jusqu'à la science obscure des saints, trouvent leur lieu naturel et s'unissent sans se brouiller ni se comprimer réciproquement, – tel est le don offert dans ces pages aux hommes du XXᵉ siècle. Œuvre fondée sur l'éternité des principes de la raison, *Distinguer pour unir* est en même temps, au sens le plus séduisant du mot, une œuvre *moderne* : les problèmes, les hypothèses, les systèmes qui gravitent autour de l'*homo hodiernus* y sont incessamment examinés et jugés dans une lumière qui rassemble et purifie, et, de cet amas chaotique, tire à chaque instant de nouvelles lueurs d'intelligibilité. Sous la confusion anarchique de la pensée moderne, l'analyse de Maritain pose des centres d'éclairement attractif autour desquels se nouera l'harmonie de la constellation future...[44]. »

Dans le même temps où il exhume tout l'édifice thomiste, Maritain achève de mettre à jour la notion de « philosophie chrétienne », qui fait l'objet d'un débat difficile entre Étienne Gilson et lui. Pour l'auteur de *L'Être et l'Essence*, gardien de la pureté originelle du thomisme et fidèle à l'esprit de l'Aquinate, on ne saurait distinguer l'enseignement de saint Thomas de l'ordre théologique. Bon connaisseur de la théologie, Maritain se veut avant tout philosophe, écoutant les théologiens en « citoyen libre », selon la formule d'Henry Bars. « Il est en garde contre leur impérialisme et il est prêt à défendre contre eux la juste liberté de la philosophie, liberté qui, pour n'être pas infinie, n'en est pas moins réelle et fondée en droit[45]. » L'auteur des *Degrés du savoir* se situe dans un mode de relation autonome avec la théologie, où la philosophie travaille pour elle-même et « le bien de l'intelligence profane », traitant avec la théologie

« comme un prince avec un prince de rang plus élevé. [...] La théologie apprend au philosophe chrétien ceci de capital, souligne Bars, que ce n'est pas à la philosophie de procurer à l'homme la béatitude absolue ; elle rend la philosophie à sa vraie tâche qui est immense, tout en l'éclairant de loin dans cette tâche même [46] ».

En défendant l'existence propre de la discipline à laquelle il appartient, Maritain répond en réalité à une autre vocation que celle des thomistes traditionnels : enrichir l'enseignement de saint Thomas, « non plus considéré à distance mais assumé dans toutes ses exigences », de ce qu'il n'a jamais connu : « les humeurs du monde profane, l'amour de la poésie, le sens de l'histoire et l'expérience de la conversion [...], ces greffes imprévues » qui le nourriront « d'une sève plus riche [47] ». « La philosophie pratique, observera Maritain en 1935, considère l'homme et l'existence humaine au point de vue du mouvement concret et historique qui les mène à leur fin, au point de vue des actes humains à poser dans l'être, *hic et nunc*, conformément à leur règle [48]. » Entre primauté du spirituel et conscience des nécessités de l'action temporelle, entre « fidélité absolue à l'éternel » et « compréhension des angoisses du temps [49] », entre ciel et terre, le philosophe chrétien se voit confronté tout ensemble à un « paradoxe douloureux [50] » et à l'urgence d'une mission proprement chrétienne dans le siècle.

Voyageur et nomade, Jacques Maritain sera plus proche à cet égard d'un philosophe et théologien comme Albert le Grand, familier des grandes universités européenne du XIIIᵉ siècle, courant toujours de l'une à l'autre à dos de mulet, que du plus sédentaire Thomas d'Aquin. En mai 1931, une lettre d'Étienne Gilson l'avise de l'existence d'« un petit groupe de convertis » à Chicago devenus « disciples de Maritain sans l'avoir jamais vu [51] ». « La moisson américaine pourrait être magnifique », signale Gilson, lequel, trois mois plus tard, propose à Maritain de rencontrer Gerald Bernard Phelan, l'un des fondateurs de l'Institut des Études médiévales de Toronto, de passage à Paris. « C'est un des hommes les plus intelligents que je connaisse, qui connaît bien votre œuvre [...] ; vous pouvez le recevoir en toute confiance et je suis sûr que vous verrez vite à qui vous avez affaire [52]. » Maritain est invité peu après au Canada « pour deux ou trois mois, entre janvier et mai 1932 ou 1933 » pour y donner l'enseignement qu'il voudra. « C'est votre action personnelle de présence que l'on désire avant tout pour ces jeunes gens », ajoute Gilson [53], déjà familier des lieux. Maritain donne son accord, malgré sa « déplorable ignorance de l'anglais [54] ». Nous sommes à la fin de l'été 1931 : l'auteur de *Primauté du spirituel* rentre de Salzbourg où il a donné six leçons sur le « système de saint Thomas ». Il est attendu « chez des amis en Alsace » avant de regagner Meudon. Sa vie a déjà changé de rythme.

En janvier 1933, Jacques Maritain embarque pour la première fois à destination de l'Amérique du Nord. Il donne un cours à l'Institut pontifical d'études médiévales de l'université de Toronto, Saint Michael's College, puis se rend à Chicago à l'invitation du nouveau président de l'université, Robert Hutchins, et d'un jeune thomiste juif de l'université de Columbia, Mortimer Adler. Une seconde visite est prévue à l'automne 1934. « Je vois qu'il y a beaucoup de travail à faire en Amérique », confie-t-il à Journet à son retour. Il rentre à Paris « comme dans un buisson d'épines », sentant l'horizon « bouché de tous côtés [55] ».

Submergé, surmené, menant trop de combats,

trop de vies à la fois, soumis aux constants « envahis-
sements du prochain [56] », Jacques s'interroge parfois
sur un mode d'existence qui compromet « tout loisir
pour la prière » et les place tous trois « en danger de
mort [57] ». S'ouvrant de ces « difficultés » à dom Florent
Miège en décembre 1931, il reçoit du père prieur de
La Valsainte une réponse d'une « netteté absolue » :
« Ce sont des chaînes que Notre-Seigneur vous a données. Il faut baiser vos chaînes. Être surmenés et
dévorés jusqu'au bout. [...] Ne pas songer à changer
de vie, à quitter votre poste [58]. »

Ainsi les visiteurs pourront-ils continuer d'affluer
à Meudon, filleuls, « quasi-filleuls », « enfants * », amis
ou visiteurs impromptus.

« Un des grands miracles du foyer des Maritain
était qu'il pouvait contenir un nombre illimité de personnes, se souvient Helen Iswolsky. Plus tard quand
j'assistais à des réunions dans cette maison, je fus surprise de voir tant de personnes réunies dans ces
pièces relativement petites. Et à mesure que d'autres
visiteurs arrivaient, des chaises surgissaient de je ne
sais où ; à l'heure du thé, nous nous groupions autour
de la longue table de la salle à manger où il y avait
toujours place pour un convive supplémentaire. J'y
voyais un symbole de l'accueil spirituel que nous recevions tous dans cette maison.

« Certes, il ne s'agissait pas d'une réunion mondaine, et les visiteurs ne venaient pas à Meudon dans
le seul but d'y passer une heure agréable. Chacun était
à la recherche d'un trésor spirituel : direction, conseil,
encouragement, solution d'un problème. Les habitants de la villa de la rue du Parc se dévouaient à un
apostolat constant. Ils ne donnaient pas seulement

---

* Parmi eux, Maritain compte en 1933 Étienne Borne, Yves
Simon, Emmanuel Mounier, Roland Dalbiez...

leur temps, ils se donnaient eux-mêmes à chacun de nous. Il y avait dans leur cœur, comme dans leur maison, de la place pour tous.

« Il n'y avait rien d'intimidant chez cet homme aux cheveux clairs, d'allure jeune, qui ressemblait à un étudiant plutôt qu'à un professeur. [...] Certains êtres respirent un dynamisme physique ; d'autres attirent par la puissance de leur éloquence. Maritain était timide et tranquille comme Raïssa. Le secret de son magnétisme était ailleurs ; ce n'était pas du dynamisme dans le sens courant du mot. On sentait pourtant sa force immédiatement. C'était une sorte de radiation.

« Rien n'est plus éloigné de la conception moderne d'un "Führer idéologique" qu'un homme comme Maritain. Il ne forçait personne à le suivre, n'imposait ses vues à aucun groupe ou clan. Son action n'était point basée sur la propagande. Quand il cherchait à convaincre, il n'élevait pas la voix, même lorsqu'il parlait en public. Dans la conversation privée, il n'était jamais emphatique, au contraire, il était presque trop réservé. Cependant comme un de ses amis l'écrivait, "il pouvait retourner l'âme d'un homme en quelques secondes", non par des arguments, mais par la flamme de la charité. »

En octobre 1931, comme s'il la sentait au bord d'un nouveau grand départ, d'une nouvelle transfiguration dans cette solitude spirituelle qui s'est refermée sur elle comme un étau voici vingt-cinq ans, Jacques a demandé à Raïssa de reprendre son journal intime, abandonné depuis six ans et relayé chez elle par l'expérience de la poésie. Les rares photographies de Raïssa à cette époque montrent une femme comme consumée, les yeux cernés et las d'une trop longue attente et qui se force à sourire, une expression de douleur sur les lèvres. Charles Du Bos lui voit, en mai

1928, un « visage réduit, strict, véritablement extatique et comme serré sous un bandeau d'ardeur ».
Jamais « l'agonie de douleur et d'angoisse [59] » ne
paraît avoir été si violente dans l'âme de Raïssa, au
point d'en « devenir folle » et d'en mourir, confesse-t-
elle. « C'est extraordinaire combien, lorsque Dieu nous
veut dans l'épreuve, les affections les plus vives, les
amitiés les plus fidèles peuvent être réduites à
l'impuissance [...]. Bon gré, mal gré, nous faisons
ainsi l'apprentissage de l'affreuse solitude de la mort
[...]. L'excès de la douleur mortifie la sensibilité, mais
elle peut vivifier l'âme. » Un autre jour, sans date : « Si
quelqu'un auprès de moi pouvait goûter seulement un
peu de cette angoisse sèche, de cette mort lente, ou
l'amertume de ces larmes arrachées aux sources de la
vie, – alors on comprendrait. Mais je ne souhaite à
personne une telle expérience [60]. » Si fortement qu'elle
veuille épargner à Jacques la vision de ses souffrances,
Raïssa ne peut réussir à lui cacher qu'elle est devenue
« le théâtre à peine conscient de transformations profondes, importantes, destinées à venir à la pleine
lumière et à être exprimées un jour ». Certaines matinées sont « terribles » où, livrée à l'oraison, Raïssa se
sent « étendue comme sur la Croix, fixée par le cœur
comme avec une lance », « immobilisée par l'Amour »
qui travaille en silence, « évidant, creusant, embrasant,
ne tenant aucun compte de mes gémissements ».
« Dieu me demande plus que ma vie, note-t-elle le
24 novembre 1934 : accepter la mort vivante, le désert
de la vie. [...] Torturée, sanglotante, j'ai ressenti à la fin
comme un souffle léger venant du Seigneur [...].
Détente, apaisement où finit cette oraison. Mais cette
oraison, c'est toute ma vie maintenant. Et la mort
m'est proposée à chaque instant de la part de Dieu. »
    La vie du couple, vingt ans après le vœu qui a
scellé entre eux jusqu'à la mort une « amitié » faite

« d'union purement spirituelle, de ressemblance d'âme[61] », a été transfigurée par l'expérience spirituelle de Raïssa – allant peu à peu « de l'amour à l'Amour sans déclin[62] ». Les « lettres miraculeuses* » que Jacques adresse à Raïssa chaque jour, à l'automne 1934, lors de sa traversée de l'Atlantique – lettres toutes écrites avant son départ et confiées à Véra qui les poste à sa sœur quotidiennement –, témoignent d'une passion, d'une confiance sans limites :

« (Paris, 1er octobre soir)

« Que les Saints Anges fassent exulter en toi et autour de toi leurs bénédictions et leurs chants ! Ma Raïa bien aimée nous n'invoquons pas assez les Anges ; pour toute chose et à tout moment de la journée il nous faudrait leur parler et leur demander leur aide. En ce jour que je voudrais être auprès de toi ! Mon cœur se fond en pensant à toi. Appelle les Anges à ton aide, défends-toi contre les hommes, ne les laisse pas te faire de mal, souviens-toi de ce que t'a dit le Père Garrigou, et de ce que je t'ai dit. Ce qui se passe en toi vient de Dieu, c'est son œuvre à lui seul, il met en toi une lumière et un amour qui valent mieux que tout, ce sont les plus grandes grâces que tu aies reçues dans ta vie et qui aient rayonné sur notre vie à tous trois, ne crains rien, n'aie peur de rien, à cause de toi je n'ai peur de rien.

« ton Jacques.

« Ne te laisse rien imposer qui te charge, le matin après la messe défends ton recueillement dès qu'il commence à arriver, défends-le contre tout et tous, fais-le pour moi, je ne veux pas qu'une contrainte te fasse du mal. »

* L'expression est de Raïssa.

« (Meudon, 11 octobre)

« Je t'ai déjà dit ma Raïa exquise ma toute belle, que te voir dispense de chercher des arguments pour prouver l'existence de l'âme. Il suffit de te regarder, le clair-obscur de cette évidence admirable à laquelle le cœur ne peut pas résister est plus instructif que le "clair-obscur de l'intelligence philosophique". Tu es un témoin béni de la réalité de l'âme et de la force des choses de l'esprit. »

« (Meudon, 16 octobre matin)

« Il me semble que nous commençons à comprendre par expérience ce qui est dit de la patience qui opère la constance et qui fortifie l'espérance et qu'à son tour l'espérance nourrit. Ma bien aimée, ma Raïa de bénédiction, ma brebis, ma colombe exquise, aie toujours confiance et ne crains rien de rien. Avance sans crainte et donne autour de toi la lumière que le cœur de Dieu verse en toi sans même que tu en saches quelque chose. Moi je sais, et les autres savent aussi, qui reçoivent.

« Je pense que désormais ma première lettre du Canada ne tardera plus beaucoup, j'arrête aujourd'hui ces petits billets qui suppléaient à de vraies lettres. Je t'aime ma Raïa chérie, je te serre dans mes bras, je te dis et te redis que tu es une bénie une toute belle une chérie de Dieu, une amie de Jésus. Crois ton petit

« Jacques [63]. »

La part qu'elle prend dans les orientations du destin et de la pensée de Jacques, dans l'élaboration de son œuvre philosophique, dans le « travail de la flamme » constitue pour Raïssa une des seules raisons de « vivre la vie de ce monde ». Aucun manuscrit de Jacques qu'elle n'ait minutieusement relu, commenté, analysé, aucune mutation qu'elle n'ait inspirée ou accompagnée, aucune grande amitié qu'elle n'ait à sa manière partagée, intervenant pour éclairer d'un mot celui qui cherche dans la nuit, le délivrer d'un doute ou d'une angoisse, intercéder en sa faveur, opérer une synthèse, une conclusion à sa place, ou éveiller chez lui, par une impulsion discrète, un nouvel élan.

Carnet de Jacques, le dimanche 22 mai 1932, après la mort d'Hissia Oumançoff, la mère de Raïssa et de Véra :

« Je pense à toutes les beautés périssables, aux trésors du temps, à la poignante beauté d'un geste d'une seconde, comme ces doigts menus de ma petite Raïssa appuyés au cercueil, comme pour prendre mesure de la mort, avant tout d'amour, d'étonnement, de reproche, de tendre résignation. Que devient tout cela ? Est-il suffisant que cela passe en préparant l'éternité ? Non. Tout se conserve. Dans la mémoire des Anges. Et comme toute mémoire elle choisit, elle oublie (ce qu'elle veut, ce qui n'est pas digne), elle transfigure. Ils se raconteront les uns aux autres éternellement le temps, notre pauvre temps [64]. »

Troisième Partie

LES JUSTES
DU DEHORS

« Mais que cherchent-elles nos âmes à voyager ainsi ? »

Georges SÉFÉRIS.

Les moyens pauvres

> « Les catholiques ne sont pas le catholicisme. Les fautes, les lourdeurs, les carences et les sommeils des catholiques n'engagent pas le catholicisme. Le catholicisme n'est pas chargé de fournir un alibi aux manquements des catholiques. »
>
> Jacques MARITAIN
> *Religion et Culture.*

Dans un article sur Tolstoï, écrit pour une obscure *Tribune russe* en mars 1905, Jacques Maritain ironisait à vingt-trois ans sur le silence de l'auteur de *Guerre et Paix* lors des grandes émeutes ouvrières qui venaient d'ensanglanter Moscou. « Celui qui imprime dans les journaux et dans les livres qu'il est l'apôtre de l'amour est resté assis dans sa maison, tranquille. » Pour le jeune anarchiste avide d'insurrections, l'abstention du vieil ermite traduisait une « contradiction inquiétante » :

« Quel est donc cet amour qui reste muet à l'instant où il pourrait être efficace, qui tout à coup manque ; qui va chercher ses conditions le plus loin possible de la vie et de l'action présente, qui n'agit qu'à bon escient, et qui veut bien aimer les hommes à condition qu'ils soient des anges ; ne pensez-vous pas que cet amour-là, pour avoir des objets si lointains, est en réalité en dehors du temps, est abstrait, s'exerce à vide, se contente avec l'humanité en général, mais ne connaît pas les hommes; ne pensez-vous pas que ce Tolstoï, qui n'entend rien des appels poussés si près de lui, n'aime ses "frères" que dans la mesure où cet amour est une illustration pour ses livres et un prétexte à écriture; mais que, dans le fait, sa doctrine est toute en théorie et en paroles, frappée d'incapacité pour l'action vraie? » Et le Maritain d'alors, si douloureusement en quête d'absolu pour lui-même, de fustiger l'idéalisme abstrait et théorique du « faux chrétien » auquel la mort de ses frères n'arrache pas même un cri de protestation :

« Ce qui fait le fond, ce qui a été au fond du christianisme, c'est un certain commandement d'action; la mise en demeure de faire un certain choix […]. Il faut choisir entre le royaume de Dieu et les soins des hommes, attachés au monde; entre le salut éternel et la vanité pernicieuse de la terre; entre une vie surnaturelle, amour et charité, absolument bonne, et la vie naturelle souillée de péché, mauvaise dans sa racine. Et, toujours, c'est un appel à la puissance d'agir, à la volonté humaine, aux sources profondes de la *pratique* humaine. Ce qu'il faut choisir, ce n'est pas un idéal à penser, c'est une vie à pratiquer. »

Trente ans plus tôt, cette critique de Tolstoï préfigurait le dilemme auquel le « philosophe chrétien » se verrait à son tour confronté, tiraillé entre le souci de Dieu et celui des hommes, dilemme bientôt converti chez lui en espérance d'une nouvelle chrétienté. Si forte soit toujours, au milieu des années trente, la tentation du retrait, du silence où écrire et prier, Jacques Maritain est pris désormais dans le courant du siècle, franc-tireur et agitateur de Dieu qui se débat au cœur d'une mêlée plus rapide, plus brutale encore que celle du premier temps de Meudon. Rien de son œuvre et de sa pensée ne sera plus séparé de l'expérience humaine ni distinct de « l'élaboration d'un nouveau

monde s'élevant sur les ruines de l'ancien [1] ». La méditation du philosophe prendra de plus en plus en
compte « les conditions du temps présent », les données de l'histoire sociale et politique. « L'Évangile doit
enfin pénétrer les structures du monde profane et de
l'existence temporelle », écrit-il [2] au moment où celles-
ci paraissent à la merci de la barbarie totalitaire.

La plupart des essais qu'il publie dans cette
période, tant *Du régime temporel et de la liberté* en
1933, *Sept Leçons sur l'être* en 1934, que *Frontières de
la poésie* en 1935 convergent vers la définition d'un
humanisme envisageant l'homme « dans toute sa grandeur et toute sa faiblesse, dans la totalité de son être
blessé, habité de Dieu dans la pleine réalité de la nature,
du péché et de la sainteté [3] », et d'une civilisation chrétienne « pure à la fois de libéralisme et de cléricalisme [4] ». Conversant avec Raïssa le 12 décembre 1933
à propos de *La Condition humaine* d'André Malraux, il
évoque « la force humaine que la Révolution représente, et les murs de papier que nous lui opposons »
– « la médiocrité atroce du monde catholique » – et le
sens de la misère humaine « qu'ont les révolutionnaires et qu'il nous faut avoir ». Réflexions et combats
du philosophe vont se focaliser désormais sur l'aventure humaine dans la perspective de son devenir historique, appelée « à traverser la houle des ruptures
culturelles, écrit Charles Blanchet, à connaître explorations intérieures, aventures spirituelles et folies poé-
tiques, à entreprendre luttes et révolutions politiques [5] ».

Reste à examiner une question primordiale à ses
yeux, celle des moyens d'action. Maritain distingue
entre les moyens temporels requis par le travail du
soldat, du laboureur ou du politique, et ceux nécessaires à l'œuvre des « chrétiens de la multitude [6] ». Aux
moyens « propres du monde », dont la religion

elle-même ne saurait toujours se passer, il oppose les « moyens temporels pauvres » qui sont ceux de l'esprit. « Ce sont les moyens propres de la sagesse, car la sagesse n'est pas muette, elle crie sur les places publiques, c'est le propre de la sagesse de crier ainsi [...]. Trop ténus pour être arrêtés par un obstacle, ils atteignent là où n'atteignent pas les plus puissants équipements [...]. À cause de leur pureté ils traversent le monde d'un extrême à l'autre. [...] Le monde périt de lourdeur. Il ne rajeunira que par la pauvreté de l'esprit. Vouloir sauver les choses de l'esprit en commençant par aller chercher, pour le servir, les moyens les plus puissants dans l'ordre de la matière, c'est une illusion qui n'est pas rare. Autant attacher des ailes de colombe à un marteau-pilon. À la limite c'est le grand Minotaure moderne lui-même, c'est l'équipage et la stratégie des grandes affaires financières qu'on chargerait de sauver les âmes, on monterait des banques et des trusts mondiaux pour la réussite mondiale de l'Évangile, avec parts de fondateur. [...] Ce qui fait du monde moderne un terrible tentateur, c'est qu'il propose, il vulgarise tellement les moyens temporels riches, lourds, écrasants, il les emploie avec une telle ostentation et une telle puissance qu'il fait croire que ce sont là les moyens principaux. Ils sont principaux pour la matière, ils ne sont pas principaux pour l'esprit.

« Lorsque David eut décidé d'affronter Goliath, il essaya d'abord l'armure du roi Saül. Elle était trop lourde pour lui. Il préféra une arme pauvre. David c'était l'esprit [7]. »

Conscient qu'il n'y a « rien de plus fou, de plus révolutionnaire aujourd'hui que de croire à une politique chrétienne [8] » et qu'un tel dessein dérange aussi bien les plans du matérialisme que ceux du libéralisme, Maritain préconise d'agir en dehors de toute formation politique, même la plus appropriée à cette fin. Plus péguyste que nature dans sa défiance envers le « politique » corrupteur de la mystique, il redouble alors de critiques et d'exigence à l'égard d'Emmanuel Mounier, l'appelant à se préoccuper avant tout de « la vraie nature et des vraies dimensions » de la « révolution spirituelle » et à veiller à la « purification des moyens ». « Le mal vient de ce que l'on veut faire réussir la révolution : aussitôt fonctionne la vieille trahison dénoncée par Péguy...[9]. »

Le conférencier qui sillonne en 1934 une partie de l'Europe et du monde, présent à Rome en mars, à Nimègue en mai, à Santander et Poznan au milieu de l'été avant de retrouver Toronto et les États-Unis en octobre, n'est pas seulement mieux renseigné à son retour à Meudon sur les « besoins des âmes [10] » : il est un des quelques intellectuels français capables de juger de l'état du monde en dehors de leur cabinet de travail. Et voici que la montée des périls va précipiter chez Jacques Maritain la renaissance du rebelle.

Ami de nombreux catholiques allemands, Maritain est alerté, dès cette époque, sur la répression qui frappe les membres du clergé* et la population juive. Il participe dès janvier 1934 à l'organisation d'un premier comité de secours pour les réfugiés. En mars et avril, il est à l'origine de deux manifestes, le premier sur la situation de l'Autriche à la veille de l'Anschluss, le second sur les événements du 6 février, à Paris, qui ont marqué la poussée des ligues

* Un millier d'entre eux composent en 1934 le premier contingent à destination du camp de concentration de Dachau, qui vient d'être ouvert.

d'extrême droite. Ce dernier, intitulé *Pour le bien commun*, tente de constituer une sorte de front spirituel face à la « crise actuelle », rassemblant autour de son inspirateur une cinquantaine d'intellectuels catholiques dont Charles Du Bos, Gabriel Marcel, Étienne Gilson et Emmanuel Mounier. Il affirme son opposition aux doctrines de haine et appelle les chrétiens à « barrer la route » aux totalitarismes fasciste et communiste. Il souligne l'urgence pour les catholiques de s'imprégner des directives du pape sur les droits de la personne humaine et de la justice. Enfin, il demande à tous les chrétiens de prier pour les victimes des émeutes de février, quelles qu'elles soient, car toutes « ont une âme immortelle que Dieu aime et veut sauver ». Ces derniers mots soulèvent l'indignation d'une partie de l'opinion catholique qui ne retient du manifeste que l'appel de Maritain à prier, entre autres pour les communistes. D'autres sauront entendre ici la voix du véritable humanisme chrétien.

Certes, Jacques Maritain ne serait peut-être pas tout à fait un homme de son temps s'il ne cédait, à l'instar de François Mauriac quelque peu ébloui en janvier 1935 par sa rencontre avec Mussolini, à certaine confusion sur les nouveaux maîtres de l'heure. En juin 1935, il se réjouit d'être invité « gratis » à Lisbonne, sans même avoir à y donner leçons ou conférences, pour le seul « avantage de voir M. Salazar, directeur philosophe, qui lit mes bouquins[11] ». Mais, quelques mois plus tard, Mauriac et lui ne se tromperont guère sur l'attitude à adopter face à l'invasion de l'Éthiopie par les armées du Duce. L'ambiguïté politique qui subsiste encore chez l'auteur de *Thérèse Desqueyroux* achève alors d'être emportée par la résolution sans appel du philosophe. Ensemble, ils inspirent en octobre 1935 le *Manifeste pour la Justice et la Paix*, rédigé par deux jeunes journalistes, Georges

Bidault et Maurice Schumann, en réplique à celui « des intellectuels pour la défense de l'Occident » qui regroupe la plupart des grandes figures maurrassiennes, de Thierry Maulnier à Robert Brasillach et Pierre Drieu La Rochelle, en passant par Mgr Baudrillart, recteur de l'Institut catholique de Paris. Si Mauriac vient d'achever sa propre mue politique, Maritain a sans doute franchi une étape de plus dans l'affirmation de sa différence vis-à-vis de la hiérarchie catholique. En apportant son soutien, au printemps 1934, à la création d'une revue catholique libérale, *Sept*, dirigée par les pères Bernadot et Boisselot, ne s'est-il pas déjà exposé à irriter une hiérarchie que son début de collaboration à un nouvel hebdomadaire de gauche, *Vendredi*, achève en novembre 1935 de dresser contre lui ?

Vendredi rassemble, « d'André Gide à Jacques Maritain » selon son slogan, les plus prestigieuses signatures de gauche. Le philosophe thomiste y voisine avec André Chamson, Paul Nizan, Louis Aragon, Jean Prévost, entre autres. « Avec *Vendredi*, l'avant-garde intellectuelle du Front Populaire avait pignon sur rue », se souvient Jean Daniel [12]. Léon Blum remerciera son fondateur, Jean Guéhenno, d'avoir contribué à son arrivée au pouvoir. Maritain vient-il par là même de renouer avec les idéaux de sa jeunesse ? Il a pourtant marqué ses distances avec les « gens de gauche » un mois plus tôt en refusant de signer leur propre manifeste contre la guerre d'Éthiopie, jugeant qu'« il n'insistait pas assez sur le refus nécessaire d'une nouvelle guerre européenne [13] ». Mais du moins fait-il cause commune pour la première fois avec l'homme dont il n'a cessé de combattre l'influence, un communiste récent du nom d'André Gide.

En janvier de la même année, Maritain a pris part, aux côtés de François Mauriac, de Daniel Halévy, d'Henri Massis, de Ramon Fernandez notamment, à un étrange interrogatoire de l'auteur des *Nourritures terrestres*, organisé par l'Union pour la Vérité. Le compte rendu des entretiens [14] témoigne de la compréhension nouvelle manifestée par Maritain envers celui qu'il n'était pas loin de tenir jusqu'alors pour l'Antéchrist. « Considérée dans sa valeur subjective, par rapport à la personne d'André Gide, à son débat intérieur, je voudrais dire d'abord que sa conversion, ou, puisqu'il n'aime pas ce mot, son adhésion au communisme m'est apparue comme une chose émouvante et digne de respect. Dans ce mouvement de l'âme où il me semble voir une pitié, à mon avis déroutée, triomphe d'une longue indécision, il y a [...] un élément de sacrifice, un vœu de sacrifice qu'on ne saurait négliger. » Maritain avoue s'expliquer maintenant son « incompréhension du catholicisme » par « l'espèce d'impossibilité de distinguer des choses aussi différentes que le catholicisme et le monde bienpensant ». Il voit dans son adhésion au communisme « une suppléance [...] de cette vie évangélique que vous avez toujours cherchée, – là où elle n'est pas ». Elle lui apparaît dans le même temps « comme une défaite », dans la mesure où, faute de pouvoir « réaliser » le communisme en lui seul, il sera suspendu à « des réalisations externes collectives ». Ce que le communisme a échoué à accomplir « dans l'ordre social et temporel », une « chrétienté toute nouvelle » peut le réussir. « Nous avons le temps devant nous. Deux mille ans, ce n'est pas grand-chose pour une saine philosophie de l'histoire humaine. »

Attaché à « une possibilité de dialogue entre des esprits très diversement situés, voire opposés », comme il l'écrit aux responsables de *Vendredi* [15], Maritain insiste tout autant sur son « désir d'indépendance » et son « goût de la liberté ». Il publie dans le premier numéro de l'hebdomadaire *Humanisme et Héroïsme*, un article inspiré par *La Condition humaine* et qui constituera le préambule un an plus tard d'*Humanisme intégral*. Il se heurte aussitôt à « un tel flot de malentendus [16] » qu'il lui faut s'expliquer. Il doit répondre, entre autres, à une lettre « paternelle » de Mgr Baudrillart.

« Est-ce que je vis trop dans l'abstrait, comme vous le pensez ? lui écrit-il le 17 novembre. À vrai dire je crois que la question est plus profonde, elle touche à cette navrante division des Français dont mes contacts personnels avec des esprits très diversement situés me permettent de ressentir cruellement la gravité, je dis sur le plan religieux lui-même. Je pense à cette multitude d'âmes qui vivent séparées du christianisme par d'épaisses murailles de préjugés, et où se fait aujourd'hui, dans l'angoisse des temps, un travail de pensée qui peut verser chez les uns dans une idéologie athée et antichrétienne, et rendre les autres disponibles à des vérités auxquelles ils étaient sourds depuis longtemps.

« Il me semble que ce serait la plus funeste "politique du pire" que de faire *comme si* toute une moitié de la France était dès à présent vouée à l'athéisme communiste. Il n'en est nullement ainsi en réalité. Mais si les communistes sont seuls à parler à ces Français, ils emporteront tout, du moins momentanément, parce qu'ils ont une doctrine ferme, hardie et rigoureuse, contre laquelle l'idéologie libérale est sans force ; les chrétiens seuls peuvent avoir une doctrine assez ferme, hardie et rigoureuse pour leur disputer ces âmes : encore faut-il qu'ils puissent être entendus de celles-ci.

« Je n'ai pas la naïveté de croire qu'on peut tout de suite en convertir un grand nombre, mais on peut au moins les obliger au respect du christianisme et les délivrer des pires préjugés.

« N'est-ce pas dès lors au sein de la masse elle-même qui ignore profondément l'Église que le débat devrait être porté ? Si les chrétiens n'y font pas entendre leur voix, elle risque de glisser tout entière – ce qui est loin d'être encore fait – à l'athéisme communiste.

« Voilà pourquoi, lorsqu'on est venu me demander de collaborer à *Vendredi*, j'ai pensé que si je refusais l'expérience ainsi proposée, ma conscience me le reprocherait. Cette expérience, ai-je besoin de l'ajouter, se présentait à moi plutôt comme un sacrifice. Si j'ai agi de cette façon, peut-être n'est-ce pas dû aux mœurs abstraites de la philosophie, mais plutôt au fait qu'étant placé au confluent de beaucoup de courants actuels, j'ai une information trop exacte et trop douloureuse de certains états d'esprit.

« Je suis très peiné des malentendus qui se sont produits ; et si des hommes de bonne foi en sont troublés, je le déplore. Je suis toutefois un peu étonné qu'à l'Académie on n'ait pas compris que le voisinage de mon nom avec celui d'André Gide n'avait à aucun titre la signification d'une alliance, mais bien seulement celle d'une rencontre et d'une confrontation. J'avoue que je croyais mes positions assez connues pour que toute équivoque fût impossible là-dessus. [...] Je vous ai dit que le premier numéro de *Vendredi* m'a déçu. [...] Si l'expérience tentée par ce journal me montre l'impossibilité d'une collaboration que je n'envisageais d'ailleurs que comme rare, je pense avoir encore assez de discernement et assez de fermeté pour prendre une décision de moi-même, et de la façon qui me paraîtra la plus opportune. Mais il est sûr (et c'est en cela que le procédé de M. L.* était à la

* L'abbé D. Lallement, membre du bureau des Cercles thomistes et professeur à l'Institut catholique de Paris. Scandalisé par

fois indigne d'un ami et suprêmement maladroit) que si on essayait de me priver de ma liberté de mouvement on me rendrait la chose inexécutable, car ce n'est pas en présence d'une menace ou d'une pression que ces choses-là peuvent se faire [17]. »

C'est bien cette liberté de mouvement qu'il entend faire prévaloir désormais en toute circonstance. Sans chercher à réviser ni même à atténuer ses prises de position les plus récentes, Maritain publie le 1er décembre 1935 une *Lettre sur l'Indépendance* où il affirme son engagement de philosophe chrétien parmi les hommes et à l'écart des partis politiques. « De droite, de gauche, à aucun je ne suis [18] », rappelle-t-il.

Le chrétien « doit être partout ; et partout rester libre ». Sa mission est aujourd'hui d'éveiller de « puissants foyers de rénovation spirituelle et religieuse » dans « ces multitudes d'hommes qu'un profond ressentiment, né de la dignité humaine humiliée et offensée en eux, a tournées contre le christianisme ». Maritain s'insurge contre le « système bien-pensant » qui, à force d'« amère et volontaire ignorance du prochain » jette les « grandes forces humaines » dans les idéologies totalitaires et laisse perdurer entre le christianisme et le monde un « malentendu éternel ». « Le chrétien ne donne pas son âme au monde, poursuit-il. Mais il doit aller au monde, il doit parler au monde, il doit être dans le monde et au plus profond du monde... » Maritain préconise de constituer à cette fin un parti distinct de tous les autres, « une fraternité politique » accueillant toutes les classes sociales et plus particulièrement populaires, et refusant aussi bien de « se prêter » que de « se retrancher ». Question complexe, en réalité, et qu'il ne cherche pas ici à

l'affaire de *Vendredi*, il a fait supprimer le 15 novembre la conférence de Maritain à l'Institut... « au nom des cercles thomistes ».

résoudre, livrant tout au plus une esquisse de ce groupement à fonder.

« Le chemin, certes, est ouvert à un pareil mouvement, commente Emmanuel Mounier. Mais ceci ne dépend plus de nous : on ne décrète point les éveilleurs d'hommes [19]. »

Le 3 janvier 1936, Jacques Maritain embarque à destination de New York, d'où il gagnera un peu plus tard Toronto et Saint Michael's College pour un séjour de quatre mois. Est-ce l'« accueil extraordinaire [20] » reçu en Amérique deux ans plus tôt, les premières amitiés nouées alors à Chicago, la rencontre de Dorothy Day, animatrice d'un mouvement social exemplaire à ses yeux, Le Travailleur catholique, qui l'ont incité à ce nouveau départ ? La « terrible crise religieuse [21] » dont il a perçu la menace au Canada, en octobre 1934, et qui justifie plus encore d'y travailler ? Ou l'hostilité de plus en plus manifeste des milieux catholiques français à son égard, ravivée par sa *Lettre sur l'Indépendance*? Le mot qui revient alors le plus souvent dans sa correspondance avec l'abbé Journet et Yves Simon est celui d'« exil », un exil que les difficultés financières du couple ne sauraient suffire à expliquer tout à fait…

« Cher Yves, faut-il vous dire combien je m'ennuie ici ? écrit-il à Simon le 9 février. Je tomberais dans le romantisme. Cette séparation est bien dure. Cependant je crois qu'on fait du bon travail ici, et il ne faut pas récuser ce travail de défrichage. Dans deux cents ans, on verra peut-être fleurir un thomisme américain. […] Que devient ce cher Institut catholique de Paris ? S.E. le Recteur ? Son Arrogance le Secrétaire ?

Croit-on toujours que S.E. m'a éloigné et que je suis parti pour le Canada à cause de *Vendredi* ? Ces bruits absurdes couraient au moment où je faisais mes valises [22]. »

À Journet, il confie un mois plus tard avoir été « assez malade » au Canada, au point de devoir interrompre ses cours durant trois semaines. « Et il y avait autre chose encore : le sentiment de mon inutilité, du mauvais travail que j'ai fait, l'angoisse permanente et la solitude du côté des hommes et du côté de Dieu (qui pourtant m'a montré sa protection). Et cette question toujours : Que veut-Il avec tout cela ? Veut-Il me faire comprendre que je suis un homme fini, et que je dois dire à mon tour : voici la fin de ma vie et celle de mes travaux ? Ou bien a-t-Il une autre intention ? Pourquoi m'a-t-Il fait venir ici pour ne rien faire de bon, et seulement souffrir ?

« Et quand j'ai commencé à sortir un peu de ces ténèbres et à reprendre espoir, alors ces atroces nouvelles d'ici et commentées par les gens avec une brutalité qui perce le cœur. Je lutte comme je peux contre l'angoisse, et contre l'imagination qui me montre les avions allemands sur Paris et sur Meudon. J'ai câblé à ma petite Raïssa, elle m'a répondu avec cette fermeté et ce courage que vous lui connaissez : "Aucune inquiétude." Je reste donc – à moins qu'elle ne me rappelle – jusqu'au moment convenu pour le retour, c'est-à-dire jusqu'au 4 avril, où je dois m'embarquer sur *L'Île-de-France*. Le 30 je dois faire une conférence à Chicago sur "Socialist Humanism and Integral Humanism". Mais je me dis : à quoi bon tout cela ? Il se peut qu'une petite moisson lève en Amérique d'ici une trentaine ou une cinquantaine d'années ; mais quoi, à supposer qu'ils deviennent thomistes, les gens ne deviendront pas pour cela plus intelligents, ils seront toujours aussi opaques et aussi durs, il y aura aussi peu d'amour en eux...[23]. »

Désespéré par la collusion de la hiérarchie catholique espagnole avec les courants nationalistes, et d'une partie des évêques italiens et allemands avec les régimes en place, il voit le monde catholique rouler « dans la fosse », « aveugle conduit par des aveugles ».

De retour en France en avril 1936, il prépare, au milieu des attaques maurrassiennes, la publication d'*Humanisme intégral*, qui réunit les six leçons faites à l'université de Santander en août 1934 et ses principaux articles d'*Esprit*. Forgé dans le mouvement conjugué de la pensée et de l'action, ce livre écrit en chemin, comme souvent chez Maritain, fruit des errances, des révoltes et conversions d'un desperado de Dieu, *Humanisme intégral* est une œuvre de fondation. Porté pendant une décennie, le grand dessein d'une civilisation chrétienne pluraliste et fraternelle centrée tout entière sur l'humain est arrivé à maturité à l'heure même où le monde s'apprête à sombrer dans un crépuscule sanglant. Plus prophétique que réalisable avant longtemps, cette vision utopique prend alors des allures de défi. Au lent et tragique déclin de l'Occident, qui n'a cessé de lui paraître inéluctable, à la « liquidation de quatre siècles de culture classique[24] », Maritain répond par une volonté de rupture et de grande espérance libératrice.

« *Humanisme intégral* annonçait à la fois une nouvelle chrétienté et un nouvel âge de la culture, se souvient Étienne Borne. Étaient clairement congédiées cette conception sacrale de la politique, qui avait eu pour idéal le Saint-Empire, et cette idée, qui avait eu sa grandeur, d'une chrétienté théocratique où le sacré surplombant et animant toutes choses, laissait peu de place aux initiatives et à la liberté des personnes. Étaient aussi rejetées comme formes illusoires ou

aberrantes de l'humanisme toutes les formes de l'indi-
vidualisme bourgeois ou révolutionnaire. Et surtout,
ce qui était une libération, était dépassée l'alternative
qui nous aurait forcé de choisir entre ceci et cela.
L'humanisme intégral était théocentrique mais il était
un humanisme, c'est-à-dire [...] une philosophie de la
personne et de la liberté. Pour mon goût œcuménique
et mon appétit de convergences, ce thème majeur
d'*Humanisme intégral* me parut d'emblée riche de
possibilités réconciliatrices. L'idée démocratique était
un objet assidu de discussion à l'intérieur des mouvements et entre les mouvements. Dans l'entre-deux-
guerres, la démocratie, telle qu'elle fonctionnait,
faisait médiocre figure, et par impatience révolutionnaire quelques-uns d'entre nous cherchaient du nouveau en dehors et contre la démocratie, cependant
que d'autres, ceux dont j'étais et qui appartenaient à
la tradition démocrate-chrétienne, restaient attachés
à l'idée ou à l'idéal démocratiques, qu'il s'agissait pour
eux de rénover et de repenser. La haute et exigeante
philosophie politique qui se dégageait d'*Humanisme
intégral* ne semblait pas incapable de trancher le débat
dans le sens de mes espérances[25]. »

Humanisme intégral propose une transformation
radicale et « vitalement chrétienne » de l'ordre temporel à travers « un renouvellement profond de la
conscience religieuse ». Cette révolution sera le fruit
du « plus véritable et parfait héroïsme, l'héroïsme
d'amour », œuvre de sainteté ou rien, d'une « sainteté
tournée vers le temporel, le séculier, le profane... ».
Elle relèvera avant tout de la compétence et de la
vocation des laïcs. « Du même coup, écrit Maritain,
apparaît ce qu'on peut appeler la mission propre de
l'activité profane chrétienne à l'égard du monde et de
la culture ; on dirait à ce point de vue que, tandis que
l'Église elle-même, soucieuse avant tout de n'être

inféodée à aucune forme temporelle particulière, est de plus en plus délivrée, non pas du soin de juger d'en haut, mais du soin d'administrer et de gérer le temporel et le monde, le chrétien s'y trouve engagé de plus en plus, non pas en tant que chrétien ou membre de l'Église, mais en tant que membre de la cité temporelle, je dis en tant que membre chrétien de cette cité, conscient de la tâche qui lui incombe de travailler à l'instauration d'un nouvel ordre temporel du monde[26]. » Dix ans après les encycliques sociales de Pie XI, Maritain contribue ainsi très fortement à cette prise de conscience d'un laïcat chrétien tout imprégné de son expérience propre, qui trouvera sa consécration lors du concile Vatican II.

Œuvre en constant devenir, appelée à de multiples refontes, adaptations ou métamorphoses, *Humanisme intégral* bouscule le conformisme de trop de catholiques pour ne pas déchaîner aussitôt contre lui des passions extrêmes. Il heurte de front des intérêts politiques et religieux dont la coalition ne cessera de se vérifier.

« Nous n'arrivons pas à nous décider pour ou contre le voyage à Buenos Aires, glisse Jacques à Charles Journet au début de juin 1936, faudra-t-il jouer à pile ou face[27] ? » *Humanisme intégral* vient juste de paraître, deux mois plus tard, quand il décide de partir, avec Raïssa et Véra, pour l'Argentine où des correspondants catholiques l'ont invité. Entre-temps éclate en Espagne un *pronunciamiento* déclenché par les principaux chefs de l'armée, qui précipite le pays dans la guerre civile. « Charles, priez bien pour vos amis qui vont encore à l'aventure[28]. » L'aventure ou l'exil de nouveau ? Est-ce seulement « parce qu'il y a une jeunesse là-bas » ? Parce que la chrétienté future ne pourra désormais s'inventer ailleurs qu'à l'écart du

Vieux Monde ? Partir n'est peut-être, une fois encore, qu'une manière de desserrer l'étreinte des haines, des intrigues et des calomnies qui pèsent sur lui. Les mises en garde sévère d'un Garrigou-Lagrange en juillet 1936, s'inquiétant de le voir « incliner à gauche [29] », l'ont plongé dans l'« écœurement », au point de lui faire douter maintenant de la confiance de Rome et même craindre la mise à l'Index de son dernier livre. « Si vous saviez, Charles, ce que je sens monter dans mon cœur ! Les angoisses par où j'ai passé à Toronto, physiques et morales, n'étaient peut-être qu'un signe avertisseur, une sorte de symbole prémonitoire (tout à bien fini d'ailleurs). Quand j'étais jeune, bien avant ma conversion, j'avais un sentiment que les dernières années de ma vie seraient horribles, ce sentiment me revient quelquefois. Et depuis lors, il m'est arrivé aussi, voyant ma vie mauvaise et inutile, de dire à Dieu qu'il fasse ma mort aussi dure qu'il lui plaira, pour au moins servir ainsi à quelques âmes très chères et à quelques autres en péril. Je ne sais ce que vaut tout cela, il reste que pour le moment il me semble que les fatalités grandissent autour de moi de toutes parts, c'est quelque chose de bien lourd. Et il me semble aussi que le moment approche où vingt ans de haines accumulées contre moi, ou de simple impatience et ennui que j'existe, vont arriver à leur point de maturité, et éclater sur moi. Du côté de Rome je sens de grands malentendus. C'est par l'Église qu'on tâchera de me frapper. (Pourquoi ai-je toujours éprouvé de l'appréhension du cardinal Pacelli*, dont bien des personnes sympathisantes à l'Action française me vantaient la « sainteté », à leur retour de Rome ?) Et ce n'est pas moi seulement qui serai frappé, c'est toutes sortes de germinations de vie et de

* Futur Pie XII et alors secrétaire d'État de Pie XI.

bons mouvements dans un grand nombre d'âmes en route, c'est tout le bien que j'espérais qui sera ruiné. Il va de soi, je le sais bien, que nous devons être prêts à être broyés, et que c'est sans doute le bon moyen pour que les choses avancent mystérieusement. Ce qui me préoccupe c'est la manière, je voudrais que ça se fasse bien si ça doit se faire. Pensez à cela mon ami très cher et conseillez-moi [30]. » Journet a beau l'assurer que ses « craintes sont absolument chimériques » – *Humanisme intégral* « éclatera dans les incertitudes et les douleurs de notre temps comme un magnifique témoignage [31] » –, c'est néanmoins un Maritain blessé, tourmenté qui embarque à la fin de juillet pour l'Argentine. Son retour en France est prévu en novembre.

Le « petit troupeau » met à profit l'escale de Dakar pour faire en voiture une excursion nocturne dans la savane, sur les traces d'Ernest Psichari. À bord du *Florida*, Jacques fait la connaissance d'Henri Michaux, qui lui paraît détenir sur l'hindouisme « des vues concrètes comme un poète peut en avoir, et précieuses pour nous [32] ». En mer, des nouvelles d'Espagne, par Journet : les carmélites à Madrid et tous les religieux du couvent de Barcelone ont été massacrés ; la chartreuse de Montalegra incendiée…

L'auteur d'*Humanisme intégral* compte déjà beaucoup d'amis et de disciples en Amérique latine à cette date. « Ce fut, je crois bien, vers 1925 que Maritain a commencé d'être connu, se souvient l'écrivain brésilien Alceu Amoroso Lima. Ce n'est qu'après la guerre que le livre de Maritain sur *La Philosophie bergsonienne* révéla à l'Amérique ce jeune philosophe, ancien élève du maître de *L'Évolution créatrice* dont l'œuvre faisait déjà son chemin chez nous. Ce livre a ouvert de nouveaux horizons. Bergson est devenu, pour la plupart, une transition. Quelques-uns se lancèrent dans les sentiers du matérialisme dialectique. D'autres l'acceptèrent comme philosophe de l'intuitivisme vitaliste, qui correspondait à une tendance très spontanée du tempérament ibéro-américain. À d'autres enfin, la lecture de Maritain ouvrait les yeux à la foi catholique et à la philosophie traditionnelle, qui jusqu'alors leur avaient paru, aussi bien l'une que l'autre, incompatibles avec la pensée scientifique moderne.

« Dix ans au moins s'étaient passés depuis que ses premiers livres nous avaient été révélés. À cette époque ce n'était pas le guide spirituel qui nous intéressait. C'était le philosophe, c'était le disciple de Bergson, c'était son message purement intellectuel.

« Quel enseignement notre génération reçut-elle alors de Maritain ? On pourra parler, je crois, de *réconciliation avec l'intelligence*. Ce qui nous avait amené à Bergson c'était la déception de la raison.

« [...] Ce fut une vraie renaissance. Et nous pouvons dire que notre génération la doit surtout à l'enseignement de Jacques Maritain. Le phénomène s'est reproduit partout en Amérique latine. Si l'on interroge les hommes de cinquante ans du Mexique, de la Colombie, du Pérou, du Chili, de l'Argentine, de l'Uruguay, de l'Équateur, du Paraguay, comme je l'ai fait personnellement pour bien d'entre eux, les renseignements sont les mêmes. Il y a eu une révolution parallèle en tous nos pays d'Amérique latine. Les noms changent, les circonstances ne sont pas les mêmes, on trouve des nuances particulières à chaque pays. Mais l'ensemble est le même. Maritain a été le *révélateur de l'intelligence* à une génération sceptique, agnostique ou vitaliste [33]. »

Un premier « Centre Jacques-Maritain » s'est ouvert à Rio de Janeiro en 1925. Mais c'est au Chili que la pensée de Maritain connaît le plus vif rayonnement à cette époque parmi les élites catholiques. Souvent formés par des religieux venus de France, les bourgeois et les milieux aisés sont imprégnés de culture française depuis le milieu du XIXᵉ siècle. Durement atteint par le chômage et la pauvreté comme l'ensemble du continent, le pays a vu se lever au début des années trente un courant populiste, d'abord très inspiré par les idées corporatistes d'Antonio Primo de Rivera, fils de l'ancien dictateur espagnol, et qui a d'ailleurs repris le nom de son mouvement, la Phalange. L'un des dirigeants de la Phalange, Eduardo Frei, président de l'Association nationale des étudiants catholiques, vient à Paris en 1934 où il assiste aux conférences de Jacques Maritain. Les idées d'*Humanisme intégral* font déjà leur chemin. Frei rencontre à la même époque à Madrid la poétesse Gabriella Mistral, qui a retrouvé la foi sous l'influence du philosophe français. En 1936, l'idéologue de la Phalange, Jaime Castillo, découvre la *Lettre sur l'Indépendance*, dont la traduction paraîtra à Buenos Aires, peu après la visite de Maritain, et se rapproche de sa philosophie politique.

Si l'on en croit Amoroso Lima, la pénétration des idées autoritaires en Amérique latine a été essentiellement contenue dans ces années-là par l'influence du « maître de Meudon » et la diffusion de *Primauté du spirituel* avant celle d'*Humanisme intégral*. En Argentine, durant l'été 1936 où il se lie à Victoria Ocampo et Rafael Pividal, entre autres, Maritain multiplie contacts et conférences. « L'accueil a été inouï, dira-t-il plus tard à Charles Journet. Le moment est unique, je n'ai jamais vu une telle disponibilité. » Mais il devra se débattre pendant tout son séjour « entre les socialistes [ou plus généralement les "intellectuels"] et les catholiques, pratiquement tous fascistes, qui voudraient de chaque côté que je sois avec eux, et entre lesquels il s'agit de créer un peu de compréhension et de paix ». L'exemple « affreux de l'Espagne » menace d'« être contagieux », ajoute-t-il. « C'est une chose

épouvantable de voir les obstacles apportés au
royaume de Dieu par les préjugés sociaux des catholiques, dans ces pays d'origine espagnole surtout [34]. »

Ce qu'il sait, à l'automne 1936, de la situation en
Espagne ne lui permet pas encore de s'en faire une
opinion réelle. D'après Charles Journet, cette situation
est devenue en peu de temps si embrouillée du point
de vue politique et religieux que mieux vaut rester
« au-dessus du conflit [35] ». Mais les éléments recueillis
en Argentine sur la propagation du fascisme chez les
jeunes catholiques suffisent pour tenir Maritain plus
que jamais en alerte. « Ce qui absorbe mes pensées,
c'est l'Espagne », lui écrit en septembre Geneviève
Favre, indignée de voir les « autorités ecclésiastiques »
se faire « complices du mal » et les soldats rebelles
exhiber des médailles de la Vierge [36].

« J'ai passé mon temps, confie-t-il à des amis américains, entre le travail intellectuel proprement dit, à
prêcher la paix et l'amour fraternel à des gens que les
conflits importés d'Europe troublent profondément,
et qui croiraient volontiers qu'il faut choisir "entre
fascisme et communisme" [...]. Au Brésil le gouvernement voulait que nous restions quinze jours à ses
frais, comme ses hôtes ; ce que j'ai refusé. Aventures
d'un philosophe ! À chaque escale il fallait descendre à
terre et faire des conférences. Les deux traversées
(aller et retour) ont été magnifiques [...]. Il ne fait pas
trop chaud sous les tropiques, les vents alizés rafraî-
chissent le visage et les poumons [37]. »

Rentré en France le 7 novembre 1936, il part pour
Rome trois semaines plus tard, où il doit assister à un
congrès de philosophie thomiste. Il compte y rencontrer le Saint-Père*, « quelques cardinaux, beaucoup de

---

* Le pape étant souffrant, il n'aura d'entretien qu'avec le cardinal Pacelli.

professeurs et quelques amis », et s'informer de ce qu'on dit ici à son propos. « Vous n'imaginez pas à quel point j'ai été calomnié depuis quelques mois. On est allé dire à Rome que j'étais communiste. À Buenos Aires et à Montevideo les journaux socialistes annonçaient gentiment que j'étais excommunié par l'archevêque de Paris [38] ! »

La guerre d'Espagne a constitué une manière de catalyseur dans la vie des intellectuels catholiques français. On sait quels bouleversements résulteront pour Bernanos de la vision des curés de Majorque bénissant les pelotons d'exécution franquistes et pour Mauriac de l'annonce du martyre de Guernica. De même qu'elle offre à André Malraux, agnostique quant à lui, un théâtre d'opérations digne d'exalter tout ensemble les démons de l'imaginaire et les élans de la fraternité, la tragédie espagnole incarne pour Jacques Maritain le moment décisif où s'accomplissent les devoirs de l'humanisme et les exigences de l'esprit. Certes, du combattant des Brigades internationales au rédacteur de manifestes et de considérations sur les « choses d'Espagne », on ne saurait dire que le mode d'action soit de même nature. Mais c'est en cette circonstance-là que l'engagement de l'un comme de l'autre atteint à son expression la plus forte.

Loin de dévier de la ligne définie une fois pour toutes, celle des moyens pauvres, Maritain affirme plus encore ici la primauté du spirituel. En juillet 1936, il s'attendait à devoir prendre à son retour d'Argentine « des positions nettes [...] sur le plan de l'action ». Henriette Psichari, la sœur d'Ernest, lui parlait alors de l'espérance de beaucoup en un « chef catholique qui donnerait une "morale" au socialisme », leader d'une gauche chrétienne qui ferait contrepoids chez les catholiques à l'influence de La Rocque et de Castelnau. « Et d'après Henriette Psichari, c'est à moi qu'ils font l'honneur de penser (sans imaginer du tout ce que cela représente du côté de l'Église) [39]. »

En décembre 1936, Maritain reçoit à Meudon José-Maria de Semprun, juriste de l'université de Madrid, et un professeur de l'université d'Oviedo, Alfredo Mendizabal, avant d'accueillir José Bergamin quelques jours plus tard. « À partir de ce moment, j'ai connu ses sentiments », dira ce dernier [40]. Que la sympathie de Maritain soit acquise à ces hommes-là ne fait aucun doute. Mais il est autrement partagé sur la position à prendre, se sentant déjà plus proche de celle de « double refus » adoptée par Mendizabal. Critiquant les derniers numéros d'*Esprit* consacrés aux événements, il reproche à Mounier d'avoir cédé à « un entraînement oratoire en proclamant qu'en Espagne on choisit toujours* » et négligé d'évoquer les crimes commis « contre les prêtres et les religieux [...], en particulier par les anarchistes catalans [41] ». Sans doute, le renforcement de la présence soviétique dans le conflit contribue-t-il, à cette date, à détourner le philosophe d'une attitude trop partisane. « Je me demande si, en pareil cas, écrit-il à Mounier, ce n'est pas à une catastrophe du politique qu'on assiste, ne laissant de place pour ceux qui ont pris conscience de cela qu'à un témoignage exclusivement évangélique [42]. »

---

* « Entre une Église abritée à l'ombre de l'épée et une Église souffrante, une poignée de catholiques a choisi, écrivait Emmanuel Mounier en octobre 1936. D'autres auraient préféré l'abstention. En Espagne, on ne s'abstient pas : on se donne ou on meurt. »

L'Espagne est un pays qu'il connaît mal, trop chargé d'histoire et de cléricalisme, peut-être, pour attirer véritablement un chrétien plus épris des nouveaux mondes. C'est de l'épiscopat espagnol que sont venues, après son passage à Santander, les premières protestations à Rome contre *Humanisme intégral*. Mais, si peu qu'elle le fascine, cette terre est avant tout celle de saint Jean de la Croix et de sainte Thérèse d'Avila, celle d'un « peuple baptisé » qui « n'a jamais pu se contenter de « rien que la terre » [43] et dont le malheur blesse l'âme de tous les catholiques. Et c'est précisément en tant que catholique que le si controversé auteur d'*Humanisme intégral* observe « le drame ouvert sous nos yeux [44] », bouleversé par l'ampleur de la tragédie mais se gardant néanmoins de toute illusion lyrique. L'horreur que lui inspire la « croisade » franquiste ne suffit pas toutefois à le ranger du côté de ceux qui massacrent prêtres et religieux et incendient les cathédrales.

De retour de Vienne et de Budapest, il assiste en février 1937, à la Mutualité, au rassemblement présidé par André Malraux, « coronel » de l'escadrille España. Maritain estime ce combattant aux allures de Byron dostoïevskien, admire ce témoin lucide et fraternel de la condition humaine. Il est venu, ce soir-là, écouter, à travers une « forêt de poings tendus [45] », le compagnon d'armes des hommes de Valence. Alors que Malaga vient de tomber entre les mains de Franco et que Madrid ne peut plus lui échapper très longtemps, Maritain donne sa signature à l'appel lancé par Malraux pour l'arrêt des combats. En mars, le Vatican publie coup sur coup deux encycliques, *Mit brennender Sorge** (Avec une brûlante anxiété) et *Divini redemptoris*, dénonçant aussi sévèrement le

---

* Rédigée volontairement en allemand pour plus d'efficacité.

racisme nazi que le communisme marxiste. Maritain s'étonne du « moment » et de la « manière », comme si, par une « espèce d'académisme », écrit-il, l'Église voulait s'attribuer le « beau rôle ». Il estime que l'heure n'est pas à mobiliser les prêtres contre le communisme [46].

Le 26 avril 1937, la « légion Condor » dépêchée par Hitler bombarde la petite cité basque de Guernica, faisant plus de deux mille morts. La ville a été pilonnée trois heures durant, ses habitants massacrés à la mitrailleuse. Maritain rédige aussitôt le manifeste *Pour le peuple basque* qui paraît dans *La Croix* le 8 mai, signé par François Mauriac, Emmanuel Mounier, Claude Bourdet, Gabriel Marcel, Georges Bidault, notamment. Président du « Comité français pour la paix civile et religieuse en Espagne », il lance un appel en faveur de l'accueil aux réfugiés basques, « peuple catholique de tradition et d'action ». Le Comité entend agir en dehors des partis politiques, n'ayant pour but que de « coopérer dès maintenant [...] aux initiatives qui pourront être prises pour rendre moins inhumaines les conséquences de la guerre ». L'opportunité de parler plus haut, plus fort, de provoquer un choc dans les consciences lui est donnée en juillet 1937 par la publication, dans la collection qu'il dirige, chez Desclée de Brouwer, du livre d'Alfredo Mendizabal, *Aux origines d'une tragédie*. Il en a rédigé la préface : un texte de cinquante pages dont la *NRF* livre un extrait au même moment, intitulé *De la guerre sainte*. « Oui, il faut hurler et frapper », écrit-il alors à Yves Simon.

Maritain s'élève contre la confusion délibérément entretenue qui consiste à vouloir faire d'une guerre civile une « guerre sainte » et d'un appel « aux puissances de mort » une croisade. Il rappelle, contre Claudel entre autres, auteur d'une tristement célèbre ode « aux martyrs espagnols », que « le mal reste le mal et que l'Espagne ne cesse de tragiquement souffrir. Il fait bon dormir pendant ce temps-là, sur les plaies du Christ, en faisant monter la garde autour de ce calme et revigorant sommeil à des *réalistes* bien équipés qui savent clairement que le Seigneur a parlé pour ne rien dire ». Il proteste contre la sinistre imposture qui consiste à invoquer la sainteté au nom de la « justice de guerre » et de confondre le « Christroi » avec un chef de guerre. Mais, refusant de choisir entre Valence et Salamanque*, il dénonce le « sacrilège » que constituent les crimes commis de part et d'autre : « C'est un sacrilège horrible de massacrer des prêtres – fussent-ils fascistes, ce sont des ministres du Christ – en haine de la religion ; et c'est un autre sacrilège, horrible aussi de massacrer des pauvres – fussent-ils "marxistes", c'est le peuple du Christ – au nom de la religion. C'est un sacrilège patent de brûler des églises et les images saintes [...]. C'est un autre sacrilège – à forme religieuse – d'affubler des soldats musulmans d'images du Sacré-Cœur pour qu'ils tuent saintement des fils de chrétiens et de prétendre enrôler Dieu dans les passions d'une lutte où l'adversaire est regardé comme indigne de tout respect et de toute pitié. » Cette « guerre d'extermination » ne tend pas seulement à « ruiner de fond en comble » le peuple espagnol, elle porte en elle les germes d'un « conflit universel ». « On doit regarder comme une indécence la façon dont en tout pays les passions de parti ont exploité la tragédie espagnole pour faire monter partout le niveau des haines ». Une troisième solution doit prévaloir en Espagne comme ailleurs, « un ordre nouveau consonant à la dignité des personnes humaines ».

* Siège des franquistes.

Le retentissement de cette prise de position est considérable dans le monde. Dans une lettre ouverte, cent cinquante protestants américains s'appuient sur la déclaration de Maritain pour réprouver l'attitude des évêques espagnols[47]. « Un mot seulement pour vous dire avec quelle émotion et quelle gratitude je viens de lire votre admirable préface au livre de Mendizabal, lui écrit Gabriel Marcel. Cette fois il me semble que vous êtes invulnérable et je ne vois pas bien comment on peut contester vos positions sans se placer hors du christianisme[48]. » Charles Du Bos se propose d'écrire un livre qui s'appellerait *Jacques Maritain et la Sainteté catholique*. « De plus en plus, dans la mesure où les événements ne cessent de se compliquer et de développer leur atroce cacophonie, cette sainteté devient chez vous un mode de martyre, car c'en est un pour l'intelligence que d'avoir quotidiennement à faire et à refaire le point, et la patience lumineuse, indémontable, au sein de laquelle jamais non seulement l'humeur mais même l'indice personnel n'interviennent[49]. »

Profondément révolté par les atrocités dont il a été témoin à Majorque, Georges Bernanos s'apprête à écrire *Les Grands Cimetières sous la lune* lorsqu'il vient à Meudon, en juillet 1937, « raconter ce qu'il a vu[50] » et, par là même, se réconcilier avec les Maritain. « On lui tourna le dos à droite, comme à gauche, se souvient Jean Hugo. Seul Maritain, oubliant un différend de jadis, lui ouvrit les bras. Mais pouvaient-ils s'entendre ? Je vis Bernanos un matin à la messe dans la chapelle de la rue du Parc, ses beaux yeux battus, un je-ne-sais-quoi d'auguste et de tragique dans le port et les traits, et le ton de voix de Léon Daudet, en plus grave. Après la messe, Maritain nous lut un manifeste ou un article qu'il venait d'écrire sur la guerre d'Espagne. Il s'élevait contre l'idée de "guerre sainte". Bernanos, en l'écoutant lire, grimaçait comme s'il avalait une potion amère. Quand Maritain eut fini, il dit : – "Dans ma jeunesse, je vivais dans l'espoir que ça arriverait un jour, une guerre sainte !"[51]. »

Mais ce sont des rangs catholiques que viennent dans le même temps les attaques et les insinuations les plus féroces. De Claudel, pour qui Maritain « fait comprendre la parenté entre gribouille et gribouilleur[52] ». D'un certain vice-amiral Joubert, auteur d'un opuscule dans lequel il fustige la « salade d'idéologies » de ce philosophe d'« étiquette catholique[53] ». De l'Institut catholique, où l'on feint de se demander s'il n'est pas devenu communiste. De prêtres et de religieux au Canada et en Amérique latine, effarés par ses « délires ». « Bref, l'adhésion au général Franco devient dans le monde entier le critère de l'orthodoxie catholique et de la saine philosophie », confie Maritain à Stanislas Fumet[54]. Quant à Rome…

À l'évidence, l'auteur d'*Humanisme intégral* est en butte aux suspicions du Vatican. À plusieurs reprises Maritain s'interroge à cette époque sur ce que le pape « pense de tout cela », non seulement à son propos, mais au sujet surtout des événements d'Espagne. À la fin d'août 1937, l'offensive orchestrée depuis Rome contre *Sept*, revue très proche du philosophe, suffit à indiquer la provenance des rumeurs et campagnes lancées contre lui : outre le nouveau chef du Saint-Office, Mgr Pizzardo, le très influent père Garrigou-Lagrange et le supérieur général des dominicains, le père Gillet. Un clan aussi exaspéré par ses prises de position antifranquistes que par son indulgence présumée à l'égard de « l'extrême opposé à certains partis de droite[55] », bref les communistes. Le 27 août, *Sept* cesse de paraître sur injonction de Rome. Sous l'impulsion de Maritain et de Mauriac, se crée presque aussitôt un hebdomadaire ouvertement antifasciste, dont le romancier assurera l'éditorial. Jacques Maritain décline la proposition d'en prendre la direction, confiée à l'un de ses fidèles, Stanislas Fumet, mais apporte à *Temps présent* une collaboration régulière.

Un des plus fiables soutiens dont dispose Maritain auprès du Saint-Siège est Mgr Fontenelle, proche du tout-puissant cardinal Pacelli. Le secrétaire d'État assure Fontenelle en janvier 1938 de ses « bonnes dispositions [56] » à l'égard du philosophe. Alors que le Vatican vient de reconnaître le gouvernement de Burgos en dépêchant un nonce auprès de Franco, Maritain insiste auprès de son interlocuteur pour que Rome veille dans le même temps sur le sort de l'évêque de Teruel, prisonnier des franquistes à Valence, s'étonnant « qu'on ne s'efforce pas d'agir, et d'agir vite ». Au printemps 1938, l'homme de Meudon tente en vain de convaincre le Vatican d'intercéder en Espagne en faveur d'un armistice et de pourparlers de paix.

Du côté des franquistes, Jacques Maritain est considéré à ce moment-là comme leur principal ennemi en France. En avril 1938, le ministre de l'Intérieur du gouvernement de Salamanque stigmatise les écrits d'« un converti plus pédant que profond, en vogue dans quelques milieux intellectuels ». Le 12 mai, un communiqué émanant du Conseil des ministres de Burgos dénonce « les machinations d'un conglomérat répugnant » où figurent « étroitement unis aux francs-maçons, des rouges espagnols et quelque converti français très connu ». Les journaux de Bilbao, de Valladolid, de Pampelune, de Saint-Sébastien et de Séville déversent sur l'illustre « marrano » des flots d'injures. Pour finir, le 19 juin 1938, le ministre de l'Intérieur, Serrano Suñer, gendre de Franco, s'en prend violemment dans un discours officiel au philosophe français dont le savoir « a des

accents, dit-il, qui rappellent les lèvres d'Israël [...].
Nous savons qu'il est en train de recevoir ou qu'il
reçoit déjà l'hommage de loges et de synagogues [57] ».
Le tout, naturellement relayé par l'*Action française*.

Répliquant au tir groupé de l'internationale fasciste et maurrassienne, François Mauriac, qui n'a pu
empêcher quelques semaines plus tôt l'élection à
l'Académie du directeur de l'*Action française*, apporte
son soutien au philosophe dans une « Mise au point »
parue en première page du *Figaro* le 30 juin. Magnifique hommage qui est plus que cela : une déclaration
de solidarité fraternelle, telle que Maritain en a peu
reçu dans cette période. « Il en est plusieurs
aujourd'hui qu'on pourrait croire désespérés qui
savent que rien n'est perdu pour eux tant qu'il existera
dans une maison de Meudon que Dieu habite, cet
homme et cette femme dont le regard et la voix leur
apportent plus qu'une promesse : la présence visible
de la miséricorde. [...] En se dressant avec toute la
puissance de sa dialectique et tout le feu de sa charité
contre cette prétention des généraux espagnols de
mener une guerre sainte, Maritain a rendu à l'Église
catholique un service dont la fureur qu'il suscite nous
aide à mesurer la portée [58]. »

Le 7 juillet 1938, les intellectuels et hommes politiques espagnols en exil à Paris organisent un dîner
en hommage à Maritain et Mauriac. Tour à tour,
Victor Montserrat, Alfredo Mendizabal, Jesús de
Leizaola, ministre de la Justice et de la Culture du
gouvernement basque, José Bergamín témoignent
aux deux hommes l'« immense reconnaissance »
qu'ils leur doivent. « C'est parce que je crois que
l'Espagne n'est pas une chose du passé, mais de l'avenir, déclare Bergamín, que je suis heureux de trouver
ici de vrais Espagnols chrétiens catholiques réunis
pour fêter en Maritain et en Mauriac cette chose si

faible et en même temps si puissante : la dignité de l'intelligence. »

« À propos de son récent article du *Figaro*, dont le ton magnifiquement ferme et serein faisait dire à Bernanos : "On est fier, en lisant cela, d'être un écrivain français", j'écrivais à François Mauriac qu'on bénit les calomnies quand elles provoquent le témoignage d'une semblable amitié, répond Maritain [...].

« Laissez-moi vous dire que je ne vois pas du tout qu'il y ait lieu de nous faire des condoléances, c'est plutôt des félicitations qu'il faut nous adresser. Il m'apparaît que, dans ces attaques, il y a l'indice que l'opinion publique, dont les États totalitaires et leurs amis devraient, semble-t-il, se moquer, a une influence plus grande que nous ne le supposions. Pourquoi des écrivains désarmés, qui n'ont pas pris parti pour un camp politique et qui cherchent seulement la vérité et la paix, ont-ils paru "plus redoutables que l'ennemi des tranchées" ? Il faut croire que le témoignage que nous essayons de rendre à la justice trouble la conscience de certains dirigeants.

« Ce n'est pas seulement au nom de l'humanité [...] que nous avons senti le devoir de porter ce témoignage en faveur de la paix en Espagne et contre toutes les barbaries, d'où qu'elles viennent, c'est au nom du christianisme, au nom de l'esprit de l'Évangile, et dans la conscience du grand drame spirituel dont l'Église souffre au plus profond d'elle-même et dont l'Espagne a été l'occasion sanglante. Il s'agit de savoir si c'est une conception *politique* de la religion ou une conception *évangélique* de la religion qui doit prévaloir. Et sur ce plan spirituel, quelles que soient les épreuves par lesquelles le monde peut passer, ceux qui croient à l'Évangile peuvent être absolument certains de l'emporter à la fin, car c'est pour les valeurs les plus chères au cœur du Christ qu'ils combattent. Jamais nous ne pourrons admettre, et jamais l'Église n'admettra, que l'extermination soit un moyen d'apostolat, et que l'adhésion à une cause temporelle, à un mouvement d'insurrection militaire, quelque opinion que les uns ou les autres puissent avoir sur lui au point de vue politique, devienne une règle d'orthodoxie.

« C'est pourquoi les insultes que M. Serrano Suñer nous a décernées, – si nous avions besoin d'être confirmés dans la conviction de la justice de notre position –, nous apporteraient cette confirmation [59]. »

De tous les combats qu'il doit mener de front – angoissé par le sort de l'Espagne, il l'est autant par celui de l'Autriche, annexée au Reich en mars 1938 –, le plus intime et le plus douloureux est celui qui le fait se dresser au même moment contre l'antisémitisme. Jacques Maritain est un des rares intellectuels chrétiens à prendre position sur le sujet dès cette époque, un des rares à rompre le silence parmi les catholiques et à alerter les consciences.

« Juif par amour », solidaire de la destinée terrestre du peuple d'Israël, se sentant non moins « déraciné du monde [60] », Maritain a traversé des expériences diverses touchant la question juive.

Les plus fortes et les plus déterminantes, celles qui l'ont à jamais marqué dans sa chair et sa sensibilité, lui sont venues naturellement de son engagement de jeunesse en faveur de Dreyfus, de la rencontre d'une jeune Juive russe contrainte de fuir son pays avec les siens pour échapper aux pogroms, de la filiation nouvelle qu'il acquiert avec la descendance d'Abraham par son mariage. « Dans sa passion de certitude concrète, dans son respect pour la Sagesse et son amour pour la Justice, dans son humeur irréductible et sa vigilance à la contradiction, comme dans l'ardeur de son sang et la précision de son instinct, partout elle porte avec soi sa noblesse et le privilège de la Race dont elle est issue, écrit-il en 1906 à propos de Raïssa [...], la Race aînée, à qui Dieu s'est confié et qui contemple ses Anges, qui, seule familière avec le Ciel, seule dépositaire de la promesse, et partout à sa place sur cette terre, ne périra qu'avec le monde, et qui a droit de regarder tous les peuples comme des hôtes tard venus dans son patrimoine, incultes et sans passé, héritiers du Seigneur par adoption, non par naissance [61]. » Au début de son mariage, Jacques se lie d'amitié avec de jeunes émigrés juifs, tel Absalon Feinberg, né en Eretz Israël, venu étudier le français à l'École normale israélite orientale avant de rentrer en Palestine en 1909. « Départ d'Absalon pour Darmstadt, puis pour la Palestine, note Jacques le 10 juin 1909. Il accepte, avant de partir, en souvenir de moi, une médaille de N.D. des Victoires, et promet de la garder toujours [62]. » Les deux hommes resteront en contact toute leur vie, Maritain devant pour beaucoup à Absalon Feinberg sa sympathie précoce « pour le Foyer National puis pour l'État d'Israël [63] ». Peu avant leur conversion, la lecture du *Salut par les Juifs* a apporté aux Maritain la révélation théologique de la continuité parfaite entre judaïsme et catholicisme et fortement nourri leur perception du mystère tragique d'Israël.

Le rapprochement du disciple d'Humbert Clérissac avec les théoriciens de l'Action française, dans les années qui suivent, ne va pas sans une ambiguïté majeure : Maritain accepte alors, sans sourciller outre mesure, de côtoyer le milieu de pensée le plus ouvertement antisémite qui se puisse connaître. Il lui arrive de pousser si loin la compréhension qu'en 1925, lors du procès intenté par le ministre de l'Intérieur

Abraham Schramek à Maurras qui a menacé de le « faire tuer comme un chien », il témoigne en faveur de l'insulteur au nom de « la résistance aux lois injustes ». Le plus stupéfiant reste, en 1921, un texte paru dans *La Vie spirituelle* à la suite d'une communication à la Semaine des écrivains catholiques, où Maritain, dénonçant le « rôle de subversion » joué « fatalement » par le peuple juif, préconise d'engager une « lutte de salut public contre les sociétés secrètes judéo-maçonniques et contre la finance cosmopolite » et de recourir à « un certain nombre de mesures générales de prévention comme au Moyen Âge[64] ». La conversion d'Israël constitue la « grande espérance[65] » de celui qui s'emploie alors à faire baptiser Maurice Sachs et s'entoure de Juifs convertis tels Max Jacob, Georges Cattaui et Jean-Pierre Altermann.

En 1925, sous l'influence de Louis Massignon et du docteur V. Jacobson, délégué à Paris pour l'Europe du Comité exécutif de l'organisation sioniste et fondateur d'un groupe « France-Palestine », Maritain adresse à Pie XI un rapport proposant un soutien des catholiques aux sionistes « afin de permettre à ceux d'entre eux que la grâce attire un retour plus facile à la lumière du Christ[66] ». Le pape « s'en remet à votre prudence, en conseillant la *réserve* », lui fera savoir son intermédiaire, le père Hugon.

Dans une destinée aussi mouvante, le jeu des rencontres et des amitiés a souvent plus compté que celui des circonstances. Pierre Vidal-Naquet souligne le rôle déterminant dans l'évolution de Maritain d'un Juif égyptien converti, le RP Jean de Menasce, proche de Chaïm Weizmann, et auteur en 1931 de *Quand Israël aime Dieu*, chef-d'œuvre de culture hassidique, qui paraît au *Roseau d'or*. Maritain lui doit « une connaissance positive du judaïsme comme vécu, comme pensée, comme religion[67] ». Au demeurant, cette approche nouvelle s'inscrit chez lui dans une mutation d'ensemble qui l'entraîne à se situer davantage dans le mouvement de l'Histoire.

Dès 1934, l'auteur de *Primauté du spirituel* prend conscience de la menace d'extermination qui pèse sur les Juifs d'Allemagne et bientôt d'Europe de l'Est. Les témoignages des réfugiés ne lui laissent aucun doute à ce sujet. Le philosophe chrétien entreprend alors une réflexion sur le « mystère d'Israël » en vue d'étudier « les origines et les modalités de l'antisémitisme [68] ». Dans *L'Impossible Antisémitisme* en 1937, il récuse l'appellation de « race » juive au sens biologique du mot et préfère à celle de « nation » ou de « peuple » l'expression de saint Paul : Israël est un « mystère ». Un mystère du même ordre que celui du monde et de l'Église, « qui dépassera toujours de toutes parts, nos idées et notre connaissance pouvant être immergées dans ces choses-là, non les circonscrire [69] ». Sa tragédie recoupe sans fin « la tragédie même de l'humanité », de « l'homme dans sa lutte avec le monde et du monde dans sa lutte avec Dieu ». Elle ne peut connaître de solution véritable. « Vivante et indestructible archive des promesses de Dieu », Israël obéit à une vocation, celle de ne jamais laisser « le monde en repos », de lui apprendre « à être mécontent et inquiet tant qu'il n'a pas Dieu ». La « vraie figure d'Israël », nonobstant « un messianisme matérialisé qui est la face obscure de sa vocation à l'absolu », s'exprime avant tout « dans le zèle de justice, et dans un amour de la vérité qui est la marque la plus haute de l'élection de ce peuple [...]. L'amour de la vérité à en mourir, la volonté de la vérité pure, absolue [...], le goût indéracinable de l'indépendance et de la liberté, le feu de l'intelligence, la vivacité de l'intuition et de l'abstraction [...]. Si le monde hait les Juifs, c'est qu'il sent bien qu'ils lui seront toujours surnaturellement étrangers... » Se référant à la situation des Juifs allemands, « germanisés jusqu'aux moelles », Maritain distingue entre Juif « assimilé » et Juif « installé » : le premier se préserve en ne s'intégrant que politiquement et socialement, le second « se perd » en abdiquant son identité spirituelle et son « inquiétude stimulatrice ». La seule réponse véritable à l'antisémitisme réside dans le dialogue entre Juifs et chrétiens, d'un « extrême à l'autre », l'« unique voie » est d'accepter un « état de tension, et d'y faire face en chaque circonstance particulière, non dans la haine, mais dans l'intelligence concrète que l'amour exige de chacun pour qu'il s'accorde vite avec son adversaire pendant qu'il fait route avec lui ». L'antisémitisme trahit une « altération de la conscience chrétienne » et son « zèle amer » finit toujours « en un zèle amer contre le christianisme lui-même ».

Le 5 février 1938, au théâtre des Ambassadeurs à Paris, Maritain développe l'ensemble de ces thèmes lors d'une conférence sur « Les Juifs parmi les nations ». Sur un ton plus offensif et polémique, il dénonce la propagation de l'antisémitisme en Europe :

« Pour attiser le feu mauvais qui consume les peuples, il y a, dans l'Europe d'aujourd'hui, ceux qui veulent l'extermination et la mort, et d'abord l'extermination des Juifs – car c'est bien de cela qu'il s'agit, n'est-ce pas, en définitive ? – et qui, sous l'appareil stupide du scientisme raciste ou des documents forgés, dissimulent aux autres hommes, et parfois à eux-mêmes, l'espoir fou d'un massacre général de la race de Moïse et de Jésus. Ce massacre reste un songe* ; les germes de haine dont s'emplit l'atmosphère sont une réalité. Il faudrait beaucoup d'amour, d'esprit de justice et de charité pour assainir cette atmosphère.

* Nous ne sommes qu'en 1938.

« Il se fait de nos jours, pour des fins politiques, un singulier abus des noms qui nous sont chers, et dans lesquels l'homme le plus accablé espère encore. En certains pays on *achète chrétien* pour boycotter le commerce juif. Tout en haïssant l'Évangile, les courants dominants du national-socialisme allemand se déclarent *chrétiens* contre le Pape et les Églises [...]. Il y aura peut-être un jour un racisme chrétien, des Thor et des Odin de la civilisation chrétienne, comme de l'ypérite chrétienne ou des bombardements chrétiens de villes ouvertes. Blasphémée par les uns, profanée par les autres, c'est à qui chassera de cette malheureuse planète la sainteté de Dieu. Le désespoir où beaucoup d'âmes risquent d'être jetées par ces choses est lourd de malédiction. Ce n'est pas ainsi que la civilisation chrétienne demande à être défendue. Je ne crois pas céder à un mouvement d'amour-propre national en disant que les catholiques de France ont entendu avec une particulière ferveur ce que le pape Pie XI disait récemment à leurs évêques : "La prédication de la vérité n'a pas fait beaucoup de conquêtes au Christ : elle l'a conduit à la Croix. C'est par la charité qu'il a gagné les âmes et les a entraînées à sa suite." Il n'y a pas d'autres moyens de gagner notre âme, et les âmes, et un peu de paix pour le monde [70]. »

Ce long et vibrant réquisitoire connaît un retentissement fulgurant. Le conférencier est hué, injurié par une partie de la salle aux cris de « Vendu aux Juifs » et « Juif lui-même [71] ». Le président du conseil municipal de Paris, un certain Le Provost de Launay, s'oppose à la tenue d'une seconde conférence. François Mauriac, de nouveau, vient à la rescousse de Maritain tandis que l'extrême droite, par la voix d'un philosophe catholique de Liège, Marcel de Coste, et surtout par la plume de Lucien Rebatet dans *Je suis partout*, se déchaîne :

«Nous qui ne sommes que des Aryens obtus, qui en sommes restés à Bossuet et de Maistre, écrit Rebatet le 1er avril 1938, nous cherchons dans ce spiritualisme frénétique la cause vulgaire, pleinement humaine, et nous la trouvons bientôt. M. Jacques Maritain est marié à une Juive. Il a enjuivé sa vie et sa doctrine, sa théologie, sa dialectique sont falsifiées comme le passeport d'un espion juif. M. Maritain, corps et âme, représente ce que les Allemands appellent avec tant de raison un "Rassenschander", un souilleur de la race. »

Plus surprenantes, les réactions de Louis Massignon qui, en proie alors à ce qu'il appelle lui-même une « crise d'antisémitisme », reproche à Maritain de n'avoir pas eu « le courage de dire que sa femme était juive » ni considérer « l'action dissolvante de cet élément ethnique dans toutes les nations européennes[72] » ; celle encore d'André Gide qui, dans la *NRF*, marque sa déception de n'avoir pas entendu Maritain souligner davantage l'« apport positif de la race juive », ne voyant dans l'« élément juif » qu'« un élément incommode qu'il faut charitablement tolérer ».

Raïssa ressent comme une « blessure inguérissable » les insultes et les calomnies qui surgissent contre eux de tous côtés. Elle est d'autant plus bouleversée que celles-ci dépassent maintenant les seules attaques de l'*Action française*. « Aujourd'hui c'est différent, écrit-elle à l'abbé Journet le 22 avril, c'est vraiment le racisme et le nazisme admis par une partie de l'opinion française. C'est cela qui est intolérable, c'est cela qui me désespère : que ces ténèbres s'étendent aussi sur la France. On ne pourra donc plus respirer librement nulle part – si cela continue. Le visage de ce monde s'est subitement flétri pour moi. Je l'avoue, Charles, je voudrais partir. Si nous pouvions passer une année en Amérique où la solitude serait plus facile, même si Jacques y fait un cours ou des conférences, comme il faudrait en effet qu'il en fasse pour que nous puissions vivre. De toute manière il a promis des conférences à l'université de Chicago, et dans d'autres villes des États-Unis, au mois d'octobre. Qu'en pensez-vous, Charles ? C'est peut-être un désir qui me vient de ma douleur présente, et qui va s'atténuer ? ou bien est-ce un souhait raisonnable ? Vous savez que Jacques épuisé de fatigue est allé se reposer chez nos chers Grunelius*. Il y a quinze jours de cela ; il revient demain. Il me dit qu'il se sent beaucoup mieux. Il faudra que nous prenions d'abord une décision quant à la prochaine retraite. Il n'est pas possible de recommencer avec le P. Garrigou ; il a déjà fait trop de mal** […].

« Au sujet de la pénétration de l'antisémitisme en France voici ce que m'a écrit Mme Iswolsky qui est allée passer quelques semaines dans le midi : "À Toulon je me suis trouvée en plein dans une incompréhension opaque, et un antisémitisme féroce dans un milieu d'officiers de marine que je croyais jusqu'ici 'civilisés'. Le livre de Céline*** fait un mal atroce et personne ne s'aperçoit que c'est le livre d'un fou. Gide est bien trop indulgent pour lui dans son article de la *NRF*, probablement parce qu'il n'a pas vu ce qui se passe dans les milieux bourgeois et 'bien-pensants' à

---

* Leurs amis alsaciens de Kolbsheim.

** « La retraite commence sous un signe très douloureux, notait Maritain en septembre 1937. Le Père Garrigou voulait m'interdire de parler de philosophie de l'histoire, et de juger les événements, et d'agir sur les jeunes gens dans cet ordre de choses. (Il n'est pas le seul à Rome à penser comme ça, je le sais bien, et à s'épouvanter du Maritain politique.) Métaphysique seulement ! Mais lui n'hésite pas à se prononcer en faveur de Franco et à approuver la guerre civile en Espagne. » (*Carnet de notes*.)

*** Il s'agit de *Bagatelles pour un massacre*.

la suite de ce livre…" Cet article de Gide paru dans la *NRF* du 1er avril où il parle à la fois de la conférence de Jacques sur les Juifs et du livre de Céline est en effet d'une faiblesse lamentable. Auparavant, le mora-liste de la maison, Marcel Arland, en avait publié un d'une lâcheté assez écœurante. Voilà pour les milieux "indépendants"[73]. »

Plus que les accusations qu'il subit lui-même, ce sont les mises en cause de Raïssa et de Véra qui plongent Jacques dans une « colère noire[74] ». « Et moi, qu'ai-je fait de ma vie que d'aider Jacques dans sa tâche accablante, proteste Raïssa, m'effaçant volontairement pensant que je n'avais rien à dire qui valait la simple aide apportée à Jacques dans son œuvre de vérité, de paix et d'amour. Faudra-t-il donc que lui aussi il dise, et moi avec lui : "J'ai aimé la jus-tice, j'ai haï l'iniquité, c'est pourquoi je meurs en exil"[75] ? » Mais s'il fallait partir, le nombre d'amis à quitter, observe-t-elle, « n'arriverait pas à dix ».

Un catholique en résistance

« Ainsi le chrétien doit être présent partout
et rester partout libre.
Sa liberté est une liberté engagée. »

Jacques MARITAIN
Questions de conscience.

« Et voici que vous allez repartir, lui écrivait en
1935 l'abbé Journet. Cette vie itinérante, c'est la bri-
sure constante, la pauvreté, la solitude...[1]. » À
l'automne 1938, Maritain s'apprête à regagner les
États-Unis. Jamais l'attraction exercée sur lui par
l'« expérience américaine[2] » n'a été si vive. Partir
alors, c'est faire renaître la vie « au plus secret des
choses[3] » et renouer avec l'esprit d'enfance. Deux
hommes semblent cohabiter en lui à ce moment-là : le
témoin isolé, désespéré, de l'« immense liquidation »
qui s'opère dans le monde, et l'acteur d'une aventure
nouvelle qui conseille à Yves Simon, parti enseigner
outre-Atlantique, d'avoir confiance en la douceur des
« desseins de Dieu » – à condition, ajoute-t-il, de « bien
être émondé », la vie n'en étant que « plus forte »[4]. Le
premier Maritain vient de clore le cycle des retraites
thomistes par une petite réunion privée autour de
quelques amis sûrs – Olivier Lacombe, Claude et Ida
Bourdet, l'abbé Journet, les pères Lavaud, Gagnebet,
Bruckberger et quelques autres. Le second prépare

son prochain séjour à Chicago avec « le sentiment très profond des grandes choses qui se passent là [5] ».

Raïssa, Véra et lui quittent la France le 1er octobre 1938, au lendemain de la conférence de Munich qui a sauvé in extremis la paix en Europe au prix d'une abdication de plus. À Chicago, ils sont les hôtes d'un professeur de l'université, John U. Nef, avec lequel Jacques est en relation depuis quatre ans. Économiste et historien, Nef occupe la chaire d'histoire économique. Auteur d'études imposantes sur l'histoire industrielle de la France et de la Grande-Bretagne, dans le cadre d'une recherche globale sur la civilisation contemporaine incluant « les divers secteurs de l'activité humaine et culturelle [6] », il est en outre l'animateur du « Comité de la pensée sociale ». Le philosophe français retrouve un milieu intellectuel qui lui est déjà très ouvert.

« Avec son jeune président, Robert Hutchins, l'université de Chicago jouissait d'une forte réputation, se souvient Julie Kernan, fondatrice du Club du livre catholique aux États-Unis et amie de longue date des Maritain. Mais Robert Hutchins pensait malgré tout qu'il manquait – comme dans l'éducation américaine en général – une vision globale de l'interdépendance des différentes branches du savoir et qu'il y avait besoin de rechercher une certaine unité des valeurs permanentes [...]. Il avait à faire face à l'opposition de plusieurs professeurs, notamment ceux du département de philosophie, qui privilégiaient une approche positiviste et pragmatique. Mais il réussit à prendre à l'Université de Columbia Mortimer Adler qui enseignait l'éthique thomiste non dans le département de philosophie mais dans celui du droit.

« Robert Hutchins considérait Jacques Maritain comme le principal spécialiste de la philosophie thomiste. L'édition française originale des *Degrés du savoir* venait de paraître aux États-Unis et faisait l'objet d'amples discussions dans les milieux intellectuels. En l'invitant à l'Université, Hutchins caressait l'espoir d'en faire un membre de la faculté de philosophie. Ce ne fut pas le cas, bien que Jacques Maritain retournât plusieurs fois à l'Université de Chicago.

« Lors de sa première visite à Chicago, Jacques Maritain fut l'invité du Docteur et de madame Franck Lillie. Le Docteur Lillie dirigeait la division des sciences biologiques à l'université et lui et sa femme organisèrent des rencontres pour Jacques avec des personnes des milieux artistiques et intellectuels. Ce fut le début d'une longue relation entre Jacques et Mortimer Adler qui, bien qu'il ne partageât pas les croyances religieuses de Jacques, était considéré comme le principal néo-thomiste en Amérique.

« Il aida Jacques à traduire en anglais ses premières conférences puis plusieurs de ses livres, notamment *Scolastique et Politique*, et ils furent associés dans plusieurs projets philosophiques et culturels.

« C'est à Chicago, avec des gens comme Mortimer Adler, R. Hutchins, John Nef et Stringfellow Bar, que Jacques Maritain devait discuter ses préoccupations sur les problèmes de la démocratie et développer ses propres vues.

« Madame Franck Lillie – convertie au catholicisme – avait pris en charge les frais de séjour de Jacques à Chicago et de publication de ses conférences. Elle en envoya une copie au Docteur et madame John U. Nef, professeur au département d'économie, qui avait longtemps partagé le point de vue du président Hutchins sur les limites de la spécialisation académique et le souhait d'un échange d'idées plus libre entre professeurs et étudiants.

« Jacques avait trouvé en Nef un ami personnel vraiment chaleureux. Ils avaient les mêmes préoccu-

pations esthétiques et [...] partageaient le même intérêt pour une réforme de l'éducation [7]. »

Au même moment, Maritain établit ses premiers
contacts avec une autre université, celle de Notre-
Dame, dont le président, le futur cardinal O'Hara, travaille dans la même direction spirituelle qu'Hutchins
à Chicago. Yves Simon a déjà rejoint à cette date le
département de philosophie de Notre-Dame. À la suite
d'un entretien avec un des professeurs les plus en vue
de l'université, Waldemar Gurian, juif converti au
catholicisme, qui a dû fuir l'Allemagne nazie en 1934,
Maritain est invité en novembre 1938 à présider à
Notre-Dame un symposium de philosophie sociale et
politique à la fin de son cycle de cours à Chicago.

S'il reçoit ici un accueil que le milieu universitaire
français ne lui a jamais réservé, l'auteur d'*Humanisme
intégral* n'en doit pas moins désarmer les préventions
de beaucoup de catholiques américains, très critiques
envers ses positions antifranquistes. La réception à
Notre-Dame est mitigée, mais, passé le temps de la
suspicion, Maritain nouera avec cette université des
liens solides.

« Même si l'on peut dire que sa première rencontre
"charnelle" avec l'Amérique eut lieu dans le Middle
West, souligne Julie Kernan, Maritain allait bientôt
passer sur la Côte Est des États-Unis. Un après-midi
de 1933, alors que je quittais le 10 rue du Parc et que
Jacques m'accompagnait dans le jardin, accoudés au
parapet, avec tout Paris sous les yeux, nous eûmes
une longue conversation. Il parla entre autres de ses
voyages à Toronto, Chicago et dit qu'il aimerait à
l'avenir donner des conférences à New York, sans toutefois trop savoir quand il aurait du temps pour le
faire. Je lui répondis que beaucoup dans les cercles
littéraires et universitaires devraient être intéressés et
que je pourrais peut-être l'aider. Ces projets devaient

se mettre en route dès l'année suivante quand je rentrerais à New York. Le Club du Livre catholique, dont mon frère était le président, accepta de sponsoriser la conférence de Jacques, qui suscita un intérêt si grand qu'il fut décidé de la tenir à Town Hall. Jacques fit là sa conférence le 5 novembre 1934 dans l'après-midi, sur le thème "Connaissance et Sagesse", une application de la philosophie de saint Thomas d'Aquin aux problèmes modernes de l'art et de la science.

« Parmi les notables présents, il y avait les présidents de Columbia, Princeton, Fondham et le chancelier de l'université de New York. L'énorme hall était rempli de professeurs, d'étudiants, de membres du clergé et de lecteurs de Jacques. Daniel Sargent, qui enseignait à Harvard et avait connu la philosophie scolastique et Jacques lui-même quelques années auparavant en France, était venu de Boston pour lui apporter son aide. Comme Jacques avait des craintes à l'idée de donner sa conférence en anglais, D. Sargent et moi l'aidâmes dans ses répétitions. De fait, l'après-midi il parla avec un fort accent mais l'assistance parut enthousiaste et il fut submergé par les gens qui voulaient lui parler personnellement[8]. »

C'est à l'occasion de son premier séjour à New York que Jacques rend visite, au Foyer des travailleurs catholiques, à Dorothy Day, ancienne marxiste convertie au catholicisme, qui vient de lancer un mouvement d'entraide aux démunis et de créer les premières « maisons d'hospitalité » américaines. Éditeur et écrivain, Dorothy Day se réfère fréquemment dans ses écrits à la pensée humaniste de Jacques Maritain.

En décembre 1938, Maritain conclut sa nouvelle tournée américaine à travers une série de conférences à New York. Par l'intermédiaire de Julie Kernan, il rencontre un étudiant de l'université de Columbia,

Thomas Merton, qui retirera de son premier contact avec ce « très saint philosophe » aux cheveux gris l'impression « d'une gentillesse, d'une simplicité et d'une piété extraordinaires. Je rentrai rasséréné de ce qu'il existât de tels êtres sur terre [9] ».

Julie Kernan le croise quotidiennement lors de son escale new-yorkaise. « Il avait l'esprit détendu, raconte-t-elle, et attendait son retour à Meudon, la veille de Noël. Je vis aussi beaucoup des gens qui l'entouraient et me rappelle le soir précédant son départ, quand il vint dîner dans mon petit appartement suivi d'une quinzaine de personnes. Jacques aimait les jeunes et se trouvait au mieux avec eux ; c'était une occasion de fête. »

Dans une correspondance avec John U. Nef, le visiteur signale une « petite réunion charmante » à laquelle il a été convié à la fin de son séjour, « avec des voisins de campagne pour le thé [10] » : l'occasion d'une brève rencontre avec Franklin Roosevelt. « Il a été impossible de parler de choses sérieuses et de l'Espagne, confie-t-il, sinon pendant une minute. »

Le 10 février 1939, Jacques Maritain apprend par la radio la mort de Pie XI. Le grand pontificat du cardinal Ratti prend fin la veille du jour anniversaire des accords de Latran et surtout d'une réunion qui s'annonçait décisive avec l'ensemble des évêques d'Italie. « Le seul pape qui n'avait peur de personne », selon le mot du cardinal Tisserant, s'apprêtait à adresser une admonestation sévère au régime fasciste et à prédire son effondrement s'il entrait en guerre aux côtés de l'Allemagne. Jusqu'à l'extrême fin de sa vie, Pie XI n'a cessé de combattre les idéologies totalitaires, seule grande voix que Hitler, Staline et Mussolini aient jamais entendue se dresser contre eux avant la guerre. Le 3 mai 1938, alors que Rome croule sous les oriflammes et les drapeaux pour la visite officielle du Führer, Pie XI quitte ostensiblement la ville pour gagner sa résidence de Castelgandolfo, refusant d'assister « à l'apothéose d'une croix ennemie de la croix du Christ ». Le 29 septembre de la même année, alors que les démocraties occidentales viennent à Munich d'abandonner la Tchécoslovaquie à son sort en compromettant irréversiblement le leur, le Saint-Père, « moribond » selon sa propre formule, offre dans un message pathétique de livrer sa vie pour la paix du monde. Trois semaines avant sa mort, recevant Chamberlain et Lord Halifax, dans un état de fébrilité extrême, livide, frêle, la voix essoufflée, consumant ce qui lui reste d'énergie, Pie XI met en garde les dirigeants anglais contre leurs atermoiements et parle comme du « péril le plus grand [11] » du sort des Juifs en Allemagne.

C'est dans le génie de ce pape visionnaire et missionnaire, qui a su capter les grandes évolutions du premier tiers du siècle et tenter d'intéresser l'Église à l'avenir de la condition ouvrière comme à celui de la démocratie, à l'émergence des États-Unis d'Amérique comme aux dangers des totalitarismes, que Jacques Maritain, douze ans plus tôt, a trouvé les voies d'une métamorphose décisive de son regard sur le monde et l'inspiration d'un nouvel humanisme chrétien. Seule une attitude à son sens trop ambiguë durant la guerre d'Espagne a pu jeter une ombre sur la confiance immense qu'il a toujours placée en cet homme d'universalité. Le soir du 10 février 1939, Jacques Maritain rend hommage au Saint-Père dans une allocution radiodiffusée qui met en fureur l'*Action française*.

Le cardinal Pacelli s'impose naturellement pour succéder à Pie XI. Austère, énigmatique, l'allure fine et l'intelligence habile, le majestueux secrétaire d'État choisi par Pie XI pour ses «expériences des intérêts de l'Église [12]» doit en outre son autorité à une connaissance lucide de l'Allemagne, où il a occupé les nonciatures de Munich puis de Berlin dans les années vingt.

Le nouveau pape n'est pas même élu que, dans les derniers jours de février, le père Garrigou-Lagrange redouble de griefs à l'encontre de Maritain, lui faisant savoir par l'abbé Journet que sa préface au livre de Mendizabal continue d'indigner les évêques espagnols. Il est question, non d'une mise à l'Index, mais d'un *avertissement* de Rome. «Je savais depuis au moins deux ans que le cardinal Pacelli était inquiet au sujet de Jacques Maritain, poursuit Garrigou, et il lui a même dit à Paris en revenant de Lisieux* qu'il préférerait le voir occupé à continuer ses ouvrages proprement philosophiques au lieu de le voir se lancer dans ces nouveaux domaines. Je tiens cela du cardinal lui-même qui a dû le dire à Jacques Maritain en une formule *délicate* mais assez significative. (J'ai écrit au moins deux lettres au cardinal pour expliquer l'attitude de Jacques Maritain et je le lui ai fait savoir. Cela remonte à deux ans.) Jacques Maritain répond à ces avertissements par un sourire et on remarque qu'il n'en tient pas compte. C'est seulement ces derniers temps que j'ai appris que l'inquiétude avait augmenté à la Secrétairerie d'État. Et j'ai su peu après que Pie XI n'était pas content [...].

« On reproche à Jacques Maritain aussi de se lancer dans des prévisions qui n'ont rien de sûr au sujet de la chrétienté future, ou de ce qui pourrait résulter pour "une civilisation universelle" de la conversion en

---

* En 1935. Nous ne disposons d'aucune autre information sur cette entrevue.

masse des Juifs. Cela tourne au mythe. De même dans une conférence sur les Juifs il y a des propositions trop générales, où le *per se* et le *per accidens* ne sont pas assez distingués ; je me rappelle celle-ci : "La haine contre les Juifs et celle contre les chrétiens viennent du même fond" ; cela peut être vrai dans un pays déterminé, à tel moment, mais ne peut se formuler de façon si générale ; car lorsque ce sont les Juifs qui haïssent les chrétiens, la haine contre les uns et les autres ne vient pas du même fond [13]. »

Jacques Maritain à l'abbé Journet, 11 mars 1939 :

« J'ai essayé d'écrire au père Garrigou-Lagrange. Je n'ai pas pu encore y arriver. J'ai trop de dégoût, d'écœurement physique. Ces reproches à propos de racontars et de faits non vérifiés [...] ; cette attention servile à l'opinion des uns et des autres, cette conception de l'Église comme je ne sais quelle satrapie où le froncement de sourcils d'un Maître ou une parole "délicate" dite par un cardinal dans un salon exigeraient l'aplatissement immédiat ; cette attitude morale si contraire à l'honneur humain et à l'esprit de l'Évangile et à tout ce qu'ils enseignent du haut de leur chaire, tout cela me semble si honteux dans un théologien et un prétendu spirituel que je crains de laisser voir mon dégoût.

« De plus je ne voudrais pas que le moindre mot "rassurant" où je dirais mon intention d'appuyer actuellement sur la philosophie et le travail spéculatif, risquât d'être pris pour une promesse ou un engagement de ne plus traiter des matières politiques, engagement qu'il est absurde d'attendre d'un laïque mais nous n'en sommes pas à une absurdité près. L'impression la plus pénible en tout cela est qu'on se trouve non pas en face d'une opposition rationnelle, mais en face du NÉANT, – et de la haine (chez les autres), de la peur (chez lui). C'est pourquoi je me demande si le mieux ne serait pas, par hygiène mentale, de ne tenir *absolument aucun compte* de ces agitations, qui troublent sans éclairer. Le jour où ils voudront condamner [...], on verra bien ; en attendant on aura fait ce qu'on pouvait pour le Seigneur. [...]

« Charles, *PRIEZ BEAUCOUP CES JOURS-CI POUR JULIEN GREEN*. Nous sommes bouleversés de ce que Dieu fait dans son âme. Mais ce sera un bien grand combat d'esprit. Ah que n'êtes-vous ici. Il faut prier à fond pour lui. Voudriez-vous (sans le nommer) le recommander aux prières de La Valsainte ? »

Telle sera sans doute la seule vraie joie des Maritain à cette époque : le dénouement intérieur qui ramène Green vers la foi, sous l'affectueuse attention de Jacques. Pour le reste, le philosophe est soumis sans discontinuer tout au long du printemps 1939 à l'acharnement de ses adversaires, tant à Rome qu'à Paris. « C'est un curieux sentiment, écrit-il à Yves Simon, que d'éprouver que tant de gens vous haïssent et en veulent non plus à ce que vous pensez, mais à votre existence même. L'idée qu'un laïque peut exercer une influence sur les esprits leur est insupportable [14]. » Jamais la conscience de figurer au sein de l'Église un « juste du dehors [15] » n'a été si oppressante pour lui qu'à la veille de la guerre, au point de perdre pied parfois. La mort de Charles Du Bos le 5 août 1939 lui apparaît comme le résultat de « Munich, de l'écœurement général, de la bêtise ».

Jacques a donné au début de 1939, deux jours avant la disparition de Pie XI, une nouvelle conférence aux Ambassadeurs sur « Le Crépuscule de la civilisation ». Ce qui le hante alors est le triomphe généralisé du mensonge et de la propagande dans les masses. Le venin est partout, et aussi répandu qu'ailleurs dans le corps du catholicisme. De tous côtés le monde marche à la mort, sans répit ni secours d'aucune sorte. Le 1ᵉʳ septembre 1939, la Pologne est frappée à son tour. Maritain a établi à Lublin et Varsovie depuis quelques années un réseau d'amitiés qui a favorisé le renouveau de la conscience chrétienne dans le pays, autour de la communauté de Laski notamment. Le 3 septembre, l'Europe s'embrase. Accablés par le pressentiment d'une guerre monstrueuse, Jacques et Raïssa reçoivent de Véra un message de miséricorde. « Nous nous doutions que Dieu lui parlait souvent, confiera plus tard Jacques à Henry Bars. Et dans un cas tout particulier, quand il s'est agi de nous fortifier pendant notre exil et les angoisses de la guerre, elle a fait une exception. Elle nous communiquait les paroles qu'elle entendait de temps à autre, surtout pendant la messe, et qui la transfiguraient de joie, et qui toujours nous disaient d'avoir confiance, de n'avoir peur de rien, de savoir que Dieu veille sur nous. [...] Elle-même n'a jamais douté que ce qui lui était dit venait de Jésus. » Sur un bout de papier, ces quelques lignes écrites par Véra le 5 septembre 1939 : « Ne crains pas. Ne craignez pas, mes petits-enfants. Je vous garderai [16]. »

Le 18 septembre, tous trois trouvent refuge au presbytère d'Avoise dans la Sarthe, près de l'abbé Gouin. Un mois plus tard, Jacques semble fixé sur son sort : la direction des Affaires culturelles au Quai d'Orsay lui demande de se rendre « comme d'habitude [17] » à Toronto et aux États-Unis. Il s'inquiète du sort de Raïssa et de Véra en son absence, craignant, dans le cas où elles l'accompagneraient, de les exposer aux dangers d'une traversée de l'Atlantique en temps de guerre. « Si mon cœur était plus pur, écrit-il à Journet, je serais moins hésitant et je saurais mieux discerner les choses [18]. » En attendant, il envisage de reprendre ses cours à l'Institut catholique au début de novembre. « Les sombres événements par où nous

passons ont ménagé du moins certains rapproche-
ments des cœurs, et le moindre indice de paix des
cœurs prend tant de valeur aujourd'hui ! L'abbé Lallement m'a fait savoir par Mgr Richaud qu'il désirait
me voir. Nous nous sommes vus à Solesmes et à
Laval ; je ne me fais aucune illusion sur la persistance
de son opposition foncière en matière philosophique,
mais enfin ce peu d'amitié est née à nouveau. Une
grande joie pour nous d'autre part est d'avoir revu à
Solesmes Pierre Reverdy, que nous n'avions pas vu
depuis dix ans. Comment ne pas aimer tendrement un
tel poète ! La froideur des moines de Solesmes lui a
fait un très grand mal. Son cœur est resté chrétien.
Priez pour lui. Et pour Julien Green, qui m'a écrit
d'Amérique une lettre infiniment touchante, et qui
cherche la volonté de Dieu.

« Le Père Ceslas est-il à La Valsainte ? Donnez-moi
de ses nouvelles. Le pauvre Jean Le Louët était à Lodz
à la fin d'août et l'on est sans aucune nouvelle de lui.
Et mes chers amis de Laski, que sont-ils devenus ? J'ai
demandé à Mgr Fontenelle de se renseigner à Rome
auprès du cardinal Hlond. Pas encore de réponse [19]. »

Regardant leur servante polonaise à la grand-
messe de l'église d'Avoise le dimanche 5 novembre,
Raïssa est bouleversée par l'image d'une « petite forme
humble touchante, en ses vêtements de couleur fon-
cée et indécise, qui s'effaçait en frôlant les bancs du
chœur », image d'un pays sans défense, livré à la
dévastation. Elle pense, le cœur serré, à leurs amis de
là-bas, « sans doute morts torturés, ou vivants encore
et suppliciés de mille manières ». Dans une longue
lettre à Maurice Sachs, peu après, Raïssa assure d'un
ton presque péremptoire que « la miséricorde aura le
dernier mot » et que l'on entend mieux en général
dans le malheur que dans la joie la « réponse individuelle » que Dieu nous réserve.

De retour à Paris le 22 décembre, le « petit troupeau » gagne Marseille quelques jours plus tard. Leur embarquement à bord de l'*Exochorda* est prévu le 30, mais c'est seulement le 4 janvier que le départ peut avoir lieu. « Nous allons en plein inconnu », écrit Jacques dans un dernier message à Journet.

L'exil, c'est d'abord cette « impression de tout recommencer » qui saisira un soir de septembre 1940 Raïssa Maritain en rentrant dans leur appartement du 30 Fifth Avenue à New York. L'impression de devoir réapprendre les gestes les plus ordinaires, de devoir s'initier à d'autres rituels et d'autres regards. L'impression d'un corps-à-corps forcé, étrange et rebutant avec une ville inconnue. L'impression de n'être plus nulle part à sa place. Raïssa avait gardé de son enfance la hantise de tout départ, l'appréhension du premier contact avec une habitation nouvelle ou une terre étrangère. Quittant Meudon, il lui semblait avoir perdu le « seul lieu, dirait Jacques, où elle se sentît un peu à l'abri sur cette terre [20] ». Le 16 avril 1939, elle avait fait à Dieu l'offrande de sa vie pour la paix du monde. Quant à Jacques, un long cycle de ruptures et de conversions successives trouvait son aboutissement dans le constat, établi en conscience sur le bateau qui les amenait en Amérique, d'être devenu à son tour un déraciné.

Jusqu'en mai 1940, les trois passagers de l'*Exochorda* s'efforceront de croire en la possibilité d'un retour en France avant l'été. En même temps, les nouvelles d'Europe ne cesseront de confirmer leur pressentiment d'une tragédie longue et monstrueuse.

« Nous sommes arrivés à bon port à New York, puis à Toronto, malgré les mines de Gibraltar, et la tempête au milieu de l'océan », note Raïssa le 15 janvier 1940. Très vite reprend le rythme des années de Meudon, mais dans un pays étranger et dont ils ne possèdent même pas la langue. Ne trouvant pas tout à fait ses marques à Saint Michael's College, Jacques décide de changer son programme peu après son arrivée. Après un bref séjour à Montréal, où il donne cinq conférences et deux causeries à la radio, il s'installe à New York avec Raïssa et Véra le 2 mars. Jacques déborde d'énergie, multiplie projets, contacts, entretiens, conférences, déplacements à travers le pays : Chicago en mars, New York et Princeton en avril, Washington, Annapolis, Charlotteville, Philadelphie en mai. Vie d'hôtels, vie d'errances, vie de solitude extrême. « J'ai passé une semaine atroce dans les collèges de Virginie, écrit-il à Yves Simon le 19 mai, au milieu d'Américains qui me semblaient aussi étrangers que des habitants de la Lune, avec leurs commentaires sur les événements qui nous déchirent le cœur[21]. »

À cette date, l'armée allemande, qui vient d'envahir la Hollande, la Belgique et le Luxembourg, déferle sur la France en une poussée foudroyante. Un câblogramme chiffré reçu au consulat de France de Paris confirme la mission de Jacques Maritain aux États-Unis – mission assez imprécise, en réalité, et pour laquelle il n'est d'ailleurs pas rémunéré, mission qui n'a d'autre sens peut-être, pour ceux qui en ont décidé, tel Jean Marx, directeur des Affaires culturelles au Quai d'Orsay, que de protéger la vie du philosophe. Maritain apprendra trois mois plus tard qu'à son arrivée à Paris, la Gestapo est allée le chercher à l'Institut catholique. La villa de Meudon réquisitionnée, ses livres retirés des librairies, ses cours inévitablement suspendus : on ne saurait être tout à la fois l'auteur d'*Humanisme intégral* et le mari de Raïssa

Oumançoff, le défenseur des Juifs, l'adversaire des franquistes, le contempteur de Maurras et l'ami de Bergson et de Max Jacob, enfin un catholique iconoclaste et mal-pensant sans compter, en juin 1940, parmi les proies naturelles des porteurs de « croix ennemie ». Jacques est alors sans nouvelles de sa mère, sans nouvelles de sa sœur Jeanne, de sa nièce Éveline Garnier, sans nouvelles de la plupart de ses amis, ouvrant chaque lettre de France en tremblant.

Carnets de Jacques Maritain :

« Jeudi 13. Les nouvelles sont atroces. Le cercle allemand se resserre sur Paris [...].

« Sauf un miracle, la France est battue ; on verra une petite France dont la capitale sera Bordeaux, et qui sera bornée par la Loire. Elle sera peut-être fasciste, ayant été vaincue et humiliée. Tous nos amis seront morts. Oui, la justice viendra sans doute. Mais quand ?

« Sans Raïssa et Véra, j'irais me battre *pour mourir* comme Péguy et Psichari. »

« Vendredi 14. Paris s'est rendu. Comment peut-on vivre encore et faire les gestes ordinaires de la vie ? C'est une immense catastrophe historique dont nous ne pouvons même pas soupçonner la portée, atterrés et stupéfaits par le malheur. Et dire que Hitler va faire là son entrée triomphale. L'humiliation est absolue. Et la lutte va-t-elle pouvoir continuer ? »

« Dimanche 16. Roosevelt a répondu à Reynaud d'une manière qui ne lui permet pas de tenir le coup devant les partisans d'une paix séparée et qui va permettre au malentendu entre la France et l'Amérique de grandir dans l'opinion française, mal informée, et *trop* accablée de douleur. »

« Lundi 17. Reynaud s'en va. Un gouvernement Pétain déclare la cessation des hostilités et demande un armistice.

« C'est le deuil absolu. Nous ne pouvons même pas imaginer l'étendue de notre malheur. On est atterré. »

« Jeudi 20. Journées affreuses de la crucifixion de la France. On pleure, on se casse la tête, on ne comprend rien. Les Allemands ont pris Lyon, Brest. C'est une promenade. Vont-ils nous imposer de faire une paix *contre* l'Angleterre, livrant la flotte et aidant au blocus des Îles Britanniques ? Sinon quelles sanctions horribles vont-ils prendre ? Le gouvernement français va-t-il se couper en deux, faire schisme ?

« C'est Franco que *son ami* Pétain a choisi comme intermédiaire. Aujourd'hui on publie un appel de Pétain mettant toute la responsabilité du malheur sur la faiblesse de l'aide anglaise et sur le goût du plaisir du peuple français ; pas assez d'enfants, pas assez de canons, trop de revendications et pas assez de travail. Dire ces choses, dont beaucoup sont vraies, à un tel moment et à des malheureux qui souffrent l'agonie et ont montré le plus grand courage, semble un pharisaïsme étonnant. [...]

« Ce qui trouble le plus, c'est que Reynaud, de Gaulle, Mandel voudraient continuer la lutte.

« Il faut continuer mon livre au milieu de tout cela, ce qui brise la tête et le cœur. »

« Samedi 22. Attente horrible. Hitler se livre à la scène ridicule de dicter ses conditions dans le vieux wagon de Foch, assis dans le fauteuil de celui-ci. Mais on n'efface pas l'histoire.

« D'après les journaux, les Français ne se doutent pas de ce que sera cet armistice. Ils vont soudain se réveiller humiliés et vaincus. En 15 jours les voilà esclaves. »

« Dimanche 23. L'armistice est signé.

« À Londres, le général de Gaulle continue ses appels radiodiffusés pour la résistance. Churchill l'appuie. Va-t-il constituer un gouvernement français de l'extérieur, opposé à celui de Pétain ? – Le gouvernement français l'a destitué. »

« Lundi 24. Les conditions de l'armistice : l'esclavage total. Un îlot de France sans communication sur l'Atlantique [...]. L'Allemagne prend le contrôle de tout et pourra se servir de tout contre l'Angleterre. Je ne pensais pas que je serais jamais honteux de la France.

« Que vaudra le comité de Gaulle ? Le P. Ducattillon connaît de Gaulle et l'estime. Est-ce par là que passera la ligne Jeanne d'Arc ? Pour le moment je désespère.

« Je renonce à mon livre sur la guerre. C'est remuer des ossements morts, c'est physiquement impossible. J'ai beau m'obstiner, je ne peux. Et puis un Français n'a plus le droit de parler de ces choses [22]. »

Livrées telles quelles, ces pages en disent plus long que tout commentaire sur les sentiments d'un homme en qui le désespoir le dispute à la colère. « L'Europe, est-il trop tard pour l'Europe ? » s'interrogeait-il quelques mois auparavant. La réponse est là, plus terrible, inexorable encore que l'issue prévisible à ses yeux de trop de défections morales, spirituelles, intellectuelles. Il mesure d'emblée l'ampleur d'un cataclysme d'autant plus tragique qu'il ne se limite pas à une défaite militaire, se doublant d'une sorte d'humiliation consentie que l'acceptation des conditions d'armistice achève de consacrer. Sans doute la perception forcément un peu lointaine qu'un exilé peut avoir de la situation en France en ce mois de juin 1940 rend-elle sur l'instant plus net, plus aigu, plus intransigeant encore le jugement qu'elle lui inspire. Immergés dans le drame, jetés sur les routes, la plupart des Français accueillent au même moment la cessation des hostilités avec un soulagement explicable et ressenti comme tel alors par des hommes dont les choix

futurs ne souffriront aucune ambiguïté. **Mais si
Jacques Maritain pleure de honte et de douleur en
juin 1940**, c'est de voir triompher et s'imposer sans
limites la vieille conjuration des pharisaïsmes et des
haines qu'un « ami de Franco » n'a guère de mal à
incarner. « C'est une faillite universelle, écrit-il à
Simon le 18 juin 1940. J'attendais bien une faillite,
mais j'espérais en même temps des germes de vie [...].
Oui, Yves, il faut servir, par l'intelligence et par une
intelligence implacable [...]. Il faut dire *toute* la vérité
[...]. J'ai soif de comprendre quelque chose à ce qui
s'est passé. Mon imagination en déroute ne peut créer
que des consciences où je vois partout des trahisons
abominables [...]. Je crois toujours au fond de moi
que la France sera sauvée, mais pas de la façon que je
croyais ni dans le temps que je croyais. »

L'énergie du sursaut, il la puise d'abord dans ce
dévorant besoin de comprendre, dût-il un temps
perdre jusqu'à la force d'écrire et de penser. Mais, plus
revigorant que toute analyse, l'espoir ravivé à Londres
par le général de Gaulle revêt pour lui, dès les premiers appels dont il a connaissance, une signification
inexprimable. Alors que le triomphe du nazisme en
Europe semble acquis pour longtemps, l'homme des
moyens pauvres ne s'est pas moins mobilisé lui-même
contre la fatalité dès le 15 juin 1940. Ce jour-là
Jacques Maritain adresse un télégramme au président
Roosevelt pour lui demander d'assurer « le triomphe
de la démocratie sur la barbarie ». Dans le *Common-
weal* du 21 juin, il expose aux lecteurs d'Amérique sa
« confiance indestructible en l'issue finale de la lutte
et le salut de l'Europe. [...] Je n'ai de confiance *absolue* qu'en Dieu, poursuit-il, et d'espérance *temporelle*
que dans le peuple, je veux dire dans le bien dont le
peuple est capable quand sa tête est saine (et qui pour
aboutir au succès demande que le peuple ait des

guides eux-mêmes bons et droits vivant dans la communion du peuple) [23] ». Ainsi est-ce dans le peuple de France que Maritain, comme de Gaulle au demeurant, place avant tout la confiance qui l'anime, et en lui seul que survit une espérance perdue par ailleurs.

La mission qui s'impose à lui à partir de juillet 1940 est de continuer à faire entendre une voix française, de toutes les manières – conférences, allocutions, messages radiodiffusés – dont elle puisse encore s'exprimer, de maintenir ou réactiver dans les milieux catholiques américains, canadiens, voire français, l'esprit du combat, le refus du défaitisme et de l'isolationnisme. « Nommer la guerre, donner le sens du chaos pour ressusciter l'espérance, la foi et la charité, et forger de nouvelles armes capables de vaincre, [...] sauver ce que l'aventure de la modernité contenait de meilleur et donner les principes et les orientations d'une reconstruction [24]. » Mais pour l'exilé le combat est fait dans le même temps d'impératifs plus immédiats : organiser sa vie matérielle et concourir au sauvetage, à l'accueil des intellectuels menacés d'arrestation et de déportation* en Europe.

En juillet 1940, les Maritain, qui ont séjourné à l'hôtel depuis leur arrivée à New York, s'installent dans un appartement de la 5e Avenue, en ce cœur intellectuel de New York qu'est Manhattan, tout près de Washington Square et de Greenwich Village. Ils reconstituent ici ce qu'un de leurs amis appellera « un petit îlot de territoire français [25] », où l'hospitalité sera non moins constante qu'à Meudon. Point de ralliement de la colonie française, l'appartement du 30 Fifth Avenue à New York devient aussi peu à peu le lieu de prédilection de l'Europe en exil. Élisabeth de

---

* L'existence de camps de concentration en Allemagne est connue de Jacques Maritain depuis 1934. Nul doute, cependant, qu'il ne puisse à cette date en imaginer toute la réalité.

Miribel rend visite à Jacques Maritain à cette époque, envoyée par l'amiral d'Argenlieu : « Sa maison est ouverte à tous, observe-t-elle, aux amis et aux amis des amis. J'y trouve Chagall, Focillon, Sigrid Undset et de nombreux intellectuels d'origine juive [...]. Avec sa femme Raïssa et sa belle-sœur Véra, Jacques Maritain accueille les réfugiés de l'esprit, ceux qui ont préféré l'exil à la prostitution de la pensée. Dans sa maison, toute passion s'apaise. On pénètre dans son salon comme dans un sanctuaire. Maritain m'impressionna profondément. De taille moyenne, assez frêle, il avait juste assez de corps pour retenir l'âme. Il semblait descendre d'un porche de cathédrale. Il nous écoutait parler, la tête un peu penchée, le visage empreint d'une immense douceur. Mais son regard clair nous perçait jusqu'au fond du cœur. Il lisait en nous à livre ouvert, non pour nous confondre mais pour nous aider. Il nous libérait du superflu pour nous donner l'essentiel. Animé de la violence des doux, il pouvait avec des moyens pauvres déplacer des montagnes. Je suis retournée chez lui le plus souvent possible à chacun de mes passages à New York. J'ai côtoyé dans sa maison les hommes les plus divers de toute race, religion et culture. Ils m'ont dit leur amour pour la France, comme si notre défaite les avait atteints au plus profond d'eux-mêmes. Ils m'ont appris ainsi que nous devions fidélité non seulement à la France, mais à tous ceux qui se sentent seuls dans le reste du monde lorsque la France se tait[26]. »

C'est au domicile d'un sociologue allemand, Goetz Briefs, réfugié à Washington dès l'arrivée de Hitler au pouvoir, que Jacques Maritain a appris la capitulation de la France en juin 1940. Ainsi les premières paroles de réconfort lui sont-elles venues d'un Allemand pour qui la défaite du nazisme est inéluctable. Le psychiatre et essayiste bavarois Karl Stern, exilé à

Montréal depuis 1939, concrétise à cette époque son rêve de rencontrer le philosophe français. «[...] J'avais pris l'habitude de projeter de longues lettres qui lui étaient destinées, et que je n'écrivais jamais, raconte-t-il. Je pensais que s'il se trouvait dans l'Église un seul homme qui aurait une réponse à offrir à bon nombre de mes questions, – c'était lui. Aucun membre de l'Église ne semblait avoir jamais compris avec autant de pénétration le problème juif. Il paraissait user de sa propre expérience pour comprendre les cent détours de notre intelligence qui étaient la conséquence de notre héritage marxiste, scientiste, freudien [...].

« Je lui racontai brièvement mon histoire, et, dès le début, il parut s'y intéresser profondément. Nous parlâmes du judaïsme réformé et du judaïsme ortho-doxe, du Hassidisme, du "Grand Inquisiteur" de Dostoïevski, et du problème de l'iniquité de l'Église visible. Je lui racontai mes expériences spirituelles à Londres, et aussi que j'avais cru souvent que ma conversion n'était rien d'autre que le mirage suscité par le désir d'échapper à mon destin de Juif. Il me supplia de ne pas permettre à l'auto-analyse de cor-rompre les fruits précieux de mes expériences spiri-tuelles, de croire en la sincérité de ces intuitions qui se produisent sur un plan totalement distinct de celui des motivations primaires. Il parla des blessures sai-gnantes du corps visible de l'Église, de la divinité du Christ et de son rôle de pierre d'achoppement pour les Juifs. Il s'exprimait avec une imprécision particulière, procédant par touches légères plutôt que par affirma-tions. Et cependant, tout ce qu'il disait donnait une impression de substance et de clarté. Il gardait ses mains pressées l'une contre l'autre, se remuait les doigts comme pour pétrir ensemble ses pensées et leurs matériaux. Le regard lointain, il inclinait la tête dans un geste attentif. Il portait, enroulé lâchement autour des épaules, et bien qu'il fît chaud dans la pièce, un cache-nez qui ne paraissait pas être là à titre de vêtement.

« Comme je parlais presque dans un murmure, il s'était rapproché de moi et murmurait aussi. Il me posa, sur ma vie spirituelle, les questions les plus personnelles, mais sans me donner un instant l'impression d'un empiétement vexatoire ou indiscret. J'éprouvai, dès la première minute et profondément, le sentiment d'un contact direct et personnel étrangement agréable, et qui était le résultat de beaucoup de charité et d'humilité.

« Tandis que nous étions assis dans le salon obscur, occupés à parler tout bas du *shekinah* et de la divinité du Christ, je réalisai soudain ce que la situation avait d'unique. Nous étions dépouillés des caractères accidentels de nos origines nationales et sociales, et la circonstance trouvait d'étranges voisins à mettre à nos côtés. Dans les moments de grande intensité, le temps historique disparaît. J'aurais pu, tout aussi bien, me trouver dans les catacombes, catéchumène désorienté, et balbutiant, aux côtés d'un apôtre [27]. »

Le 9 juillet 1940, Maritain demande à Yves Simon de lui communiquer au plus tôt une liste des amis qu'il veut sauver, « avec le plus de détails possible et les adresses en anglais » : il fera passer la liste à Washington. Très tôt il a mis à profit les relations nouées au plus haut niveau de l'administration américaine pour faciliter l'arrivée aux États-Unis des écrivains et des universitaires qu'il sait en péril. Il peut s'appuyer, entre autres soutiens, sur celui du docteur Alvin Johnson, prestigieux directeur de la New School for Social Research qui, avec l'appui financier de la Fondation Rockefeller, a pu accréditer depuis 1933 des universitaires juifs allemands [28]. La New School invitera Maritain à diverses reprises pour des conférences. « [...] Johnson avait compris le danger qui menaçait les intellectuels et les savants, raconte-t-il. Français ou réfugiés en France, connus pour leur lutte contre le fascisme et pour leur amour de la liberté. Aussitôt il s'était mis au travail. Dans ces jours atroces, alors que la mort dans l'âme je courais de tous côtés en cherchant des affidavits et des visas pour nos camarades menacés, c'est dans le Docteur Johnson [...] que j'ai trouvé l'appui secourable et le bon pilote. Dès le premier moment il avait pris les initiatives nécessaires, dès le premier moment il avait eu la claire vision de ce qu'il fallait faire, et s'était donné la mission, tout à la fois de sauver des hommes dangereusement, souvent mortellement exposés, et d'offrir dans cet admirable pays un abri et un refuge permanent aux valeurs intellectuelles, à la culture et aux énergies démocratiques que ces hommes représentaient[29]. » Ainsi des démarches particulières sont-elles entreprises en juillet 1940 en faveur de Jean Wahl, de Vladimir Jankélévitch, de Benjamin Fondane*, d'Arthur Lourié, de Paul Vignaux, de Marc Chagall, d'Ossip Zadkine et d'Alfredo Mendizabal, parmi des centaines d'autres démarches, d'autant plus complexes et délicates que la délivrance des visas américains est soumise à un contrôle très minutieux du passé politique de chacun des candidats. De longs mois d'attente souvent... « Les nouvelles parvenaient très lentement à New York, se souvient Julie Kernan, mais les Maritain apprirent la déportation de Babet Jacob, une filleule de Raïssa, et celle de la mère de Babet et de son frère Manuel que Jacques aimait particulièrement. Ce n'est qu'à la fin de la guerre qu'ils apprirent leur mort à Buchenwald[30]. » Pour Mendizabal, son compagnon du Comité pour la paix

---

* Qui ne pourra être sauvé et mourra en déportation.

civile et religieuse en Espagne, Maritain mobilise toutes ses relations, des professeurs de l'université de Chicago à Mgr Maglione* au Vatican en passant par Victoria Ocampo et le réseau de ses amis sud-américains. Le visa américain sera accordé à Mendizabal au début de 1941, mais il faudra encore l'intervention de l'ambassadeur américain à Vichy, l'amiral Leahy, pour contourner une loi de Vichy interdisant le départ des Espagnols de moins de quarante-huit ans, avant que l'ancien professeur de l'université d'Oviedo puisse rejoindre, un an plus tard, les États-Unis. Raymond Aron – pour sa fille bloquée au Maroc –, Clara Malraux, Léon Blum emprisonné à Riom feront aussi l'objet des interventions de Jacques Maritain, qui veille en outre au placement des nouveaux arrivants dans les universités américaines, guide leurs premiers pas, les aide à retrouver confiance en l'issue du conflit.

« La France n'a pas seulement été trahie d'une manière affreuse, elle s'est trahie elle-même, écrit-il à Simon le 10 août 1940, et la bourgeoisie française a actuellement le gouvernement qu'elle mérite. Le problème pour nous est de préparer le relèvement moral et politique de la population française elle-même, ce qui est beaucoup plus compliqué que de lutter contre le gouvernement. Le travail à faire en premier lieu est de sauver ici l'héritage français et de préparer l'avenir. » Il prépare à cet effet un livre qui s'adressera aussi bien au public américain que français. De son côté, Raïssa a commencé de rédiger ses souvenirs. « Elle souffrait énormément de la débâcle, rapporte son amie Julie Kernan, pour elle-même et les autres mais l'écriture de ce livre sur son enfance en Russie, son histoire d'amour avec Jacques, les débuts de leur

---

* Secrétaire d'État de Pie XII.

vie, les précieuses amitiés de ce temps-là, le chemin suivi par elle et Jacques au sein de l'Église catholique, était à bien des moments un soulagement et un réconfort pour elle [31]. »

Les activités universitaires de Jacques Maritain se partagent entre l'université de Columbia à New York pour le premier semestre et celles de Princeton pour le second. Des difficultés financières l'ont contraint à renoncer pour un temps à Toronto.

L'amitié qui l'unit à Yves Simon depuis près de quinze ans et qui fait de lui son confident et correspondant essentiel aux États-Unis n'est pas sans évoquer celle qui le liait jadis à Psichari par la tendresse pudique, le don de soi, le souci constant de l'autre, la sincérité sans ombre et la connivence qui s'y manifestent. Leur correspondance est une perpétuel relance de balle où, volontiers sarcastique, emporté, batailleur, le cadet ne craint pas de contredire, de provoquer l'aîné, cet adolescent déchaîné qu'il faut veiller à toujours préserver du surmenage. « Il y a longtemps que j'observe chez Jacques, lui écrivait-il en août 1938, une farouche volonté d'immolation que je vénère. » Un débat sans concession s'ouvre entre les deux hommes, à la fin de l'été 1940, sur les urgences du combat politique. Pour Maritain, il s'agit de ne pas accabler les Français et de « garder aussi longtemps que possible le moyen d'agir là-bas [32] » et de rétablir avant tout la vérité contre la propagande vichyste. Il est méfiant à l'égard des comités qui se créent en Amérique en faveur de De Gaulle, lesquels « songent d'abord à sauvegarder leur situation en Amérique et aussi à soulager leur conscience en prenant une position extérieure ». Le 27 septembre, il accueille l'« équipée de Dakar * » avec circonspection. « Elle réveille en

* Tentative avortée du général de Gaulle pour s'emparer d'une base tenue par Vichy.

moi un vieil instinct qui me dit que les généraux, même les meilleurs, sont de mauvais politiques (exception faite pour Bonaparte) et n'ont jamais porté bonheur à leur cause. [...] Au fond, on est toujours ramené à n'espérer temporellement que dans le peuple. Mais pauvre peuple sans étoile et sans guide. » Autant de réserves et de réticences que réprouve son correspondant, partisan d'une position plus radicale. C'est l'humaniste plus que le politique ou le stratège, qu'il ne sera jamais d'ailleurs vraiment, qui s'exprime chez Jacques Maritain lorsqu'il s'inquiète avant tout du sort d'un peuple plongé dans la guerre civile. Mais sans doute la pression exercée sur Maritain par Yves Simon au cours de l'hiver 1941 aura-t-elle contribué à faire évoluer son jugement du « ton général d'*understatment* et de *self restraint* [33] » qu'il a tenu à préserver malgré tout dans son livre, *À travers le désastre*, à celui, autrement implacable, dont il usera un an plus tard.

Tandis qu'*À travers le désastre* est reçu en France et dans le monde, en janvier 1941, comme l'un des premiers grands livres de la résistance, Yves Simon s'avoue troublé par trop d'équivoque et de flou subsistant encore dans la démarche du philosophe. « Page 115, ce que vous dites sur le mouvement de De Gaulle est affreusement embarrassé [...]. Il me paraît fantasque de suggérer que le problème de la rupture ne se pose pas. Il se pose partout, aux Colonies, aux Français de l'étranger [...] et même à bien des Français de l'intérieur. J'ai pensé avec mélancolie que ces pages ne donneraient pas un volontaire à la France, pas un volontaire aux U.S. [...]. Un homme hésitant qui lirait ces pages embarrassées remettrait sa décision à plus tard [34]. »

Le retentissement d'*À travers le désastre* contredit en partie le trop sévère jugement d'Yves Simon. Introduit en France peu après sa parution aux États-Unis, polycopié, imprimé clandestinement et circulant abondamment sous le manteau avant d'être diffusé par les Éditions de Minuit en 1942*, le livre « purifia l'atmosphère des racontars confus sur lesquels on s'était jeté d'abord, se souvient Pierre de Lanux, et rendit aux débats sur la France une haute et douloureuse dignité [35] ». Ses lecteurs ressentirent ce que Maritain avait désiré leur exprimer : sa communion totale avec « le peuple de France » dont « rien ne peut me séparer ». *À travers le désastre* atteindra on ne sait trop comment des rivages plus lointains, devenant un des premiers ouvrages à circuler en 1942 dans Varsovie occupée. Il apparaîtra au grand écrivain Czeslaw Milosz, ainsi qu'à nombre de résistants de Pologne, « comme un moyen de lutter contre le désespoir ».

« Quand un penseur aussi éminent que Maritain prend la parole, écrira Milosz dans la préface à l'édition polonaise, on peut s'attendre à recevoir de lui quelques explications ; et c'est bien d'une large mesure qu'il nous offre ici ces explications. Dans leur enchevêtrement compliqué Maritain dégage des événements qui sont proprement des catastrophes, et il s'efforce d'en tirer chaque fil en détail, de les nommer, d'en distinguer les causes principales des causes accidentelles. Ainsi, peu à peu, notre esprit se libère d'horribles généralisations indues, et passe à des notions beaucoup plus précises et ordonnées entre elles : il n'est pas vrai que les défauts ou les fautes qui ont entraîné la chute de la France soient des vices consubstantiels à la démocratie, c'est là l'axiome premier que Maritain établit ; il n'est pas davantage vrai que ces défauts prouvent la décadence de la nation française, – c'est l'axiome second. Et lorsqu'il montre à quel

* Second ouvrage, après *Le Silence de la mer*, à y être édité.

point des causes multiples se sont jointes pour le malheur, l'écrivain français nous donne un bon exemple de méthode où nous pourrions trouver d'utiles leçons pour en finir avec les fables répandues par la propagande nazie, car cette propagande use volontiers de généralités qu'une froide analyse fait voler en éclats. Ainsi, elle se plaît à affirmer que les ennemis de l'hitlérisme sont des nations vieilles, usées et vermoulues, tandis que marcheraient avec lui les nations jeunes, créatrices et porteuses d'un "ordre nouveau" ; et que la France, parce que soumise est "vieille". En réalité, il n'est pas difficile de débusquer la fausseté d'un pareil raisonnement ; que dirions-nous en effet de celui qui voyant quelqu'un qui ne pourrait courir attribuerait ceci à la vieillesse, quand la cause en pourrait être aussi bien la maladie ou une blessure à la jambe, ou bien encore ces fers aux pieds qui l'entravent ?

« Ainsi, l'importance pour nous de l'ouvrage de Maritain ne réside pas seulement en ce qu'il met au jour les mécanismes du désastre français, elle tient également aux réflexions d'un certain ordre rationnel qu'il nous propose sur la situation actuelle du monde. De fait, l'une des choses les plus difficiles qui soient aujourd'hui est de porter une condamnation lucide mais sans pitié sur les fautes et les vices de son propre pays, sans pour autant abandonner dans le doute ses valeurs et qualités ; chez Maritain, la franche reconnaissance des fautes comme sa foi profonde en le peuple français suscitent une grande admiration. »

Mais, aussi incontestable soit-il, le rayonnement du livre ne suffit pas à atténuer l'impression, sinon d'équivoque, du moins de modération qui s'en dégage. Le Maritain de 1938 dressé contre l'imposture d'une « guerre sainte », paraît ici quelque peu en recul, et celui de 1942, stigmatisant la complicité des évêques de France avec l'ennemi, encore en chemin. Non qu'il manifeste la moindre complaisance à l'égard d'un régime qu'il méprise et ne laisse de condamner ; mais, écrit et publié aux États-Unis d'avant Pearl Harbor et s'adressant en premier lieu à un public américain, *À travers le désastre* est imprégné d'une sorte de pragmatisme. L'auteur vit et travaille dans un pays qui, pour n'entretenir aucune forme de connivence avec le nazisme, n'en reconnaît pas moins la légitimité du gouvernement qui, à Vichy, s'en fait ouvertement le complice. Jacques Maritain est un gaulliste du premier jour. Mais son adhésion, telle qu'elle s'exprime à la fin de 1940 dans le premier de ses livres d'exil, semble alors plus conforme au lucide attentisme de Roosevelt qu'à l'esprit de la France libre. « Opposer, selon une formule qu'on entend quelquefois employer ici, une obédience politique De Gaulle à une obédience politique Vichy est une expression dénuée de sens tant que le général de Gaulle n'a pas constitué de gouvernement en exil, écrit l'auteur d'*À travers le désastre*. Le général de Gaulle a groupé un certain nombre d'officiers et de soldats décidés à continuer la guerre, et il s'efforce de maintenir aux côtés de l'Angleterre tout ce qu'il peut de l'empire français. Je pense que la plupart des Français voudraient, en ce qui concerne leurs sentiments intimes, pouvoir substituer ici à la notion de rupture celle de division du travail. » Dire non à Vichy, à son cléricalisme d'État, à son instinct de collaboration, à son antisémitisme officiel, ne signifie pas, les circonstances étant encore ce qu'elles sont, qu'on doive dire un oui sans réserve à Londres, si profondément en accord que l'on soit avec « une certaine idée de la France », de l'honneur et de la dignité humaine. Cette nuance, si promptement combattue par Yves Simon, achèvera d'être levée par l'entrée en guerre des États-Unis en décembre 1941, mais elle subsistera entre les lignes peu ou prou jusqu'à cette date. Nuance mise à profit par Vichy, à ce moment-là, pour faire proposer au philosophe... d'entrer au Collège de France. L'unanimité s'est faite sur son nom, l'assure-t-on, et l'on n'attend plus que son consentement. Flairant assez facilement le piège, il décline aussitôt la proposition par un télégramme où il ne manque pas de rappeler que Henri Bergson, mort quelques mois plus tôt, a dû quitter le Collège de France parce qu'il était juif : « Vivement touché accepterais candidature si ma position vis-à-vis affaire publique le rendait possible. Collège connaît-il mon livre sur désastre ? Stop. »

L'ambiguïté de sa position est probablement entretenue à cette date par le mauvais effet que lui produisent les milieux gaullistes de New York et de Washington, où « les ambitions personnelles font rage », signale-t-il à Simon le 30 avril 1941. Mais quelques semaines plus tard, il retire de sa rencontre avec René Pleven « une impression excellente » – comme d'ailleurs de tous ceux, ajoute-t-il, qui « touchent de près le général de Gaulle[37] ». Dépêché auprès des Américains par le chef de la France libre pour trouver en eux un contrepoids à la tutelle britannique, Pleven a aussi reçu mission d'organiser la présence gaulliste aux États-Unis. Il entreprend de mettre sur pied une délégation officielle de la France libre constituée de « cinq ou six personnalités françaises illustres[38] ». Ayant essuyé le refus d'Alexis Léger, il se tourne alors vers Jacques Maritain et lui propose de présider la délégation. « Maritain refusa net », rapporte Raoul Aglion qui n'en considère pas moins le philosophe à cette époque comme le « guide » et la « conscience » des Français d'Amérique. « Il était disposé à donner des avis lorsque ceux-ci lui seraient demandés, mais ne pouvait, en bonne conscience, accepter une position quelconque dans la future délégation. Il pensait en ces jours tragiques, qu'il fallait respecter le gouvernement de Pétain en France, quoiqu'il le jugeât sévèrement [39]. » Dans une lettre, le 19 juillet, Maritain préconise, dans la mesure même où la situation empêche les Français d'être consultés et ceux de l'étranger de pouvoir se substituer à eux, de susciter aux États-Unis « une communion d'idées et de sentiments » permettant de « donner lieu à des courants d'opinion ».

« J'ajoute quelques remarques au point de vue de l'action sur l'opinion française. À mon avis il ne faudrait rien dire qu'en se mettant de cœur et d'esprit en communion avec le peuple français qui souffre là-bas et en épousant ses difficultés. Une action constante devrait être exercée sur l'opinion américaine et sur l'opinion britannique en vue de fournir aux enfants français les aliments de première nécessité, et cette action devrait être portée à la connaissance du public français. Il ne faudrait jamais user de manifestations verbales opposant une France Libre qui serait celle des Franco-Américains résidant ici ou des réfugiés à l'abri ici (fiers à bon droit de l'héroïsme des soldats qui se battent au loin) à une France esclave qui serait le peuple de France (et non pas seulement les collaborationnistes de Vichy). Il ne faudrait jamais, en attaquant le gouvernement de Vichy, le faire *de la manière* dont un politicien attaquait en temps de paix un parti politique qu'il songeait à remplacer et qui lui-même agissait librement. Les choses sont infiniment trop graves pour que les vieilles formules démagogiques soient de saison, et la critique doit aller beaucoup plus loin, selon la réalité des choses. C'est sur le fait que le gouvernement de Vichy est prisonnier de l'ennemi dans un piège où il s'est jeté lui-même et la France avec lui qu'il faudrait insister. Il ne faudrait pas non plus ériger Vichy en une entité indivisible, mais attaquer plutôt, dans chaque cas particulier, les hommes et les groupes responsables de la politique de collaboration. Enfin il faudrait avoir conscience que ce n'est pas pour un simple retour aux anciennes formules et à l'ancien état de choses que cette guerre a lieu, mais pour un renouvellement complet créant vraiment, comme on le comprend de mieux en mieux en Angleterre, un monde libre digne d'hommes libres [40]. »

L'évolution du philosophe commence de s'opérer dès l'été 1941. L'attitude du père Garrigou-Lagrange, « qui combat vaillamment pour Vichy dans la *Revue Universelle* et nous accuse de faire une œuvre néfaste », l'incite à penser que « cette guerre civile aux développement de laquelle je n'ai voulu qu'un seul mot d'*À travers le désastre* pût coopérer [...] semble maintenant inévitable. Ce sont les hommes de Vichy qui y mènent tout droit [41] ». À l'automne 1941, il soutient plus activement les efforts de Pleven pour organiser l'implantation de la France libre, se félicitant peu après de voir à la tête de la délégation Adrien Tixier, assisté du fils du pasteur Boegner, de Jacques Sieyès et de Raoul Aglion.

Jusque-là distante et indécise, la relation entre Jacques Maritain et Charles de Gaulle commence à prendre forme véritablement en novembre 1941. Le philosophe adresse au chef de la France libre une lettre où il développe sa version de la « reconstruction future ». Encore précaire et à la merci de bien des aléas, la situation de l'homme du 18 Juin n'en paraît pas moins consolidée par l'évolution de la guerre. Le « grand tournant [42] » amorcé par le lancement de l'opération « Barbarossa » en juin et confirmé par les premiers revers de Hitler en Russie, va se conclure en décembre par l'entrée en guerre des États-Unis. En outre, Vichy s'enlise chaque jour davantage dans la collaboration et l'idolâtrie pétainiste.

Bien que familier de longue date à Jacques Maritain, le nom de Charles de Gaulle, fils de ce professeur de l'école Sainte-Geneviève qui lui avait proposé autrefois sa succession, reste encore pour lui une nébuleuse. Une « mémoire commune [43] », nourrie de catholicisme libéral et d'antifascisme viscéral, n'a pas suffi, avant la guerre, à rapprocher l'auteur d'*Humanisme intégral* et celui de *La Discorde chez l'ennemi*. Mais le prestige du premier est assez grand aux yeux du second, militaire doublé d'un intellectuel modelé par l'influence de Bergson et de Péguy, pour lui faire espérer le compter un jour à ses côtés. Plus encore que des croyances et des idées, les deux hommes ont en commun un même instinct de la dissidence tempérée par un même attachement au devoir d'obéissance.

Ami du grand poète anglican Thomas Stearns Eliot et de l'historien Christopher Dawson, Maritain jouit en Angleterre d'un grand rayonnement à cette époque. En mai 1939, reçu à l'université d'Oxford pour une série de conférences, il avait été chargé d'un rapport sur « l'Église et la civilisation » pour la Semaine sociale des Anglicans. La seule responsabilité qu'il ait accepté d'assumer au sein d'une organisation depuis le début de la guerre est la vice-présidence de la branche française de Sword of the Spirit (Le Glaive de l'Esprit), mouvement lancé par l'archevêque de Westminster le 1er août 1940 pour provoquer un sursaut spirituel. Saine et salutaire croisade que celle-ci, à ses yeux, qui consiste à rappeler sans cesse les enjeux spirituels du conflit.

C'est tout le sens, précisément, de son premier message à Charles de Gaulle, le 21 novembre 1941. Conscient désormais du rôle primordial que celui-ci prendra dans la renaissance de la France, Maritain en appelle au président du Comité national français pour qu'il se fasse l'inspirateur d'une nouvelle cité réconciliant « christianisme et liberté », « la tradition de saint Louis et celle de la Déclaration des Droits de l'Homme ». La tâche de la France libre est de fédérer « toutes les libertés, libertés spirituelles, libertés politiques, libertés sociales et ouvrières. Le mot "France libre" prend ainsi toute sa signification et une puissance propulsive illimitée [44] ». C'est tout l'esprit d'*Humanisme intégral* qui souffle à travers ces quelques pages où, pour la première fois, le philosophe stigmatise avec une sévérité sans nuances « le régime et le mythe du maréchal Pétain » et la compromission officielle de l'Église de France.

La réponse du général de Gaulle met plus d'un mois à lui parvenir. Datée du 7 janvier 1942, il ne l'aura en main qu'à la mi-février :

> « Mon cher Maître,
>
> « J'ai été très sensible à votre lettre. Il est doux d'être aidé. Il est réconfortant de l'être par un homme de votre qualité.
>
> « Vous entendez bien que si, jusqu'à présent, j'ai dû m'appliquer dans la mesure de mes forces à dire que notre désastre n'avait été que militaire et à faire qu'il soit réparé, je crois comme vous qu'au fond de tout il y avait dans notre peuple une sorte d'affaissement moral. La perte du Rhin en 36, l'abandon des Autrichiens en 37, et des Tchèques en 39, l'incohérence de la politique et la médiocrité de la stratégie ont été des effets, avant de devenir des causes. La nation chancelait depuis bien des années.
>
> « J'ai pensé que, pour remonter la pente de l'abîme, il fallait d'abord empêcher que l'on se résignât à l'infamie de l'esclavage. À cela, dès maintenant la France est parvenue.

« J'ai cru qu'il était en second lieu nécessaire de refaire à notre pays une figure militante et de lui rendre un rang. C'est à quoi nous nous appliquons à présent, non sans de dures épreuves infligées par nos propres alliés.

« J'exprime que nous devrons ensuite profiter du rassemblement national dans la fierté et la résistance pour entraîner la nation vers un nouvel idéal intérieur.

« Sur ce point, comme sur les autres, je me trouve d'accord avec vous.

« Mais c'est surtout dans un tel domaine que nous avons beaucoup à attendre de vous, Jacques Maritain. Vous avez si bien commencé ! Il faut poursuivre. Il n'y aura qu'une base au salut : le désintéressement et, pour le faire acclamer, les âmes sont maintenant préparées par le dégoût et la sainte misère. Socialement, d'ailleurs, il n'y a pas d'autre voie. Chacun ne trouve sa part que dans le renoncement de chacun. Il nous faut un peuple en vareuse, travaillant dans la lumière et jouant en plein soleil. Tâchons de tirer cela de cette guerre-révolution. Je sais que tout ce qui est jeune le désire. N'attendons plus rien des académies.

« Je ne suis pas inquiet pour la démocratie. Elle n'a d'ennemis, chez nous, que des fantoches. Je ne crains rien pour la religion. Des évêques ont joué le mauvais jeu, mais de bons curés, de simples prêtres, sont en train de tout sauver.

« Écrivez-moi quelquefois. Cela est utile. J'aimerais mieux encore vous voir.

« Ma lettre est longue mais rapide. Prenez-la dans sa sincérité.

« Croyez-moi, mon cher Maître, votre bien dévoué.
« C. de Gaulle [45]. »

Rien ici, de l'ampleur de la vision et de la noblesse du style, qui ne puisse émouvoir et faire impression sur l'exilé de New York. Fort rares sont encore à cette date les intellectuels qui gravitent autour du général de Gaulle. Ni Claudel, ni Montherlant, ni Bernanos, ni Mauriac, ni même André Malraux n'ont franchi la Manche ou la Méditerranée pour le rejoindre. Le milieu littéraire le plus académique soigne à Vichy ses aigreurs et ses nostalgies. Trop vif, trop décapant, l'air de Londres, début 1942, pour ces pâles aventuriers que sont la plupart des écrivains? Le 2 mars 1942, Maritain reçoit un télégramme de Londres : « Désirerais beaucoup que puissiez venir Londres plus tôt possible. Stop. Voudrais vous voir et causer avec vous choses importantes. Stop. Si vous pouvez venir me chargerai naturellement de votre voyage. Stop. Sympathiquement à vous. Général de Gaulle. » Retenu aux États-Unis par ses engagements universitaires, le philosophe décline l'invitation de se rendre à Londres, où le général souhaite à l'évidence de plus en plus s'attacher ses services.

Maritain s'explique longuement sur ce refus dans une seconde lettre, le 23 mars 1942. Il craint que l'idéal de la France libre ne s'oriente vers une sorte d'ordre moral, sous la pression d'un entourage soucieux de poursuivre après la guerre « la politique intérieure du Maréchal sans le Maréchal ». « Je suis convaincu que le facteur essentiel, qu'il s'agisse de la victoire ou du relèvement intérieur, est le peuple français lui-même, notamment le peuple ouvrier et paysan, car je crois que la bourgeoisie comme classe a fait faillite, insiste-t-il. Mais le peuple a besoin de chefs agissant en communion avec lui; si de tels chefs surgissent, je suppose qu'il faut les attendre des élites ouvrières et paysannes et des éléments individuels sortis des anciennes classes dirigeantes et décidés à travailler avec le peuple. Ici encore c'est le problème d'une nouvelle idéologie politique qui se pose. Je crains qu'avec le temps nous ne voyions simplement réapparaître les anciennes formations et les anciens partis avec leurs rivalités et leurs préjugés. Je crains ceux qui ne rêvent qu'à un retour au régime d'avant-guerre, même "amélioré", et plus encore ceux qui nourrissent des préjugés de droite et qui ne comprennent pas que l'élan sauveur doit s'appuyer sur le peuple et tendre plus hardiment que jamais vers la liberté politique et la justice sociale. En fait, le dynamisme collectif dont la libération de la France a besoin, c'est seulement dans les masses attachées à la liberté et à la démocratie qu'il peut s'éveiller. Il s'agit, à mon avis, de proposer à la France un idéal démocratique renouvelé, *plus* profondément et *plus* réellement démocratique, plus fervent de liberté, de justice et de fraternité, plus vraiment républicain que celui de l'ancien libéralisme, – une pensée politique consciente de ses principes spirituels et liée à des réformes de structure radicales, et capable d'entraîner les hommes des anciens partis de gauche et en même temps un grand nombre d'autres. »

Quelle explication donner au brusque regain de méfiance qui semble l'éloigner déjà de son correspondant, du moins le tenir à distance de Londres ? Maurice Schumann attribue ces nouvelles réserves à la mauvaise influence de « deux ou trois amis de Maritain », ayant préféré gagner New York qu'Alger ou Londres. « Ils justifiaient leur orientation par des arguments que Maritain – sans les reprendre à son compte – reproduit presque mot à mot tels qu'il me fut infligé de les entendre, se souvient-il. Ces rumeurs n'ont pas convaincu Jacques Maritain, mais l'ont assez inquiété pour que surgît entre de Gaulle et lui un vrai désaccord. On serait d'autant plus impardonnable de le dissimuler qu'il éclaire le fond même du drame des années noires : selon Maritain, "Il est vrai de dire que la France Combattante représente *morale-ment* la France, il serait vain de prétendre qu'elle la représente *politiquement* » ; selon de Gaulle, le refus de l'armistice, c'est-à-dire la continuité de la présence française au combat ne peut avoir pour objet que de rendre à la France le rang d'un vainqueur à part entière. Or ce but ne saurait être atteint si toutes les créances françaises sur la victoire commune ne sont pas rassemblées entre les mains d'un seul créancier, c'est-à-dire d'un gouvernement de fait, puis de droit [46]. »

D'autres raisons militent sans doute, aux yeux de Maritain, pour le convaincre de demeurer à New York. D'abord la volonté absolue de préserver son indépendance d'intellectuel et de chrétien, « liberté gardée » dont on ne rend compte qu'à Dieu. Ensuite les entreprises multiples qui le mobilisent d'est en ouest aux États-Unis. En février 1942, avec Henri Focillon et Jean Perrin, il participe à la fondation de l'École libre des Hautes Études à New York, qui se donne pour mission de servir le rayonnement de la culture française et d'établir des passerelles avec la culture américaine. Entreprise recourant à tous points de vue aux moyens pauvres, à travers laquelle se développera « une floraison de vie intellectuelle » intense. Outre ses dirigeants, se relaient ici Alexandre Koyré, Claude Lévi-Strauss, Henri Laugier, Pierre Brodin, Ramon Jakobson, Gustave Cohen, devant un public si abondant que les étudiants s'assoient au pied de la chaire ou sur les marches de l'amphithéâtre, « comme jadis au Collège de France, au cours de Bergson [47] ». En janvier 1943, Jacques Maritain succédera à la présidence de l'École à Henri Focillon qui vient de donner sa démission pour raisons de santé et de discorde au sein de l'équipe. « Les cours de Jacques Maritain furent de loin les plus suivis, se souvient Raoul Aglion. Il fallut à plusieurs reprises lui donner un amphithéâtre plus grand et c'est dans la salle la plus spacieuse de l'établissement que se déroulaient ses cours [48]. » Déployant comme d'habitude son énergie en tous sens, le philosophe se consacre dans le même temps à ce qui constitue sa tâche première, si disputée lui soit-elle par les pressions du dehors – un « témoignage de vérité dans les tâches de la philosophie [49] ».

Maritain a trouvé, dès 1938, dans l'espace intellectuel américain, une liberté d'approches et d'investigations que trop de cloisonnements politiques, philosophiques lui restreignaient en France.

Depuis 1935, la réflexion du philosophe se concentre sur une refonte de l'anthropologie, « au confluent de la métaphysique et de la morale, de la philosophie de la nature, de la philosophie de la culture et de la philosophie politique [50] ». La « guerre de civilisation » dans laquelle le monde est entré en 1939 n'a cessé de justifier à ses yeux la nécessité de recentrer ses recherches philosophiques autour d'un thème unique, la personne humaine – « l'homme dans sa vie culturelle et dans les modèles complexes de sa destinée terrestre [51] ». C'est à l'expérience américaine qu'il devra, entre autres, son apprentissage de « la démocratie concrète, existentielle, de la démocratie non comme un ensemble de slogans abstraits ou comme un idéal élevé, mais comme quelque chose de réel et d'humain, un genre de vie pratique au milieu des difficultés et des obstacles de chaque jour, perpétuellement mis à l'épreuve et perpétuellement rajusté [52] ».

Les Droits de l'Homme et la loi naturelle en 1942, *Christianisme et démocratie* ainsi qu'*Education at the Crossroads** l'année suivante, comme la plupart des

---

* Le livre paraîtra en France, à la Librairie Arthème Fayard, en 1959.

articles, conférences, entretiens, discours et messages d'Amérique, prolongent et amplifient le renouveau d'une pensée humaniste visant à régénérer la civilisation dans son entier. Au printemps 1942, Maritain inspire très largement le manifeste *Devant la Crise mondiale*, signé par quarante-trois intellectuels européens en exil, et qui définit les enjeux essentiels du conflit en cours : « la Civilisation elle-même et les valeurs chrétiennes qui y sont engagées », les droits et libertés de la personne humaine et l'organisation de ces droits à tous les degrés de la vie sociale, leur reconnaissance dans la structure politique de l'État. « Ce manifeste, oserve Michel Fourcade, [...] marque un tournant qui précède de quelques mois le tournant propre de la guerre en faveur des Alliés. Il ne s'agit plus ici seulement de comprendre la guerre, il faut déjà tracer les plans d'une Libération. Dans la seconde partie, le regard doctrinal éclaire les points les plus concrets : position catholique face à l'URSS, nature et formes de l'autorité politique, dialectique entre les libertés de la personne et l'autonomie des groupes économiques et des associations de la société civile, organisation de l'interdépendance des peuples, critique du principe moderne de la souveraineté; en bref, caractéristiques – sur le plan national comme international – d'une société solidaire [53]. » Mais cette synthèse ne se réalisera qu'au prix de débats souvent âpres entre intellectuels d'origines et de croyances distinctes. « Philosophe chrétien de la démocratie », selon la formule d'Étienne Borne, et non théoricien d'une démocratie à dénomination proprement confessionnelle, Maritain privilégie une démarche pluraliste. « Si notre civilisation agonise, ce n'est pas parce qu'elle ose trop et parce qu'elle propose trop aux hommes. C'est parce qu'elle n'ose pas assez et ne leur propose pas assez [54]. »

The Review of Politics, trimestriel de philosophie politique fondé en 1939 par Waldemar Gurian à l'université de Notre-Dame où se côtoient la plupart des exilés européens, illustre bien ce foisonnement pluraliste. « Au sommaire, Maritain voisine avec Yves Simon, Paul et Georgette Vignaux, Jean-Thomas Delos, Hans Barth, Goetz Briefs, Luigi Sturzo, Hans Kohn ou Hannah Arendt (amie personnelle de Gurian sur qui elle a laissé dans ses *Vies politiques* un beau témoignage) – pour ne citer que des exilés. Maritain retrouve les mêmes penseurs et quelques autres à l'université de Chicago, où il est mêlé de près aux activités du Committee on Social Thought qu'anime son ami très francophile John U. Nef. Il est accueilli aussi, notamment ses réflexions contre l'antisémitisme, dans *Christianity and Crisis*, la revue de Reinhold Niebuhr, fils d'un pasteur luthérien allemand émigré. En ces lieux, ces penseurs juifs, catholiques ou protestants, croyants ou laïques, que réunit le même refus des totalitarismes, mettent en commun une philosophie politique qui s'avère profondément libérale, mais d'un libéralisme entièrement renouvelé. Là encore, aucun « ralliement », mais un retour aux sources et une refonte. Ce sera un libéralisme de la « nouvelle frontière », qu'elle soit sociale ou internationale.

« Uni pour un travail commun à tous ces frères d'armes, Maritain n'est pourtant pas le compagnon de toutes les routes. Il reste opposé à ceux à qui l'exil n'a rien appris et chez qui perdurent les archaïsmes de pensée [55]. »

Ainsi l'effervescence intellectuelle qu'il rencontre entre New York et Chicago, les expériences nouvelles qu'il y poursuit, les amitiés multiples qui s'entrecroisent autour de Raïssa, Véra et lui comme à la plus belle époque de Meudon, ont-elles sans doute contribué à retenir Jacques Maritain aux États-Unis au

moment même où le général de Gaulle le presse fortement de le rejoindre. Le 21 avril 1942, ce dernier
réitère son invitation, témoignant envers cet intellectuel rétif d'une patience assez peu conforme à son
caractère. « J'ai regretté que vous n'ayez pu encore
venir à Londres, lui écrit de Gaulle. Je vous l'avais
demandé, et je vous le demande, pour des raisons qui
me paraissent nous dépasser tous les deux. Pour servir mieux la France, – ce qui est notre seul but –, nous
avons besoin à la fois de nous étendre et de nous
concentrer. Et moi-même j'ai besoin d'être aidé.
J'espère beaucoup que votre décision de ne point
venir me voir pourra être modifiée[56]... » Le chef de la
France libre traverse alors une des périodes les plus
difficiles de son épopée de l'ombre. Tenu à l'écart des
grandes opérations militaires alliées, il est plus que
jamais en butte à l'ostracisme de Franklin Roosevelt.
Sans doute la présence à ses côtés de l'intellectuel
français le plus respecté de l'élite américaine concour-
rait-elle à lever suspicions et animosités à son égard.
On ne saurait être en outre aussi féru que Charles de
Gaulle de mots, d'idées et de style sans souhaiter rallier à sa personne l'un des grands philosophes de son
temps et l'un des plus influents. Compagnonnage
auquel seul André Malraux se prêtera en définitive,
Maritain demeurant ancré obstinément dans une distance tout à la fois critique et admirative.

En réponse à la nouvelle approche du Général, le
philosophe marque cette fois son désaccord sur la
mission de la France libre et celle de son fondateur.
Dans la très longue lettre qu'il adresse à Londres le
25 mai 1942, Maritain juge incompatible une mission
d'ordre moral et spirituel, « propre à susciter de vastes
entraînements », avec l'exercice d'un pouvoir d'ordre
politique. « Ce que nous avons à faire dans l'ordre des
préparations politiques, c'est de proposer des idées à

la réflexion des Français et d'essayer de leur communiquer, à supposer qu'elle soit en nous, une inspiration politique élevée et généreuse ; c'est aussi de préparer, pour tous les problèmes particuliers d'après-guerre [...] des projets bien étudiés que le peuple pourra, s'il le veut, mettre en œuvre le moment venu [...]. Mais tout ce qui semblerait préparer une forme toute faite qui lui serait imposée du dehors avec plus ou moins de ménagements [...] serait une erreur irrémédiable [...]. Sur cette question de la confiance à faire ou ne pas faire aux Français, ceux de France comme ceux des forces combattantes groupées autour de vous, il y a un choix premier à poser dans les profondeurs de la conscience. En ce qui me concerne, c'est pour la confiance que j'ai choisi. » Maritain appelle de Gaulle à demeurer avant tout l'inspirateur prophétique de la renaissance française. « Inspiration politique à l'exclusion de toute revendication et de tout souci de pouvoir politique, – liquidation de l'idée d'une reconnaissance diplomatique du mouvement, – révision de l'attitude générale à l'égard de l'Amérique –, voilà, mon Général, les trois points fondamentaux sur lesquels je désirais préciser devant vous ma pensée[57]. » Vain débat que celui-ci en réalité. S'il entre dans la vocation du philosophe de proposer une vision idéaliste du déroulement de l'Histoire, il appartient à celle du politique de se soucier d'abord du poids des contingences et de l'épaisseur des faits. En demandant à l'homme du 18 juin de se borner, si l'on peut dire, à incarner une mystique sous peine de la corrompre, l'auteur d'*Humanisme intégral* occulte dans le même temps toute l'âpre réalité du combat sans lequel la mission de la France Libre n'aurait aucune chance d'aboutir. Maritain se fait une certaine idée de De Gaulle, mais d'un de Gaulle qui n'aurait ni à surmonter les rebuffades d'un Churchill et les humiliations d'un Roosevelt, ni à organiser la résistance sur le terrain, ni à grignoter des parcelles de l'Empire pour défier sans relâche et par tous les moyens un pouvoir acquis à l'ennemi. Un de Gaulle contraire à l'idée que l'intéressé se fait de lui-même et de son destin. Certes, de Gaulle incarne la France à ses propres yeux depuis le premier jour; mais son grand dessein ne saurait se dispenser de moyens et de finalités plus immédiats et pratiques que ceux requis seulement par l'esprit.

« À vrai dire, je suis assez découragé en ce moment, confie Maritain à Yves Simon le 9 août 1942. Mon impression est que de Gaulle veut régénérer *politiquement* la France [...] et qu'il combine une union nationale allant des syndicalistes et des socialistes (dont l'adhésion est beaucoup moins unanime qu'on ne le dit) aux gens de l'Action française et aux ex-cagoulards "patriotes" et au Comité des Forges. Mon hypothèse supplémentaire est qu'il est en relation avec des chefs militaires comme La Laurencie et des groupes de résistance d'extrême droite. [...] Le résultat sera Vichy sans les nazis. [...] Et tout notre espoir sera représenté par quelques intellectuels comme nous [...]. Cela n'empêche pas de témoigner. Mais j'espérais davantage. Si l'Amérique comprend son rôle vis-à-vis de la France, tout n'est peut-être pas perdu pour la "Réconciliation française dans la Révolution". »

Son allergie à l'entreprise proprement politique du général de Gaulle – une rencontre avec André Philip, émissaire du Général auprès de lui, en novembre 1942, reste sans résultat – est d'autant plus aiguë que, vivant au contact de la communauté française aux États-Unis, Maritain est soumis peu ou prou à l'influence d'un milieu dont Alexis Léger entretient minutieusement les préjugés antigaullistes. L'opinion du philosophe s'alimente aussi de rumeurs et d'approximations, celles-ci l'emportent parfois sur une analyse équitable des réalités et des faits en présence.

Jamais pour autant sa fidélité à l'homme de Londres ne sera remise en cause. « De Gaulle a pour lui cet acte que rien ne peut effacer, écrit-il à Journet en septembre 1942, avoir dit non à l'ennemi et à Vichy au moment du désastre [58]. »

Absent de France jusqu'à l'automne 1944, Jacques Maritain s'adresse à ses compatriotes depuis mars 1941 à travers les ondes de la « Voix d'Amérique » et celles de l'Office of War Information dont les services français sont dirigés par Pierre Lazareff et Robert de Saint-Jean. Un de ses auditeurs les plus attentifs est Léon Blum, alors déporté à Buchenwald : « Figurez-vous que lui et sa femme avaient une radio dans leur maison d'isolement à Buchenwald, et qu'ils sont parvenus à prendre les broadcasts de Londres, racontera Maritain à l'abbé Journet en juin 1945. Il voulait me dire qu'ils m'avaient écouté tous les mercredis, et que mes messages étaient les seuls qui les aient réconfortés, et avec lesquels ils se soient sentis pleinement d'accord. Je les ai revus à Paris, il y a maintenant une tendresse entre nous [59]. » Le philosophe est en relation, autant que faire se peut, avec la résistance spirituelle qui s'organise autour de *Témoignage chrétien*. L'animateur des *Cahiers du Témoignage chrétien*, Louis Cruvillier, lui fait savoir en 1942, par l'intermédiaire de Simone Weil, son désir de publier ses textes. C'est ainsi que les écrits de Maritain seront diffusés en France à cette date, cheminant dans l'ombre, atteignant les consciences au terme de trajectoires imperceptibles. « Je sais quelles sont vos pensées actuelles, lui écrit Pierre Emmanuel en 1941, et combien votre vigile est ardente [...]. Il est bon de se retremper dans l'amitié et la pensée de ceux qui sont nos maîtres, et vous êtes l'un d'eux. » Maritain suit avec attention dans le même temps la naissance des *Cahiers du Rhône* qui, sous l'impulsion d'Albert Béguin, s'inspirent de l'esprit de Meudon.

S'il est une réalité qui le blesse et lui répugne alors – bien qu'il ne puisse, à distance, en mesurer toute la gravité –, c'est bien celle de la compromission assidue et profonde de la majorité de l'épiscopat français avec le régime de Vichy, revanche des maurrassiens, victoire à retardement des réprouvés de 1927.

En mai 1942, une religieuse amie des Maritain écrit à Jacques non sans perfidie qu'« on » s'inquiète en France de ses « idées d'aujourd'hui » et que cette inquiétude ayant gagné Rome, l'idéal serait qu'« on lui proposât de n'être plus dans l'Église que le successeur de saint Thomas ». La réplique est cinglante, fournissant à Maritain l'opportunité de livrer toute sa pensée sur « ces graves questions » :

« Chère et Vénérée Mère,
« [...] il est clair que ce n'est pas dans l'instant que notre pays est écrasé par le vainqueur et affreusement trahi au-dedans, qu'il pourrait être question pour moi de me retirer sous la tente philosophique. Il y a un précepte qui commande l'amour de la patrie, c'est pour obéir à ce précepte que j'agis maintenant comme je le fais, et que j'ai décidé de rester en Amérique pour pouvoir parler librement. Vous avez vous-même lu mon livre sur la France, je vous serais reconnaissant de le juger d'après votre propre conscience, non d'après ce que vous écrivent de France ou de Rome des personnes illusionnées par le mythe du Maréchal

Pétain, mythe aussi dangereux pour la patrie que pour l'Église de France. Comment mon livre ne serait-il pas interdit en France ? Vous savez comment j'y parle de Hitler et des Nazis. Non seulement il est interdit par le gouvernement de Vichy, mais il a été réimprimé clandestinement par les éléments catholiques qui résistent à l'oppresseur. Soyez assurée que les personnes qui en France ou à Rome "s'inquiètent" à mon sujet ne sont pas préoccupées des intérêts de la philosophie ni de la mystique, mais des intérêts d'une certaine politique qu'elles voudraient voir prévaloir en faisant taire toute "influence" contraire. Vous pouvez leur répondre qu'avant de s'inquiéter à mon sujet il conviendrait de s'inquiéter de voir le Cardinal Baudrillart associer comme il l'a fait son prestige à la pire politique de collaboration avec l'ennemi, le Père Garrigou-Lagrange militer politiquement pour le gouvernement de Vichy, une poignée de traîtres s'efforcer de corrompre par la radio et par la presse l'opinion catholique française. Par ailleurs le Père Louis de la Trinité, Provincial des Carmes de France (Amiral Thierry d'Argenlieu) a choisi, dans sa conscience de religieux et de disciple de saint Jean de la Croix, de continuer le combat aux côtés du général de Gaulle, et je ne sache pas qu'on lui ait demandé d'abandonner ses navires pour se consacrer aux études mystiques. Laissez-moi ajouter que lorsqu'on voit, comme je l'ai vu trop souvent, des théologiens ou des spirituels qui ont passé leur vie à scruter les problèmes mystiques faillir au témoignage que le monde attend du chrétien, oublier les opprimés et les persécutés, consentir par préjugé ou passion politique à ce qui blesse au cœur la justice et l'Évangile dans la vie commune des hommes, on comprend que témoigner pratiquement parmi les hommes et souffrir un peu pour cela sert mieux la mystique que n'importe quel écrit [...] [60]. »

Qu'il s'agisse de cette mise au point faite à une religieuse imprudente ou de la réponse non moins abrupte adressée, quelques mois plus tard, à Saint-Exupéry pour sa *Lettre aux Français*, l'année 1942 marque une rupture de ton dans le jugement que le philosophe porte sur Vichy. La réprobation se fait chez lui plus amère, plus intransigeante au fur et à mesure que les témoignages et les informations arrivant à New York lui permettent d'avoir une idée plus précise de la situation. « Ce n'est pas avec des *si* qu'on résout ces questions-là, écrit-il à Saint-Exupéry, c'est avec un *non* quand il s'agit de l'honneur de sa patrie et de la foi dans son peuple [61]. » Mais ce *non* s'est mué chez Maritain en un *non* absolu et sans appel dès lors qu'il a pris pleinement conscience – jusqu'à la nausée – que le système vichyste est fondé sur la corruption des consciences, le détournement des valeurs chrétiennes et le compromis sans limites avec l'occupant. Le 8 septembre 1942, réagissant à la nouvelle de la déportation de vingt mille Juifs étrangers, proies de la Gestapo et de la police française, la voix de Jacques Maritain sur les ondes d'Amérique est plus terrible que jamais à l'encontre du maréchal Pétain et de Pierre Laval. « Trahir ses lois traditionnelles d'hospitalité politique, accepter pour elle-même et pour ses propres lois l'ignominie bestiale du racisme nazi, livrer les Juifs étrangers accueillis chez elle depuis 1935 comme dans une terre humaine et fidèle, livrer même ceux-là qui ont combattu pour elle et dans son armée au cours de la présente guerre, jamais dans l'histoire infamie pareille n'a été imposée à la France. »

Jacques Maritain n'a cessé d'être hanté, depuis le début du conflit, par le sort du peuple juif. Méditant sur l'immensité du drame, il s'attache chaque jour davantage à l'idée d'une communauté de destins entre Juifs et chrétiens. « La passion d'Israël prend de plus en plus distinctement la forme de la croix, écrit-il. Jésus souffre passion dans son peuple et dans sa race, dans nos frères juifs qui sont haïs en définitive parce qu'ils ont donné le Christ au monde [62]. »

Les informations qui parviennent à New York à partir de 1943 témoignent d'une tragédie démesurée. « Une immense multitude d'hommes, de femmes et d'enfants entièrement innocents, note-t-il, ont été mis à mort par les Nazis, pour crime d'appartenir à la race juive... en Pologne et en Lituanie seulement, environ 700 000 personnes appartenant à la race juive avaient déjà été tuées au début de l'automne dernier... Des milliers de Juifs évacués du ghetto de Lodz et emmenés à Chelmno ont été tués par les gaz asphyxiants... » En octobre 1942, il préface *Racisme, Antisémitisme, Antichristianisme,* un recueil de documents rassemblés par l'abbé Oesterreicher, un Juif autrichien qu'il a aidé à obtenir un visa pour les États-Unis. Le livre raconte la liquidation des ghettos, désigne les camps d'extermination, les chambres à gaz, les fours crématoires, fournit le nom des criminels SS, évalue le nombre des disparus à plus de deux millions.

L'agonie de son peuple est pour Raïssa une souffrance indicible. Dans un de ses poèmes, *Deus excelsus terribilis,* elle exprime la détresse des Juifs devant le silence de Dieu, l'épreuve à laquelle Il les abandonne :

*Nous portons notre foi dans des ténèbres de sang
Parce que la cruauté et la haine ont inondé la terre
De leurs torrents irréprimés.*

Le 9 janvier 1943, les amis de Jacques Maritain organisent pour ses soixante ans, au Waldorf Astoria à New York, un grand déjeuner d'anniversaire. Plus de trois cents personnalités, civiles ou religieuses, viennent rendre hommage à l'exilé. « Mr Maritain comprend l'Amérique parce qu'il comprend le rêve américain, déclare Dorothy Thompson, une des journalistes les plus célèbres de ces années de guerre. Il comprend le rêve américain parce qu'il comprend le rêve européen. Et il comprend le rêve européen parce qu'il comprend les désirs de l'humanité. »

Le « vieil ange très savant » que Julien Green observe un soir de juin 1943, dans son appartement de New York, un Jacques « tout chenu maintenant [...], les yeux abrités de lunettes [63] », c'est peut-être à ce moment-là qu'un nouveau clivage a commencé de s'opérer dans sa vie, un certain isolement s'ajoutant peu à peu à l'exil, à l'errance. L'indépendance dans laquelle il a résolu de se tenir, au détriment du rôle majeur que lui destinait le général de Gaulle à ses côtés, le refus de déroger à une ligne de conduite qui lui interdira de s'engager dans aucun parti, de se lier trop longtemps à quelque structure que ce soit, finissent par se retourner contre celui en qui beaucoup ont espéré. « C'est *votre* voix que nous voulons entendre, proteste une amie anglaise, Mira Benenson, en 1943. C'est *votre* direction que nous avons attendue. [...] Grâce en très grande partie à vous, à vos idées, à votre enseignement, j'aime la France – *nous aimons* la France, nous travaillons, souffrons, combattons, prions pour elle – afin qu'elle remplisse sa mission – intégralement humaine – dans le monde. Et nous nous trouvons sans celui qui a tant fait pour que nous en soyons là ! Voilà ce que, personnellement, je n'arrive pas à comprendre ; et je sais que c'est là le sentiment de mes camarades [64]. »

S'il a pu acquérir un rayonnement dans les Amériques – « plus de mille personnes aux conférences que j'ai faites presque chaque soir à Montréal », signale-t-il en novembre 1943 à Yves Simon –, encore ce rayonnement n'est-il pas sans limites. « Vous parlez de mon influence : je ne suis à Columbia que grâce aux dons de quelques amis américains, connus ou inconnus, qui versent à Columbia la somme qui m'est donnée comme traitement, révèle-t-il à son ami. Les départements de philosophie se défendent vigoureusement contre le thomisme, et surtout il y a le préjugé contre le standard des universités catholiques[65]. » Le 17 juillet 1943, Jacques apprend par une dépêche de l'abbé Journet la mort de sa mère, quelques semaines plus tôt. À quatre-vingt-sept ans, l'indomptable Geneviève Favre continuait à défier le sort en organisant chez elle tous les lundis une réunion de femmes juives. Au concierge du 149 rue de Rennes qui s'inquiétait des risques qu'elle encourait, la vieille dame répondait, en haussant les épaules : « C'est le rendez-vous des étoiles[66]. » À la fin de sa vie, devenue peu ou prou communiste et restée vivement attachée aux causes humanitaires, Geneviève Favre, qui n'était jamais revenue vraiment sur ses aversions de jeunesse, s'était prise de passion pour la philosophie hindoue. « Vous savez ce qu'elle était pour moi, écrit Jacques à Charles Journet, et combien j'étais accroché – déraisonnablement sans doute – à l'espoir de la revoir [...]. Elle est morte docilement, me dit le père J., et avec la bénédiction d'un père dominicain. Je sais quelle était sa force d'âme et son courage intrépide. Mais je ne peux m'empêcher de ruminer des pensées d'immense tristesse et je me sens brisé[67]. »

L'année 1943 conforte l'avantage pris par les Alliés un an plus tôt. À l'Est, le déferlement des armées du Reich a fini par s'enliser dans l'immensité russe. En septembre, les troupes alliées sont entrées en Italie. Tandis qu'en France métropolitaine la résistance se structure, à Alger de Gaulle vient de s'imposer, au détriment du général Giraud, comme l'interlocuteur prépondérant des suzerains anglais et américains, devenant « peu à peu ce qu'il a voulu être [68] ».

Le 31 décembre 1943, les Maritain convient quelques amis à fêter avec eux le nouvel an. « Quand j'arrivai à 9 h., il y avait déjà un air de fête inhabituel, se souvient Julie Kernan, des discussions animées. Les heures passèrent vite. Mon principal souvenir est l'arrivée de Marc Chagall, qui peignait maintenant à New York et dans le Connecticut. Exactement à minuit les portes de l'ascenseur s'ouvrirent et entra un homme petit avec des cheveux gris jusqu'aux épaules. Un visage enjoué et des yeux pétillants, tenant devant lui un énorme bouquet de roses rouges pour Raïssa. C'était, au pétale près, les roses rouges qui figuraient dans ses peintures [69]. »

Dans une note destinée à John U. Nef, en janvier 1944, Maritain s'efforce d'envisager son avenir au lendemain de la guerre. Probablement sera-t-il sollicité pour prendre part à « quelque travail de reconstruction en France ». Mais son désir le plus cher est de partager son temps entre les deux pays et de « revenir périodiquement aux États-Unis » pour enseigner à l'université de Chicago. Il demande à Nef de lui indiquer quel pourrait être son traitement dans l'hypothèse où il y serait accueilli. Rien, en réalité, ne s'offre à lui d'aucun côté avec certitude. « Mon Dieu, si tout devait s'écrouler, pourquoi Hutchins, vous et moi, ne fonderions-nous pas une école de sagesse, délivrée de tous les départements du monde et réservée à ceux qui aiment la vérité[70] ? »

Le 6 juin, alors que vient de se déclencher le « débarquement libérateur [71] » sur les plages de Nor-

mandie, Jacques Maritain met le point final à un petit
livre, *À travers la victoire*, qu'il présente comme « un
message de vénération douloureuse et d'amour ». Son
texte le plus poignant sans doute. Celui d'un homme
déchiré entre le souvenir de toutes les ignominies et
atrocités « qui ont offensé notre sol [72] », et la foi en un
« idéal héroïque » capable de transfigurer le monde.
« Ma mère est morte à Paris l'année dernière, confie-
t-il, je ne verrai pas dans ses yeux le reflet de la victoire, son cher visage ici devant moi qui ne me répondra plus ; je suis un homme de plus de soixante ans
qui avance à son tour vers la mort, et qui après avoir
tâché comme il a pu de parler pendant quatre ans
pour son peuple bâillonné aspire maintenant au
silence ; il voudrait écouter la jeunesse de son pays,
ceux qui verront des jours meilleurs. » Ce vieil enfant
qui pleure la mort de sa mère et regarde venir sa
propre fin, combien son espérance paraît démesurée,
presque juvénile, au sortir de la nuit. Il ne s'aveugle
pas sur l'ampleur des problèmes à résoudre. Mais à
l'heure où tout doit être et peut être reconstruit, le
champ du « possible » lui semble ouvert comme
jamais au « renouvellement des consciences », à une
« révolution spirituelle », à « l'unification du genre
humain ». Sans doute ne serait-il pas aussi avide de
renaissance et impatient de renverser le cours de
l'Histoire s'il ne pressentait avec angoisse le réveil des
antagonismes et des « cancers » de l'avant-guerre.
« Tandis que l'idée de nation est plus forte que jamais
dans la conscience des peuples, l'inéluctable solidarité
qui lie désormais les nations entre elles exige – si les
hommes veulent éviter le risque d'une série de guerres
mondiales de plus en plus dévastatrices – que l'idée de
nation soit partout rigoureusement séparée et purifiée
de l'idée de nationalisme, et que le nationalisme au
sens strict [...] fasse place à un universalisme qui

oriente les énergies créatrices des peuples vers le bien supranational de la communauté civilisée. » La France est appelée à recouvrer la vocation que lui confèrent sa situation géographique et sa tradition politique, « tournée vers l'Atlantique et le Nouveau Monde », « lien naturel entre l'Orient et l'Occident de notre civilisation ». Puissance mondiale, engagée dans « la communauté des destins du monde », elle devra être « un ferment de coopération vraiment humaine, supérieure aux intérêts et convoitises des groupes économiques comme aux égoïstes revendications de prestige ». À l'intérieur, l'esprit de la résistance a façonné entre « les hommes de la Révolution » et ceux de « l'espérance chrétienne » des liens d'entente et de coopération qui, liquidant « les vieux préjugés », ont ouvert la voie d'une « nouvelle démocratie ». « Notre civilisation ne reprendra sa marche en avant normale que si l'inspiration chrétienne et si l'inspiration démocratique se reconnaissent et se réconcilient. » Confrontée à « l'époque la plus critique » de son histoire, l'humanité attend de la France « un supplément d'âme », conclut-il, citant Bergson.

Quelle part son inspirateur prendra-t-il lui-même à la grande œuvre future ? Son engagement excédera-t-il les limites qu'il lui a jusqu'alors rigoureusement fixées ? La question va se poser plus tôt que prévu. Le 10 juillet 1944, la rencontre longtemps différée, esquivée s'accomplit enfin : de Gaulle est à New York ce jour-là. Un de Gaulle aussi comblé par l'accueil chaleureux du président Roosevelt et l'hommage triomphal des foules new-yorkaises que fasciné, comme avant lui nombre d'exilés français, par le génie américain. Soucieux de « témoigner à la plus grande ville des États-Unis l'amitié de la France en guerre pour l'Amérique en guerre », le visiteur a exclu en revanche d'avoir à y croiser ses détracteurs les plus notoires,

Alexis Léger, Geneviève Tabouis, Henri de Kérillis ou André Labarthe, ne faisant aucune exclusive « pour les autres [74] ». Compte-t-il Jacques Maritain parmi ces exilés dont il se rappelle, les voyant tous se presser en son honneur à la réception du Waldorf Astoria, qu'ils lui « ont prodigué leurs critiques, voire leurs insultes [75] » ? Entre tous les Français qui l'entourent ce jour-là, très peu sans doute retiennent aussi sensiblement l'attention du Général que l'intellectuel qu'il a en vain attendu depuis trois ans.

« Figure complexe avec sans doute un fond d'angoisse et de scrupule, grande simplicité, du rêve et de la grandeur, note Jacques Maritain le soir même dans ses carnets. Quelque chose d'un homme de destin, mais avec de la tristesse, de la gaucherie, peut-être une destinée de sacrifice. Péguy l'aurait aimé. Il me semble infiniment plus sympathique humainement que je n'aurais pensé et du même coup politiquement plus enveloppé de nuages [76]. » Un des portraits les plus pénétrants qu'ait inspirés de Gaulle à cette époque. Subjugué, fasciné, Maritain, comme le seront plus tard Bernanos, Mauriac et Malraux ? On le sent plus ému et séduit qu'envoûté. Nouée trois ans plus tôt, quelle relation se fût établie entre ces deux hommes ? Voici peut-être une grande amitié manquée. L'opportunité, en tout cas, ne se présentera plus de sceller entre eux le compagnonnage d'exception auquel tout les destinait.

Ce 10 juillet 1944, à New York, de Gaulle propose au philosophe d'être son ambassadeur auprès du Saint-Siège. « Je tâche d'esquiver, parlant de mon travail, disant que je ne suis pas sûr d'avoir des qualités diplomatiques. » De fait, il est très hésitant. « J'ai vu de Gaulle à New York, confie-t-il à Yves Simon deux semaines plus tard, et j'ai eu une excellente impression. Mais j'ai peur qu'on me demande du travail pratique. Et j'ai encore des livres à écrire, notamment une grande affaire sur la grâce et la liberté [...]. Ces quatre années d'activités extérieures m'ont épuisé, je suis écœuré de parler et toujours parler[77]. » Peu après leur rencontre, il a écrit au Général pour lui exprimer son souci de poursuivre avant tout sa mission d'intellectuel catholique aux USA. « Aller et venir entre les deux continents » demeure, en tout cas, son désir le plus cher, dût-il ne plus sentir en lui « le ressort de la jeunesse[78] ». Le 19 novembre 1944, il s'envole de nuit pour la France à bord d'un avion militaire américain. Retrouver Paris, dont il a salué la libération le 23 août dans un message bouleversant, revoir ses amis, se rendre compte de la situation au lendemain de la Libération : tout le presse d'accomplir ce voyage.

Sa nièce, Éveline Garnier, l'accueille à son arrivée. Elle le trouve « peu changé mais revêtu d'une plus grande aisance. [...] Il me posait mille questions sur l'occupation et sur mon activité dans la Résistance. Il me parlait de l'Amérique, je voyais que son cœur serait dorénavant toujours partagé entre la France et ce pays. [...] Il me disait son espérance dans la jeunesse américaine. Cette jeunesse disponible dont l'intelligence n'avait pas encore été pervertie. Cet homme violent regardait l'avenir et son espérance dévorait le temps[79]. »

La villa de Meudon ayant été secrètement vendue peu avant la guerre à leurs amis de Kolbsheim, Lexi et Antoinette Grunelius, les Maritain ne disposent plus de domicile en France. Lors de ses séjours à Paris, Jacques descendra à l'hôtel désormais. En sept semaines, il voit « deux ou trois cents personnes », renouant une à une avec ses amitiés d'autrefois comme on reconstitue, fil après fil, une trame dispersée et qui ne sera plus jamais semblable à ce qu'elle a été. « J'ai vu Massignon (purifié encore par la douleur), Gilson qui va très bien, Berdiaiev qui écrit toujours des livres, dans la solitude et la pauvreté [...], rapporte-t-il à Simon. Deux enfants de Forest* ont été massacrés à Oradour [...]. Le cher abbé Journet est venu aussi, il n'y a qu'un mot pour le désigner : ami sublime, angélique. Fumet est admirable et plein d'activité, *Temps présent* marche très bien. Vu le Père Chaillet s.j., qui dirige avec un grand courage les cahiers du *Témoignage chrétien*. La presse quotidienne est assez lamentable, le meilleur journal est *Combat*, dirigé par Camus. Camus et Sartre sont les protagonistes d'une philosophie de l'absurde et du néant qui, hélas, fait fureur chez les jeunes gens. Mounier va bien, reprend *Esprit*, mais toujours le même. On trouve les gens vieillis, peu renouvelés [80]. » Il tient Cocteau à distance pendant quelques semaines – « Je n'ai pas été content de vous... », lui écrit-il le 5 décembre, faisant allusion à ses fréquentations mélangées sous l'Occupation –, avant de céder au bonheur de le revoir.

« Il y a une blessure atroce, ce sont les déportés – les Juifs et les déportés politiques. Dans presque chaque famille (parmi les bonnes) un père, un mari, un fils déporté. Michelet (vous le savez), Claude Bourdet, le Père Riquet, Mgr Bruno de Solages, Martin-Chauffier et son fils, Fondane, tant et tant d'autres. Priez pour eux et pour leurs malheureuses familles, qui ne savent pas où ils sont, ne peuvent les aider d'aucune manière et vivent dans un cauchemar à rendre fou. Je suis saturé de leurs angoisses, car c'est parmi elles surtout que j'ai vécu, me trouvant grâce à Éveline au foyer des milieux de la résistance. Éveline a été admirable et continue de l'être, elle est maintenant au ministère des déportés, le travail

---

* Il s'agit peut-être du philosophe André Forrest.

consiste à visiter les charniers qu'on découvre chaque jour, recueillir tout ce qu'on peut savoir sur les fusillés et les déportés, avertir les familles... Elle s'occupe aussi très activement de l'épuration administrative. Il y a une autre blessure atroce, qui atteint les profondeurs de l'âme et dont l'histoire humaine mettra longtemps à se guérir. C'est la réintroduction de la torture dans la vie des hommes. La signification spirituelle de cela est beaucoup plus grande encore que l'horreur physique. [...]

« La révolution est remise à plus tard. L'épuration se fait mais se fait mal, elle a été conçue sur une base juridique inapplicable à la réalité, au lieu d'être conçue sur une base de justice *politique* et selon les lois spécialement appropriées et avec les mesures expéditives qu'il aurait fallu. La bourgeoisie est plus sûre d'elle que jamais, au nom de la compétence et avec l'affreuse sécurité intérieure qui vient du refus de s'exprimer. La résistance est déconcertée, gênée par l'afflux inouï de nouveaux venus qui se sont révélés résistants après la libération, et ne sait pas trouver sa place dans la vie politique du pays. Le gouvernement ne l'aide guère à cela, comme toujours en France ils ne savent ni chercher ni trouver les hommes. [...]

« Le redressement des idées et de l'esprit, de l'idéologie, est très en retard sur l'effort immédiat qui a fait la libération. J'ai vu le général, il m'a dit : Tout est à refaire[81]. »

Jacques Maritain fait partie des quelques écrivains de la Libération que le chef du Gouvernement provisoire souhaite voir entrer à l'Académie française, ce dont l'intéressé ne se soucie guère. Mais leur entrevue du 29 décembre 1944, la première depuis New York, est consacrée pour l'essentiel à tout autre chose : la proposition de l'ambassade. « Accueil très simple, très cordial, note Maritain. A écouté mes raisons, dit qu'il les appréciait et que cependant il me demandait ce sacrifice pour faire quelque chose de grand pour la France. Pour leur faire comprendre que la France est aujourd'hui la chrétienté. Insistance non pas brutale mais profondément et immuablement convaincue. Je n'ai pas vu comment refuser ! Il va donc falloir aller dans quelques semaines à Rome [82]. »

La pression est si forte, en effet, tant du côté du Général que du ministre des Affaires étrangères, son ami Georges Bidault, qu'il doit se résigner à accepter. Mais des raisons objectives ont aussi plaidé en faveur de son départ pour Rome, à commencer par l'état des relations entre la France et le Vatican, très affectées à l'issue de la guerre par la situation critique de l'épiscopat français. Les positions qu'il a affirmées très tôt contre toute compromission avec l'occupant, son autorité morale et spirituelle dans le monde catholique, le crédit dont il jouit, malgré tout, auprès du Saint-Siège et dans l'entourage immédiat du pape confèrent à Jacques Maritain une légitimité sans rivale pour dénouer la crise. S'ajoute à cela, chez l'intellectuel dépêché au cœur stratégique de la chrétienté, le sentiment de pouvoir influencer quelque peu les orientations de l'Église dans le siècle.

Le 7 novembre 1944, en attendant la désignation du nouvel ambassadeur, le général de Gaulle envoie à Rome une mission diplomatique chargée d'obtenir le remplacement du nonce, Mgr Valerio Valeri, suspect aux yeux des nouvelles autorités françaises de complaisance excessive à l'égard de Vichy. La mission se heurte à une fin de non-recevoir de Pie XII, peu enclin à cautionner l'épuration ecclésiastique programmée par Georges Bidault. Leader du mouvement démocrate chrétien, l'ancien président du CNR est partisan d'une éradication exemplaire du haut clergé. Dans la liste des épurables figurent les cardinaux Suhard,

Gerlier et Liénart, respectivement archevêques de Paris, de Lyon et de Lille, ainsi qu'une vingtaine d'évêques, ceux entre autres de Bordeaux (Mgr Feltin), de Reims (Mgr Marmottin), de Marseille (Mgr Delay) et de Grenoble (Mgr Caillot). Aucune sanction ne saurait être prise, toutefois, sans l'assentiment de Rome. En décembre 1944, le Saint-Siège reconnaît le gouvernement provisoire de la République française et dans la foulée nomme un nouveau nonce apostolique à Paris, Mgr Roncalli*, personnage considéré comme mineur, jusqu'alors en poste à Ankara. Le Vatican prévient que cette concession sera la dernière.

Dans une note en date du 15 décembre 1944, Jacques Maritain signale que le père Chaillet lui a promis « un mémoire confidentiel écrit par le Père de Lubac et lui** » sur le comportement des évêques de France pendant la guerre. En mai 1945, le document parvient à Rome : « Voici enfin le Mémoire du R.P. de Lubac », écrit Mgr Fontenelle au nouvel ambassadeur de France. Maritain dispose d'informations de première main sur les dérives de l'épiscopat et de quantité de prêtres. Le mal a donc été pire encore que ce qu'il en connaissait ! Dans le même temps, « traqués par les Allemands et par la police de Vichy, des chrétiens disaient intrépidement la vérité, rappelle-t-il le 22 décembre 1944 dans le *Courrier français du Témoignage chrétien*, sauvaient l'honneur de l'Église et l'espoir des hommes en l'Évangile... ».

---

* Futur Jean XXIII.

** Publié en février 1992 par la *Revue des Deux Mondes*, à l'initiative de l'auteur de ce livre, le *Mémoire* en question souleva de vives controverses quant à l'identité réelle de son ou ses rédacteur(s). Nous ne reviendrons pas ici sur cette polémique, sinon pour réaffirmer ici, après recherches complémentaires, que le document a bien été l'œuvre du père de Lubac – ce qui n'exclut pas pour autant le concours éventuel du père Chaillet.

Maritain est rentré aux États-Unis, en janvier 1945, lorsqu'un message de Georges Bidault confirme sa nomination, celle-ci ayant reçu l'agrément de Pie XII. Il prévoit de passer un an à Rome, après quoi il devrait intégrer le Collège de France – « il a été question de cela lors de mon voyage à Paris [83] » – et « venir chaque année passer quelques mois dans le Nouveau Continent ».

Si désespéré qu'il soit de devoir différer son retour à « la philosophie pure », il a résolu de ne considérer dans cette aventure que « la volonté de Dieu [84] ».

L'archipel sur la mer

« Le ciel et la terre et les îles
Tout est fait de mon exil. »

Raïssa MARITAIN
Chagall ou l'Orage enchanté.

Les deux hommes se rencontrent à New York, à l'École libre des Hautes Études, en février 1945. Étrange chassé-croisé : tandis que l'un s'apprête à quitter les États-Unis, l'autre y est accueilli en héros. Désormais l'effacement de Maritain, tant en France qu'en Amérique, semblera croître à proportion de l'omniprésence de Sartre. Confiné au lendemain de la guerre dans une ambassade romaine et voué à rédiger sous les ors du Palais Taverna télégrammes et rapports, l'auteur d'*Humanisme intégral* fera de plus en plus figure de survivant, de noble conscience d'une autre époque. Idole de la jeunesse libérée, maître à penser des élites à la mode, éditorialiste vedette du *Figaro* et de *Combat*, dynamiteur des valeurs établies, écrivain boulimique capable de mener de front tous les genres littéraires, de tout régenter, de tout orchestrer, le philosophe de *L'Être et le Néant* s'imposera sans partage. « La génération qui a brillé dans les années de l'entre-deux-guerres, déclare-t-il à Denis de Rougemont lors de son passage à New York, va bientôt passer à l'arrière-plan[1]... » Maritain, qui a fourni au turbulent visiteur l'adresse de John U. Nef, se borne à espérer que « cette mode passera », insistant néanmoins auprès de Nef sur le fait que l'homme qu'il lui envoie n'est pas un de ses « amis personnels [2] ».

Tout les sépare et les oppose sans doute, style de vie, système de pensée, parcours intellectuel, au point qu'esquisser entre eux le moindre parallèle paraît de prime abord incongru. Le rayonnement du couple Sartre-Beauvoir à la Libération n'est pas sans rappeler cependant celui des Maritain dans les années vingt et trente. L'un et l'autre sans descendance directe ont suscité autour d'eux des formes nouvelles de filiation par l'adoption, le parrainage et l'amitié. Le centre de gravité de la vie intellectuelle, le point de ralliement des générations perdues, le refuge des poètes maudits (Sachs comme Genet) s'incarnent ici et là en deux êtres unis par des liens complexes, une relation inédite, un amour singulier, des destinées confondues et autonomes. Raïssa Maritain et Simone de Beauvoir prennent, chacune à sa manière, aussi intimement part aux investigations et évolutions, et combats de celui que l'une tient pour son semblable, l'autre pour son égal. Toutes deux, et chacune dans son registre propre, se faisant mémorialistes du couple, mémorialistes de l'aventure commune.

Aux années Maritain vont succéder les années Sartre sur même fond d'existentialisme, d'exaltation de l'être, de recherche d'humanisme, mais au profit d'orientations, d'engagements inconciliables. « Philosophie de l'absurde, du néant et du désespoir » que Maritain considère comme « ennemie » de ses idées, l'existentialisme triomphant, exubérant de Sartre circulera dans le Paris d'après-guerre comme un mot de passe, un nom d'emprunt servant à tout faire, tout dire au point de se vider entièrement de son sens. « Existentialiste, constate Annie Cohen-Solal, ne voulut donc bientôt plus rien dire, absolument plus rien dire, si ce n'est vaguement désigner une population circulant vaguement dans un périmètre vaguement défini et répondant à des caractéristiques encore plus vaguement déterminées [3]. » Tel est le maître-mot, en tout cas, de cette libération dont Jacques Maritain sera resté, quant à lui, un spectateur lointain et comme étranger.

« Ce que le général a en vue, écrit-il à Yves Simon à la fin de janvier 1945, c'est moins la réussite dans telle ou telle tractation diplomatique que le geste lui-même qu'il fait en me choisissant [...] et qu'il regarde comme significatif *per se* [4]. » C'est l'homme qui a pris parti pour Rome dans le conflit avec l'Action française, le messager de Pie XI, l'apôtre d'une nouvelle chrétienté, le missionnaire des Amériques, qui a été choisi pour représenter auprès de Pie XII les « catholiques et non-catholiques de France [5] ».

Le 20 avril 1945, le nouvel ambassadeur rejoint son poste. Raïssa et Véra, qui n'ont pu l'accompagner en avion militaire, le retrouveront trois mois plus tard, après de multiples contretemps liés aux désordres des communications maritimes. Le 10 mai, Jacques Maritain présente ses lettres de créance à Pie XII. C'est un peu plus qu'un discours de circonstance qu'il prononce devant le Saint-Père, livrant au nom d'un peuple qui a connu « l'épreuve morale et politique la plus cruelle de son histoire » un message d'espérance et d'humanisme universel. La réponse du pape, longue et chaleureuse, insiste à son tour sur le « nouvel axe de civilisation que la France a à constituer avec l'Église ».

Au cours de l'audience privée qui suit la cérémonie, Pie XII s'inquiète des difficultés auxquelles se heurte la reconstruction du monde*. Toute communication est suspendue avec les évêques des pays de l'Est passés sous le contrôle des armées russes. Maritain aborde « le problème essentiel » qui se pose à la France du point de vue religieux, soulignant l'urgence de « dissiper les équivoques par lesquelles la politique de Vichy avait tenté de compromettre l'Église » et marquer « la part que les catholiques ont eue dans la résistance et la libération[6] ». Les deux hommes, qui se connaissent assez bien pour que le premier veuille s'entretenir avec le second « en ami », selon ses propres termes, sont aussi douloureusement conscients l'un que l'autre de se trouver face à une « Europe dévastée » et qui doit réapprendre à vivre dans la paix.

Accueillant les Français de Rome au palais Taverna, le 18 mai, pour célébrer la victoire des Alliés, l'ambassadeur lance un appel à la « communion nationale » dans ses sources profondes de justice et de vérité. Il multiplie durant ces premières semaines les exhortations à l'unité autour du général de Gaulle. Sa tâche première et la plus immédiate est d'assainir la situation de l'Église de France. Nul n'est mieux placé que lui pour traiter un tel dossier et juger de la gravité de son contenu sans mettre en péril l'Église elle-même, qui ne saurait se confondre avec les catholiques, aime-t-il à rappeler.

Le 20 mai, il aborde avec Mgr Montini, le plus proche conseiller du pape, la question de l'élévation au cardinalat d'évêques** trop marqués par leur sympathie envers Pétain. « Mgr Montini s'est prêté avec

---

* La guerre en Europe vient seulement de prendre fin à Berlin, trois jours plus tôt.

** Sont alors pressentis Mgrs Marmottin, Feltin, Grente et le père Gillet.

bonne grâce à cette conversation, rapporte-t-il à Jean Chauvel* ; mais comme je m'y attendais il a voulu avant de s'y engager souligner le caractère purement amical de notre entretien. » Le Saint-Siège est jaloux de ses prérogatives. « C'est par des voies où la fermeté s'enveloppe de plus de nuances que nous pouvons faire valoir notre influence » précise-t-il encore, expert en subtilités vaticanes. Le Saint-Siège tend à préconiser la démission volontaire des intéressés de préférence à des sanctions de fait.

Fraîchement accueillie par le rival direct de Montini, Mgr Tardini, qui aurait préféré un personnage moins impliqué dans « des controverses publiques partisanes », l'arrivée de Jacques Maritain à Rome ne peut être reçue qu'avec faveur par le futur Paul VI. Grand, maigre, aussi attentif à son apparence que soucieux du contrôle de soi, Giovanni Battista Montini est un lecteur assidu du philosophe français depuis 1925. On lui doit la traduction en italien de *Trois Réformateurs*, dont il assure en outre la préface. « École de médiation entre l'ancien et le moderne, la tradition et la révolution, l'ordre et l'aventure », écrit Philippe Chenaux [8], la pensée de Montini s'inspire de celle de Maritain, l'une et l'autre achevant de se rejoindre à travers le projet de nouvelle chrétienté. *Humanisme intégral* ne paraîtra en Italie qu'en 1946, mais sa version originale a circulé très tôt dans les milieux intellectuels romains, rencontrant en leur sein des adeptes durables, dont un professeur antifasciste de Florence, Giorgio La Pira, et Montini lui-même.

S'il est appelé à débattre avec celui-ci des grands problèmes de l'heure, c'est avec Mgr Tardini que l'ambassadeur de France doit suivre de près l'affaire des évêques, qui se solde bientôt par la mise à l'écart

* Directeur d'Europe au Quai d'Orsay.

de trois d'entre eux. Aucun cardinal ni archevêque n'est touché. Tout au plus Maritain a-t-il pu éviter la promotion de certains d'entre eux et favoriser celle d'hommes aussi exemplaires que l'archevêque de Toulouse, Mgr Saliège.

Dès sa nomination, Maritain a cherché en vain à s'entourer à l'ambassade d'une équipe selon ses vues, privilégiant dans ses choix l'expérience originale sur les usages de la Carrière. Il veut faire appel à l'universitaire Henri Marrou comme premier secrétaire et à son ami l'abbé de Menasce comme secrétaire particulier, requêtes qui se heurtent toutes deux aux réflexes protectionnistes du Quai [9].

Le 9 août dans la matinée, Jacques est à Naples pour accueillir Raïssa et Véra à leur descente de bateau. « Première journée à Rome, note Raïssa le lendemain. Il faut s'installer, s'y reconnaître un peu, s'acclimater. J'ai tenu à faire oraison dès le premier jour. [...] Je me suis servie des *Textes choisis de saint Bernard* que j'ai trouvés ici [10]. » Matilde Mazzolani, chargée du secrétariat privé de l'ambassadeur de la fin de 1945 à juin 1948, évoque l'atmosphère singulière du palais Taverna au temps des Maritain : la courtoisie du maître des lieux, égale envers tous, chauffeur, domestique ou visiteur de marque, la « bonté exquise » de « Madame Raïssa » dont nul ne pouvait soupçonner la « spiritualité si intense », le dynamisme et la gentillesse de « Mademoiselle Véra » affairée aux tâches matérielles dont elle veillait à soulager sa sœur et son beau-frère. « L'ambassade étant "près le Saint-Siège" », la mondanité avait un caractère plutôt austère. Les réceptions, dîners, etc. avaient pour protagonistes surtout les soutanes des monseigneurs et les robes montantes des dames. N'empêche que les engagements étaient très nombreux ; et je me demandais toujours comment, considérant aussi son travail de bureau, Maritain pouvait trouver le temps de continuer son travail d'écrivain. Je pense qu'il volait du temps à son sommeil. Et pourtant, au cours des trois ans qu'il a passés à Rome, il a écrit, en plus d'un grand nombre d'articles, le *Court traité de l'existence et de l'existant* dont il me donnait les chapitres à taper à la machine au fur et à mesure qu'il les écrivait. C'étaient des feuilles, couvertes de son écriture si petite, ordonnée et précise, étonnamment très peu corrigées. J'étais toujours en admiration, voyant le soin qu'il mettait dans les nombreuses notes dont il accompagnait le texte déjà très soigné. Il était scrupuleusement minutieux dans son travail, et en même temps il avait les moments de distraction caractéristiques des penseurs. "Prenez note, je vous prie, me disait-il, car moi… j'oublie…" – et il avait un mouvement inimitable de la tête vers le plafond. Il gardait vers les gens des traits exquis. […]

« Je pense qu'il n'aimait pas beaucoup la vie qu'il était obligé de faire à Rome, si différente, je dirais même opposée à sa vocation, à ses intérêts fonciers. Il accomplissait sa tâche jusqu'au bout, mais ça n'allait pas sans sacrifice ni quelquefois sans une sorte d'agacement. À ce moment-là (on venait de sortir de la guerre) ses livres étaient très répandus en Italie et soulevaient un grand intérêt, surtout dans les milieux intellectuels catholiques. Et c'était une suite continuelle d'invitations à tenir des conférences, à présider des réunions, etc., sans compter les requêtes de visites, d'interviews. Il en acceptait plusieurs, mais le moment arrivait où son temps disponible était épuisé et il devait refuser. Si le postulant insistait, il se fâchait. "Dites-lui qu'il me fiche la paix", me disait-il. À quoi Raïssa ajoutait : "Pas en ces termes !"[11]. »

L'œuvre diplomatique de Maritain à Rome, si contraignante soit-elle pour son travail de philosophe, se marque par un foisonnement d'initiatives. Soucieux de restaurer l'influence française dans la capitale italienne, en sommeil depuis 1940, il entreprend la création d'un centre de réflexions et d'échanges culturels qui deviendra le Centre Saint-Louis. Mais c'est le renouveau de la chrétienté dans son ensemble qu'il s'emploie à servir le plus activement, pesant autant qu'il lui est possible sur les orientations pontificales.

L'attitude de l'Église à l'égard du peuple juif, au lendemain de l'holocauste, est au centre de ses préoccupations. Le philosophe décèle un heureux présage dans les paroles du pape rendant hommage au peuple d'Israël en présence de Raïssa, lors de l'audience qu'il accorde au couple et à Véra le 23 août 1945. Mais dans les faits, la politique du Vatican s'avère plus sinueuse et lente à s'affirmer. Maritain s'efforce en vain de faire admettre la responsabilité collective du peuple allemand dans la guerre et le génocide. Seule une claire reconnaissance de ces responsabilités et un rappel de la morale chrétienne peuvent fonder, à ses yeux, le relèvement spirituel de l'Allemagne et le redressement de l'Europe. « Dialogue tout en fausses notes sur l'Allemagne, l'Espagne », note l'ambassadeur de France après un entretien avec Mgr Montini le 21 décembre 1945. Maritain n'obtiendra de réponse réelle ni de Pie XII ni de Montini, tous deux s'abritant derrière les intérêts supérieurs du catholicisme pour éluder le problème soulevé avec insistance par le diplomate. « Ils se sont bornés à prendre acte de mes déclarations sans me faire connaître leur propre pensée », écrit Maritain à Georges Bidault le 10 mai 1946.

De même ce dernier échoue-t-il à obtenir de l'Église qu'elle fasse entendre sa réprobation des crimes commis contre le peuple juif. Le monde a besoin qu'on lui « apporte la vérité sur cette tragédie, écrit-il à Mgr Montini en juillet 1946 [...]. C'est, je ne l'ignore pas, pour des raisons d'une sagesse et d'une bonté supérieures, et afin de ne pas risquer d'exaspérer encore la persécution, et de ne pas provoquer d'obstacles insurmontables à l'action de sauvetage qu'Il poursuivait, que le Saint-Père s'est abstenu de parler directement des Juifs et d'appeler directement et solennellement l'attention de l'univers sur le drame d'iniquité qui se déroulait à leur sujet. Mais maintenant que le nazisme a été vaincu [...], n'est-il pas permis [...] de transmettre à Sa Sainteté l'appel de tant d'âmes angoissées, et de La supplier de faire entendre sa parole[12] ? » Pie XII estimera plus utile de prolonger un silence devenu par trop manifeste, celui-ci fût-il atténué ici et là par quelques paroles allusives.

À l'automne 1946, Maritain rentre « très impressionné » d'un bref séjour aux États-Unis. Il a découvert le pays en proie à une « peur panique du communisme ». Il informe Mgr Montini du risque de voir les Églises américaines s'enrôler à leur tour dans une telle croisade. Les deux hommes partagent le même point de vue sur la nécessaire neutralité du Vatican dans la guerre froide. « Être avec le Christ ou contre le Christ, voilà toute la question », rappellera le Saint-Siège en 1947 dans son message de Noël. Cette résolution ne subira pas moins quelques exceptions spectaculaires, dès lors que le communisme menace de faire quelques pas de plus dans la conquête du monde. Ainsi l'Église prend-elle officiellement parti, en avril 1948, pour la démocratie chrétienne au moment où l'Italie semble à la merci d'un raz de marée communiste. Maritain s'inquiète alors de cette dérive et, en accord avec Montini, réfléchit à l'idée d'une « mission spirituelle » en direction du peuple russe.

La sauvegarde de la paix en Europe et dans le monde exige plus que jamais à ses yeux qu'à « la prétendue souveraineté de l'État » se substitue une

« Société politique mondiale ». Il reviendra sans relâche jusqu'à la fin des années cinquante sur cette idée d'une construction communautaire et fédérale, applicable à l'Europe en premier lieu et à l'ensemble des peuples libres. « Si l'idée d'une société politique mondiale n'était qu'une belle idée, je ne m'en soucierais pas beaucoup, écrira-t-il en 1951. Je la tiens pour une grande idée, mais aussi pour une idée saine et juste. Cependant plus une idée est grande au regard de la faiblesse et des misères de la condition humaine, plus on doit être prudent à la manier [...]. Les arguments pour ou contre, dans le problème de l'autorité mondiale, ne concernent pas notre temps, mais les générations à venir [13]. » Le visionnaire semble ici faire alliance avec le diplomate dans la volonté d'accorder utopie et contingences. Mais, parce que le travail diplomatique se confond chez lui avec celui du missionnaire et que cet ambassadeur est avant tout une sorte de philosophe itinérant, Maritain met à profit ses années d'ambassade pour alimenter et propager des vues prophétiques sur la recomposition du monde.

En novembre 1947, l'auteur d'*Humanisme intégral* représente la France à la seconde Conférence générale de l'Unesco qui se tient à Mexico. Il a dû remplacer in extremis Léon Blum souffrant, et c'est à lui, en tant que chef de la délégation française, qu'il revient de prononcer le discours d'ouverture. Extraordinaire tribune pour plaider, face aux représentants de quarante-huit pays, en faveur de la coopération universelle et de la recherche du bien commun entre les nations. Maritain évoque l'angoisse présente des peuples aux prises avec les forces aveugles de l'Histoire. Au règne de la peur et à la fatalité de la guerre, il oppose l'espérance en ce « supplément d'âme dont Bergson déclarait que notre monde, agrandi par la

technique, a besoin », en « cette suprême et libre énergie qui vient en nous de plus haut que nous et dont
[...] le nom est l'amour fraternel [...], prononcé de
telle façon par l'Évangile qu'il a ébranlé pour toujours
la conscience humaine ».

Entre autres défis que Maritain doit relever en la
circonstance, outre son inexpérience des conférences
internationales, le moindre n'est pas de diriger une
délégation hétérogène où voisinent des personnalités
aussi dissemblables qu'Etienne Gilson, philosophe
catholique, Henri Wallon, professeur au Collège de
France et membre du PCF, et Paul Rivet, fondateur du
musée de l'Homme et socialiste militant. « S'entendre
avec chacun d'eux, n'était pas, au début, gagné
d'avance », observe Roger Seydoux [14].

Formulant avec « autant d'aisance que de simplicité des choses graves et profondes », Jacques Maritain s'impose à ses auditeurs inhabituels. « Les 37
délégués des nations représentées l'écoutaient en
silence, captivés, poursuit Seydoux. Sur la scène internationale, qui n'était pas riche en fortes personnalités,
un homme nouveau apparaissait : Jacques Maritain.
[...] Cet appel à tous les hommes de bonne volonté
était une réponse à une brochure de Julian Huxley*
intitulée *L'UNESCO, ses buts et sa philosophie*. Après
l'intervention magistrale de Jacques Maritain, Huxley
cessa d'évoquer sa ligne de conduite, purement matérialiste. Il parla de coopération entre les hommes, de
tâches pratiques à mener à bien. La « conversion »
imposée par le chef de la délégation française fut, en
définitive, acceptée par tous.

« [...] Si depuis la guerre la France n'a pas retrouvé
son rang dans le domaine de la politique internationale, dans celui de la culture, à Mexico, grâce à

---

* Directeur général de l'Organisation depuis 1946.

Jacques Maritain, elle a tenu sa place. C'était une rentrée en force, pas acceptée par tous, notamment par les Américains. Pour eux, la France en faisait trop et devenait un gêneur, à la limite un adversaire.

« Finalement, c'est la personnalité de Jacques Maritain qui a rendu le succès possible. Sa sincérité, sa puissance de conviction, la hauteur de ses vues et aussi un certain charisme, ont fait de lui une des personnalités dominantes de la conférence. Sur son nom, un consensus s'était fait presque naturellement dans tout le monde latin. »

Le retentissement de son discours de Mexico conforte en Amérique latine l'influence du philosophe. Le développement de la démocratie chrétienne sur le continent a pris un essor spectaculaire cette année-là, sous la conduite d'Eduardo Frei. Le leader de la Phalange chilienne réunit à Montevideo, au printemps 1947, des intellectuels argentins et brésiliens, dont Manuel Ordonez et Alceu Amoroso Lima, ainsi que les membres du parti uruguayen, Union civique, en vue de fonder le « mouvement supranational » des démocrates chrétiens, lequel s'inspirera des « principes de l'humanisme intégral ». Le 17 avril 1947, les principaux initiateurs de la réunion de Montevideo adressent à Jacques Maritain un télégramme d'hommage dans lequel ils saluent en lui leur inspirateur et leur maître. Maritain accueille l'Acte de fondation du futur mouvement comme une « consécration historique [15] ». Mais, fidèle à lui-même, il met en garde ses disciples contre le « malentendu grave » de se voir confondus « avec quelque union internationale des partis politiques d'inspiration chrétienne (Démocratie chrétienne italienne, MRP. français, etc.) qui sont maintenant à l'œuvre dans le monde ». Il leur recommande de s'ouvrir à des hommes de partis différents ou n'appartenant à aucun [16].

Mgr Montini, informé par lui, est apparu « très bien disposé » à leur égard, tout en émettant quelques réserves au sujet de la Phalange chilienne, susceptible de susciter « les réactions les plus adverses de quelques évêques ». En novembre 1947, une fraction de l'épiscopat chilien, approuvée par l'archevêque de Santiago, dénonce les membres de la Phalange comme « ennemis du Christ », parce qu'alliés des communistes et partisans de relations diplomatiques avec l'URSS. L'organisation de Frei doit à l'intervention de deux autres évêques d'échapper aux risques d'une condamnation de Rome. Au même moment, les attaques « intégristes [17] » redoublent à l'encontre de Maritain en Argentine et en Espagne, « couvertes, écrit-il à Yves Simon, par quelques bureaux du Vatican (Garrigou). Il y a autour de moi dans toute l'Amérique latine une bataille idéologique (et politique) d'une ampleur que je ne soupçonnais pas, et comparable à celle qu'il y a en ce moment en Europe autour de Maurras [18] ».

À la fin de l'été 1946, dans un article intitulé « L'absent », François Mauriac s'interrogeait sur le silence des « fils » de Péguy au moment où la mystique de la Résistance sombrait dans l'épuration. « C'est à cette place vide que nous attendions Bernanos [...]. Et aussi Maritain, que fait-il à Rome, où le premier venu, maintenant, pourrait expédier les affaires courantes ? [...] Nous n'avons pas besoin d'un génie, mais d'une conscience. » Certes, Maritain fait un peu plus à Rome qu'expédier les affaires courantes, y poursuivant sa mission d'intellectuel engagé. Mais à l'heure où Sartre et Camus exercent sur la vie intellectuelle une suprématie multiple, l'absence pour raison d'État du seul philosophe catholique à même de rivaliser d'influence avec les maîtres de l'absurde paraît à tout le moins anachronique.

En 1947, Maritain écrit en quelques mois, « entre visites, dîners, réceptions et démarches au Vatican, travaillant nuit et jour, surtout la nuit [19] », un essai sur le seul existentialisme authentique à ses yeux, celui de saint Thomas, qui ne s'est guère plus déclaré existentialiste que thomiste, observe-t-il. « Il reste que ces choses-là sont consubstantielles à sa pensée », écrit l'auteur du *Court traité de l'existence et de l'existant*. Maritain oppose ici à l'existentialisme du néant et de l'angoisse, condamné à se dévorer lui-même, celui qui, « impliquant et sauvant les essences ou natures » manifeste « une suprême victoire de l'intelligence et de l'intelligibilité [20] ». Le versant de lumière d'une philosophie jusqu'ici réduite à son côté d'ombre. Mais en se réclamant à sa manière d'une théorie en vogue, Maritain semble se glisser dans les habits d'un autre. Le *Court traité* passe inaperçu – à peine sept cents exemplaires vendus – et l'homme de Meudon manque sa tentative de retour. « C'est le livre où j'ai mis mes plus intimes pensées, dira-t-il à John U. Nef. À l'âge où j'arrive, il y a une telle mélancolie à regarder en arrière le pauvre travail qu'on a fait et dont on voit toutes les déficiences [21]. »

Ses contacts avec Paris à cette époque sont la plupart du temps d'ordre professionnel, motivés par les exigences du seul travail diplomatique. Appelé souvent par Georges Bidault, « Monsieur l'Ambassadeur auprès du Saint-Siège arrivait en avion ou dans une somptueuse Cadillac précédée de motards, se souvient Éveline Garnier. "Quelle dérision pour un anar", me disait-il. Il faisait mettre la Cadillac au garage, et après mon travail j'étais son chauffeur dans une voi-

ture modeste. À chacun de ses passages, je le condui-
sais chez Anne et Julien Green [22]. »

En octobre 1947, Maritain confie à Georges
Bernanos que le climat de Rome – « le pire que j'ai
connu » – est devenu pour lui « déprimant et étouf-
fant. Il faut un effort physique qui consume les
nerfs », ajoute-t-il [23]. Quelques mois plus tôt, il a discrètement demandé au Quai d'Orsay de lui rendre au
plus tôt sa liberté. Il doit attendre janvier 1948 pour
obtenir l'assentiment définitif de Georges Bidault, son
départ de Rome ne devant intervenir qu'au début de
l'été.

« Va, va, va, pauvre thomiste, va, nous dit l'Ange
qui nous conduit et nous protège, écrit-il en février
1948 à Yves Simon qui, naturalisé américain,
s'apprête à intégrer l'Université de Chicago, ce sont
des appels irrésistibles. À Chicago vous serez au
centre du combat d'esprit, c'est capital pour le rayonnement du thomisme en Amérique.

« De mon côté moi aussi je vais encore une fois
changer de vie. Bien que les journaux en aient déjà
parlé, je vous demande de garder cela confidentiel,
jusqu'à ce que mon départ de Rome soit rendu public
officiellement (je suis tenu à une grande discrétion
vis-à-vis du gouvernement français). Il est grand
temps pour moi de revenir à ma vocation de philosophe. J'ai 65 ans, Yves. Pas de retraite – il faut 15 ans
de service. Du côté professorat la limite d'âge est
proche. C'est dès la prochaine année académique que
je dois revenir à l'enseignement. [...] D'autre part,
avec cette générosité et cette courtoisie américaines
que nous connaissons, le président de Princeton est
venu me voir à New York (à mon retour de Mexico)
pour m'inviter à devenir résident membre of the
Faculty. J'ai accepté, nous nous préparons donc à
repasser l'Atlantique pour nous installer à Princeton

en septembre. Très aimablement Princeton me donnera ma liberté à la fin d'avril de sorte que je pourrai chaque année revenir en France pour quelques mois. Ces va-et-vient représentent beaucoup de fatigue pour Raïssa et Véra, mais que faire ? Voilà nos plans, mon très cher Yves, priez pour que la réalisation ne soit pas trop ardue (vous imaginez tous les tracas que comporteront le départ de Rome et ces déplacements, les caisses, les bagages, les visas, moi qui hais les voyages !) Enfin nous nous reverrons sur la terre du Nouveau Continent [24] ! »

Depuis son arrivée à Rome, l'Amérique lui manque plus que la France. D'un côté, la « sève créatrice de la vie américaine [25] » ; de l'autre, la persistance des « poisons anciens et nouveaux ». Maritain est plus que jamais fasciné, capté par la jeunesse et la vitalité des intellectuels américains, tous de « la vraie race des pionniers ». Au demeurant, seuls les États-Unis offrent au philosophe en bout de carrière la sortie honorable que la France lui refuse. Au moment de quitter Rome, tout espoir pour Maritain d'accéder au Collège de France est anéanti. Le Collège décline la proposition du gouvernement de fonder une chaire à l'intention de l'auteur du *Court traité*. « Too late », répondra-t-il en 1951 aux ouvertures que l'institution consentira enfin à lui faire, après la démission d'Étienne Gilson. La page est tournée, et la blessure trop vive en lui pour jamais cicatriser tout à fait.

Dans un article paru dans *La Croix*, le 10 juin 1948, Stanislas Fumet juge « plus qu'incorrect, inadmissible, scandaleux » que la France se résigne à laisser partir un homme comme Maritain. « Extraordinaire pays que le nôtre, ajoute-t-il, où les valeurs qui le sauveraient sont écartées aussi bien par la négligence que par la jalousie. »

Le 4 juin 1948, l'ambassadeur de France présente ses lettres de rappel au Saint-Père. Pie XII lui est apparu souvent comme un être scrupuleux, « d'une délicatesse et d'une sensibilité extrêmes, souhaitant ne blesser personne », mais doté d'un esprit trop juridique et privé des réflexes et intuitions qui caractérisaient son prédécesseur, tout de prudence politique et diplomatique, et irrésistiblement enclin à ménager le peuple allemand auquel le lie une part de sa carrière. C'est de Mgr Montini qu'il garde évidemment l'impression la plus forte, « esprit aux larges horizons », ouvert « en matière apostolique comme en matière sociale [...] à tous les renouvellements et à tous les progrès[26] ». Vue de l'intérieur, l'institution pontificale n'a fait que confirmer ce qu'il savait d'elle : un gouvernement monarchique exercé par des vieillards, dont il ne faut attendre ni impulsions spectaculaires ni expérimentations vitales. C'est du « corps entier de l'Église » que viendront spontanément les initiatives nouvelles. « Le réalisme de Pierre s'attache ainsi à maintenir dans la pratique les droits de l'autorité et les positions juridiques acquises plutôt qu'à susciter les grandes lumières spéculatives de Paul, ou à promouvoir l'amour évangélique de Jean[27]. »

Écrire encore quelques livres et penser à l'éternité – l'aspiration désormais de celui qui se compare au « Juif errant », voué, sa mission accomplie, à ne plus avoir la moindre pierre sur laquelle reposer sa tête[28]. Abordant ce qu'il appelle « la troisième période » de sa carrière, le nouveau professeur de l'université de Princeton semble aussi inquiet qu'un débutant. « Comment mes cours marcheront-ils ? demande-t-il à Simon. J'ai perdu contact avec les routines académiques, je n'ai pas mes dossiers, *I am naked**, j'ai peur des questions élémentaires (bibliographies, etc.) posées par les étudiants. Et j'ai peur de l'anglais, j'ai l'impression de marcher sur des œufs en parlant cette langue et je suis dans une totale insécurité quant à mes moyens d'expression [29]. » Contrairement aux assurances du président de l'université, le Dr Harold Willis Dodds, Jacques Maritain n'a pu finalement bénéficier d'un poste dans le département de philosophie. Soucieux de leur pré carré et généralement hostiles au thomisme, les membres de ce département ont refusé de le recevoir parmi eux. Si bien qu'un poste spécial a dû être créé à son intention, rémunéré en dehors du budget universitaire. Une de ses amies, la romancière Caroline Gordon, révélera que le salaire du philosophe français était en réalité payé par des mécènes juifs [30]. S'est-il trop empressé d'accepter Princeton ? Il n'eût pas été mieux reçu à Chicago, où John U. Nef, « le cœur brisé », rêvait pourtant de l'accueillir.

Maritain retrouve très vite à son retour aux États-Unis le climat stimulant de ses premiers séjours. Le vieux mandarin aux allures d'adolescent rebelle reprend élan et souffle au contact de la jeunesse américaine, étincelant d'humour et de vivacité sous le doctoral sérieux de son propos. « Sans déroger à la doctrine thomiste, il poussait chaque pensée à l'extrême, se souvient Julie Kernan, donnant une tonalité moderne à chaque question et testant les réactions de ses auditeurs. Il y avait quelque chose de génial et de singulier dans cette courtoisie intellectuelle qui faisait toujours appel à l'opinion des autres [...]. En plus de ses cours à Princeton, Jacques enseignait au Hunter College à New York, donnait une

* « Je suis nu. »

conférence annuelle à Notre-Dame et à Chicago [31]. » La majeure partie de son œuvre dans les années cinquante, qu'il s'agisse de *L'Homme et l'État*, de *Creative Intuition in Art and Poetry* en 1953, de *On the philosophy of History* en 1957 ou de *Reflections on America* l'année suivante, ouvrages qui paraîtront en France après coup, résulte de ces pérégrinations intellectuelles qui impriment à la pensée du philosophe une sorte de mouvement perpétuel. Ainsi son œuvre s'est-elle construite, d'un bout à l'autre, comme un archipel sur la mer.

Chaque année, il se réserve de passer les trois mois d'été en France, réalisant ainsi tant bien que mal son rêve de vivre et de travailler entre les deux pays. En mai 1949, il vient à Paris inaugurer la Semaine des intellectuels catholiques et donner à l'Institut catholique une conférence sur la *Signification de l'athéisme contemporain*. Il attend beaucoup à cette époque de l'« Eau vive », l'École de Sagesse internationale fondée par le père Thomas Philippe près du couvent du Saulchoir. « J'y ferai en août une série de leçons sur la philosophie morale, reprenant toutes sortes de problèmes qui me préoccupent depuis de nombreuses années, déclare-t-il dans une interview à Robert Barrat. Auparavant le programme comportera surtout des rencontres, discussions et recherches [...]. Il devrait y avoir place de plus en plus pour des écoles de ce genre, où des hommes venus de toutes les disciplines intellectuelles, de tous les horizons de pensée [...], mus par le même désir d'approfondissement spirituel, chercheraient dans un climat plus libre que celui de l'Université à avancer de concert dans la voie de la vérité, de la sagesse et de la contemplation. » Comme revigoré par l'effervescence américaine, il se passionne pour « toutes les expériences nouvelles d'apostolat » qu'il voit surgir en France et dans le monde – « la soif spirituelle de l'humanité est immense », observe-t-il [32].

Cette année-là comme souvent par la suite, Jacques séjourne quelques semaines en Alsace à Kolbsheim, dans le château de ses amis Grunelius. C'est à son retour de Salzbourg, en 1931, qu'il s'est arrêté ici pour la première fois, entraîné par Nicolas Nabokov. Antoinette Grunelius, qui se convertira dans le sillage de la visite de Maritain, l'amène sur la terrasse. « Devant le parc et toute la plaine d'Alsace, se souvient-elle, il a murmuré : "Cet endroit est fait pour la vie contemplative." Il avait perçu la dimension spirituelle de ce jardin créé par mon mari à la Gloire de Dieu, comme il l'a fait inscrire très discrètement au-dessus de la porte d'entrée. [...] Notre amitié pour Jacques, Raïssa et Véra est allée en s'approfondissant. Jacques est parfois venu seul quand il était épuisé par un excès de travail et par les luttes dans lesquelles il était engagé [33]. » Antoinette et Lexi Grunelius apporteront à plusieurs reprises une aide matérielle aux Maritain, rachetant la maison de Meudon à la veille de la guerre ou mettant à leur disposition un appartement parisien rue de Varenne. Le couple nourrit le projet de créer un petit centre d'étude et de prière, sur le modèle de ceux préconisés par le philosophe. En 1946, recevant à Rome ses amis d'Alsace, Maritain s'enthousiasme pour cette idée et songe alors à se retirer à Kolbsheim. Mais n'est-il pas condamné à vivre plutôt, comme saint Thomas, « dans le conflit et dans la hâte [34] » ?

En septembre 1949, le « petit troupeau » s'établit définitivement à Princeton. Dans cette ville universitaire paisible, dont les collèges dressent leurs tours gothiques au-dessus de grandes pelouses, les Maritain achètent une maison au 26 Linden Lane, une rue calme jouxtant l'université. « Raïssa se sentait bien dans ce nouvel environnement qui lui laissait les

heures de solitude qu'elle souhaitait », note sa traduc-
trice et confidente Julie Kernan. L'université de Princeton compte alors en son sein deux professeurs
illustres : Albert Einstein et Robert Oppenheimer.

« Il n'est pas de lieu au monde où la philosophie
chrétienne réponde à un plus grand besoin et où elle
trouve de meilleures chances qu'en Amérique », écrira
Maritain en 1958 dans le livre le plus favorable sans
doute qu'un intellectuel français de ce temps ait
consacré aux États-Unis. À la différence de Georges
Duhamel, d'André Siegfried ou de Simone de Beauvoir, l'auteur de *Réflexions sur l'Amérique* a vécu
immergé pendant près de vingt ans dans le peuple
dont il parle et qu'il aime d'un amour passionné. Les
premières impressions sur un être comme sur un pays
sont les plus révélatrices, où seule commande l'intuition. « Ce en face de quoi je me suis obscurément
senti, raconte Maritain, c'est un mystérieux contraste
d'une portée immense, un contraste aigu, aux lointaines implications, en *le peuple* ou *les gens* et quelque
chose de surimposé du dehors qu'on peut appeler *la
structure* ou *le rituel de civilisation* [...], la civilisation
industrielle née en Europe et importée en Amérique,
que je voyais dans ce premier aperçu comme surplombant un peuple de pionniers et d'hommes libres
devant Dieu. [...] Mais par un étrange paradoxe, le
peuple qui vivait ou peinait sous cette structure [...]
gardait son âme à part d'elle. [...] Il aimait la liberté et
l'humanité, croyait à l'importance des normes
éthiques, voulait sauver le monde, avait le cœur sur la
main, c'était le moins matérialiste des peuples
modernes de l'âge industriel [35]. » C'est un phénomène
plus profond que ce matérialisme lui-même, inhérent

à la civilisation moderne et dont l'expression est aux États-Unis «un peu plus brutale et plus naïve» qu'ailleurs, mais un peu moins cynique, que le visiteur a décelé au premier regard : une soif de connaissance et de vie spirituelle dont, à l'heure où il écrit, témoigne à ses yeux le succès des livres de son ami Thomas Merton, poète converti devenu trappiste. L'exilé de 1940 a fait aussi l'expérience de ce qui lui paraît une autre valeur dominante du peuple américain, «le sens du compagnonnage humain». Il se souvient de la «gentillesse anonyme que des inconnus nous ont montrée alors en toute occasion : les chauffeurs de taxis qui nous disaient "Vive la France" quand nous quittions la voiture, ou le marchand ambulant qui refusait de nous laisser payer un bouquet de fleurs parce que nous étions français; ou le Noir chargé de l'ascenseur à l'hôtel qui cachait soigneusement le journal dans sa poche chaque fois où jour après jour les gros titres annonçaient une défaite de l'armée japonaise».

C'est à l'âme du peuple de New York ou de Chicago que le philosophe s'intéresse avant tout; il a noué avec elle dès le premier jour une relation intimement poursuivie à travers le temps. Admirateur du modèle démocratique américain, il ne manifeste aucun attachement particulier à l'égard des institutions. Il n'a jamais reçu de la hiérarchie catholique qui le tient pour un «marxiste chrétien» ou des autorités universitaires globalement allergiques au thomisme qu'un accueil hostile. Rien, sur ce point, qui puisse le changer de la France.

Ainsi l'influence de Maritain aux États-Unis, «influence profonde et très personnelle», souligne Bernard Doering[36], se marque-t-elle essentiellement sur les individus, à quelque milieu qu'ils appartiennent, de quelque opinion ou confession qu'ils se réclament. Philosophes, écrivains, journalistes, mais aussi travailleurs sociaux, prêtres, religieux, dont émergent dans les années cinquante trois figures majeures : Walter Lippmann, Dorothy Day et Saul Alinsky.

Journaliste politique de très grand renom, Walter Lippmann est en relation avec Jacques Maritain depuis 1939, lisant alors ses ouvrages «avec le sentiment, lui écrit-il, d'une illumination progressive». Les deux hommes se voient régulièrement à New York pendant la guerre, débattant de leurs livres ou articles respectifs. Le professeur de Princeton et l'éditorialiste du *Herald Tribune* se retrouvent sur une même conception de la nouvelle organisation du monde, militant l'un et l'autre en faveur de l'ONU et du Plan Marshall.

Fondatrice, lors de la crise de 1929, du Catholic Worker Movement destiné à venir en aide aux chômeurs et aux plus pauvres dans les grandes villes américaines, Dorothy Day situe l'œuvre de Maritain, dans la formation de sa pensée, au même niveau d'influence que *La Bible* et *Les Frères Karamazov* [37]. En 1934, elle entraîne un groupe de chômeurs à une conférence du philosophe, lors de la venue de celui-ci à New York, avant de l'inviter à participer aux séances du «Workers School», l'école des ouvriers où se presse une assistance anonyme et disparate. Maritain produit ici une impression inoubliable. Dorothy Day lui racontera, dans une lettre écrite un soir de Noël, l'histoire d'un jeune homme ayant rejoint le Catholic Worker à sa sortie de prison et qui, par admiration pour lui, «a changé son prénom de Jack en Jacques» et apprend la philosophie. «Je trouve cela infiniment émouvant, ajoute-t-elle, cette façon qu'ont vos œuvres de s'infiltrer comme ça dans les cellules de prison [38]. »

Qu'il s'agisse de la critique du système capitaliste, de la défense du bien commun, de la lutte pour l'égalité économique et raciale, ces deux adeptes des moyens pauvres ne laissent de se rejoindre, Dorothy Day trouvant auprès de Maritain le soutien chaleureux que lui refuse une large partie du clergé américain.

Mais c'est avec Saul Alinsky, « un de mes grands amis, écrira-t-il, indomptable et redouté organisateur de communautés populaires et leader antiraciste », aux méthodes « aussi efficaces que peu orthodoxes [39] », que le philosophe ira le plus loin aux États-Unis dans la fraternisation marginale. « À première vue, une amitié entre Jacques Maritain et Saul Alinsky semble complètement impensable, écrit Bernard Doering. Maritain, connu sous le nom de *"gentle Jacques"* était un modèle de discrétion, de courtoisie et de déférence. Il avait une aversion pour les foules bruyantes, les confrontations raisonneuses et les disputes violentes. Saul Alinsky était un Juif agnostique, bourru, taillé à coups de serpe, pour qui toute religion avait très peu d'importance et aucun rapport avec ce qui était au cœur de la vie, le combat pour la justice économique et sociale. [...] Ses gestes et son langage étaient musclés, d'une verdeur peu commune, et il se servait de l'argot braillard du milieu et des rues. Son personnage habituel était d'une irrévérence calculée, agressive et imaginative [40]. » Le philosophe et le provocateur* se sont connus durant la guerre. Alinsky est déjà célèbre à cette époque pour son engagement en faveur des droits civils et économiques des immigrés travaillant dans les grands abattoirs de la ville. Entre ces deux desperados, la connivence intellectuelle, aussitôt vive et profonde, se fonde sur un même goût de la subversion et de l'irrévérence – vertu démocratique aux yeux d'Alinsky, pour qui dans une société libre

---

* Titre donné à leur correspondance parue aux États-Unis en 1994.

« tout le monde doit pouvoir questionner et contester » –, et une même confiance dans le peuple. Ils sont
aussi attachés l'un que l'autre à l'idée d'organisations
communautaires servant de structures-relais entre
l'individu et l'État. « Le christianisme est certainement
un sujet impopulaire aux yeux d'un grand nombre
dans l'Église », aime à lancer Saul Alinsky. Maritain
aurait pu souscrire à ce genre de formule, quitte à
partager avec lui la même quantité d'ennemis.

Ce personnage qui passe pour agressif et grossier
n'est que pudeur et déférence envers l'intellectuel
venu de France auquel il demandera un jour, avec une
timidité inattendue, de lui dédicacer un de ses portraits. Alinsky répugne à toute idolâtrie – « mais ce
que j'essaie de vous dire, écrit-il à Maritain, est qu'une
photo de vous où vous auriez écrit deux ou trois mots
personnels, serait pour moi un trésor des plus précieux. Et voilà, je l'ai dit [41] ». À son tour, en 1971,
Alinsky lui dédicacera son livre *Règles pour les radi-
caux* : « À mon père spirituel et à l'homme que j'aime,
de la part de son enfant prodigue et indocile… »

Les grandes amitiés américaines auront une
influence décisive sur le mouvement de la vie de Maritain et la formation de sa pensée. Sans doute ont-elles
contribué à affranchir plus encore sa vision et son
approche de la société contemporaine, où le chrétien
ne saurait être, à l'instar d'Alinsky, de Dorothy Day ou
de lui-même, qu'un mendiant du Ciel, un agitateur de
conscience. Ces amitiés ont non moins éclairé sa
réflexion sur l'avenir des démocraties modernes, auxquelles ni le socialisme ni le capitalisme n'offrent à
ses yeux de modèle satisfaisant. « Ce que les chrétiens
ont à faire, écrit-il en 1955, ce n'est pas de rêver
aujourd'hui d'une révolution sociale chrétienne mais
de s'efforcer de faire prévaloir l'idéal chrétien dans les
ajustements progressifs par lesquels le monde non

communiste [...] accomplira les changements requis par cette même justice sociale qui a été le vrai stimulant de la révolution communiste. » L'« énergie créatrice de l'histoire » porte le monde vers une prise de conscience de son destin collectif, vers l'émancipation politique des peuples soumis au régime colonial, à la tutelle des idéologies comme à l'emprise de l'État. « Une nouvelle chrétienté est le foyer vers lequel tendent en réalité toutes les énergies véritablement progressives à l'œuvre dans l'histoire depuis la désintégration du Moyen Âge. Il y a d'autres forces qui travaillent dans le sens opposé. C'est de la liberté de l'homme que dépend le résultat [...]. J'attends que des saints et des thaumaturges surgissent au milieu des labeurs du monde. » Dans son livre, *Pour une philosophie de l'histoire*, en 1957, il rappellera que le progrès de la civilisation reste fondamentalement lié à l'ambivalence du mouvement historique, à la confrontation permanente entre les forces du bien et celles du mal. Le progrès des sociétés, des idées et de la conscience morale procède d'une tension permanente entre les puissances de justice, de vérité et d'amour et celles de l'obscurantisme et de la barbarie. Ainsi le travail du chrétien est-il de « maintenir et d'augmenter dans le monde la tension interne et le mouvement de lente et douloureuse délivrance [42] » qui doit en résulter. N'est-ce pas là précisément tout le travail d'un Saul Alinsky ou d'une Dorothy Day ?

Autant Maritain a appris au contact de ces « prophètes », autant ceux-ci, comme nombre de catholiques américains, ont été formés par sa philosophie. *Part and parcel**, comme il dit lui-même, de la vie américaine, l'auteur d'*Humanisme intégral* fait figure de pionnier aux États-Unis dans la conversion du

---

* Partie prenante.

catholicisme à la démocratie. Son influence sur l'accession au pouvoir, en 1960, de John Fitzgerald Kennedy, premier président catholique de l'histoire des États-Unis, n'aura pas été négligeable. « Je suis convaincu, écrit Bernard Doering, que ce fut Maritain, avec le père jésuite John Courtney Murray, qui donna à la population des émigrés catholiques américains et à leurs amis la certitude qu'ils pouvaient être des catholiques fidèles dans une démocratie où l'Église était séparée de l'État [...] et qu'il n'y avait pas le moindre risque que le Vatican s'installe à Washington si un catholique devenait président. »

Maritain a-t-il trouvé dans ce « grand rêve humain » qu'incarnait l'Amérique à ses yeux l'idéal historique de la nouvelle chrétienté ? Son expérience des réalités sociales et politiques du pays a souvent réfréné ses enthousiasmes. Mais, en dépit de tout, l'Amérique restera pour lui ce qu'elle a été dès le premier jour : une « promesse [43] ».

L'abbé Altermann a beau l'assurer, en 1950, qu'à peine la nouvelle de son retour définitif répandue en France, « spécialement dans la jeunesse chrétienne », on verrait aussitôt se reformer autour de lui « cette merveille qui s'appelait Versailles ou Meudon [44] », Jacques Maritain semble désormais acquis à l'idée d'un exil durable. « On dit ici que vous avez renoncé à nous, lui écrit François Mauriac en décembre 1952, que vous êtes comblé par l'Amérique... Mais peut-on renoncer à la France catholique et même à l'autre ? Non, n'est-ce pas [45] ? »

La parution très remarquée en France au lendemain de la guerre des *Grandes Amitiés*, les souvenirs de Raïssa Maritain, puis celle du *Sabbat* de Maurice

Sachs* en 1949 ont ravivé le souvenir des Maritain et du temps de Meudon, sans restituer au philosophe, cependant, son rayonnement ni son influence d'autrefois. « Que vous le sachiez ou non, vous êtes grand, ce qu'on ne vous pardonnera jamais, lui écrit Étienne Gilson. Il faut payer pour cela, mon bon ami. C'est inévitable [...]. J'ai eu, il y a de cela trente ans, des amis très chers qui vous haïssaient (déjà !) ; l'un d'eux était prêtre [...] ; j'ai, encore aujourd'hui, des amis dont vous ignorez l'existence et qui ne vous aiment pas beaucoup [...] ; je n'ai jamais compris pourquoi [...]. J'ai aussi des amis qui vous adorent... [...] Je suis le témoin idéal pour vous assurer que votre œuvre est grande, vraie, salutaire, féconde [...]. Seulement je sais que ces grandes œuvres ne se font pas dans le temps. Il n'y a pas de chronologie pour les idées. Continuez votre œuvre, qui est irremplaçable, et ne vous souciez de rien ; le reste ne compte pas [46]. » Son audience apparaît aussi réduite en France à cette époque qu'elle est devenue considérable aux États-Unis, en Amérique latine et au Canada. Cette « espèce de pur et simple refus d'existence [47] », Maritain ne saurait l'attribuer qu'à l'échec du thomisme ; il a conscience avant tout d'expier par là ses défis successifs à l'ordre établi, la trop grande liberté de ses amitiés, son indépendance d'allure et de pensée au sein d'un monde catholique mal disposé à tolérer les rappels à l'ordre d'un simple laïc, d'expier aussi cette sorte de légitimité mystérieuse et singulière, étrangère à toute hiérarchie, qui fait de l'ami de Léon Bloy, de

---

* « Pauvre Maurice Sachs, est-il mort, est-il vivant ? » s'interroge Jacques Maritain en 1949. De nombreuses rumeurs circulent encore à cette époque sur le sort du filleul de Raïssa. Il paraît acquis aujourd'hui pour ses biographes que Sachs, devenu « gestapiste », a été tué en Allemagne à la fin de la guerre.

François Mauriac et de Saul Alinsky une conscience chrétienne de son temps.

« Nous sommes un pauvre équipage de trois blessés sur un petit radeau », écrit-il en avril 1957 à Mabelle Andison. Devenu professeur émérite de l'université de Princeton en 1952, ses soixante-dix ans atteints, il dispose désormais du temps qui lui a toujours manqué pour lire, écrire, répondre à ses correspondants. Entre une « love letter[48] » adressée au peuple américain en 1957 – ses *Réflexions sur l'Amérique* – et un « gros livre sur la philosophie morale » qu'il vient d'entreprendre, l'homme de soixante-quinze ans poursuit sans relâche son chemin dans la nuit. « Il faut peut-être montrer que je ne suis pas encore tout à fait mort, écrit-il à Jean-Marie de Menasce, et que j'ai encore des dents[49]. » Mais victime d'une thrombose coronarienne – une *heart attack*, préfère-t-il dire – au début de mars 1954, il a été immobilisé deux mois durant et privé cet été-là de séjourner en France. Souffrant de tachycardie et soucieux de réserver ses forces au travail encore immense qui est devant lui, il s'efforce de s'isoler, de se retrancher le plus possible. C'est l'époque où les disparitions ont commencé de se multiplier autour de lui, « comme si des murs s'écroulaient au-dedans de l'âme[50] ». Mort de Christine Van der Meer, du père Couturier, de Waldemar Gurian, de sa sœur Jeanne en novembre 1955... En 1956, Véra est frappée d'un infarctus du myocarde, dû probablement au choc éprouvé quelques mois plus tôt lorsque, Raïssa ayant été renversée par un motocycliste dans une rue de Paris, elle a cru sa sœur tuée sur le coup. À la fin de cette même année, on décèle chez Véra un cancer du sein qui impose une difficile opération en mai 1957 au Doctor's Hospital de New York. « Tout s'organisa autour d'elle pendant les trois ans qu'elle combattit la maladie », écrit Julie Kernan.

Le 15 mai 1958, jour de l'Ascension, Véra confie à Raïssa et à Jacques le message qu'elle a reçu pendant la messe : « Vos sacrifices sont comme une rosée pour moi, dis-le à ta petite sœur et à ton frère de Jésus. Vous êtes mon petit troupeau. Je suis toujours avec vous et je serai toujours avec vous, ne craignez rien. Je vous garde et vous garderai [51]. » L'ultime parole qu'elle entendra de Jésus.

« Elle a vite compris que c'était fini pour elle de garder, par son zèle quotidien, les deux êtres qu'elle avait reçu mission (cela aussi lui avait été dit) de protéger comme ses enfants. C'était à Raïssa et à moi, maintenant, de veiller sur elle et de nous tourmenter pour elle. Une renonciation totale lui était demandée. Ce sacrifice, elle l'a accompli à sa manière silencieuse, élégante et douce. Pense-t-on qu'elle nous en ait dit un mot ? Un regard suffisait. C'est comme si elle baisait les mains de Celui qu'elle aimait, et auquel elle remettait tout. Ainsi voyions-nous se consumer, dans la grâce pure et nue des trois vertus théologales, une vie toute d'abandon et de désappropriation. [...] Pendant les heures de solitude où elle ne sommeillait pas sous l'influence des sédatifs, elle lisait, dessinait dans des albums sur sa petite table de malade, priait surtout, disait chapelet sur chapelet. Et à mesure que la maladie avançait, et la douleur, il lui devenait plus difficile de se concentrer ; parfois un mot qu'elle cherchait la fuyait, comme le mot "moribond" qu'elle m'a demandé un jour tandis qu'elle priait pour les agonisants (ce qu'elle faisait très souvent). Alors, malgré les souffrances (dans les os) qui ravageaient son bras, elle s'est mise à écrire sans fin prière après prière (il y en a des pages), ainsi elle tenait au moins un instant, à force de volonté, l'expression passagère de ce qu'elle voulait dire à Dieu. Elles étaient loin, les grâces sensibles. C'est chose déchirante de voir ces pauvres lignes griffonnées d'une main qui pouvait à peine tenir le crayon, avec ces mots sans cesse repris et redits, où passe le suprême appel d'une âme généreuse et humble :

« "Seigneur, donnez-moi la patience et la paix. Le courage, aidez-moi. Mon Seigneur et mon Dieu, je vous aime, ayez pitié de moi. Les cigales chantent l'été, l'hiver elles ne peuvent que souffrir. Les oiseaux du paradis ne viennent pas ici. Courage d'où vient-il ? Envoyé de Dieu. La Patience est une vertu donnée par Dieu.

« "Le temps est doux mais les fleurs ont passé. Les oiseaux sont cachés dans leurs nids. La caravane vers le ciel lentement s'organise. La paix viendra un jour. Mais quand ?" »

À la fin de janvier 1959, les examens révèlent que le cancer a gagné les os. Véra doit subir un traitement aux rayons X qui la laisse anéantie. Elle affronte néanmoins la douleur avec un courage si bouleversant que ses médecins la croient sauvée pour quelques années. Le lendemain de Noël, les souffrances, réveillées par une nouvelle métastase dans les os de la hanche, deviennent atroces. « Elle ne poussait pas un cri mais pleurait de douleur », se souvient Jacques qui décide alors, en accord avec Raïssa et contre l'avis du médecin, de lui épargner l'hôpital « où elle se serait sentie abandonnée » et de la garder près d'eux.

« [...] Le jeudi 31 décembre Véra s'est endormie après une piqûre de morphine à 10 heures et demie du matin. Puis, au lieu de s'éveiller au bout de quatre heures, elle a continué de dormir. Nous pensions d'abord que c'était bon signe. Mais le sommeil ou demi-sommeil continuait, interrompu par un peu de délire, des mots incompréhensibles, sauf le mot papa, papa, qu'elle a dit plusieurs fois. [...]

« Et à 7 heures et demie du soir elle a tourné un peu la tête, respiré deux fois profondément, son visage est devenu blanc comme neige, elle était morte. Morte, sous nos yeux, d'une mort si douce qu'elle semblait n'avoir rien brisé. [...]

« Le lendemain 1er janvier, son corps était chez nous dans le cercueil ouvert, son visage d'une étonnante beauté, sans trace de souffrance. Les amis priaient auprès d'elle avec nous ; le soir, selon l'usage local, le curé a récité le chapelet devant elle. La messe de funérailles a eu lieu le 2 janvier 1960. La tombe de notre sœur est dans le petit cimetière attenant à l'église catholique de Princeton [52]. »

Dans une lettre à Anne Green, le 8 février 1960, Raïssa évoque cette « union particulière » qui faisait de Véra « sa petite mère » et d'elle « son petit enfant », ce jeu naïf qui perpétuait entre elles l'âge des commencements. Voici Jacques et Raïssa plus désemparés, plus vulnérables que jamais en ce monde, loin de celle que Dieu a délivrée. Véra avait tout abandonné pour les suivre, partageant avec eux chaque instant d'une même destinée d'errances, de prières et de combats. Dans cette relation secrètement codifiée où chacun a appris à cheminer seul, assuré du soutien inlassable des deux autres, elle assumait les tâches les plus humbles et les plus immédiates, se voulant « toujours disponible et toujours entreprenante ». Jacques appliquait à Véra ce que saint Bernard disait en pleurant de son frère Gérard : « Les yeux de Gérard devançaient tous mes pas, mes soucis étaient plus connus de son cœur que du mien, il en était plus préoccupé, en sentait mieux l'urgence. » Plus tard, Véra avait apporté à Jacques et à Raïssa, en leur délivrant les messages qu'elle recevait de Dieu, un appui plus inestimable encore.

« On riait beaucoup chez nous, se souviendrait l'auteur du *Carnet de notes*. Certains soirs, quand Raïssa était malade, j'allais près de son lit lui faire la lecture en imitant l'accent de Marseille, et grâce à ce très simple artifice, c'était des éclats de rire cristallins auxquels Véra s'associait. Nous détestions à la fois la bohème et les conventions bourgeoises [53]. » Épuisés, désorientés, les Maritain décident cependant de rester fidèles cette année-là à leur rituel estival, malgré l'angoisse de Jacques à l'idée de « tous les risques » qu'un si long voyage « peut faire courir à Raïssa [54] ». Ils arrivent à Paris le 7 juillet.

Henry Bars, qui a publié l'année précédente la première étude globale consacrée à l'œuvre de Maritain et s'est lié d'affection avec le couple, a pris le train pour Paris ce jour-là dans l'espoir d'une rencontre. Il appelle l'hôtel de Bourgogne, où il sait que Jacques et Raïssa sont descendus. « Après un instant d'indécision, raconte-t-il, je fus mis en communication avec Jacques. M'étant présenté, je lui demandai comment ils allaient : "Mal", me répondit-il. Il accepta pourtant de me recevoir à son hôtel le lendemain vers 4 heures de l'après-midi. […] Jacques m'apprit succinctement ce qui était arrivé à Raïssa – mais il était encore trop tôt pour qu'on pût définir son mal [55]. » Au moment d'entrer dans leur chambre d'hôtel, Raïssa s'est effondrée subitement, frappée d'une thrombose cérébrale. Raïssa est transportée quelques jours plus tard au domicile parisien des Grunelius, 36, rue de Varenne. Alors que ses chances de survie ne cessent de s'amenuiser, elle montre un visage de plus en plus lumineux et apaisé, qui bouleverse ses visiteurs. « Vers le soir, note Jacques le 27 août, Raïssa répète plusieurs fois, avec un sourire rayonnant : "Je vais mou-

rir, je vais mourir..." Puis elle dit, pour me consoler :
"C'est pour rire." Après cela elle me dit avoir rêvé, il y
a quelques jours, "que j'allais mourir et faire mon
ascension", et qu'elle était bien contente. "C'est bien,
n'est-ce pas, d'être avec Dieu [56]". » Au neurologue qui
lui fait subir des exercices de mémoire et l'interroge
sur ce qu'elle voudrait « faire en ce moment », cette
malade qui ne quitte plus son lit répond tout de go :
« Docteur, je voudrais danser [57]. » Frappée d'aphasie,
Raïssa s'enfonce bientôt dans le silence. « Dans le
suprême combat où elle était engagée personne ici-
bas n'a pu l'aider, moi pas plus qu'un autre. Elle gardait la paix de son âme, son étonnante lucidité, son
humour, le souci de ses amis, la crainte de peiner
autrui, et son merveilleux sourire, – cet inoubliable
sourire avec lequel elle a dit "merci" au Père Riquet
après l'extrême-onction, – et la bouleversante lumière
de ses admirables yeux ; à ceux qui l'approchaient elle
donnait toujours, – et avec quelle étonnante largesse
silencieuse pendant la grande paix des deux derniers
jours où tout n'était plus que respiration d'amour, – je
ne sais quel impalpable don qui émanait du mystère
dans lequel elle était enfermée. Et pendant tout ce
temps elle a été implacablement détruite, comme à
coups de hache, par ce Dieu qui l'aimait à sa terrible
manière et dont l'amour n'est "doux" qu'au regard des
saints ou de ceux qui ne savent pas ce qu'ils
disent [58]. »

Le matin du 1er novembre, un télégramme télé-
phoné parvient à Henry Bars avec ces quelques mots
en forme d'appel au secours : « Elle va mourir, venez.
Jacques. » Bars est à Paris dès le lendemain. « Il me
semble que c'est Antoinette Grunelius qui m'ouvrit.
Raïssa vivait encore, paisible, mais les yeux fermés
aux choses de ce monde. Je dus revenir plusieurs fois
les jours suivants ; mais je n'étais pas là quand elle

s'éteignit le vendredi 4 novembre en fin de matinée. »
Le père Riquet a assisté Raïssa jusqu'à l'ultime
minute. Le soir du 4 novembre, Jean Cocteau vient
prier dans cette « chambre pleine d'amour et de
mémoire[59] », puis le surlendemain François Mauriac,
qui regarde « avidement ce beau front d'où s'est retirée la pensée, et qui en garde pourtant le rayonnement[60] ».

Après la messe de funérailles à l'église Sainte-Clo-
tilde, le corps de Raïssa est transporté à Kolbsheim,
le 7 novembre. C'est en ce lieu, où elle et Jacques ont
souvent rêvé de se retirer, qu'elle sera inhumée.
« Jacques m'avait demandé de l'accompagner, raconte
Henry Bars. Il prit place lui-même, seul près du
chauffeur, dans le fourgon mortuaire. Dans la voiture
qui suivait se trouvaient Mgr Journet, Mme Grunelius
et moi. À mi-route environ, nous avons fait halte pour
déjeuner dans un restaurant ; Jacques était avec nous
et disait mainte chose précieuse, s'excusant ensuite
– à tort selon moi – de s'être laissé aller. La nuit était
à peu près tombée quand nous sommes arrivés à
Kolbsheim. M. Lexi Grunelius avait fait préparer une
sorte de tapis de fleurs et de feuillages pour couvrir le
cercueil de Raïssa qui fut déposé pour la nuit dans la
chapelle. »

La mort de Raïssa laisse Jacques brisé, disloqué,
selon ses propres mots. Le vieil homme que Julien
Green retrouvera trois semaines plus tard, « si frêle, si
voûté », les yeux brillant toujours de la même impatience, ne doit alors d'être sauvé du désespoir qu'au
sentiment, partagé avec Green, « que Raïssa est heureuse et qu'elle veut que je sois courageux[61] ». Jacques
n'a mis que quelques jours à décider de la suite à donner à sa « pauvre vie ». Il partagera son temps désormais entre Kolbsheim et Toulouse, où les Petits Frères
de Jésus ont accepté de l'accueillir. « Tout en restant

laïque, je me suis mis à leur service, écrit-il à John U. Nef. J'ai besoin d'être protégé contre moi-même [...]. Je tâcherai de vivre un peu de leur vie contemplative, tout en leur donnant quelques conseils [62]. » Mais il lui faut auparavant rentrer à Princeton, afin de « trier nos affaires à tous trois » et « vider cette maison qui était celle de Raïssa [63] ».

La mémoire des anges

> « La fin de l'âme contemplative est de se perdre
> en Dieu, – mais le trop-plein du cœur s'exhale
> en chants et en actes. »
>
> Raïssa MARITAIN
> *Journal de Raïssa.*

« À cause de trois petites malles qui contiennent
les papiers qui me sont les plus chers, manuscrits de
Raïssa, etc, je reviendrai par bateau ; compte arriver
au Havre le 31 janvier, et aller de là en voiture droit à
Kolbsheim avec mes bagages (j'ai horreur de revoir
Paris). Ensuite Toulouse avec les Petits Frères
jusqu'au mois de juin [1]. » Seul dans la maison de Princeton assiégée par la neige, Jacques achève « l'affreux
travail [2] » pour lequel il a dû se résigner à retourner
ici. Il doit embarquer le 26 janvier 1961. Seule sortie
publique à laquelle il consent avant de quitter les
États-Unis, il se rend à Washington pour assister
aux cérémonies inaugurant la présidence de John
Kennedy. « J'y ai été invité par le Président-Elect et
Mrs Kennedy, confie-t-il à Bars. Cette invitation est un
signe d'amitié, au terme de notre long séjour à Princeton où nous trois avons tout donné de nous-mêmes à
ce pays [3]. »

Le « vieil arbre rompu » auquel il se comparera un
soir de 1961 en passant, dans le jardin de Kolbsheim,
devant un cerisier « maltraité par l'orage », mettra plusieurs mois à se ranimer, à reprendre vie quelque peu.

Yves Simon lui parlant de son courage, il proteste doucement : « Vous ne me voyez pas pleurer la nuit[4]. » Mais il semble puiser l'énergie qui le porte encore dans la conscience d'être livré tout entier désormais aux « vents du ciel[5] », de n'avoir plus de patrie que « là où elles sont toutes les deux[6] ». Retiré à Toulouse, il se voudra comme absent du monde, « vieil ermite qui termine sa vie » et ne souhaite plus être dérangé, sans pour autant jamais cesser d'écrire ni même de voyager. Et c'est au moment où son aventure sur la terre lui paraît déjà conclue, au moment où le vieux rebelle a pris le parti d'obéir en entrant dans un monastère, qu'une ferveur nouvelle se ravive bientôt autour de lui et l'arrache à un isolement qu'il n'a jamais tant désiré.

C'est peu après la mort de Raïssa qu'a paru chez Gallimard *La Philosophie morale*, la somme à laquelle il a consacré ses dernières années de travail à Princeton. Examinant tous les grands systèmes de pensée, de Socrate, Platon et Aristote à Hegel, Marx et Kierkegaard en une traversée passionnée de l'univers de l'éthique, Maritain a mêlé à ce livre plus de lui-même que dans le reste de son œuvre philosophique. À la demande de Raïssa, meurtrie à la lecture du manuscrit par des « outrances » et des « amertumes » indignes, à ses yeux, de la philosophie, Jacques a limité cette « intrusion de la subjectivité ». Mais c'est dans *La Philosophie morale* pourtant et dans l'admirable portrait intérieur qu'il livre de Kierkegaard, l'homme singulier « dressé contre le *général* » et « en état de constante protestation contre lui », que l'auteur semble livrer le secret de sa propre destinée. La « plaie cachée » de Kierkegaard, le mal qui fait de lui « un insolite, un extravagant », réside dans cette singularité même. « Ni philosophe au sens strict du mot, – bien que nourri de philosophie, – et pourtant philosophe en tant que penseur laïque ; ni théologien ni prophète (poursuivi par le sentiment des exigences de l'Évangile, et de sa propre indignité, il osait à peine se donner pour un chrétien), et pourtant chevalier de la foi et « témoin de la vérité » à la fin de sa vie, dans sa révolte passionnée contre l'Église établie, ce *poète du religieux*, comme il s'appelait lui-même, est une figure assez complexe et ambiguë pour occuper des générations d'interprètes et justifier leurs discordances. » Et Maritain de se tourner plus directement vers lui-même pour dénoncer, avec plus de véhémence encore que dans sa jeunesse, « le cauchemar de l'hérédité », le poids des morts sur la vie de Kierkegaard comme sur la sienne – la « tristesse noire et la peur » qui lui soufflent à l'oreille que « quoi qu'il fasse les morts auront raison de lui… ». Ce sentiment d'impuissance à « entrer un jour en possession de son vrai nom et de son véritable soi », cette hantise de l'inaccompli, Jacques Maritain les aura portés en lui jusqu'au bout comme une blessure, une fièvre incessante. D'où, peut-être, ce jugement toujours très critique à l'encontre de lui-même, une manière de se tourner en dérision que la disparition de Raïssa rendra plus insistante, plus lancinante encore.

À travers *La Philosophie morale* Maritain prend congé des philosophes autour desquels il a toute sa vie réfléchi, débattu, ses invisibles compagnons de route dans la traversée du siècle. Ici, le temps des controverses laisse place, sans atténuer les divergences, à une longue méditation fraternelle qui se termine par un hommage à Bergson. « Ce dernier chapitre achève la courbe et fait équilibre, j'espère, aux violences de mon premier livre », écrit-il à Bars. Ainsi son œuvre de philosophe paraît-elle retrouver ses sources premières au moment de se conclure.

Malgré le Grand Prix de Littérature qui lui est attribué par l'Académie française en juin 1961, à soixante-dix-neuf ans – « un prix de longévité » dit-il à Gilson [7] –, Maritain considère cette œuvre comme interrompue et sa « longue équipée de Don Quichotte de saint Thomas » comme révolue. « Le mieux pour elle, écrit-il aux responsables de la revue *La Table ronde* qui veulent lui rendre hommage en octobre 1962, est de l'abandonner, comme je fais moi-même, entre les mains de Dieu, qui est maître de l'avenir. » La voix de Jacques Maritain restera obstinément silencieuse, quelque sollicitation qui vienne du dehors, absente et comme démobilisée, n'ayant rien à dire ni sur la guerre en Algérie, ni sur l'émancipation des peuples d'Afrique, ni sur l'URSS, Cuba et les États-Unis. Il ne sort de sa réserve alors que pour saluer le départ d'un ami, ainsi celui d'Yves Simon en juin 1961, ou préfacer un livre sur Bloy. Hormis pour ses amis les plus chers, il a résolu d'arrêter toute correspondance et de condamner sa porte. Qui s'aventure encore à lui écrire reçoit en retour de courrier cette supplique en forme d'avis polycopié : « SVP, faites comme si je ne vivais plus sur cette planète, n'attendez plus de réponse de moi et pardonnez la liberté que je dois maintenant prendre avec beaucoup de regret. »

En mars 1961, Jacques a rejoint les Petits Frères de Jésus, à Toulouse. Son intention n'est pas de se cloîtrer, rappelle-t-il, mais de se retirer du monde. « J'ai grand soif de silence. Je ne suis pas rentré en France pour essayer d'y agir, mais pour m'y préparer à mourir [8]. » Le vieil homme qui arrive à Toulouse brisé, « desséché », n'aspire qu'à suivre, enfin, la voie contemplative où se sont engagées très tôt, « en un don total d'elles-mêmes », Raïssa et Véra. « Il est cruellement atteint, se souvient un des Petits Frères, Maurice Maurin. Il prie longuement. On peut le voir le soir au fond de la chapelle de la Fraternité, à genoux dans un coin, prosterné à même le sol, tache sombre éclairée par la lampe à huile du sanctuaire. Il travaille aussi avec le même acharnement dont il a fait preuve toute sa vie, mais avec grande difficulté car il est fatigué, son cœur est malade [9]. »

Maritain est lié à la Fraternité depuis sa création. « La chose la plus importante, dit-il un jour à Princeton en présentant son fondateur, René Voillaume, à quelques amis, qui se soit passée dans l'Église depuis saint François d'Assise [10]. » Découvrant les écrits du père de Foucauld, Voillaume est bouleversé par son désir d'imiter la vie pauvre et humble de Jésus en Galilée et de définir une règle en ce sens consistant à partager l'existence des plus déshérités sans porter d'habit religieux ni faire de prosélytisme, et adorer le Saint-Sacrement. René Voillaume mettra quatorze ans à obtenir de Rome l'autorisation de fonder un ordre qui poursuive l'œuvre inachevée de l'ermite de Tamanrasset. Chacune des fraternités qui naissent, nombreuses, dans le monde se compose de trois frères, deux d'entre eux exerçant dans le siècle les métiers les plus modestes, le troisième s'occupant de leur maison, elle-même des plus simples. Tous sont adonnés à la vie contemplative. « Je revois encore l'expression du visage de Raïssa, se souvient André Girard. [...] De nous tous, c'était elle la plus émue ce jour-là à Princeton. Je me rappelle aussi que lorsque le Frère Voillaume cessa de parler, plusieurs minutes s'écoulèrent avant que l'un de nous puisse ouvrir la bouche [...]. Chacun de nous prenait conscience qu'il était possible de vivre ainsi dans ce monde. [...] Cette visite commença à influer sur la destinée de chacun de nous et le Frère Voillaume me dit que les Petits Frères de Jésus avaient un besoin immense de l'assistance philosophique d'un homme comme Jacques Maritain et qu'il lui avait demandé de le faire bénéficier de son enseignement [...]. Par leur nature,

Jacques et Raïssa étaient frère et sœur de Jésus, prêts à accepter le qualificatif de "petit"[11]. »

Tout rapproche en effet la vocation des Petits Frères et celle des Maritain, qui dans *Liturgie et Contemplation*, œuvre commune de Raïssa et Jacques, se réfèrent à « la pure solitude du Père de Foucauld » et surtout au cheminement de saint Benoît Labre, « chercheur de Dieu sur les routes de la terre », vivant dans l'indigence totale et la mendicité et quittant son couvent pour prier sur les chemins. Tant Raïssa que Jacques sont très attachés à ce modèle d'apostolat propageant « le témoignage vécu de l'Évangile » et « la simple présence d'amour fraternel au milieu des pauvres et des abandonnés [12] », hors des « grandes forteresses » monastiques. « La visibilité du témoignage qu'ils portent, dira Jacques, c'est le simple fait *d'être là, d'exister avec le peuple des hommes* », à travers les « relations de compagnonnage humain » et de rendre simplement présent dans le monde ce qui fait « la substance même de leur vie – cet amour contemplatif, ce *faire la vérité* par l'amour [...]. La vocation des Petits Frères de Jésus n'est polarisée et particularisée par aucun travail à faire dans l'Église [...], parce qu'elle est placée trop bas pour cela [...]. C'est pourquoi aux évêques qui l'interrogent sur ce que font les Petits Frères de Jésus, le Père Prieur [...] se plaît à répondre qu'ils ne font *rien* [...]. Ils se contentent *d'être là* : en certains points du monde où les hommes ont un terrible besoin d'être aimés par des cœurs voués à la contemplation [13] ».

Le logis des Petits Frères à Toulouse est un ensemble de petits cabanons en bois qu'on appelle le « campus ». Le « home » monastique de Jacques : une chambre à coucher et un bureau, avec deux simples étagères de livres. Un petit poêle, un lavabo. Sur le bureau, une photo de Raïssa. « C'était bien chauffé et

la lumière était bonne », se souvient un visiteur [14], frappé
par la jeunesse et la santé recouvrées du vieil homme
parmi ses nouveaux compagnons de vie, eux-mêmes
débordant de gaieté et stimulés plus encore par sa présence. « À l'évidence, il est pour eux un territoire sans fin
à explorer ; ils le questionnent sans cesse comme font les
enfants avec leurs parents [...]. Jacques leur apporte la
maturité et ils lui donnent leur jeunesse [15]. »

Le travail de Jacques à cette époque est pour
l'essentiel centré sur Raïssa. « Amoureux aussi éperdu
qu'à vingt ans [16] », il exalte sa mémoire avec autant
d'ardeur qu'il en met à se dénigrer, à se déprécier
comme s'il s'agissait pour lui de réparer quelque préju-
dice. « Vous savez que je ne vis que pour elle, écrit-il à
Thomas Merton, et par elle. Elle me parlait longuement, ces dernières années, de l'autre monde. Maintenant j'y suis tout suspendu. Mais il est terriblement
invisible ; que deviendrai-je si elle ne m'aidait [17] ? »
C'est peu de temps après la mort de Raïssa qu'il a
découvert dans ses papiers quatre carnets des années
1906 à 1925, un cahier vert contenant son « journal de
1931 », des notes, des fragments allant de 1939 aux
années de Princeton, des lettres, des ébauches
d'essais... Certaines enveloppes portent la mention :
« Textes à conserver peut-être » ; d'autres : « À revoir
par Jacques ». Découvrant l'intégralité des écrits les
plus intimes de Raïssa, dont il connaissait seulement
l'existence, Jacques est d'autant plus bouleversé que se
révèle à lui toute la vie secrète, la vie cachée de celle
qui « passait avec une aisance et une légèreté extraordi-
dinaires de ces profondes solitudes aux régions éclai-
rées par le commun soleil[18] ». Si proche qu'il ait été de
Raïssa, jamais il n'a eu accès tout à fait à ces « retraites
où vivait son cœur », à cette implacable agonie, ce
dénuement extrême que Dieu lui a imposés sans

relâche. « Pour moi qui ai tant chéri les poèmes de Raïssa, confiera-t-il, et qui ai eu le privilège de les voir naître, – que dis-je, pour moi qui ai été témoin de sa vie et de ses souffrances, – la lecture de ces notes manuscrites [...] a été comme une révélation de ce que je savais déjà et savais très bien mais ne savais qu'avec la frange de futilité inhérente au regard humain. J'en reste désormais comme un peu égaré [19]. »

C'est avec anxiété et au prix d'un « sérieux débat de conscience » qu'il s'interroge alors sur l'éventuelle publication du « journal » de Raïssa. Elle-même s'y fût sans doute refusée, qui n'avait accepté de publier ses poèmes et d'entreprendre *Les Grandes Amitiés* que sous la pression de Jacques et de Véra. Livrer en plein jour les secrets d'une âme si violemment éprouvée, Jacques ne laissera d'en mesurer les risques. Mais tout à la fois l'importance de ce témoignage, « propre à renouveler et vivifier notre approche de certaines vérités éternelles », la volonté de rendre justice à l'apport de Raïssa dans sa vie et son travail de philosophe, enfin le sentiment que, tout ayant été « brisé » par la volonté de Dieu, plus rien désormais ne saurait être gardé « pour soi », finissent par le convaincre que « ce qui a été ainsi vécu doit être connu ». Il opte dans un premier temps pour une édition hors commerce destinée « aux amis qu'elle a aimés ici-bas [...] et aux nouveaux amis qu'elle continue de se faire [20] ». Sous une couverture blanche à lettres bleues, le *Journal de Raïssa* est tiré à trois cents exemplaires. En avril 1962, Jacques établit la liste de ses destinataires, au prix d'une sélection draconienne entre ceux qui « comprendront* » et les autres. À tous il demande la pro-

---

* Les amis sûrs à cet égard étant à ses yeux : Antoinette et Lexi Grunelius, Julien Green, Henry Bars, Mgr Journet, Olivier Lacombe, Jean-Marie de Menasce, Jean Marx, « quelques Petits Frères »...

messe de ne parler ni de montrer « à *personne* » ce *Journal*. Il attend des « quelques amis » qui en recevront un exemplaire « la plus grande discrétion sur ces choses qui sont le secret de l'âme et de Dieu [21] ».

La réaction des premiers lecteurs, et notamment celle des Petits Frères qui se reconnaissent dans l'expérience spirituelle de Raïssa, lui fait envisager une publication élargie. Cette éventualité est accueillie avec réserve par une partie de ses proches qui lui conseillent de retirer au moins du livre la note, qu'il a lui-même rédigée, mentionnant leur « vœu définitif » du 2 octobre 1912. D'abord « surpris et choqué », Jacques finit par se rallier* à « cette prudence humaine qui a raison (puisqu'il paraît que les chrétiens d'aujourd'hui ne comprendraient pas et se scandaliseraient, et qu'ainsi le message de Raïssa serait méconnu) [22] ».

À Thomas Merton**, qui craint que le *Journal* ne soit reçu « avec le ricanement de respect qui a honte de ne pas vouloir aimer ou comprendre » et conseille de le réserver à ceux qui « seront éperdus du même amour [23] », Jacques Maritain répond que ces raisons sont précisément autant de raisons de le publier, de « porter témoignage jusqu'au bout ». « Autrement, comment atteindre les âmes inconnues, dispersées [...] qui ont besoin d'être encouragées à cette vie sous peine de périr. Pour les autres – pour ce monde chrétien tombé beaucoup plus bas que même Bloy ne le pensait – eh bien! oui, il faut accepter d'être exposé aux bêtes. Au fond, c'est le genre de folie que nous avons pratiqué toute notre vie, sans cela nous

---

* C'est à la suite de la suppression de cette note que Jacques Maritain écrira *Amour et Amitié* (*Carnet de notes*), *op. cit.*
** Celui-ci s'occupe alors de la publication aux États-Unis des poèmes de Raïssa.

n'aurions rien fait. Alors cette édition pour le publier sera notre dernière bataille[24]. »

De François Mauriac, le 12 novembre 1962 : « Je n'avais pas compris qui elle était et ce qu'elle était. »

« Pauvre homme occupé à réparer toutes les fautes de sa vie[25] », Jacques Maritain paraît s'être tenu à distance du Concile Vatican II jusqu'à la fin de l'année 1964, où il reçoit à Toulouse deux émissaires du pape. « Que pensez-vous de la convocation du prochain Concile ? lui demandait le cardinal Montini en juillet 1960. Comment voyez-vous la vie de l'Église, en cette période ? Ne venez-vous pas en Europe cette année[26] ? » Le philosophe, qui a résolu de s'éloigner de tout, reste d'autant plus en retrait de l'événement qu'il n'a été associé ni de près ni de loin à sa préparation et moins encore invité à assister, à l'instar de Jean Guitton, comme auditeur aux travaux conciliaires. Le fait est que le Vatican s'abstiendra de faire appel à Jacques Maritain avant la dernière année du Concile.

Outre qu'il n'est pas un familier du successeur de Pie XII, Jean XXIII, l'auteur d'*Humanisme intégral* reste sans doute pour Rome quelque peu entaché de suspicion. En 1956, le philosophe n'a évité que de justesse la condamnation de ses thèses. Une violente campagne est alors orchestrée contre lui par la revue des jésuites romains, *La Civiltà cattolica*, avec en première ligne le redoutable père Antonio Messineo qui s'en prend violemment dans un premier article paru au cours de l'été à l'humanisme maritainien. Un second est sur le point de paraître lorsque Pie XII, qui a toute autorité en ce domaine, décide in extremis de l'interdire. À travers Maritain, c'est aussi Montini qui est visé, dont la position s'est affaiblie au sein de la

Curie. Le futur Paul VI ne s'y trompe pas, qui rend hommage à Maritain devant le deuxième Congrès mondial de l'apostolat des laïcs à Rome en octobre 1957. La controverse, loin de s'apaiser, rebondit au début du pontificat de Jean XXIII. Non moins attachés l'un que l'autre à l'espérance d'une nouvelle chrétienté, à la promotion de la paix dans le monde contre la logique des blocs, et à la défense de l'universalisme, Maritain et Montini ont à faire face aux mêmes détracteurs à l'intérieur du Saint-Siège. « Les adversaires de la pensée de Monsieur Maritain ne désarment pas, signale l'ambassadeur de France près le Saint-Siège, Roland de Margerie ; il y a quelques jours, le cardinal Pizzardo confiait à un prélat de nos amis que préserver les esprits italiens de la contagion des idées du philosophe français demeurait un de ses grands soucis [27]. » Il est question à l'époque de conférer à Maritain le titre de docteur *honoris causa* de l'université catholique de Milan, ce qui provoque de nouvelles controverses.

Le projet de Concile obéit à « deux schémas contraires » dans l'esprit de son initiateur, Jean XXIII. « Le premier était celui de ce qu'on devait appeler l'*aggiornamento*, c'est-à-dire la mise à jour, l'adaptation de l'Église à notre temps, observe Jean Guitton. Et, pour Roncalli, il s'agissait de faire un Concile qui porterait pour la première fois avec pleine raison le nom d'*œcuménique*, puisqu'il travaillerait à "l'œcuménisme". L'autre face du projet était bien différente : le pape envisageait que ce Concile, convoqué en octobre* et fini à Noël, orienterait la théologie dans un sens conservateur [...]. L'originalité du Concile serait de ne pas être dogmatique et de défendre la foi contre des erreurs : ce serait un Concile *pastoral*, qui,

* 1962.

sans rien condamner, exposerait la foi au monde moderne, en la traduisant dans un langage accordé à ses inquiétudes. Il n'inventerait pas une théologie inédite ; il se ressourcerait à la théologie des Pères de l'Église, à l'Évangile. Ce ne serait pas une révolution, mais une révélation : une résurrection de la Tradition par un retour à son Origine [...]. Jean XXIII exprimait cela, en passant sur son visage de vieux paysan lombard sa rude main en disant : "Je veux enlever les rides"[28]. »

Un siècle ou presque après la clôture de Vatican I, Concile de l'anathème contre l'esprit du siècle et du repli sur soi, Vatican II participe d'une volonté tout autre : celle de recentrer l'Église parmi les hommes et les nations, de se référer à l'humanisme chrétien, de mettre en valeur l'activité temporelle des chrétiens dans la vie sociale – thèmes auxquels Jacques Maritain a donné jusqu'alors l'impulsion que l'on sait. Devenu cardinal à la mort de Pie XII et recouvrant par là même toute son influence, Montini s'implique profondément dans la préparation du nouveau Concile. « L'Église ne pensera pas seulement à elle ; elle pensera à toute l'humanité », déclare-t-il. Jean Guitton est frappé par le visage de Montini à l'ouverture du Concile : « Je ne doutais pas qu'il pût devenir le successeur de Jean XXIII : il était entouré de respect et de silence. Il prenait des notes, penché sur son voisin, le cardinal indien. Peut-être préparait-il ce qu'il devait bientôt dire au Concile sur le programme du Concile, sur sa définition de deux Églises : l'Église externe et l'Église interne[29] ? »

Gorgé d'espérances trop longtemps tenues sous le boisseau, le Concile, assez vite, évoque un navire démâté lancé en haute mer. Jean XXIII a juste eu le temps d'arracher l'Église à son inertie et à ses pesanteurs avant de mourir en juin 1963. « Comme il a bien fait de se hâter, écrit Maritain à Thomas Merton. Moi aussi je sais ce que c'est que de courir contre la montre [30]. » Mais la situation du monde chrétien lui apparaît comme « absolument misérable ». Le vieux philosophe vitupère contre « l'engouement général » pour Teilhard de Chardin qui « ne se comprend que trop bien : enfin un christianisme qui permet de s'age-nouiller devant le monde ! Tout le monde y court [31] ». Un bonheur sans mélange toutefois, au milieu de ces nouvelles alarmes : l'élection comme pape du cardinal Montini.

Le début du pontificat de Paul VI et la reprise du Concile sont marqués par l'annonce spectaculaire le 4 décembre 1963 d'un voyage en Terre sainte. Les quelque deux mille pères conciliaires applaudissent la nouvelle à tout rompre. Dans l'esprit de Paul VI, ce premier voyage d'un pape hors de Rome revêt une signification œcuménique. Avant tout soucieux d'engager un dialogue avec le monde, ce pape voya-geur veut être aussi celui du dialogue universel et sans exclusive d'aucune sorte, même avec le monde com-muniste.

Un peu moins d'un an plus tard, alors que les sujets abordés lors des différentes sessions du Concile, sur la liberté religieuse, l'œcuménisme et tout ce qui touche à la réforme de l'Église, suscitent inquiétude chez les uns et impatience chez les autres, et au moment même où ce qu'on appellera « la crise de l'Église » commence à se signaler au grand jour et qu'apparaît une double crise de la foi et du sacerdoce, Paul VI dépêche à Toulouse auprès de Jacques Mari-tain deux émissaires, Jean Guitton et Mgr Pasquale Macchi. « L'entretien marche très bien », note Mari-tain dans son journal le 27 décembre. Ce jour-là il est surtout question de la liberté religieuse et d'un projet d'encyclique sur la vérité – « que je souhaite que le

Pape écrive », note le philosophe –, enfin de l'apostolat laïque. Maritain s'engage à remettre par écrit, dans le courant du mois de mars 1965, ses propres idées sur le sujet. Un message de Mgr Macchi assure le 23 mars que le Saint-Père a bien reçu les quatre mémoranda arrivés de Toulouse et qu'il est en train de les examiner. « Il est bien sûr impossible d'évaluer dans quelle mesure Paul VI en prit véritablement connaissance, observe Philippe Chenaux, et quelle fut leur influence sur sa réflexion propre. Ce qui intéressait au premier chef le pape, c'était le problème de l'homme contemporain et les réponses que le Concile pourrait apporter à ses angoisses et à ses misères. Sur ce point, sa dette intellectuelle à l'égard de Maritain était immense et l'on comprend qu'il ait souhaité connaître son avis en cette heure décisive de l'histoire de l'Église. Les préoccupations du vieux philosophe étaient, elles, plutôt d'ordre doctrinal et spirituel, même dans les textes plus techniques sur la liberté religieuse et les laïques demandés par le Pape [32]. »

Le 26 janvier 1965, Maritain accueille comme une nouvelle formidable la nomination au cardinalat de son ami Charles Journet. Vingt-sept nouveaux cardinaux viennent d'être ordonnés par Paul VI, dont Mgr Duval, archevêque d'Alger et promoteur du dialogue avec les musulmans, et deux évêques de l'« Église du Silence » qui ont subi la captivité dans les pays communistes. « C'est une grande chose pour saint Thomas », écrit Maritain, en saluant la promotion de Charles Journet. La rumeur d'une élévation de Maritain lui-même à la pourpre cardinalice circule alors abondamment à Rome et à Paris, au point d'obliger le philosophe à un démenti. Il ne paraît pas exclu cependant que telle ait été l'intention du pape. Le jour du Consistoire, Charles Journet relate à son ami de Toulouse une audience où le Saint-Père lui a confié

qu'un tel bruit concernant Maritain « était l'exagéra-
tion d'une chose profonde et vraie[33] ». On ignore
quelles démarches ont été esquissées par le Vatican en
direction de l'auteur d'*Humanisme intégral*. Mais rien,
en tout cas, ne prédispose celui-ci à accepter une
fonction qui l'eût placé en contradiction totale avec sa
volonté d'indépendance.

Le 3 septembre 1965 Jacques Maritain est à Kolbsheim, où il travaille sur les épreuves de *L'Intuition
créatrice dans l'art et la poésie*. Ce jour-là Paul VI rend
publique l'encyclique *Mysterium fidéi* consacrée à la
doctrine et au culte de la Sainte Eucharistie. Préoccupé par « certaines options qui troublent les esprits
des fidèles[34] », le Saint-Père a voulu rappeler fermement la doctrine traditionnelle contre les dérives communautaires notamment. « Mgr Baron télégraphie de
Rome, note Maritain, disant qu'il doit me voir de
toute urgence pour matière grave. » En conscience, il
lui paraît impossible de se dérober à cet appel du
pape. Le lendemain Antoinette Grunelius réserve une
place pour lui sur l'avion Lyon-Rome. L'audience avec
le Saint-Père est fixée au 11 septembre. Maritain
reçoit confirmation les jours suivants des « graves
anxiétés » dans lesquelles celui-ci se trouve. « Défec-
tion de beaucoup de prêtres. Mais quoi, c'est du bois
mort, mieux vaut qu'ils tombent. » À Lyon, avant son
départ, Maritain séjourne chez les dominicaines,
« grandes et précieuses flammes d'amour et de
dévouement total à la Vérité ». Le 7, Mgr Baron le
rejoint dans l'après-midi. « C'est le Pape qui le premier
lui a parlé de moi. Absurdement du reste, il voudrait
que j'aie le prix Nobel ! […] Le Pape a dit qu'il ne me
faisait pas signe par crainte de me déranger, mais que
si j'étais là, comme il aimerait me voir, comme il voudrait avoir mes conseils ! (Il se fait des illusions
immenses sur moi, mais c'est une autre affaire, on n'y

peut rien.) André ajoute qu'à son avis moi seul peux lui faire entendre certaines choses – se fier davantage à sa propre autorité, avoir moins peur de peiner les gens. En tout cas je ne veux pas aller là en cachette et jouer à l'Éminence grise[35]. » La meilleure manière de justifier sa présence à Rome lui paraît être de figurer comme auditeur au Concile.

Il arrive à Rome le 10 septembre à 15 h 55. « Le docteur Massa, ami d'André [Baron], nous attend, nous conduit chez les Ursulines qui ont retenu deux chambres dans un petit hôtel voisin. Genre Benoît Labre, très sympathique. André téléphone à Castelgandolfo. Mgr Macchi n'est pas à Rome. Un peu plus tard le second secrétaire du Pape, Mgr Bruno, rappelle André : Audience demain à 5 heures […]. Rome après douze ou dix-huit ans, c'est un monde nouveau qui renvoie brutalement la vieillesse au néant. » Le lendemain, le visiteur incognito, comme il se plaît à dire, rencontre Mgr Macchi, étonné de la suggestion lancée par Mgr Baron d'un éventuel séjour de Jacques Maritain à Rome. C'est là, souligne Macchi, « quelque chose de nouveau ou d'imprévu pour le Saint-Père, mieux vaut en parler après l'audience (je comprends : un séjour de moi ici n'est pas désirable). Un peu glacé par ces admirables salles immenses et sobrement somptueuses, tout ce marbre, tout cet énorme fardeau d'histoire ». Paul VI accueille peu après celui qu'il tient pour [mi] *maestro*, « avec une extraordinaire bonté et affection », observe Maritain. Les deux hommes s'embrassent. Paul VI se dit heureux du seul fait que le philosophe soit venu. Il évoque des souvenirs communs, lui parle de ses livres, d'une « inoubliable soirée au palais Taverna où était donné le *Socrate* de Satie ». Il regrette de ne pouvoir recueillir ses avis sur « telle ou telle occurrence survenue au cours du Concile ». Maritain se rend compte à cet instant-là que le projet de l'associer plus étroitement aux travaux du Concile ne peut en aucun cas aboutir. « On sent qu'il est le Pape, isolé entre le Ciel et la Terre par son divin et souverain mandat. Si André Baron avait eu plus de flair diplomatique, il ne m'aurait pas demandé de venir, aurait compris que ce que lui disait Paul VI n'était que l'expression d'un regret affectueux [...]. Cette visite au Saint-Père, permettant cette grande effusion de tendresse et de confiance, a sans doute sa mystérieuse utilité [...]. Il reste que sur le plan purement humain, ladite visite précipitée a été une "gaffe" plutôt embarrassante pour le Saint-Père. » Mais leur entretien ne laisse rien transparaître de cette maladresse. Paul VI évoque ses projets pour la fin du Concile, il veut adresser des « messages prophétiques », « charismatiques » aux groupes représentatifs du monde contemporain : ouvriers, femmes, pauvres, savants, professeurs (« qui semblent le préoccuper particulièrement », note Maritain). « C'est sa flamme ardente, apostolique, mystique qui est tout engagée là. »

À part lui, Maritain s'avoue « franchement déconcerté », dans son journal de voyage, par « l'impression d'une action éclatante mais purement symbolique, sans nulle efficacité réelle, et d'une sorte d'optimisme incompréhensible ». Il redoute que le pape ne s'illusionne en ce qui concerne les intellectuels, sujet sur lequel il propose d'ailleurs au philosophe de lui faire part de ses réflexions. Paul VI l'invite à assister, à la fin du Concile, à la délivrance des sept messages. Ensemble, ils vont marcher dans des jardins de Castelgandolfo, que Maritain juge « magnifiques et trop riches ». Paul VI récite un *Ave Maria*, évoque la Palestine, Taizé, le cardinal Tisserant... « Il n'y a pas en lui cet aspect crucifié dont on m'avait parlé. Beaucoup de gravité, avec un regard clair et ardent. » Ils s'embrassent de nouveau en se quittant.

À son retour à Paris, la rencontre avec le Saint-Père lui paraîtra « quelque chose de précieux et de béni, et de très précisément voulu par Raïssa ».

Si improvisée qu'ait été en apparence la rencontre de Castelgandolfo, celle-ci a probablement contribué à inspirer l'ultime engagement de Jacques Maritain dans le siècle, cette sorte de retour au monde que sera un an plus tard *Le Paysan de la Garonne*. Tenu à l'écart du Concile, au moment où Jean Guitton est appelé par Paul VI à y prendre la parole, Maritain n'en intervient pas moins à deux reprises auprès du pape pour attirer son attention sur la nécessité, en premier lieu, d'une réprobation publique des crimes commis par les nazis à l'encontre du peuple juif. On se souvient qu'une telle démarche a déjà été tentée en vain par le philosophe, alors ambassadeur de France près le Saint-Siège, sans obtenir davantage de Pie XII qu'une réponse dilatoire. Maritain insiste de nouveau pour que l'Église condamne officiellement le racisme et l'antisémitisme. Malgré l'envoi au Saint-Père de son livre, *Le Mystère d'Israël et autres essais*, en cette année 1965, qui reprend la plupart des grands textes de Jacques Maritain sur la question juive, ce dernier n'obtient qu'en partie gain de cause. Dans un discours, le 28 octobre 1965, Paul VI évoque d'un mot « ceux qu'une parenté en Abraham unit à nous, les Israélites spécialement, objets non certes de réprobation et de défiance, mais de respect, d'amour et d'espérance [36] ». En 1964, Jacques Maritain a regretté que Paul VI n'ait pas déposé lui-même, lors de son voyage en Terre sainte, les six cierges déposés par le cardinal Tisserant en mémoire des six millions de Juifs exterminés. Dans un deuxième document en prévision du message que le pape doit adresser aux intellectuels, le philosophe attire l'attention du Saint-Père sur les moyens pauvres comme méthode de combat temporel. Maritain se réfère ici tout ensemble à Gandhi, Martin Luther King, Dorothy Day et Saul Alinsky. « Il y a là une très grande découverte humaine, écrit-il, dont les chrétiens ont compris l'importance (comme on le voit dans la lutte contre la discrimination raciale menée par les Noirs qui, aux États-Unis, suivent les directives du pasteur M. L. King); et il est probable que dans notre âge de civilisation, où les armes de la science employées à manipuler les masses et à organiser de plus en plus étroitement la terre rendent plus menaçantes les forces qui enchaînent l'être humain, mais où, en même temps, les puissances d'ici-bas sont plus que jamais obligées de tenir compte de l'opinion publique, l'usage des méthodes de non-violence prendra une extension croissante [37]. » Sur ce point, l'intervention de Maritain semble avoir été suivie d'effet, la constitution *Gaudium e spes*, adoptée par le Concile le 7 décembre, faisant un éloge remarqué de l'action non violente.

« L'idée même de toutes ces soutanes au milieu desquelles je vais me trouver à Rome me fait mal au cœur », écrit Maritain dans son journal, le 1er décembre, au moment de se rendre à la cérémonie de clôture du Concile. Le 6, dans l'avion qui le conduit à Rome en compagnie du ministre des Affaires étrangères, Maurice Couve de Murville, et de l'ambassadeur du Chili à Paris, il apprend de Mgr Baron que le message aux « hommes de pensée », c'est à lui, Jacques Maritain, que Paul VI le remettra. Le lendemain, le pape semble déjà rendre hommage au philosophe dans son discours à la dernière séance publique du Concile en célébrant l'avènement d'un « nouvel humanisme », celui de l'« homme vrai », de l'« homme tout entier ». Consécration éclatante pour l'auteur toujours très controversé d'*Humanisme intégral* et qui, un peu moins de dix ans plus tôt, était encore menacé d'une condamnation de Rome.

Le 8 décembre, sur la place Saint-Pierre, les sept messages adressés au monde par le Saint-Père sont lus chacun par un cardinal différent, le message aux hommes de pensée étant confié au cardinal Léger. « Il y a peut-être là une douce ironie voulue par Paul VI, observe Maritain, car c'est le cardinal Léger qui a mal parlé de saint Thomas au Concile. » C'est alors que le vieux philosophe à la silhouette frêle et déliée de sage chinois s'avance sur le parvis de la basilique Saint-Pierre pour recevoir des mains du pape le message aux intellectuels du monde. Paul VI s'est levé à son tour à l'approche de [*mi*] *maestro* pour lui dire quelques mots que Maritain ressent comme « boule-versants » : « L'Église vous est reconnaissante du tra-vail de toute votre vie. » Maritain est trop ému pour retenir les paroles qui suivent. La scène est restée célèbre, diffusée par les télévisions du monde entier. Le vendredi 10, Jacques Maritain est reçu par Paul VI avec Mgr Baron dans ses appartements privés du Vati-can. « Conversation si émouvante, si pleine d'amour paternel, note le philosophe. Comme je lui dis quelle bénédiction cela a été pour moi, après une vie pleine d'oppositions et de combats, il fait allusion au "temps du naturalisme intégral*" désormais bien fini. » Puis le pape lui fait visiter sa chapelle qui vient d'être déco-rée. « La tête me tourne un peu quand je pense à tout le passé, à la conduite providentielle de toutes choses – et à ces derniers événements merveilleux (depuis Castelgandolfo en septembre) et à cette adoption de mon pauvre travail par l'Église, ce qui constitue pour

* Allusion aux accusations portées contre Maritain sous ce titre par ses adversaires de 1956.

moi un formidable renversement, et à cette tendresse du Saint-Père. C'est Raïssa qui a tout fait, sa main était constamment là. "Du haut du ciel" elle a conduit au port le travail du pauvre, vieux et indigne Jacques. Je la remercie, je remercie Jésus de toute mon âme. Et je suis égaré de douleur. »

François Mauriac n'est sans doute pas le seul chrétien à s'être demandé, au milieu des remous de Vatican II, ce qu'en pensait Jacques Maritain. La position de simple observateur qui, de gré ou de force, a été la sienne depuis le début du Concile, son silence au moment où l'évolution de l'Église semble répondre à ses espérances et consacrer l'ensemble de son œuvre, ont contribué à faire du solitaire de Toulouse en 1966 l'homme qui doit parler. Le succès inattendu rencontré par la publication du journal de Raïssa, trois ans plus tôt, le Grand Prix national des Lettres qui lui a été décerné à l'unanimité à l'automne 1963, par un jury composé entre autres de Pierre Emmanuel et Roger Caillois, ont ravivé l'intérêt pour celui qui n'aspire désormais plus qu'à l'anonymat. Mais c'est avant tout le malaise, le trouble croissant provoqué chez eux par les bouleversements de Vatican II qui, de nouveau, incite nombre de catholiques à chercher en Jacques Maritain une conscience. Ainsi le précurseur du Concile incarne-t-il paradoxalement dans le même temps, face au grand remue-ménage déclenché à l'intérieur de l'Église, une sorte de recours spirituel.

Ses propres réserves à l'égard de l'entreprise conciliaire se font jour dès le moment où « cet espèce de lâchez tout » voulu par Jean XXIII semble tourner à la cacophonie. « Une certaine exégèse est devenue folle et stupide, écrit-il à Julien Green en février 1964. Il y a un nouveau modernisme tout fier et guilleret qui me paraît plus grave que du temps de Pie X. (C'était quand même un drôle de spectacle que tous ces évêques du Concile – l'Église enseignante – flanqués chacun d'experts, professeurs érudits et pédants de l'Église enseignée, dont un bon nombre déraille intellectuellement et dont presque aucun n'a de sagesse.) Eh bien, c'est au milieu de ce tohu-bohu que se fait l'œuvre du Saint-Esprit. À mon avis, l'attitude du jeune clergé se comprend très bien, parce que nous sommes en face d'une mentalité générale qui est en progrès certain sur celle du Moyen Âge et de l'époque baroque, mais qui est tout à fait informe et sauvage, aussi violemment déchaînée qu'un raz de marée, et qui, au lieu d'avoir trouvé ses formes normales d'expression intellectuelle, heurte une malheureuse digue élevée par une théologie fidèle mais qui n'a pas su se renouveler (l'intelligence est toujours en retard). Voilà des années que je crie qu'il faut demander à saint Thomas d'ouvrir les portes, et non de les fermer. Mais les théologiens continuent de les fermer [...][38]. »

C'est peu après son retour de Rome, à la fin de l'année 1966, que le « vieux Jacques », comme il aime à dire, se lance dans la rédaction d'un nouveau livre – « quelque chose de très au-dessus de mes forces » confie-t-il encore à Julien Green, et à quoi il n'est pas sûr de pouvoir aboutir –, un livre où il veut « essayer de dire certaines choses que seul un très vieil homme peut dire [...]. Nous sommes dans la pire crise moderniste, poursuit-il. Ce qui n'empêche pas que le Concile ait fait des choses admirables. Et je ne me console pas de voir la laideur et la bêtise introduites (avec le français) dans la liturgie sacrée[39] ». Il ne s'agit pas pour lui de réprouver l'œuvre de Vatican II, loin de là, mais d'alerter l'Église et le monde chrétien sur certaines libres interprétations du Concile. En avril 1966, quittant publiquement pour la première fois le silence dans lequel il a résolu de vivre, Jacques Maritain participe à la *Rencontre des cultures sous le signe de la coopération et de la paix* organisée par l'Unesco et dont le maître d'œuvre a été Mgr Benelli, nouveau représentant du Saint-Siège auprès de l'organisation. L'intervention à la tribune du philosophe confère à cette rencontre œcuménique une densité particulière. Maritain a choisi de parler des « conditions spirituelles du progrès et de la paix ». D'une voix incisive et douce, il rappelle que l'amour fraternel est la « condition absolument première » de la sauvegarde de la paix et de la construction de la communauté des nations. La source de cet amour réside dans « la vie de prière contemplative et d'union à Dieu » : « Une invisible constellation d'âmes adonnées à la vie contemplative, je dis *dans le monde lui-même, au sein même du monde*, voilà en définitive notre ultime raison d'espérer. » Le message de Paul VI s'inscrit d'autant mieux en cette circonstance dans la ligne du Concile que se vérifient ici ses propres intuitions. Dans *Le Paysan de la Garonne*, qui paraît chez Desclée de Brouwer six mois plus tard, il rend grâces de nouveau à tout ce qui a été « décrété et accompli » par Vatican II, mais s'en prend avec une grande vivacité aux excès d'une volonté de « temporalisation du christianisme » dans « certains cercles dits « intellectuels ». Ce sont directement Teilhard de Chardin et ses émules qui sont ici visés, atteints d'une « fièvre néo-moderniste fort contagieuse, écrit-il [...] auprès de laquelle le modernisme du temps de Pie X n'était qu'un modeste rhume des foins ».

« Ce *Paysan* [...] sera mon dernier livre, déclare-t-il à Bars – le dernier témoignage du petit troupeau de Meudon [40]. » Une sorte de testament, ajoute-t-il. Livre rocailleux comme son titre, livre de passion, de colère et d'amour, à l'image de la longue vie de ce paysan du monde, livre-bilan où le retour sur soi consiste, non à se raconter, mais plutôt à « réviser, compléter [41] » ce qui est « derrière » soi, *Le Paysan de la Garonne* est sans doute le livre de Jacques Maritain le moins construit, le moins retenu. Le plus libre de ton et d'allure, aussi emporté et mordant qu'un ouvrage de jeunesse. « On dirait que votre *Paysan* vous a rapproché de nous », lui écrira Julien Green [42].

Au risque de paraître faire le jeu de l'adversaire et de voir se dresser contre lui, une fois encore, les intégrismes de tous bords, le « vieux laïque » trace sa propre route sans précautions ni calculs d'aucune sorte. Certains de ses disciples déploreront ici « une position de retrait et de désenchantement [43] » qui contredit à leurs yeux ce qu'*Humanisme intégral* a contribué à mettre en route. Inversement, les adversaires les plus constants du philosophe depuis 1936 saluent non sans ironie ce qu'ils interprètent comme une révision de ses thèses. « C'est une stupidité et une calomnie, s'indignera Maritain ; je tiens plus que jamais à toutes les positions d'*Humanisme intégral*, c'est de la crise actuellement subie par l'intelligence et par la foi que je m'occupe dans *Le Paysan* (crise beaucoup plus grave que bien des clercs ne veulent le voir) [44]. » Henry Bars souligne dans la *Revue thomiste* la cohérence de la pensée et de l'action du philosophe, d'*Humanisme intégral* au *Paysan de la Garonne*, l'un et l'autre n'étant qu'une même réponse apportée au malaise des chrétiens, aux difficultés de leurs conditions temporelles, un même « effort pour découvrir et élaborer un équipement intellectuel » qui se fonde en même temps sur la doctrine de saint Thomas et sur l'ajustement de celle-ci aux problèmes du temps. « Le malheur, c'est que nombre de partisans de l'humanisme intégral se préoccupent apparemment fort peu de cet équipement-là », souligne Bars. Une série d'interprétations contradictoires ont abouti à faire de cet humanisme « un cocktail dont le triomphalisme de l'après-Concile nous a permis de goûter la saveur ».

En préambule, Maritain rappelle qu'« un paysan du Danube (ou de la Garonne) est, comme on sait, un homme qui met les pieds dans le plat, ou qui *appelle les choses par leur nom* ». Il commence par exulter de voir désormais accompli « le grand renversement en vertu duquel ce ne sont plus les choses humaines qui prennent charge de défendre les choses divines, mais les choses divines qui s'offrent à défendre les choses humaines ». En 1966 comme trente ans plus tôt, c'est le spectacle de la confusion des esprits qui fait sortir de ses gonds le vieil insurgé. Cette confusion n'a cessé d'empirer à ses yeux : « Mais le plus grave, c'est que les mots "droite" et "gauche" n'ont plus seulement un sens politique et social ; ils ont pris aussi et surtout, du moins dans le monde chrétien, un sens religieux. De là les pires embrouillages [...]. Pour désigner deux vastes courants dont l'intelligibilité est si mal établie et implique une telle confusion d'aspects, on ne peut se tirer d'affaire qu'en construisant une sorte d'archétype [...]. Pour désigner l'archétype de l'extrémiste de gauche, je dirais donc : les Moutons de Panurge ; et pour désigner l'archétype de l'extrémiste de droite, je dirais : les Ruminants de la Sainte Alliance*. [...] Il faut reconnaître en outre que dans le zèle des uns et des autres le service de la pure vérité n'a pas le premier rang. Ce qui émeut les Ruminants de la Sainte-Alliance, ce sont avant tout les alarmes de la Prudence : barrer la route à des dangers menaçants,

---

* Note de Jacques Maritain dans le texte : « Les moutons ruminent aussi, je le sais, mais des rêves à venir. »

fermer les portes, ériger des digues. Ce qui émeut les Moutons de Panurge, c'est avant tout le Respect humain : faire comme tout le monde, du moins comme tous les gens qui ne sont pas des fossiles. [...]

« La grande masse du peuple chrétien semble indifférente aux efforts de ces deux minorités. Elle est malheureuse et troublée parce qu'elle sent que quelque chose de grand se prépare et qu'elle ne sait comment y participer. Elle tâtonne, se prête docilement à des essais de groupement souvent décevants ; elle se plie volontiers (non parfois sans regrets chez quelques vieux passionnés de la beauté dans l'Église) à l'usage de la langue vulgaire dans les cérémonies religieuses, mais se plaint des traductions misérables qu'on lui fait réciter, comme du désordre (momentané sans doute) consécutif aux innovations liturgiques, se demande à certains moments si on lui a changé sa religion, et aura peine à se satisfaire longtemps avec les veillées de patronage, les disques et les petites chansons dont les initiatives de certains curés agrémentent les célébrations communautaires. Surtout elle souffre d'une grande soif à laquelle personne n'a l'air de faire attention... »

En fait, *Le Paysan de la Garonne* ne constitue pas une étape nouvelle dans l'œuvre de Jacques Maritain, ni le tournant régressif que droite et gauche voudront y voir, chacun pour son propre compte. À quatre-vingt-quatre ans le philosophe ne fait rien d'autre que s'ancrer davantage en ses « certitudes primordiales », selon la formule de Bars. Il reste plus que jamais le sourcier des vérités captives. « Alors, ce qu'il faut avant tout et toujours dire aux hommes, conclut-il, c'est d'aimer Dieu, – de savoir qu'il est l'Amour et de se fier jusqu'à la fin à son Amour [...]. Il faut délivrer les âmes de ce sentiment d'inimitié qu'elles éprouvent (passivement et activement) à l'égard de Dieu si elles le voient dans l'appareil des lois qui leur est une image ennemie de l'amour – et qui masque le vrai visage de Dieu [...]. L'amour *donne par-dessus* la Loi. L'amour crée la confiance, – la liberté d'esprit, – l'égalité, – la familiarité. »

Sa vocation de philosophe a-t-elle tout à fait « obnubilé », comme il l'affirme, ses « possibilités d'agitateur » ? Les passions soulevées par le retour en force du desperado suffisent à prouver le contraire : le « vieil enragé de vérité [45] », l'« anar » à casquette de chasseur et foulard de soie réussit bien au-delà de ses espérances à agiter l'opinion, à interpeller les consciences et perturber le règne des idées dominantes.

Jamais sans doute livre de Jacques Maritain n'a connu succès plus fulgurant ni paru plus efficace dans la technique du traitement de choc. L'un des premiers à réagir est François Mauriac. Entre le paysan de la Garonne et le paysan de Guyenne, s'est établie dans le grand âge une sorte de connivence affectueuse où se mêlent admiration et gratitude réciproques, une savoureuse complicité de survivants qui n'ont pas désarmé, d'adolescents d'autrefois cheminant de concert dans la déchirante beauté d'un crépuscule d'hiver, sur quelque route du Midi, entre terre des Landes et pays cathare. « C'est de Maritain que je suis envieux, confiait l'auteur du *Bloc-Notes* au moment où son ami venait de rejoindre les Petits Frères, c'est avec lui que je voudrais être. Mais cette fin-là se mérite, elle se paie de toute une vie sanctifiée depuis la jeunesse. » Le 28 octobre 1966, comme trente ans plus tôt aux heures les plus tragiques de la guerre d'Espagne, François Mauriac vient prêter main forte à son vieux compère dans l'art de la subversion pieuse.

« Avez-vous reçu *Le Paysan de la Garonne* ? » demande François Mauriac à Jean Guitton lors d'une séance du dictionnaire à l'Académie. Guitton assure qu'il boit ce livre « comme du lait » et Mauriac de répondre avec élan : « Moi aussi ! » Dans le *Bloc-Notes*, le romancier prend fait et cause pour Jacques Maritain : « Cette vérité dont nous avons faim et soif : cette vérité, cette foi, elle nous est restituée ici comme à travers un filtre, rendue à sa pureté originelle. L'admirable, chez Maritain, c'est qu'aucun lecteur, de quelque bord qu'il soit, ne pourrait le taxer de progressisme, cela va de soi, mais non plus d'intégrisme. Il ne penche d'aucun côté. [...] Je pense à l'âge de Maritain. "La sainte jeunesse" disait Baudelaire. Et certes il avait raison. Oui, la "sainte enfance", oui, la "sainte jeunesse", mais le vieillard, quand il échappe à certaine diminution, quand il se tient dépouillé, ou plutôt quand il s'agenouille (Maritain est d'une génération qui se mettait volontiers à genoux) la face tournée vers l'éternité, il a part déjà à la possession de son amour[46]. » Quelques jours plus tard les deux hommes se revoient, pour la première fois depuis la mort de Raïssa : « Il est incroyablement le même, rapporte Mauriac : il a l'âge de son âme et il en a aussi l'aspect – s'il y a un aspect de l'invisible ! C'est elle que l'on voit, que l'on écoute – cette âme, dont je sais bien qu'il vaudrait mieux aujourd'hui ne pas parler [...]. Nous parlions à bâtons rompus et je songeais à cet admirable destin, à ce long cheminement dans la lumière, depuis l'adolescence anarchique et la tentation du suicide jusqu'à ce dépouillement de l'extrême soir[47]. » Maritain lui écrit de Toulouse peu après : « Merci de tout ce que vous avez dit de l'âme en termes si irrécusables. Oui (et c'est pourquoi tant d'âmes vous aiment, François) vous avez toujours cru à l'âme et vous l'avez cherchée toute votre vie. Les pauvres crétins qui font les malins en la jetant à la poubelle s'imaginent comprendre l'homme, ils ne savent pas que l'homme est incompréhensible parce que son âme est à l'image de Dieu, l'Incompréhensible. On devine l'homme, on le surprend – c'est ce que vous avez passé votre temps à faire, en cherchant l'âme. Ceux qui croient comprendre l'homme avec leur science sont forcés d'aboutir à ce "l'homme est mort" que leurs philosophes déclarent aujourd'hui [48]. »

Une des lettres les plus admiratives lui vient du général de Gaulle. Sans doute les deux hommes ne se sont-ils jamais revus depuis leur rencontre à New York et Paris en 1944, distance dont leur relation n'a jamais été altérée. « *Le Paysan de la Garonne* est une somme, lui écrit le président de la République. J'admire, autant que jamais, l'envergure et la profondeur de votre pensée, la rigueur de votre sentiment, l'ardeur de votre foi. D'autant plus que chez vous, la pensée, le sentiment, la foi, sont nourris d'une science et de connaissances merveilleusement et inlassablement élaborées mais, comme j'en perçois la lumière et la chaleur, je vous en remercie du fond de mon âme [49]. »

L'Église a accueilli la dernière salve maritainienne par un silence comme stupéfait, avant de répliquer. Dans *Témoignage chrétien*, le père Piot dénonce le jugement de Maritain comme une « malhonnêteté » et ironise sur « l'âge déjà avancé » d'un homme dépassé par le développement même de son œuvre. Plus ambigu, le père Congar s'inquiète que ce cri d'alarme soit ignoré de ceux auxquels il s'adresse et détourné par les autres à leur profit. Dans son livre, *Vieillards de chrétienté et Chrétiens de l'an 2000*, Jean-Marie Paupert brocarde la paranoïa de ce « vieil arbre sec, tout poudré de frimas, dont les branches craquent et grincent aux vents du monde et qui voudrait être une forêt : la grande forêt de la nouvelle chrétienté [50] ».

« En France, ça devient une tempête et une vraie bataille, écrit Maritain en février 1967 à Jean-Marie de Menasce. Le cardinal Journet a publié dans *Nova* *et Vetera* un article admirablement élogieux ; *L'Express* (journal très laïque) un excellent article, très drôle, de Georges Suffert ; *Témoignage chrétien* me déclare sénile ; le dernier numéro des *Études* contient un article venimeux et admirablement calomniateur [...]. En général le haut clergé et les RRPP* commencent à s'inquiéter sérieusement, non pas du livre (dont ils se fichent), mais de son succès ahurissant (je suis le premier ahuri – on a dépassé le 60e mille, et dans le thermomètre du succès littéraire publié chaque semaine dans *L'Express*, *Le Paysan* vient à quelques degrés au-dessous de Simone de Beauvoir) [51]. »

Une réaction manque : celle du pape, auquel Maritain a adressé son livre en faisant appel à son « indulgence ». Selon Jean Guitton, Paul VI a estimé l'ouvrage « un peu trop sombre [52] ». Le Vatican ne donnera tout à fait son approbation à la traduction en italien du *Paysan* qu'en avril 1968, au moment où, la dynamique conciliaire s'essoufflant, le « vieux laïque invétéré » commence de nouveau à faire figure de précurseur.

Galvanisé par ce déferlement inattendu, le philosophe n'a qu'une hâte cependant : s'extraire de tout ce bruit, s'enfouir dans le travail, publier un ouvrage en gestation depuis 1964, où il livrera « les opinions privées d'un philosophe chrétien – parvenu à l'âge où l'on délire un petit peu » sur sa propre lecture de l'Évangile (*De la Grâce et de l'Humanité de Jésus*, Desclée de Brouwer, 1967), préparer la publication de ses œuvres complètes. « À bout de forces » et comme inépuisable pourtant, il apparaît à Dominique de Roux en novembre 1967, lors d'un déjeuner à Paris où il sera question d'un éventuel numéro des *Cahiers de l'Herne* consacré à ce « cher kamikaze [53] », « doux, joli, creusé, duveteux, mais résistant comme un fil de fer », et

* Les Révérends Pères.

tirant « sur une énorme bouffarde où brûlait un entier paquet de tabac gris » tel un vieux loup de mer sur lequel les passants se retournent.

À l'automne 1966, peu avant la publication du *Paysan de la Garonne*, Jacques Maritain a voulu se rendre une dernière fois aux États-Unis. « Moi qui ne rêve jamais, j'ai rêvé cette nuit que vous m'accompagniez à Princeton », glisse-t-il un an plus tôt à son ami Elisabeth Fourest, chez laquelle il a l'habitude de descendre lors de ses passages à Paris, entre Kolbsheim et Toulouse. Il rêve d'aller dire adieu à tous ses amis. « C'est ainsi que nous sommes arrivés à Princeton le 30 septembre 1966, raconte Elisabeth Fourest [...]. Nous devons habiter au 26 Linden Lane, dans la maison même des Maritain que Jacques a laissée à ses amis Lourié après la mort de Raïssa [...]. Il me montre le divan : Raïssa s'y asseyait en coin, à droite, et là, la tête un peu inclinée, elle recevait ses amis [...]. Au soir de sa première journée, Jacques n'est plus le voyageur errant, l'être angélique qui n'a d'attaches qu'au ciel ; non, il est un vieil homme assailli par des souvenirs bien-aimés, un homme qui a vécu là un quotidien béni et se retrouve seul. Dans sa chambre, étendu très pâle, les yeux fermés dans la demi-obscurité, il chante doucement l'un des petits cantiques de Raïssa [...]. Nous sommes allés au cimetière où se trouve la tombe de Véra. Nous l'avons cherchée longtemps. Parmi les pierres blanches posées sur l'herbe, la longue silhouette toute courbée d'un Jacques éperdu, bouleversé à l'idée qu'on aurait pu toucher à cette tombe [...]. Il s'adresse alors, d'un air dur, terrifiant à une petite religieuse qui n'en peut mais. Nous finissons par retrouver la tombe, devant laquelle, angoissé, tendu, Jacques murmure : "J'avais peur de venir ici. J'ai souvent eu ce cauchemar à Toulouse, toujours le même : on a bazardé la tombe de

Véra." [...] Jacques est une marmite en ébullition qui fait sauter son couvercle avec des vapeurs sifflantes au moins deux fois par jour. On s'échappe au Texas pour saluer un des amis les plus aimés du philosophe, l'écrivain John Howard Griffin, auteur du best-seller, *Dans la peau d'un Noir*. De là, on gagne le Kentucky pour retrouver Thomas Merton au monastère de Gethsemani. Merton nous lit ses poèmes. Puis il nous fait entendre un disque des chansons de Bob Dylan qu'il considère comme un grand poète, un Villon moderne. [...] Quelle étrange scène que tous ces hommes écoutant au monastère de Gethsemani la voix expressive et dure d'un jeune poète révolté. Jacques aime particulièrement "The Gates of Heaven". Je revois Merton nous lisant ses œuvres avec feu, tandis que Jacques écoute, la tête penchée, la pipe à la bouche, assis au coin du feu, son plaid sur les genoux [...]. L'après-midi de ce même jour, Tom nous amène près d'un petit lac [...]. Jacques, adossé au tronc mince d'un jeune arbre, un rayon de soleil effleurant ses cheveux, me dit la tristesse qui l'envahit à l'idée du temps qui passe : ces heures merveilleuses s'achèvent : qu'en restera-t-il ? Merton s'approche, qui a surpris ces derniers mots, et dit : "Tout ce qui est beau et bon reste dans l'éternité." – "Oui", murmure Jacques pensivement [54]. »

En juillet 1970, Jacques Maritain adresse une lettre aux Petits Frères de Jésus pour leur annoncer son entrée parmi eux. Son noviciat commencera en octobre « sous la conduite du cher Frère Heinz [55] ». Sa « longue équipée de Don Quichotte de saint Thomas » vient de prendre fin, estime-t-il, avec l'achèvement de son dernier livre, à paraître dans quelques mois, *De l'Église du Christ, la personne de l'Église et son personnel*, libre méditation d'un « vieux solitaire aidé dans sa faiblesse par celle qui a toujours inspiré son travail », sur la mission de l'Église dans le monde et son magistère infaillible, ultime rappel des vérités essentielles dont il ne doute pas qu'elles déplaisent une fois de plus à tout le monde ou presque.

Il n'est pas loin de ses quatre-vingt-huit ans, ce « vieux bonhomme de philosophe », lorsqu'il s'apprête à devenir « tout simplement Jacques, écrit le prieur de la Fraternité, René Page, un Petit Frère parmi les autres et qui est encore prêt à tout ». À Henry Bars, le 27 septembre 1970 : « Tu prieras pour moi, qui en ai toujours fait à ma tête et qui ai grand désir de finir mes jours dans l'obéissance religieuse. » Il souhaite que sa décision reste confidentielle.

Arrivé au terme de son exode, toutes frontières franchies, Jacques Maritain partagera désormais la vie de ses derniers compagnons de route. Il dispose d'un petit appartement, avec une porte ouvrant sur l'extérieur qui lui permet de recevoir encore – de jeunes visiteurs, le plus souvent. Il partage ses repas avec les Petits Frères et échange avec eux sur leur vie et tout ce qui se passe dans le monde. L'après-midi, il se rend à la chapelle. « Lui, il nous faisait part de ses lectures et des "petites idées" » qui lui étaient venues en diverses occasions, petites idées qui étaient parfois des germes pour un article ou une causerie [...]. Ses journées étaient bien ordonnées et bien remplies [...]. Il y avait aussi les longs moments de "rêvasserie", comme il disait en fumant sa pipe, et les visites de quelques Frères ou amis. Ce rythme de vie n'a guère changé jusqu'à la fin [...]. Les dernières années, il a souffert beaucoup d'une mauvaise digestion et il s'affaiblissait un peu, par paliers [...]. Pourtant, il luttait tout ce qu'il pouvait : par exemple, les vingt mètres qui séparent notre baraque de la chapelle lui prenaient un quart d'heure de marche, avec des arrêts fréquents et ce n'est que les derniers mois qu'il avait accepté de se faire aider à marcher. C'était à la fois beau de le voir ainsi, toque sur la tête, canne à la main, tunique au vent, mais inquiétant aussi car il risquait de tomber, ce qui lui est arrivé quelquefois, pas en route, mais à l'arrivée et au départ [56]. »

En mars 1973, Jacques se plaint de douleurs persistantes dans les jambes, ses mains sont gonflées. Il ne peut plus aller à la messe. Les Petits Frères doivent louer un fauteuil roulant. Le 11 avril, Jacques est condamné à rester au lit, continuant néanmoins à travailler. Le 19, jour du Jeudi saint, on lui donne la communion et le sacrement des malades. Il se rendra à la messe le dimanche suivant, jour de Pâques, pour la dernière fois. Le samedi 28 avril, il se lève comme à l'ordinaire. Au Petit Frère qui l'a aidé, il dit simplement « merci ». Il est environ 7 heures du matin. Il s'affaisse peu après, pris d'une syncope. Trois Petits Frères sont autour de lui qui appellent aussitôt le docteur. Celui-ci confirme le décès de Jacques à 7 h 30.

Son corps est transporté à Kolbsheim par les Petits Frères de Jésus. C'est dans ce village que Raïssa repose depuis 1960. Jacques a souhaité que la cérémonie se déroule dans la seule intimité de ses proches, mais une centaine de personnes sont malgré tout présentes. Le cardinal Journet lit trois textes de Maritain dans la chapelle du château. Il y a là le père Voillaume, Mgr Baron, Olivier Lacombe, Mgr Macchi, spécialement délégué par Paul VI. « Après la levée du corps, le cortège se mit en marche à travers le petit village baigné d'un soleil printanier, se souvient Jean Daniélou. Le cimetière était rempli de jonquilles, de tulipes, de myosotis. C'était déjà le paradis tel que l'a peint l'Angelico. Des anges auraient passé que nul n'en aurait été étonné [57]. »

Sur la stèle en grès des Vosges, un simple prénom, en lettres plus petites, vient s'ajouter sous le nom de Raïssa Maritain en lettres capitales : *et Jacques.*

Notes

PREMIÈRE PARTIE

Les desperados

UNE ENFANCE PERDUE

1. Avertissement au *Journal de Raïssa*, Paris, Desclée de Brouwer, 1963.

2. Lettre à Thomas Merton, 12 octobre 1962, Archives Maritain, Kolbsheim.

3. Lettre à John H. Griffin, 26 septembre 1967, Archives Maritain, Kolbsheim.

4. *Court traité de l'existence et de l'existant*, Paris, Hartmann, 1947.

5. Raïssa et Jacques Maritain, *Liturgie et Contemplation*.

6. *La Philosophie morale*, Paris, Gallimard, 1960.

7. *Ibid*.

8. Lettre à Ernest Psichari, 2 juin 1900, Archives Psichari, musée Renan-Shaeffer.

9. *Carnet de notes*, Paris, Desclée de Brouwer, 1965.

10. « Souvenirs sur mon oncle », *Cahiers Jacques Maritain* n° 2, mai 1981.

11. Jean Lacouture, *Jésuites*, tome I : *Les Conquérants*, Paris, Le Seuil, 1991.

12. Maurice Reclus, *Jules Favre*, Paris, Hachette, 1912.

13. Paul Maritain, *Jules Favre. Mélanges politiques, judiciaires et littéraires*, Paris, Arthur Rousseau, 1882.

14. Charles-Antoine Perrod, *Jules Favre*, La Manufacture, 1986.

15. Geneviève Favre, Souvenirs inédits, Archives Maritain, Kolbsheim.

16. Dossier Paul Maritain, Archives Maritain, Kolbsheim.

17. Cité par Janine Garrisson, *L'Homme protestant*, Paris, Hachette, 1980.

18. D'après les souvenirs de Henriette Psichari, *Des jours et des hommes*, Paris, Grasset, 1962.

19. Correspondance Geneviève Favre-Jacques Maritain, Archives Maritain, Kolbsheim.

20. Geneviève Favre, *op. cit.*

21. Ferdinand Buisson, cité par J. Garrisson.

22. Vladimir Ghika.

23. *Carnet de notes, op. cit.*

L'ÉTRANGÈRE

1. « Lettre à un Juif chrétien, 1967 », *Cahiers Jacques Maritain* n° 23, octobre 1991.

2. *Carnet de notes, op. cit.*

3. *Ibid.*

4. *Les Grandes Amitiés*, Paris, Desclée de Brouwer, 1949.

5. *Chagall ou l'Orage enchanté*, Genève/Paris, Éditions des Trois Collines, 1948.

6. *Les Grandes Amitiés, op. cit.*

7. Souvenirs inédits de Raïssa Maritain, Archives Maritain, Kolbsheim.

8. *Carnet de notes, op. cit.*

9. *Les Grandes Amitiés, op. cit.*

10. *Ibid.*

11. *Ibid.*

CONFIANCE À L'INCONNU

1. *Carnet de notes, op. cit.*

2. *Ibid.*

3. *Ibid.*

4. Correspondance Bâton, Archives Maritain, Kolbsheim.

5. Cité par Raïssa Maritain dans *Les Grandes Amitiés, op. cit.*

6. Cité par Jacques Maritain dans *Antimoderne*, Paris, Éditions de la Revue des Jeunes, 1922.

7. *Antimoderne, op. cit.*

8. *Ibid.*

9. *Ibid.*

10. Correspondance Psichari-Maritain, *op. cit.*

11. *Ibid.*

12. Lettre à Ernest Psichari, 3 août 1899, *op. cit.*

13. *Ibid.*

14. Lettre à Ernest Psichari, 28 juillet 1899, *op. cit.*

15. Henriette Psichari, *Les Convertis de la Belle Époque*, Paris, Éditions rationalistes, 1971.

16. *Antimoderne, op. cit.*

17. Archives du Concours général.

18. Lettre à Ernest Psichari, 21 septembre 1900, *op. cit.*

19. *Les Grandes Amitiés, op. cit.*

20. Lettre à Ernest Psichari, 13 janvier 1901, *op. cit.*

21. *Ibid.*

22. *Carnet de notes. Vieux souvenirs, 1901-1902, op. cit.*

23. Lettre à Ernest Psichari, 20 août 1901, *op. cit.*

24. Lettre à Ernest Psichari, 23 novembre 1901, *op. cit.*

25. *Les Grandes Amitiés, op. cit.*

26. *Ibid.*

27. *Ibid.*

28. *Correspondance Péguy-Jacques Maritain, L'Amitié Charles Péguy*, n° 176-177, avril-mai 1972.

29. Robert Debré, *L'Honneur de vivre*, Paris, Hermann, 1974.

30. *Les Grandes Amitiés, op. cit.*

31. *Ibid.*

32. *Ibid.*

33. *Ibid.*

34. *Carnet de notes, op. cit.*

LA VIOLENCE ET LA GRÂCE

1. Lettre à Ernest Psichari, 13 août 1902, *op. cit.*

2. Lettre à Ernest Psichari, 10 septembre 1902, *op. cit.*

3. *Antimoderne*, chap. V, *op. cit.*

4. Lettre du père Garrigou-Lagrange au père Ambroise Gardeil, 6 mai 1904. Archives Maritain, Kolbsheim.

5. *Les Grandes Amitiés, op. cit.*

6. *Carnet de notes, op. cit.*

7. Maurice Reclus, « Souvenirs sur Péguy », *La Revue des Deux Mondes* n° 13, Paris, 1er et 15 juillet 1950.

8. *Correspondance Geneviève Favre-Charles Péguy, L'Amitié Charles Péguy* n° 65, janvier-mars 1994.

9. Robert Burac, *Charles Péguy*, Paris, Robert Laffont, 1994.

10. *Ibid.*

11. *Ibid.*

12. *Quelques pages sur Léon Bloy*, Paris, L'Artisan du Livre, 1927.

13. *Ibid.*

14. *Ibid.*

15. Cité par Raïssa Maritain in *Les Grandes Amitiés*, *op. cit.*

16. *Ibid.*

17. *Les Grandes Amitiés*, *op. cit.*

18. *Ibid.*

19. *Ibid.*

20. Léon Bloy, *Le Pèlerin de l'Absolu*.

21. *Quelques pages sur Léon Bloy*, *op. cit.*

22. « Léon Bloy » in *Nova et Vetera*, mai-juin 1968.

23. « Récit de ma conversion » in *Cahiers Jacques Maritain* n° 7-8, septembre 1983.

24. *Quelques pages sur Léon Bloy*, *op. cit.*

25. Léon Bloy, *Lettres à ses filleuls : Jacques Maritain et Pierre van der Meer de Walcheren*, Paris, Stock, 1928.

26. Léon Bloy, *Le Pèlerin de l'Absolu*.

27. Léon Bloy, *Lettres à ses filleuls…*, *op. cit.*

28. *Ibid.*

29. *Ibid.*

30. *Ibid.*

31. *Carnet de notes*, *op. cit.*

32. *Les Grandes Amitiés*, *op. cit.*

33. *Carnet de notes*, *op. cit.*

34. *Léon Bloy, Lettres à ses filleuls…*, *op. cit.*

35. Jean Lacouture, *Une adolescence dans le siècle, Jacques Rivière et la NRF*, Paris, Le Seuil, 1994.

36. Léon Bloy, *Lettres à ses filleuls…*, *op. cit.*

37. Cité par Raïssa Maritain, *Les Grandes Amitiés*, *op. cit.*

38. *Les Grandes Amitiés*, *op. cit.*

39. *Carnet de notes*, *op. cit.*

40. Cité par Raïssa Maritain, *Les Grandes Amitiés*, *op. cit.*

41. *Les Grandes Amitiés*, *op. cit.*

42. « Le néo-vitalisme en Allemagne et le darwinisme », *Revue de philosophie XVII* n° 9-10, septembre-octobre 1910.

43. *Les Grandes Amitiés*, *op. cit.*

44. *Carnet de notes*, *op. cit.*

45. Léon Bloy, *Lettres à ses filleuls…*, *op. cit.*

46. Lettre de Jacques Maritain à Léon Bloy, 20 janvier 1907. Archives Maritain, Kolbsheim.

47. *Carnet de notes*, *op. cit.*

48. *Les Grandes Amitiés*, *op. cit.*

49. Geneviève Favre, Souvenirs inédits, *op. cit.*

50. Lettre à Ernest Psichari. Correspondance Ernest Psichari-Geneviève Favre, musée Renan-Scheffer.

51. Lettre à Ernest Psichari, 24 décembre 1906, *op. cit.*

52. Lettre de E. Roubanovitch, 27 juillet 1907, Archives Maritain, Kolbsheim.

53. Geneviève Favre, « Souvenirs sur Péguy (1903-1914) », *Revue Europe* n° 182-183-184, Paris, 1938.

54. Cité par Robert Burac, *op. cit.*

55. Charles Péguy à Jacques Maritain, 24 mai 1907. *Correspondance Péguy-Jacques Maritain*, *L'Amitié Charles Péguy* n° 176, avril 1972.

56. Lettre à Charles Péguy, 31 mai 1907. *Correspondance Péguy-Jacques Maritain*, *op. cit.*

57. Lettre à Charles Péguy, 17 février 1910. Cité par Robert Burac, *op. cit.*

58. Pie Duployé, *La Religion de Péguy*, Klincksieck, 1965.

59. *Carnet de notes*, *op. cit.*

60. Lettre à Geneviève Favre, 9 mars 1937, Archives Maritain, Kolbsheim.

61. *Les Grandes Amitiés*, *op. cit.*

62. Avant-propos à *Correspondance Charles Péguy-Jacques Maritain*, *op. cit.*

63. Cité par Robert Burac, *op. cit.*

64. *Correspondance Charles Péguy-Jacques Maritain*, *op. cit.*

65. *Carnet de notes*, *op. cit.*

66. Cité par Robert Burac, *op. cit.*

67. *Ibid.*

68. Cité par Robert Burac, *op. cit.*

69. Correspondance Geneviève Favre-Ernest Psichari, *op. cit.*

70. Correspondance Jacques Maritain-Ernest Psichari, Archives du musée Renan-Schaeffer.

71. Cité par Raïssa Maritain, *Les Grandes Amitiés*, *op. cit.*

72. Cité par Henri Massis, *Notre ami Psichari*, Paris, Flammarion, 1936.

73. Raïssa Maritain, *Les Grandes Amitiés*, *op. cit.*

74. *Ibid.*

75. *Ibid.*

76. Cité par Robert Burac, *op. cit.*

77. Marcel Péguy, *Le Destin de Charles Péguy*, Paris, Librairie Académique Perrin, 1946.

78. *Carnet de notes*, *op. cit.*

79. Raïssa Maritain, *Les Grandes Amitiés*, *op. cit.*

80. Cité par Raïssa Maritain, *op. cit.*

81. Lettre à Geneviève Favre, 12 juillet 1937, Archives J. et R. Maritain, Kolbsheim.

82. Jérôme et Jean Tharaud, *Notre cher Péguy*, 2 vol., Paris, Plon, 1946.

83. *Correspondance Charles Péguy-Jacques Maritain*, *op. cit.*

84. *Carnet de notes*, *op. cit.*

85. Raïssa Maritain, *Les Grandes Amitiés*, *op. cit.*

86. *Ibid.*

87. Préface au *Mystère de l'Église* de H. Clérissac, *Œuvres complètes* de J. et R. Maritain, *op. cit.*

88. *Ibid.*

89. *Ibid.*

90. *Ibid.*

UN PONT LÉGER JETÉ SUR L'ABÎME

1. *Cahiers Jacques Maritain* n° 2, mai 1981.

2. Lettre à Henry Bars, 27 avril 1968. *Cahiers Jacques Maritain* n° 28.

3. Camille Marbo, *À travers deux siècles. Souvenirs et rencontres (1883-1967)*, Paris, Grasset, 1968.

4. Julien Green, *Frère François*, Paris, Le Seuil, 1983.

5. *Carnet de notes*, *op. cit.*

6. *Ibid.*

7. « Le centenaire de Raïssa », *Cahiers Jacques Maritain* n° 7-8, septembre 1983.

8. *Journal de Raïssa*, *op. cit.*

9. *Ibid.*

10. *Carnet de notes*, *op. cit.*

11. Préface au livre du R.P. Humbert Clérissac, *op. cit.*

12. *Carnet de notes*, *op. cit.*

13. *Ibid.*

14. *Antimoderne*, *op. cit.*

15. *La Philosophie bergsonienne*, Paris, Marcel Rivière et Cie, 1914.

16. Cité par Michel Cagin. Mémoire en cours, Archives J. et R. Maritain, Kolbsheim.

17. *Ibid.*

18. *Le Paysan de la Garonne*, Paris, Desclée de Brouwer, 1966.

19. *De Bergson à Thomas d'Aquin*, New York, Éditions de la Maison française, 1944.

20. *Le Docteur angélique*, Paris, Desclée de Brouwer, 1930.

21. *Ibid.*

22. *Ibid.*

23. *Ibid.*

24. *Les Grandes Amitiés*, op. cit.

25. Henri Massis, *Maurras et notre temps*, Paris, Plon, 1961.

26. Cité par Yves Chiron, *La Vie de Maurras*, Paris, Perrin, 1991.

27. *Les Grandes Amitiés*, op. cit.

28. *Carnet de notes*, op. cit.

29. *Ibid.*

30. Cité par Michel Cagin, *op. cit.*

31. Léon Bloy, *Lettre à ses filleuls…*, op. cit.

32. *Les Grandes Amitiés*, op. cit.

33. *Carnet de notes*, op. cit.

34. *Cahiers Jacques Maritain* n° 12,

35. Georges Rouault à André Suarès. Cité par Nora Passenti Ghiglia, in *Jacques Maritain et ses contemporains*, Paris, Desclée de Brouwer, 1991.

36. *Les Grandes Amitiés*, op. cit.

37. *Journal de Raïssa*, op. cit.

38. Claude Aveline, *Moi par un autre*, Paris, Pierre Bordas et Fils, 1988.

39. Joseph Nedava, « Relation entre Absalon Feirberg et Jacques Maritain », revue *Keshet*, Tel Aviv, 1973.

40. Avertissement au *Journal de Raïssa*, op. cit.

41. Ernest Psichari, *Lettres du Centurion*.

42. *Ibid.*

43. *Ibid.*

44. Agathon, *Les Jeunes gens d'aujourd'hui*, Paris, Plon, 1913.

45. *Les Grandes Amitiés*, op. cit.

46. *Carnet de notes*, op. cit.

47. *Ibid.*

48. René Mougel, « À propos du mariage des Maritain », *Cahiers Jacques Maritain* n° 22, juin 1991.

49. André Vauchel, *Les Laïcs au Moyen Âge. Pratiques et expériences religieuses*, Paris, Cerf, 1987.

50. Henri Massis, *L'Honneur de servir*, Paris, Plon, 1935.

51. Cité par Michel Toda, *Henri Massis, un témoin de la droite intellectuelle*, Paris, La Table Ronde, 1987.

52. *Les Grandes Amitiés*, op. cit.

53. Cité par Raïssa Maritain in *Les Grandes Amitiés*, op. cit.

54. Lettre à Ernest Psichari, 18 août 1912. Correspondance Psichari-Maritain, *op. cit.*

55. Ernest Psichari, *Lettres du Centurion*, Paris, Louis Conard, 1923.

56. Cité par Raïssa Maritain in *Les Grandes Amitiés*, op. cit.

57. Lettre de Geneviève Favre à Romain Rolland.

58. Henri Massis, *Notre ami Psichari*, op. cit.

59. *Correspondance Geneviève Favre-Ernest Psichari*, op. cit.

60. Eveline Garnier, *Souvenirs sur mon oncle*, op. cit.

61. Henri Massis, *Notre ami Psichari*, op. cit.

62. *Ibid.*

63. Cité par Henri Massis, *Notre ami Psichari*, op. cit.

64. Lettre à Jean de Puniet, 12 décembre 1913, Archives Maritain, Kolbsheim.

65. *Ibid.*

66. Lettre à Jean de Puniet, 17 janvier 1914, Archives Maritain, Kolbsheim.

67. Cité par Michel Cagin, *op. cit.*

68. *Ibid.*

69. *Ibid.*

70. Lettre à Ernest Psichari, 5 juillet 1914. Correspondance Jacques Maritain-Ernest Psichari, *op. cit.*

71. Correspondance Geneviève Favre-Jacques Maritain, Archives Maritain, Kolbsheim.

72. *Ibid.*

73. *Les Grandes Amitiés*, op. cit.

74. Cité par Robert Burac, *op. cit.*

75. *Ibid.*

76. *Les Grandes Amitiés*, op. cit.

77. *Le Rôle de l'Allemagne dans la philosophie moderne. Œuvres complètes* de J. et R. Maritain, vol. 1, 1906-1920. Fribourg/Paris, Éditions Universitaires Fribourg, Éditions Saint-Paul, 1986.

78. *Carnet de notes*, op. cit.

79. Cité par Michel Cagin, *op. cit.*

80. *Ibid.*

81. *Carnet de notes*, op. cit.

82. *Journal de Raïssa*, op. cit.

83. *Ibid*.

84. *Ibid*.

85. *Ibid*.

86. Cité par Raïssa Maritain, *Les Grandes Amitiés*, op. cit.

87. *Carnet de notes*, op. cit.

88. *Ibid*.

DEUXIÈME PARTIE

Et plus libre sera le jeu

LES HÔTES DE RAÏSSA

1. *Journal de Raïssa*, op. cit.

2. *Ibid*.

3. Archives Jacques Maritain, Kolbsheim.

4. *Journal de Raïssa*, op. cit.

5. *Ibid*.

6. *Ibid*.

7. Raïssa Maritain, *Jours de soleil en France*, Les Œuvres nouvelles, Montréal, Éditions de la Maison française, 1943.

8. Lettre à Ernest Psichari, 3 août 1899. Correspondance Psichari-Renan, *op. cit.*

9. *Les Grandes Amitiés*, op. cit.

10. *Journal de Raïssa*, op. cit.

11. *Frontières de la poésie*, Rouart et Fils, Paris, 1935.

12. Cité par Charles Blanchet in *Jacques Maritain face à la modernité*, Actes du Colloque de Cerisy, Toulouse, Presses Universitaires du Mirail, 1995.

13. *Réponse à Jean Cocteau*, Paris, Librairie Stock, 1926.

14. *Art et Scolastique*, Paris, À l'Art catholique, 1920.

15. Lettre à Philippe Bénéton, 11 juillet 1971, Archives Maritain, Kolbsheim.

16. *Correspondance Henry Bars-Jacques Maritain*, op. cit.

17. Lettre à Henry Bars, 30 novembre 1958. *Correspondance Henry Bars-Jacques Maritain*, op. cit.

18. Henri Massis, *Maurras et notre temps*, tome I, Paris, La Palatine, 1951.

19. *Les Grandes Amitiés*, *op. cit.*

20. Lettre à Gaëtan Bernouville, citée dans le volume I des *Œuvres complètes* de Jacques et Raïssa Maritain. Fribourg-Paris, Éditions Universitaires de Fribourg et Éditions Saint-Paul, 1986.

21. Cité par Jean Lacouture in *Une adolescence dans le siècle. Jacques Rivière et la NRF*, *op. cit.*

22. Cité par Jacques Maritain, *Carnet de notes*, *op. cit.*

23. *Carnet de notes*, *op. cit.*

24. Henri Massis cité par Michel Toda, *Henri Massis, un témoin de la droite intellectuelle*, *op. cit.*

25. Cité par Michel Cagin, *op. cit.*

26. *Ibid.*

27. Rapporté par Jacques Maritain à Henry Bars. *Correspondance*, *op. cit.*

28. *Carnet de notes*, *op. cit.*

29. *Carnet de notes*, *op. cit.*

30. *Réponse à Jean Cocteau*, *op. cit.*

31. *Ibid.*

32. *Ibid.*

33. *Carnet de notes*, *op. cit.*

34. *Ibid.*

35. Lettre à Charles Journet, 4 novembre 1920. Correspondance Cardinal Journet-Jacques Maritain, Archives Maritain, Kolbsheim.

36. *Carnet de notes*, *op. cit.*

37. Eveline Garnier, « Souvenirs sur mon oncle », *op. cit.*

38. *Réponse à Jean Cocteau*, *op. cit.*

39. Cité par Philippe Chenaux, *Le Milieu Maritain*, Cahiers de l'IHTP n°20, 1992.

40. *Ibid.*

41. Avant-propos à *Antimoderne*, *op. cit.*

42. Yves R. Simon.

43. *Carnet de notes*, *op. cit.*

44. Cité par Michel Cagin in « Jacques Maritain et les artistes », *Cahiers Jacques Maritain* n° 27, décembre 1993.

45. Préface à la seconde édition de *La Philosophie bergsonienne*, mai 1929.

46. *Ibid.*

47. *Réponse à Jean Cocteau*, *op. cit.*

48. *Ibid.*

Friday, July 5th ~ 7:30 p.m.

Justin Johnson and
Microwave Dave & the Nukes

This concert, one day after the fourth of July, will celebrate a uniquely American instrument, the cigar box guitar. Multi-instrumentalist and award winning blues slide guitar player Justin Johnson has become widely known for his captivat-  ing solo performances and styles spanning the spectrum from blues, rock, funk, surf, and gypsy jazz to traditional jazz and world music. He will be headlining a cigar box festival in England this fall. Dave Gallaher is known for his stunning cigar box solos, and his band the Nukes is an Alabama institution. They have performed on NPR and have released several critically acclaimed CD's and tour regularly from Florida to the East Coast. Microwave Dave and Justin are excited about getting to perform together at this show, this will be a great way to kick off your holiday weekend!

concert sponsored by

Let's Go to CAMP!

CAMP Days 9am-2pm with Extended Day Options!

Join us this summer for SIX weeks of exciting Nature Rangers Summer Camps!

Treasure Trails - June 3 - 7

Farm-Tasia - June 10 - 14

Hey Diddle Diddle - June 17 - 21
with HSO Symphony School

Rabbit Hole Theater - June 24 - 28
with Ars Nova School of the Arts

Creepy Crawlies - July 8 - 12

Magic Mountain - July 15 -19

*Join us for three weeks of camp and receive a $40 discount on your fourth week!

Burritt Summer Camps offer unique day camp programs for children who have completed Kindergarten - 5th grade. Each camp centers on hands-on learning activities while providing hours of fun. Campers will be divided into age-appropriate groups and activities will be tailored to each developmental level.

for pricing and CAMP details visit...
www.burrittonthemountain.com

49. Victor Crastel, *L'Explosion surréaliste*, cité par Pierre Daix, *Aragon*, Paris, Flammarion, 1994.

50. *Art et Scolastique*, annexe I, *op. cit.*

51. *Ibid.*

52. « Une heure avec MM. Jacques Maritain et Henri Massis », *Les Nouvelles Littéraires*, 2ᵉ année, n° 52, 13 octobre 1923.

53. Correspondance Cardinal Journet-Jacques Maritain, *op. cit.*

54. André Gide, *Journal 1889-1939*, Paris, Gallimard, 1951.

55. François Mauriac, *Bloc-notes*, tome III, Paris, Le Seuil, 1993.

56. Julien Green, *Souvenirs de 1925*, *Œuvres complètes*, III, La Pléiade, Paris, Gallimard, 1973.

57. *Carnet de notes*, *op. cit.*

58. Gabriel Sarraute, « Un témoignage sur Severini et Maritain », *Nova et Vetera* n° 3, juillet-septembre 1987.

59. Olivier Lacombe, lettre à Jacques Maritain, 25 juillet 1963, publiée en annexe au *Journal de Raïssa*, *op. cit.*

60. *Carnet de notes*, *op. cit.*

61. Helen Iswolsky, *Au temps de la lumière*, Montréal, Éditions de l'Arbre, 1945.

62. *Carnet de notes*, *op. cit.*

63. *Ibid.*

64. Lettre à Charles Journet, 16 août 1922. Correspondance Cardinal Journet-Jacques Maritain, *op. cit.*

65. Préface à *Apôtre et Mystique : le Père Lamy* de Paul Biver, *Œuvres complètes* de Jacques et Raïssa Maritain, vol. V, Paris-Fribourg, Éditions Universitaires de Fribourg-Éditions Saint-Paul, 1982.

66. *Journal de Raïssa*, *op. cit.*

67. François Mauriac, *Bloc-notes*, 18 juin 1970. Paris, Le Seuil, 1993.

68. François Mauriac, *Nouveaux Mémoires intérieurs*, Paris, Flammarion, 1965.

DIEU OU JEAN COCTEAU ?

1. Cité par Edmonde Charles-Roux in *L'Irrégulière ou mon itinéraire Chanel*, Paris, Grasset, 1974.

2. Francis Steegmuller, *Cocteau*, Paris, Buchet-Chastel, 1973.

3. *Réponse à Jean Cocteau*, *op. cit.*

4. Jean Cocteau, *Lettre à Jacques Maritain*, *op. cit.*

5. *Réponse à Jean Cocteau, op. cit.*

6. *Correspondance Jean Cocteau-Jacques Maritain, 1923-1963*, Paris, Gallimard, 1993.

7. *Réponse à Jean Cocteau, op. cit.*

8. Jean Cocteau, *Lettre à Jacques Maritain, op. cit.*

9. *Ibid.*

10. François Mauriac, *Journal d'un homme de trente ans*, Paris, Egloff, 1948.

11. Jean Cocteau, *Lettre à Jacques Maritain, op. cit.*

12. Citée par Henri Massis, *Au long d'une vie*, Paris, Plon, 1967.

13. Correspondance Max Jacob-Jacques Maritain, Archives Maritain, Kolbsheim.

14. Cité par Nadia Odouard, *Les Années folles de Raymond Radiguet*, Paris, Seghers, 1973.

15. Jean Cocteau, *Lettre à Jacques Maritain, op. cit.*

16. *Ibid.*

17. *Réponse à Jean Cocteau, op. cit.*

18. Lettre de Jean Cocteau à Jacques Maritain, août 1924, *Correspondance, op. cit.*

19. *Correspondance Jean Cocteau-Jacques Maritain, op. cit.*

20. *Réflexions sur l'intelligence et sa vie propre*, Paris, Nouvelle Librairie nationale, 1924.

21. *Journal de Raïssa, op. cit.*

22. *Ibid.*

23. *Ibid.*

24. François Mauriac, *Bloc-notes*, Paris, Le Seuil, 1993.

25. François Mauriac, *Ce que je crois*, Paris, Bernard Grasset, 1962.

26. Avertissement au *Journal de Raïssa, op. cit.*

27. *Ibid.*

28. Lettre à Jean-Pierre Altermann, 8 novembre 1928. Correspondance Altermann-Maritain, Archives Maritain, Kolbsheim.

29. *Réponse à Jean Cocteau, op. cit.*

30. *Ibid.*

31. Cité par Michel Cagin, « Jacques Maritain et les artistes », *Jacques Maritain face à la modernité*, Toulouse, Presses Universitaires du Mirail, 1995.

32. « L'Apologétique de Jacques Rivière », *La Revue Universelle* XXVI, n° 7, 1er juillet 1926. *Œuvres complètes de Jacques et Raïssa Maritain*, vol. III, *op. cit.*

33. Jacques Rivière, cité par Jean Lacouture, *Une adolescence du siècle, op. cit.*

34. Lettre à Charles Journet, 2 juin 1925, Correspondance Cardinal Journet-Jacques Maritain, *op. cit.*

35. *Le Roseau d'or*, décembre 1925.

36. Présentation de la collection. Premier numéro de *Chroniques*, décembre 1925.

37. *Ibid.*

38. Lettre à Joseph Delteil, 10 mai 1925, *Une mauvaise critique. Œuvres complètes de Jacques et Raïssa Maritain*, vol. III, *op. cit.*

39. *Une mauvaise critique, op. cit.*

40. *Carnet de notes, op. cit.*

41. Nicolas Berdiaev, *Essai d'autobiographie spirituelle*, Paris, Buchet Chastel, 1958.

42. *Ibid.*

43. *Réponse à Jean Cocteau, op. cit.*

44. *Correspondance Cocteau-Maritain, op. cit.*

45. *Ibid.*

46. *Ibid.*

47. *Lettre à Jacques Maritain, op. cit.*

48. *Réponse à Jean Cocteau, op. cit.*

49. François Mauriac, *Bloc-Notes 1961-1964, op. cit.*

50. *Une grande amitié, Correspondance Jacques Maritain-Julien Green*, Paris, Plon.

51. *Avertissement au « Journal de Raïssa », op. cit.*

52. *Lettre à Jacques Maritain, op. cit.*

53. Maurice Sachs, *La Décade de l'illusion*, Paris, Gallimard, 1950.

54. *Réponse à Jean Cocteau, op. cit.*

55. Francis Steegmuller, *op. cit.*

56. André Masson cité par E. Charles-Roux, *L'Irrégulière, op. cit.*

57. Pierre Reverdy, *Le Livre de bord*, cité par E. Charles-Roux, *op. cit.*

58. Correspondance Reverdy-Maritain, Archives Jacques et Raïssa Maritain, Kolbsheim.

59. Préface à *Apôtre et mystique : le Père Lamy, op. cit.*

60. *Réponse à Jean Cocteau, op. cit.*

61. *Ibid.*

62. *Journal de Raïssa, op. cit.*

63. *Ibid.*

64. Maurice Sachs, *Le Sabbat*, *op. cit.*

65. *Ibid.*

66. Cité par Henri Raczymow in *Maurice Sachs ou les travaux forcés de la frivolité*, Paris, Gallimard, 1988.

67. Maurice Sachs, *Le Sabbat*, *op. cit.*

68. Cité par H. Raczymow, *op. cit.*

69. *Ibid.*

70. Maurice Sachs, *Le Sabbat*, *op. cit.*

71. Maurice Sachs, cité par H. Raczymow, *op. cit.*

72. Maurice Sachs, *Le Sabbat*, *op. cit.*

73. *Ibid.*

74. Cité par H. Raczymow, *op. cit.*

75. Maurice Sachs, *Le Sabbat*, *op. cit.*

76. Cité par H. Raczymow, *op. cit.*

77. *Ibid.*

78. Maurice Sachs, *Le Sabbat*, *op. cit.*

79. Correspondance Maurice Sachs-Jacques et Raïssa Maritain, Archives Maritain, Kolbsheim.

80. Lettre de Maurice Sachs à Jacques Maritain, 29 juillet 1925, *op. cit.*

81. Maurice Sachs, *Le Sabbat*, *op. cit.*

82. Lettre de Raïssa Maritain à Maurice Sachs, 11 août 1925, *op. cit.*

83. *Journal de Raïssa*, *op. cit.*

84. Raïssa Maritain à Jean Cocteau, 14 juillet 1926, *Correspondance Jean Cocteau-Jacques Maritain*, *op. cit.*

85. Lettre de Raïssa Maritain à Maurice Sachs, le 16 août 1925, Archives Maritain, Kolbsheim.

86. Maurice Sachs, *Le Sabbat*, *op. cit.*

87. Cité par F. Steegmuller, *op. cit.*

88. Lettre de Raïssa Maritain à Jean Cocteau, 7 septembre 1925, *Correspondance Jean Cocteau-Jacques Maritain*, *op. cit.*

89. Lettre de Maurice Sachs à R. et J. Maritain, 3 octobre 1925, Correspondance Sachs-Maritain, Archives Maritain, Kolbsheim.

90. Lettre à Jean Cocteau, 1er octobre 1926, *Correspondance*, *op. cit.*

91. Correspondance Raïssa Maritain-Maurice Sachs, *op. cit.*

92. *Ibid.*

93. *Réponse à Jean Cocteau*, *op. cit.*

94. *Correspondance Jean Cocteau-Jacques Maritain*, *op. cit.*

95. Jean Cocteau à Jacques Maritain, 9 septembre 1925, *Correspondance, op. cit.*

96. Raïssa Maritain à Jean Cocteau, 7 septembre 1925, *ibid.*

97. Jean Cocteau à Raïssa Maritain, 9 septembre 1925, *ibid.*

98. Jean Cocteau à Raïssa Maritain, 15 septembre 1926, *ibid.*

99. Jean Cocteau à Jacques Maritain, 1er février 1926, *ibid.*

100. Lettre à Jean Cocteau, 26 février 1926, *ibid.*

101. Jean Cocteau à Jacques Maritain, 3 mars 1926, *ibid.*

102. F. Steigmuller, *Cocteau, op. cit.*

103. *Lettre à Jacques Maritain, op. cit.*

104. *Réponse à Jean Cocteau, op. cit.*

105. *Lettre à Jacques Maritain, op. cit.*

106. *Cahiers Jacques Maritain* n° 1, 23 octobre 1980.

107. *Bloc-Notes*, 3 juillet 1964, *op. cit.*

108. Lettre de François Mauriac à Jacques Maritain, 14 mai 1926, Archives Maritain, Kolbsheim.

109. *Études*, tome 188. Juillet-août-septembre 1926.

110. Lettre sans date à Charles Journet, Correspondance, *op. cit.*

LE BRUIT DES SOURCES CACHÉES

1. Présentation de la collection « Les Îles », *Le Courrier des Îles*, 1, Paris, Desclée de Brouwer, 1932.

2. *Réponse à Jean Cocteau, op. cit.*

3. *Le Courrier des îles, op. cit.*

4. Jean-Pierre Maxence, *Histoire de dix ans, 1927-1937*, Paris, Gallimard, 1939.

5. Stanislas Fumet, *Histoire de Dieu dans ma vie*, Paris, Fayard, 1980.

6. Paul Claudel, *Journal I, 1904-1932*, « Bibliothèque de la Pléiade », Paris, Gallimard, 1968.

7. *Un génie catholique*, Préface au livre de Jacques Maritain, *Le Génie de Paul Claudel*. Paris, Desclée de Brouwer, 1933.

8. *Ibid.*

9. Cité par Jean Lacouture, *Une adolescence du siècle, Jacques Rivière et la N.R.F., op. cit.*

10. Cité par Michel Bressolette, *Jacques Maritain et le Roseau d'or, op. cit.*

11. *Carnet de notes, op. cit.*

12. Lettre de Georges Bernanos à Henri Massis, citée par Philippe Le Touzé, *Jacques Maritain et Georges Bernanos, une amitié difficile, Jacques Maritain et ses Contemporains, op. cit.*

13. Cité par Philippe Le Touzé, *op. cit.*

14. Cité par William Bush, *Genèse et Structure de « Sous le soleil de Satan » d'après le manuscrit de scrupules de Maritain et autocensure de Bernanos,* Paris, Minard, 1968.

15. Lettre de Georges Bernanos à Jacques Maritain, 13 février 1926. *Correspondance de Georges Bernanos* recueillie par Albert Béguin, t. I : *1904-1034,* Paris, Plon, 1971.

16. *Correspondance de Georges Bernanos, op. cit.*

17. William Bush, *op. cit.*

18. Cité par Michel Bressolette, *Maritain et le Roseau d'or, op. cit.*

19. *Le Figaro,* 22 juillet 1993.

20. Lettre à Julien Green, 29 juin 1927, *Une grande amitié, op. cit.*

21. Henry Bars, « L'amitié de Jacques Maritain et de Julien Green », *Cahiers Jacques Maritain,* vol. 1, 23 octobre 1980.

22. Préface à *Pamphlet contre les catholiques de France,* de Julien Green, Paris, Plon, 1963.

23. *Ibid.*

24. *Une grande amitié, op. cit.*

25. *Une grande amitié, op. cit.*

26. *Cahiers Jacques Maritain,* vol. 1, *op. cit.*

27. *Une grande amitié, op. cit.*

28. Lettre à Julien Green, 7 juillet 1926, *Une grande amitié, op. cit.*

29. Lettre à Julien Green, 21 août 1926, *ibid.*

30. *Ibid.*

31. *Une grande amitié, op. cit.*

32. *Ibid.*

33. Lettre de René Crevel à Jacques Maritain, 9 avril 1926. Cité par Michel Cagin, « Jacques Maritain et les artistes », *Cahiers Jacques Maritain,* n° 27, décembre 1993.

34. Dédicace par René Crevel à Jacques Maritain de *La Mort difficile.* Cité par Michel Cagin, *op. cit.*

35. Klaus Mann, *Le Tournant,* Paris, Solin, 1984.

36. Michel Carassou, *René Crevel,* Paris, Fayard, 1989.

37. Lettre de René Crevel à Jacques Maritain, 9 avril 1926, *op. cit.*

38. Lettre à René Crevel, Pâques 1926. Cité par Michel Cagin, *op. cit.*

39. Cité par Michel Carassou, *op. cit.*

40. Archives Jacques Maritain, Kolbsheim.

41. Cité par Michel Cagin, *op. cit.*

42. Avertissement au *Journal de Raïssa*, *op. cit.*

43. *Ibid.*

44. Raïssa Maritain, *Journal de Raïssa*, *op. cit.*

45. Maurice Sachs, *Le Sabbat*, *op. cit.*

46. Correspondance inédite Maurice Sachs-Jacques et Raïssa Maritain. Archives Maritain, Kolbsheim.

47. Cité par Henri Raczymow, *Maurice Sachs*, *op. cit.*

48. *Le Sabbat*, *op. cit.*

49. Lettre à Maurice Sachs, 1ᵉʳ octobre 1926. Archives Maritain, Kolbsheim.

50. Lettre à Jean Cocteau, 10 octobre 1926. *Correspondance Jean Cocteau-Jacques Maritain*, *op. cit.*

51. Lettre de Maurice Sachs à Jacques Maritain, 5 novembre 1926. Correspondance inédite Maurice Sachs-Jacques Maritain, *op. cit.*

52. Cité par Henri Raczymow, *op. cit.*

RETOUR DE ROME

1. Henry Bars, *Maritain en notre temps*, Paris, Grasset, 1959.

2. Lettre à Henry Bars, 30 novembre 1958. *Correspondance Henry Bars-Jacques Maritain*, *op. cit.*

3. *Les Grandes amitiés*, *op. cit.*

4. *Une opinion sur Charles Maurras et le devoir des catholiques*, Paris, Librairie Plon, 1926.

5. Cité par Philippe Bénéton, *Jacques Maritain et l'« Action Française »*, *op. cit.*

6. Philippe Bénéton, *op. cit.*

7. *Antimoderne*, *op. cit.*

8. *Théonas*, cité par Philippe Bénéton, *op. cit.*

9. *Art et Scolastique*, cité par Philippe Bénéton, *op. cit.*

10. Philippe Bénéton, *op. cit.*

11. *Carnet de notes*, *op. cit.*

12. Philippe Bénéton, *op. cit.*

13. Note parue en annexe à *Primauté du spirituel*, Paris Librairie Plon, 1927.

14. Lettre à Henri Massis, 10 septembre 1926. Correspondance inédite Henri Massis-Jacques Maritain. Archives Maritain, Kolbsheim.

15. *Carnet de Notes*, op. cit.

16. Correspondance Cardinal Journet-Jacques Maritain, *op. cit.*

17. Cité par Yves Chiron, *La Vie de Maurras*, op. cit.

18. *Ibid*.

19. *Œuvres complètes de Jacques et Raïssa Maritain*, vol. III, *op. cit.*

20. Cité par Yves Chiron, *op. cit.*

21. Lettre à Henri Massis, 24 décembre 1926. Correspondance Massis-Maritain, *op. cit.*

22. *Œuvres complètes de Jacques et Raïssa Maritain*, *op. cit.*

23. *Les Grandes Amitiés*, op. cit.

24. *Ibid*.

25. *Primauté du spirituel*, Paris, Plon.

26. *Religion et Culture*, Paris, Desclée de Brouwer, 1930.

27. Lettre à Charles Journet, 17 janvier 1927. Correspondance Cardinal Journet-Jacques Maritain, *op. cit.*

28. Lettre de Charles Journet à Jacques Maritain, 18 janvier 1927. Correspondance Cardinal Journet-Jacques Maritain, *op. cit.*

29. Henry Bars, *Maritain en notre temps*, op. cit.

30. *Du régime temporel et de la liberté*, Paris, Desclée de Brouwer, 1933.

31. Cité par Philippe Bénéton, *op. cit.*

32. *Ibid*.

33. Cité par Philippe Le Touzé, *Jacques Maritain et Georges Bernanos*, op. cit.

34. Henri Massis, *Maurras en notre temps*, op. cit.

35. Carnets inédits. Archives Maritain, Kolbsheim.

36. *Primauté du Spirituel*, op. cit.

LE PLUS TROUBLE DE NOUS-MÊME

1. *Frontières de la poésie*, Paris, Louis Houart et Fils, 1935.

2. *Ibid*.

3. *Art et Scolastique*, op. cit.

4. *Art et scolastique*, op. cit.

5. *Réponse à Jean Cocteau*, op. cit.

6. *Ibid*.

7. *Frontières de la poésie*, op. cit.

8. Jean Lacouture, *Une adolescence du siècle...*, op. cit.

9. Cité par Jean Lacouture, *François Mauriac*, Paris, Le Seuil, 1980.

10. *Ibid*.

11. *Correspondance Jean Cocteau-Jacques Maritain*, *op. cit.*

12. *Ibid*.

13. Lettre à Julien Green, 19 juin 1927. *Une grande amitié*, *op. cit.*

14. *Ibid*.

15. Lettre à Julien Green, 20 juin 1927, *op. cit.*

16. *Une grande amitié*, *op. cit.*

17. *Correspondance Jean Cocteau-Jacques Maritain*, *op. cit.*

18. *Ibid*.

19. Lettre de Jean Cocteau à Jacques Maritain, 27 août 1927. *Correspondance*, *op. cit.*

20. Cité par F. Steemuller, *Cocteau*, *op. cit.*

21. Lettre de Jean Cocteau à Jacques Maritain, 7 février 1928. *Correspondance*, *op. cit.*

22. Cité par F. Steemuller, *op. cit.*

23. Lettre de Jean Cocteau à Jacques Maritain. *Correspondance*, *op. cit.*

24. Lettre à Jean Cocteau, 6 juillet 1926. *Correspondance*, *op. cit.*

25. Lettre de Jean Cocteau à Jacques Maritain, 18 juin 1926. *Correspondance*, *op. cit.*

26. Lettre de Maurice Sachs à Jacques Maritain, sans date. Correspondance Sachs-Maritain, *op. cit.*

27. Lettre à Charles Journet, 13 juin 1928. *Correspondance*, *op. cit.*

28. Lettre à Jean Cocteau, 22 juin 1928. *Correspondance*, *op. cit.*

29. Lettre de Jean Cocteau à Jacques Maritain, 23 juin 1928. *Correspondance*, *op. cit.*

30. Lettre de Jean Cocteau à Jacques Maritain, août 1928. *Correspondance*, *op. cit.*

31. Lettre de Jean Cocteau à Jacques Maritain, 6 novembre 1928. *Correspondance*, *op. cit.*

32. François Mauriac, *Nouveaux Mémoires intérieurs*, Paris, Flammarion, 1965.

33. Julien Green, *Jacques Maritain vivant*, *Une grande amitié*, *op. cit.*

34. Cité par Jean Lacouture, *François Mauriac*, *op. cit.*

35. *Art et Scolastique*, *op. cit.*

36. Jean Lacouture, *op. cit.*

37. *Frontières de la poésie, op. cit.*

38. Cité par André Séailles, *Jacques Maritain et François Mauriac ou les aventures de la Grâce, Jacques Maritain et ses contemporains, op. cit.*

39. *Ibid.*

40. François Mauriac, *Nouveaux Mémoires intérieurs, op. cit.*

41. François Mauriac, *Ce que je crois, op. cit.*

42. François Mauriac, *La Vie de Racine*, Paris, Plon, 1928.

43. Cité par Jean Lacouture, *op. cit.*

44. *Ibid.*

45. Cité par Jean Lacouture, *François Mauriac, op. cit.*

46. Correspondance Du Bos-Maritain. Archives Maritain, Kolbsheim.

47. Cité par Jean Lacouture, *François Mauriac, op. cit.*

48. François Mauriac, *Nouveaux Mémoires intérieurs, op. cit.*

49. Cité par Jean Lacouture, *op. cit.*

50. *Ibid.*

51. *Ibid.*

52. Correspondance François Mauriac-Jacques Maritain. Archives Maritain, Kolbsheim.

53. *Frontières de la poésie, op. cit.*

54. Cité par André Séailles, *op. cit.*

LA PLÉNITUDE DU JOUR

1. Lettre à Julien Green, 27 mai 1929. *Une grande amitié, op. cit.*

2. Lettre à François Mauriac, 20 janvier 1930. *Correspondance, op. cit.*

3. Lettre de Georges Bernanos à Jacques Maritain, 25 février 1928. Correspondance Bernanos-Maritain, Archives Maritain, Kolbsheim.

4. Lettre à Jean-Pierre Altermann, 8 novembre 1928. Correspondance Altermann-Maritain, Archives Maritain, Kolbsheim.

5. Lettre du père Couturier, 24 octobre 1929. Citée par Michel Cagin, « Jacques Maritain et les artistes », *art. cit.*

6. Lettre d'Olivier Lacombe à Jacques Maritain, 25 juillet 1963. Publiée dans le *Journal de Raïssa, op. cit.*

7. Pascal Ory, Jean-François Sirinelli, *Les Intellectuels en France, de l'affaire Dreyfus à nos jours*. Paris, Armand Colin, 1996.

8. *Yves Simon, mon frère d'armes. Œuvres complètes…,* vol. XII, *op. cit.*

9. Lettre à Yves Simon, 29 mai 1927. Correspondance Yves Simon-Jacques Maritain. Archives Maritain, Kolbsheim.

10. Lettre à Yves Simon, 14 novembre 1929. Correspondance, *op. cit.*

11. Lettre à Yves Simon, 3 janvier 1929. Correspondance, *op. cit.*

12. Lettre à Charles Du Bos, 1929. *Cahiers Charles Du Bos,* n° 18, Paris, 1974.

13. Cité par Henry Bars, *Gabriel Marcel et Jacques Maritain, Jacques Maritain et ses contemporains, op. cit.*

14. Cité par Gérard Lurol, *Maritain et Mounier, Jacques Maritain face à la modernité, op. cit.*

15. Emmanuel Mounier, *Entretiens II,* cité dans *Maritain-Mounier, 1929-1939,* Paris, Le Seuil-Desclée de Brouwer, 1973.

16. Cité dans *Emmanuel Mounier et sa Génération,* Paris, Le Seuil, 1956.

17. *Carnet de notes, op. cit.*

18. Sylvain Guéna, *Maritain, Gandhi et la non-violence. Cahiers Jacques Maritain,* n° 29, 1995.

19. Olivier Lacombe, *Jacques Maritain, la générosité de l'intelligence,* Paris, Téqui, 1991.

20. Cité par Jacques Prévotat, *A propos de « Défense de "Défense de l'Occident" »,* deux lettres de Jacques Maritain, *Mélanges Charles Molette,* Archives de l'Église de France, 1989.

21. Lettre à Charles Journet, 6 février 1929. Correspondance cardinal Journet-Jacques Maritain, *op. cit.*

22. Lettre à Yves Simon, 4 janvier 1930. Correspondance Simon-Maritain, *op. cit.*

23. Lettre à Charles Journet, 3 juin 1930. *Correspondance, op. cit.*

24. *Ibid.*

25. *Le Docteur angélique,* Desclée de Brouwer, 1930.

26. *Les Droits de l'homme et la loi naturelle,* cité par Jean Laloy, «La Notion de "nouvelle chrétienté" chez Jacques Maritain », revue *Nova et Vetera,* 1981.

27. Jean Laloy, *op. cit.*

28. *L'Intuition créatrice dans la poésie et dans l'art,* Paris, Desclée de Brouwer, 1966.

29. *Les Îles.* Présentation de Jacques Maritain. Paris, Desclée de Brouwer, 1932.

30. *Ibid.*

31. Lettre d'Emmanuel Mounier à Georges Izard, 26 décembre 1930. Citée par Gérard Lurol, *Maritain et Mounier* dans *Jacques Maritain face à la modernité*, *op. cit.*

32. *Correspondance Mounier-Maritain*, *op. cit.*

33. Cité par Gérard Lurol, *op. cit.*

34. *Correspondance Mounier-Maritain*, *op. cit.*

35. Lettre à Emmanuel Mounier, 21 juillet 1932. *Correspondance Mounier-Maritain*, *op. cit.*

36. Lettre à Emmanuel Mounier, 3 août 1932, *op. cit.*

37. *Correspondance Mounier-Maritain*, *op. cit.*

38. *Ibid.*

39. Lettre à Charles Journet, 29 novembre 1932. Correspondance cardinal Journet-Jacques Maritain, *op. cit.*

40. *Carnet de notes*, *op. cit.*

41. Henry Bars, *Henri Bergson et Jacques Maritain*, *Jacques Maritain et ses contemporains*, *op. cit.*

42. Lettre à Charles Journet, 24 avril 1931. Correspondance…, *op. cit.*

43. Cité par Henry Bars, *Gabriel Marcel et Jacques Maritain*, *op. cit.*

44. Gustave Thibon, « A propos de trois récents ouvrages de Maritain », *Revue thomiste*, mars-avril 1933, n° 76.

45. Henry Bars, *Maritain en notre temps*, *op. cit.*

46. *Ibid.*

47. *Ibid.*

48. *Science et Sagesse*, Paris, Labergerie, 1935.

49. *Religion et Culture*, *op. cit.*

50. *Ibid.*

51. Lettre d'Étienne Gilson à Jacques Maritain, 5 mai 1931. *Étienne Gilson-Jacques Maritain, deux approches de l'être. Correspondance 1923-1971*, Paris, Librairie philosophique J. Vrin, 1991.

52. Lettre d'Étienne Gilson à Jacques Maritain, 16 juillet 1931. *Étienne Gilson-Jacques Maritain*, *op. cit.*

53. Lettre d'Étienne Gilson à Jacques Maritain, *op. cit.*

54. Lettre à Étienne Gilson, 25 juillet 1931, *op. cit.*

55. Lettre à Charles Journet, 20 mai 1933. Correspondance…, *op. cit.*

56. *Journal de Raïssa*, *op. cit.*

57. *Ibid.*

58. *Ibid.*

59. *Carnet de notes*, *op. cit.*

60. *Journal de Raïssa, op. cit.*

61. *Ibid.*

62. Raïssa Maritain, *Louange de l'épouse*, janvier 1934. Cité par René Mougel, *À propos du mariage des Maritain, op. cit.*

63. *Cahiers Jacques Maritain*, « Le centenaire de Raïssa, 1883-1983 », n° 7-8, septembre 1983.

64. Carnet inédit. Archives Maritain, Kolbsheim.

TROISIÈME PARTIE

Les justes du dehors

LES MOYENS PAUVRES

1. « Le laïc catholique », causerie donnée à Toronto, le 24 mars 1933. *Œuvres complètes de Jacques et Raïssa Maritain*, vol. V, *op. cit.*

2. Cité par Charles Blanchet, *Jacques Maritain face à la modernité, op. cit.*

3. *Ibid.*

4. *Du régime temporel et de la liberté*, Paris, Desclée de Brouwer, 1933.

5. Charles Blanchet, *Jacques Maritain face à la modernité, op. cit.*

6. *Religion et Culture, op. cit.*

7. *Ibid.*

8. Lettre à Charles Journet, 25 août 1934. Citée dans *Jacques Maritain, le philosophe dans la cité, op. cit.*

9. Lettre à Emmanuel Mounier, 18 mai 1932. *Correspondance Maritain-Mounier, op. cit.*

10. Lettre à Charles Journet, 5 décembre 1934. *Correspondance..., op. cit.*

11. Lettre à Yves Simon, 6 juin 1935. *Correspondance Yves Simon-Jacques Maritain, op. cit.*

12. Cité par Pascal Ory, *La Belle Illusion*, Paris, Plon, 1994.

13. Lettre à Yves Simon, 13 octobre 1935. *Correspondance Yves Simon-Jacques Maritain, op. cit.*

14. *André Gide et notre temps. Œuvres complètes de Jacques et Raïssa Maritain*, vol. VI, *op. cit.*

15. Lettre du 8 novembre 1935. *Œuvres complètes, op. cit.*

16. Lettre à Emmanuel Mounier, 25 novembre 1935. *Correspondance Maritain-Mounier, op. cit.*

17. *Jacques Maritain, le philosophe dans la cité, op. cit.*

18. *Lettre sur l'Indépendance.* Paris, Desclée de Brouwer, 1935.

19. Emmanuel Mounier, *Esprit* n° 40, 1er janvier 1936.

20. Lettre à Charles Journet, octobre 1934. Correspondance..., *op. cit.*

21. *Correspondance Maritain-Mounier, op. cit.*

22. Correspondance Yves Simon-Jacques Maritain, *op. cit.*

23. Lettre à Charles Journet, 13 mars 1936. Correspondance, *op. cit.*

24. « D'un nouvel humanisme ou d'un humanisme intégral », in *L'Humanisme intégral de Jacques Maritain*, Colloque de Paris, Éditions Saint-Paul, 1988.

25. Étienne Borne, *L'Humanisme intégral de Jacques Maritain.* Colloque de Paris, *op. cit.*

26. *Humanisme intégral*, Paris, Fernand Aubier, 1936.

27. Lettre à Charles Journet, 8 juin 1936. Correspondance..., *op. cit.*

28. Lettre à Charles Journet, 27 juin 1936. Correspondance..., *op. cit.*

29. Lettre au père Garrigou-Lagrange, 3 juillet 1936. Correspondance Garrigou-Lagrange-Maritain. Archives Maritain, Kolbsheim.

30. Lettre à Charles Journet, 11 juillet 1936. Correspondance..., *op. cit.*

31. Lettre de Charles Journet à Jacques Maritain, 14 juillet 1936. Correspondance..., *op. cit.*

32. Lettre à Charles Journet, 8 août 1936. Correspondance..., *op. cit.*

33. Alceu Amoroso Lima, « Maritain et l'Amérique latine », *Revue thomiste* n° 1-2, 1948.

34. Lettre à Charles Journet, 29 août 1936. Correspondance..., *op. cit.*

35. Lettre de Charles Journet à Jacques Maritain, 19 novembre 1936. Correspondance, *op. cit.*

36. Lettre de Geneviève Favre à Jacques Maritain, 25 septembre 1936. Correspondance Geneviève Favre-Jacques Maritain, *op. cit.*

37. Lettre à Gordon et Mabelle Andison, 21 novembre 1936. Correspondance G. et M. Andison-Jacques Maritain. Archives Maritain, Kolbsheim.

38. *Ibid.*

39. Lettre à Charles Journet, 14 juillet 1936. Correspondance...,
op. cit.

40. José Bergamin. Allocution, 7 juillet 1938. *Cahiers Jacques
Maritain*, n° 21, novembre 1990.

41. Lettre à Emmanuel Mounier, 17 novembre 1936. *Correspondance Maritain-Mounier, op. cit.*

42. *Ibid.*

43. Préface au livre d'Alfredo Mendizabal, *Aux origines d'une
tragédie. La politique espagnole de 1923 à 1936.* Paris, Desclée de
Brouwer, 1937.

44. *Ibid.*

45. François Mauriac, *Mémoires politiques*, Paris, Grasset,
1967.

46. Lettre à Charles Journet, 22 mars 1937. Correspondance...,
op. cit.

47. Michel Bressolette, «Jacques Maritain et la guerre civile
espagnole », *Cahiers Jacques Maritain* n° 9, avril 1984.

48. Lettre de Gabriel Marcel à Jacques Maritain, 19 octobre
1937. Correspondance Gabriel Marcel-Jacques Maritain.
Archives Maritain, Kolbsheim.

49. Lettre de Charles Du Bos à Jacques Maritain, 11 août
1937. Correspondance Du Bos-Maritain. Archives Maritain,
Kolbsheim.

50. Lettre à Mabelle Andison, 10 juillet 1937. Correspondance, *op. cit.*

51. Jean Hugo, *Le Regard de la mémoire*, Arles, Actes Sud,
1983.

52. Paul Claudel, *Journal*, tome II, «Bibliothèque de la
Pléiade», Paris, Gallimard, 1969.

53. Cité par Michel Bressolette, *op. cit.*

54. Lettre à Stanislas Fumet, 19 décembre 1937. Correspondance Stanislas Fumet-Jacques Maritain. Archives Maritain,
Kolbsheim.

55. Lettre du père Garrigou-Lagrange à Jacques Maritain,
janvier 1937. Correspondance Garrigou-Lagrange-Maritain,
op. cit.

56. Lettre de Jacques Maritain à Mgr Fontenelle, 19 janvier
1938. Correspondance Fontenelle-Maritain. Archives Maritain,
Kolbsheim.

57. Cités par Michel Bressolette, *op. cit.*

58. *Ibid.*

59. Cahiers Jacques Maritain. Inédits de Maritain-De Gaulle-Mauriac-Cocteau-Bergamin, n° 21, novembre 1990.

60. *Lettre à un Juif chrétien* (1967). *Cahiers Jacques Maritain, Regards sur Israël*, n° 23, novembre 1991.

61. *Carnet de notes*, *op. cit.*

62. *Ibid.*

63. Renée Neher-Bernheim, « Rencontre de deux personnalités d'Eratz Israël vers 1900-1920 : Aaron Aaronsh et Absalon Feinberg », *Cahiers Jacques Maritain*, « Regards sur Israël », *op. cit.*

64. *A propos de la « question juive »*, 1921. *L'Impossible Antisémitisme*. Paris, Desclée de Brouwer, 1994.

65. Pierre Vidal-Naquet, *Jacques Maritain et les juifs*, avant-propos à *L'Impossible antisémitisme*, *op. cit.*

66. Rapport adressé à Pie XI. *Cahiers Jacques Maritain*, « Regards sur Israël », *op. cit.*

67. P. Vidal-Naquet, *op. cit.*

68. *L'Impossible Antisémitisme*, 1937. Texte repris dans *Questions de conscience* et *Le Mystère d'Israël*, Paris, Desclée de Brouwer, 1938 et 1990, et dans *L'Impossible Antisémitisme*, *op. cit.*

69. *Ibid.*

70. *Les Juifs parmi les nations*, *L'Impossible Antisémitisme*, *op. cit.*

71. Helen Iswolsky, *Au temps de la lumière*, *op. cit.*

72. Cité par Christian Destremau et Jean Moncelon, *Massignon*, Paris, Plon, 1994.

73. Paru dans *Jacques Maritain, le philosophe dans la cité*, *op. cit.*

74. *Carnet de notes*, *op. cit.*

75. Lettre de Raïssa Maritain aux Van der Meer de Walcheren, 9 avril 1938, *L'Impossible Antisémitisme*, *op. cit.*

UN CATHOLIQUE EN RÉSISTANCE

1. Lettre de Charles Journet à Jacques Maritain, 20 janvier 1935. Correspondance..., *op. cit.*

2. Lettre à Yves Simon, juin 1938. Correspondance Yves Simon-Jacques Maritain, *op. cit.*

3. *Questions de conscience*, Paris, Desclée de Brouwer, 1938.

4. Lettre à Yves Simon, 21 décembre 1938. Correspondance, *op. cit.*

5. Lettre à John U. Nef, 22 août 1938. Correspondance John U. Nef-Jacques Maritain. Archives Maritain, Kolbsheim.

6. Présentation de John U. Nef par Jacques Maritain, mars 1944. Archives Maritain, Kolbsheim.

7. Julie Kernan, *Our friend Jacques Maritain, A personal Memoir*, New York, Doubleday and Company, 1975 (traduction française établie par Louis-Thierry Grall).

8. *Ibid*.

9. Cité par Julie Kernan, *op. cit*.

10. Lettre à John U. Nef, 23 décembre 1938. Correspondance, *op. cit*.

11. Robert Serrou, *Pie XII, le pape-roi*. Paris, Perrin, 1992.

12. *Ibid*.

13. Lettre du père Garrigou-Lagrange à Charles Journet. Correspondance Maritain-Journet, *op. cit*.

14. Lettre à Yves Simon, 6 mars 1939. Correspondance, *op. cit*.

15. Lettre à Charles Journet, 25 juillet 1935. Correspondance..., *op. cit*.

16. *Carnet de notes, op. cit*.

17. *Journal de Raïssa, op. cit*.

18. Lettre à Charles Journet, 21 octobre 1939. Correspondance..., *op. cit*.

19. *Ibid*.

20. *Journal de Raïssa, op. cit*.

21. Lettre à Yves Simon, 19 mai 1940. Correspondance, *op. cit*.

22. Extraits des carnets intimes de Jacques Maritain. René Mougel, « Les années de New York », *Cahiers Jacques Maritain*, « Le philosophe dans la guerre », n° 16-17, mars 1988.

23. Cité par René Mougle, *op. cit*.

24. Michel Fourcade, *Maritain et l'Europe en exil*, in *Jacques Maritain face à la modernité, op. cit*.

25. Cité par Julie Kernan, *op. cit*.

26. Élisabeth de Miribel, *La Liberté souffre violence*, Paris, Plon, 1983.

27. Karl Stern, *Le Buisson ardent*. Paris, Le Seuil, 1953.

28. Michel Fourcade, *op. cit*.

29. Cité par Michel Fourcade, *op. cit*.

30. Julie Kernan, *Our Friend Jacques Maritain, op. cit*.

31. *Ibid*.

32. Lettre à Yves Simon, 31 août 1940. Correspondance, *op. cit*.

33. Lettre à Yves Simon, 6 mai 1941. Correspondance, *op. cit.*

34. Lettre d'Yves Simon à Jacques Maritain, 11 février 1941. Correspondance, *op. cit.*

35. Cité par René Mougel, *op. cit.*

36. Paru dans «Le philosophe dans la guerre», *Cahiers Jacques Maritain*, n° 16-17, *op. cit.*

37. Lettre à Yves Simon, 1ᵉʳ juillet 1941. Correspondance, *op. cit.*

38. Raoul Aglion, *De Gaulle et Roosevelt*. Paris, Plon, 1984.

39. *Ibid.*

40. Lettre à René Pleven, 19 juillet 1941, *Cahiers Jacques Maritain* n° 16-17, *op. cit.*

41. Lettre à Yves Simon, 31 août 1941, Correspondance, *op. cit.*

42. Jean Lacouture, *De Gaulle*. t. I, *Le Rebelle*, Paris, Le Seuil, 1984.

43. Charles Blanchet, *Les Rapports entre le général de Gaulle et Jacques Maritain* in *Jacques Maritain et ses contemporains*, *op. cit.*

44. Lettre au général de Gaulle, 21 novembre 1941. *Cahiers Jacques Maritain*, *op. cit.*

45. Lettre du général de Gaulle à Jacques Maritain, 7 janvier 1942. *Cahiers Jacques Maritain*, *op. cit.*

46. Témoignage de Maurice Schumann. *Cahiers Jacques Maritain*, *op. cit.*

47. Cité par René Mougel, *op. cit.*

48. Raoul Aglion, *op. cit.*

49. René Mougel, *Les Années de New York*, *op. cit.*

50. *Ibid.*

51. Cité par René Mougel, *op. cit.*

52. *Réflexions sur l'Amérique* cité par René Mougel, *op. cit.*

53. Michel Fourcade, *Maritain et l'Europe en exil*, *op. cit.*

54. Cité par Michel Fourcade, *op. cit.*

55. Michel Fourcade, *op. cit.*

56. Lettre du général de Gaulle à Jacques Maritain le 21 avril 1942. *Cahiers Jacques Maritain* n° 15-16, *op. cit.*

57. Lettre au général de Gaulle, 25 mai 1942. *Cahiers Jacques Maritain*, *op. cit.*

58. Cité par Charles Blanchet, *Les Rapports entre le général de Gaulle et Jacques Maritain*, *op. cit.*

59. Cité par René Mougel, *op. cit.*

60. *Lettre à une religieuse*, 3 juin 1942. *Cahiers Jacques Maritain*, *op. cit.*

61. *Il faut parfois juger. Cahiers Jacques Maritain* n° 16-17, *op. cit.*

62. Cité par Sylvain Guéna, *Maritain et les Juifs pendant la Seconde Guerre mondiale, Revue Sens*, novembre 1991.

63. Julien Green, *Journal*, 27 juin 1943. « Bibliothèque de la Pléiade », Paris, Gallimard, 1994.

64. Cité par Michel Fourcade, *op. cit.*

65. Lettre à Yves Simon, 12 décembre 1943. Correspondance, *op. cit.*

66. Cité par Henriette Psichari, *Des jours et des hommes, op. cit.*

67. Lettre à Charles Journet, 17 juillet 1943. Correspondance..., *op. cit.*

68. Jean Lacouture, *De Gaulle. 1. Le Rebelle, op. cit.*

69. Julie Kernan, *op. cit.*

70. Lettre à John U. Nef, 22 avril 1944. Correspondance Nef - Maritain, *op. cit.*

71. *Messages, 1941-1944.* New York, Éditions de la Maison Française, 1945.

72. *A travers la victoire*, Paris, Paul Hartmann, 1945.

73. Cité par Jean Lacouture, *De Gaulle*, t.I. *Le Rebelle, op. cit.*

74. *Ibid.*

75. *Ibid.*

76. Cité par Charles Blanchet, *Le Général de Gaulle et Jacques Maritain, op. cit.*

77. Lettre à Yves Simon, 28 juillet 1944. Correspondance, *op. cit.*

78. Lettre à Yves Simon, 5 octobre 1944. Correspondance, *op. cit.*

79. Éveline Garnier, *Souvenirs sur mon oncle, op. cit.*

80. Lettre à Yves Simon, 8 janvier 1945. Correspondance, *op. cit.*

81. *Ibid.*

82. Cité par Charles Blanchet, *op. cit.*

83. Lettre à Mabelle Andison, 28 janvier 1945. Correspondance Andison-Maritain, *op. cit.*

84. Lettre à Yves Simon, 29 janvier 1945. Correspondance, *op. cit.*

L'ARCHIPEL SUR LA MER

1. Cité par Annie Cohen-Solal, *Sartre*. Paris, Gallimard, 1985.

2. Lettre à John U. Nef, 2 février 1945. Correspondance Nef-Maritain, *op. cit.*

3. Annie Cohen-Solal, *Sartre, op. cit.*

4. Lettre à Yves Simon, 29 janvier 1945. Correspondance, *op. cit.*

5. *Présentation des lettres de créance*, 10 mai 1945. *Œuvres complètes de Jacques et Raïssa Maritain*, vol. VIII, *op. cit.*

6. Lettre à Georges Bidault, 11 mai 1945. Direction politique. Europe. Archives du ministère des Affaires étrangères.

7. Cité par Philippe Chenaux, *Paul VI et Maritain. Les Rapports du "montinianisme" et du "maritanisme"*. Rome-Brescia, Edizioni Studium s.p.a.-Istituto Paolo VI, 1994.

8. Philippe Chenaux, *op. cit.*

9. Laurent Gothelf, *Jacques Maritain, Ambassadeur de France au Vatican*. Maîtrise d'histoire contemporaine, université de Paris X-Nanterre, 1984.

10. *Journal de Raïssa, op. cit.*

11. Matilde Mazzolani, *Souvenirs sur mon « boss »*. *Le Centenaire du philosophe. Cahiers Jacques Maritain* n° 4-5, décembre 1982.

12. Cité par Philippe Chenaux, *op. cit.*

13. *L'Europe et l'Idée fédérale*, Paris, Mame, 1993.

14. Roger Seydoux, *Jacques Maritain à Mexico. Cahiers Jacques Maritain* n° 4 bis, 1983.

15. Lettre à Alceu Amoroso Lima, 13 juin 1947. Correspondance Amoroso Lima-Jacques Maritain. Archives Maritain, Kolbsheim.

16. *Ibid.*

17. Lettre à Yves Simon, 18 janvier 1947. Correspondance, *op. cit.*

18. *Ibid.*

19. Lettre à Yves Simon, 28 avril 1947. Correspondance, *op. cit.*

20. *Court traité de l'existence et de l'existant, op. cit.*

21. Lettre à John U. Nef, 21 février 1948. Correspondance, *op. cit.*

22. Éveline Garnier, *Souvenirs sur mon oncle, op. cit.*

23. Lettre à Georges Bernanos, 5 octobre 1947. Correspondance Bernanos-Maritain. Archives Maritain, Kolbsheim.

24. Lettre à Yves Simon, 9 février 1948. Correspondance, *op. cit.*

25. Lettre à Yves Simon, 20 juillet 1946. Correspondance, *op. cit.*

26. Cité par Laurent Gothelf, *op. cit.*

27. *Ibid.*

28. Lettre à Mabelle Andison, 25 septembre 1947. Correspondance, *op. cit.*

29. Lettre à Yves Simon, 31 août 1948. Correspondance, *op. cit.*

30. Cité par Bernard Doering, *L'Héritage américain de Jacques Maritain. Jacques Maritain face à la modernité, op. cit.*

31. Julie Kernan, *Our Friend Jacques Maritain, op. cit.*

32. *La soif spirituelle de l'humanité est immense*, texte d'une interview réalisée par Robert Barrat, 1949. *Œuvres complètes de Jacques et Raïssa Maritain*, vol. IX, *op. cit.*

33. Antoinette Grunelius, *Jacques Maritain et Kolbsheim. Le Centenaire du philosophe. Cahiers Jacques Maritain* n° 4-5, *op. cit.*

34. *Court traité de l'existence et de l'existant, op. cit.*

35. *Réflexions sur l'Amérique*, Paris, Librairie Arthème Fayard, 1958.

36. Bernard Doering, *L'Héritage américain de Jacques Maritain, op. cit.*

37. *Ibid.*

38. Cité par Bernard Doering, *op. cit.*

39. *Le Paysan de la Garonne*, Paris, Desclée de Brouwer, 1966.

40. Bernard Doering, *op. cit.*

41. Cité par Bernard Doering, *op. cit.*

42. Cité par Jean Laloy, *D'un siècle à l'autre Jacques Maritain, 1882-1973.* Les Quatre Fleuves, n° 17, 1983.

43. *Réflexions sur l'Amérique, op. cit.*

44. Correspondance Altermann-Maritain, *op. cit.*

45. Lettre de François Mauriac à Jacques Maritain, 29 décembre 1952. Correspondance Mauriac-Maritain. Archives Maritain, Kolbsheim.

46. Lettre d'Étienne Gilson à Jacques Maritain, 29 janvier 1953. *Correspondance, op. cit.*

47. Lettre à Étienne Gilson, 6 janvier 1954. *Correspondance, op. cit.*

48. Lettre à Étienne Gilson, 2 février 1958. *Correspondance, op. cit.*

49. Lettre à Jean-Marie de Menasce, 16 septembre 1956. Correspondance J.-M. de Menasce-J. Maritain. Archives Maritain, Kolbsheim.

50. Lettre à Yves Simon, 30 juin 1954. Correspondance, *op. cit.*

51. *Carnet de notes, op. cit.*

52. *Ibid.*

53. *Carnet de notes*, *op. cit.*

54. Lettre à Yves Simon, 10 juin 1960. Correspondance, *op. cit.*

55. Témoignage d'Henry Bars in *Correspondance Henry Bars-Jacques Maritain*, *op. cit.*

56. *Journal de Raïssa*, *op. cit.*

57. *Carnet de notes*, *op. cit.*

58. *Avertissement* au *Journal de Raïssa*, *op. cit.*

59. Jean Cocteau, dédicace à Jacques Maritain, 1961. Cité par Michel Bressolette, *Le Frère portier et l'acrobate. Jacques Maritain, le philosophe dans la cité*, *op. cit.*

60. François Mauriac, *Bloc-Notes*, tome II, 1958-1960, *op. cit.*

61. Lettre à Julien Green, 4 décembre 1960. *Une grande amitié*, *op. cit.*

62. Lettre à John U. Nef, 4 décembre 1960. Correspondance, *op. cit.*

63. Lettre à Henry Bars, Noël 1960. *Correspondance, op. cit.*

LA MÉMOIRE DES ANGES

1. Lettre à Henry Bars, Noël 1960. *Correspondance, op. cit.*

2. Lettre à Julien Green, 24 janvier 1961. *Une grande amitié*, *op. cit.*

3. Lettre à Henry Bars, 19 janvier 1961. *Correspondance, op. cit.*

4. Lettre à Yves Simon, 4 janvier 1961. Correspondance, *op. cit.*

5. *Carnets de notes*, *op. cit.*

6. Lettre à Jean-Marie de Menasce, 29 janvier 1961. Correspondance, *op. cit.*

7. Lettre à Étienne Gilson, 23 juin 1961. *Correspondance, op. cit.*

8. Cité par Maurice Maurin, *Jacques et Raïssa Maritain : expérience évangélique et réflexion spirituelle*, *Le Centenaire de Raïssa*, *Cahiers Jacques Maritain* n° 7-8, *op. cit.*

9. Maurice Maurin, *op. cit.*

10. Cité par André Girard, *Jacques Maritain et les Petits Frères de Jésus*, *The Critic*, février-mars 1963 (traduction L.T. Grall).

11. André Girard, *op. cit.*

12. Jacques Maritain, *A propos de la vocation des Petits Frères de Jésus*, décembre 1964. *Cahiers Jacques Maritain* n° 2, mai 1981.

13. *Ibid.*

14. André Girard, *op. cit.*

15. *Ibid.*

16. Henry Bars, *Jacques de Raïssa, Le Centenaire de Raïssa*, *op. cit.*

17. Lettre à Thomas Merton, 24 novembre 1960. Correspondance Thomas Merton-Jacques Maritain. Archives Jacques Maritain, Kolbsheim.

18. *Avertissement* au *Journal de Raïssa*, *op. cit.*

19. *Ibid.*

20. Cité par René Mougel, *A propos du mariage des Maritain*. *Cahiers Jacques Maritain* n° 22, *op. cit.*

21. Lettre à Jean Cocteau, 9 décembre 1962. *Correspondance*, *op. cit.*

22. Cité par René Mougel, *op. cit.*

23. Lettre de Thomas Merton, 26 décembre 1963. Correspondance Thomas Merton-Jacques Maritain, *op. cit.*

24. Lettre à Thomas Merton, 30 janvier 1963. Correspondance, *op. cit.*

25. Lettre à François Mauriac, 1er juillet 1963. Correspondance François Mauriac-Jacques Maritain, *op. cit.*

26. Cité par Philippe Chenaux, *Paul VI et Maritain*, *op. cit.*

27. *Ibid.*

28. Jean Guitton, *Un siècle, une vie*, Paris, Robert Laffont, 1988.

29. *Ibid.*

30. Correspondance Thomas Merton - Jacques Maritain, *op. cit.*

31. *Une Grande Amitié*, *op. cit.*

32. Philippe Chenaux, *op. cit.*

33. *Ibid.*

34. *Ibid.*

35. Journal d'un voyage incognito. Archives Maritain, Kolbsheim.

36. Philippe Chenaux, *op. cit.*

37. *Ibid.*

38. *Une Grande Amitié*, *op. cit.*

39. Lettre à Julien Green, 31 décembre 1966. *Une Grande Amitié*, *op. cit.*

40. Lettre à Henry Bars, 11 août 1966. Correspondance, *op. cit.*

41. *Ibid.*

42. *Une Grande Amitié*, *op. cit.*

43. Bernard Schreiner, *Le Cri du monde*, 15.1-15.2.1967.

44. *Masses ouvrières*, mars 1967.

45. Lettre à Henry Bars, 27 avril 1968. Correspondance, *op. cit.*

46. François Mauriac, *Bloc-Notes*, *op. cit.*

47. *Ibid.*

48. Lettre à François Mauriac, 23 novembre 1966. Correspondance, *op. cit.*

49. Cité par Charles Blanchet, Charles de Gaulle et Jacques-Maritain, *op. cit.*

50. Jean-Marie Paupert, *Vieillards de chrétienté, chrétiens de l'an 2000*, Paris, Grasset, 1967.

51. Correspondance Jean-Marie de Menasce - Jacques Maritain. Archives Maritain, Kolbsheim.

52. Cité par Philippe Chenaux, *op. cit.*

53. Lettre de Dominique de Roux à Jacques Maritain, 5 janvier 1967. Correspondance, Archives Maritain, Kolbsheim.

54. Elisabeth Fourest, *Dernier salut à l'Amérique*, Cahiers Jacques Maritain n° 4-5, *op. cit.*

55. Lettres aux Petits Frères de Jésus, juillet 1970. Archives Maritain, Kolbsheim.

56. René Page, Souvenirs inédits sur Jacques Maritain. Archives Maritain, Kolbsheim.

57. Cardinal Daniélou, *Jacques Maritain, Revue des Deux Mondes*, 1973.

Bibliographie

ŒUVRES DE JACQUES MARITAIN

LA PHILOSOPHIE BERGSONIENNE. *Études critiques*, Paris, Marcel Rivière & Cie, « Bibliothèque de philosophie expérimentale » X.

ART ET SCOLASTIQUE, Paris, À la librairie de l'Art catholique, 1920.

ÉLÉMENTS DE PHILOSOPHIE I. *Introduction générale à la philosophie*, Paris, Pierre Téqui, 1920.

THEONAS *ou les entretiens d'un sage et de deux philosophes sur diverses matières inégalement actuelles*, Paris, Nouvelle Librairie nationale, « Bibliothèque française de philosophie », 1921.

ANTIMODERNE, Paris, Éditions de la Revue des Jeunes, 1922.

DE LA VIE D'ORAISON, édition hors commerce non signée imprimée à Saint-Maurice-d'Agaune, 1922.

ÉLÉMENTS DE PHILOSOPHIE II. *L'ordre des concepts. I. – Petite logique (Logique formelle)*, Paris, Pierre Téqui.

SAINT THOMAS D'AQUIN APÔTRE DES TEMPS MODERNES, Paris, Éditions de la Revue des Jeunes, 1924.

RÉFLEXIONS SUR L'INTELLIGENCE ET SUR SA VIE PROPRE, Paris, Nouvelle librairie nationale, « Bibliothèque française de philosophie », 1924.

TROIS RÉFORMATEURS. *Luther, Descartes, Rousseau*, Paris, Librairie Plon, « Le Roseau d'or » 1, 1925.

THEONAS *ou les entretiens d'un sage et de deux philosophes sur diverses matières inégalement actuelles*, 2e édition revue et corrigée, Paris, Nouvelle Librairie nationale, « Bibliothèque française de philosophie », 1925.

RÉPONSE À JEAN COCTEAU, Paris, Librairie Stock, Delamain et Boutelleau, 1926.

UNE OPINION SUR CHARLES MAURRAS ET LE DEVOIR DES CATHOLIQUES, Paris, Librairie Plon, 1926.

ANTIMODERNE, nouvelle édition revue et augmentée, Paris, Éditions La Revue des Jeunes, Desclée de Brouwer & Cie, 1926.

PRIMAUTÉ DU SPIRITUEL, Paris, Librairie Plon, « Le Roseau d'or » 19, 1927.

QUELQUES PAGES SUR LÉON BLOY, Paris, L'Artisan du Livre, « Cahiers de la Quinzaine », 10e cahier de la 18e série, 25 octobre 1927.

ART ET SCOLASTIQUE, nouvelle édition revue et augmentée, Paris, Louis Rouart et Fils, 1927.

LE DOCTEUR ANGÉLIQUE, Paris, Paul Hartmann, 1929.

CLAIRVOYANCE DE ROME, par V. Bernadot, P. Doncœur, E. Lajeunie, D. Lallement, F.X. Maquart, Jacques Maritain, Paris, Éditions Spes, 1929.

GINO SEVERINI, Paris, NRF, Gallimard, « Les peintres nouveaux » 40, 1930.

RELIGION ET CULTURE, Paris, Desclée de Brouwer & Cie, « Questions disputées » 1, 1930.

LA PHILOSOPHIE BERGSONIENNE, *Études critiques*, 2e édition revue et augmentée, avec un index des noms cités, Paris, Librairie Marcel Rivière, « Bibliothèque de philosophie » 10, 1930. Passe ensuite chez Pierre Téqui.

LE DOCTEUR ANGÉLIQUE, Paris, Desclée De Brouwer & Cie, « Bibliothèque française de philosophie », 1930.

RÉFLEXIONS SUR L'INTELLIGENCE ET SUR SA VIE PROPRE, 3e édition, Paris, Desclée de Brouwer & Cie, « Bibliothèque française de philosophie », 1930.

LE SONGE DE DESCARTES, *suivi de quelques essais*, Paris, éditions R.-A. Corrêa, 1932.

DISTINGUER POUR UNIR OU LES DEGRÉS DU SAVOIR, Paris, Desclée de Brouwer & Cie, « Bibliothèque française de philosophie », 3e série, 1932.

DE LA PHILOSOPHIE CHRÉTIENNE, Paris, Desclée de Brouwer & Cie, « Questions disputées » 9, 1933.

SOME REFLECTIONS ON CULTURE AND LIBERTY, Chicago, The University of Chicago Press, 1933.

DU RÉGIME TEMPOREL ET DE LA LIBERTÉ, Paris, Desclée de Brouwer & Cie, « Questions disputées » 11, 1933.

ÉLÉMENTS DE PHILOSOPHIE II : *L'ordre des concepts*, I. – *Petite logique (Logique formelle)*, Paris, Pierre Téqui, 1933.

POUR LE BIEN COMMUN, *Les Responsabilités du chrétien et le moment présent*, 32 pages, Paris, Desclée de Brouwer & Cie, 1934.

SEPT LEÇONS SUR L'ÊTRE *et les premiers principes de la raison spéculative*, Paris, Pierre Téqui, « Cours et Documents de philosophie », 1934.

FRONTIÈRES DE LA POÉSIE *et autres essais*, Paris, Louis Rouart et Fils, 1935.

LA PHILOSOPHIE DE LA NATURE : *Essai critique sur ses frontières et son objet*, Paris, Pierre Téqui, « Cours et Documents de philosophie », 1935.

PROBLEMAS ESPIRITUALES Y TEMPORALES DE UNA NUEVA CRISTIANDAD, Madrid, Signo, « Cursos de la Universidad Internacional de Verano en Santander », 1935.

SCIENCE ET SAGESSE, *suivi d'éclaircissements sur la philosophie morale*, Paris, Labergerie, 1935.

LETTRE SUR L'INDÉPENDANCE, Paris, Desclée de Brouwer & Cie, « Courrier des Îles », 1935.

HUMANISME INTÉGRAL. *Problèmes temporels et spirituels d'une nouvelle chrétienté*, Paris, Fernand Aubier, Éditions Montaigne, 1936.

DU RÉGIME TEMPOREL ET DE LA LIBERTÉ, 2e édition revue et corrigée, Paris, Desclée de Brouwer & Cie, « Questions disputées » 11, 1937.

LES JUIFS PARMI LES NATIONS, Paris, Les Éditions du Cerf, 1938.

SITUATION DE LA POÉSIE par Jacques et Raïssa Maritain, Paris, Desclée de Brouwer & Cie, « Courrier des Îles » 12, 1938.

QUESTIONS DE CONSCIENCE, Paris, Desclée de Brouwer & Cie, « Questions disputées » 21, 1938.

LE CRÉPUSCULE DE LA CIVILISATION, Paris, Éditions Les Nouvelles Lettres, « Avènement » 2, 1939.

QUATRE ESSAIS SUR L'ESPRIT DANS SA CONDITION CHARNELLE, Paris, Desclée de Brouwer & Cie, « Bibliothèque française de philosophie », 3e série, 1939.

LA PERSONNE HUMAINE ET LA SOCIÉTÉ, Paris, Desclée de Brouwer, 1939.

A CHRISTIAN LOOK AT THE JEWISH QUESTION, New York-Toronto, Longmans, Green and Co, 1939.

DE LA JUSTICE POLITIQUE. Notes sur la présente guerre, Paris, Plon, « Présences », 3e série, 1940.

À TRAVERS LE DÉSASTRE, New York, Éditions de la Maison française, « Voix de France » 4, 1941.

LA PENSÉE DE SAINT PAUL, textes choisis et présentés par l'auteur, New York, Éditions de la Maison française, 1941.

CONFESSION DE FOI, New York, Éditions de la Maison française, 1941.

RANSOMING THE TIME. Traduction anglaise par Harry Lorin Binsse, New York, Charles Scribner's Sons, 1941.

LE CRÉPUSCULE DE LA CIVILISATION, Montréal, Éditions de l'Arbre, 1941.

LES DROITS DE L'HOMME ET LA LOI NATURELLE, New York, Éditions de la Maison française, « Civilisation », 1942.

SAINT THOMAS AND THE PROBLEM OF EVIL, Milwaukee, Marquette University Press, « The Aquinas Lecture », 1942.

CHRISTIANISME ET DÉMOCRATIE, New York, Éditions de la Maison française, « Civilisation » 4, 1943.

EDUCATION AT THE CROSSROADS, New Haven : Yale University Press ; et Londres, Humphrey Milford : Oxford University Press ; « The Terry Lectures », 1943.

SORT DE L'HOMME, Neuchâtel, Éditions de La Baconnière, « Les Cahiers du Rhône », série blanche XVII, 1943.

THE TWILIGHT OF CIVILIZATION. Traduction anglaise par Lionel Landry. New York, Sheed & Ward, 1943.

DE BERGSON À THOMAS D'AQUIN. *Essais de métaphysique et de morale*, New York, Éditions de la Maison française, 1944.

PRINCIPES D'UNE POLITIQUE HUMANISTE, New York, Éditions de la Maison française, 1944.

À TRAVERS LA VICTOIRE, Paris, Paul Hartmann, 1945. Fribourg-Paris, Egloff et LUF.

MESSAGES *(1941-1944)*, New York, Éditions de la Maison française, « Civilisation » 8, 1945.

POUR LA JUSTICE, *Articles et discours (1940-1945)*, New York, Éditions de la Maison française, 1945.

COURT TRAITÉ DE L'EXISTENCE ET DE L'EXISTANT, Paris, Paul Hartmann.

LA VOIX DE LA PAIX, Mexico, Librairie française, 1947.

LA PERSONNE ET LE BIEN COMMUN, Paris, Desclée de Brouwer, 1947.

LA SIGNIFICATION DE L'ATHÉISME CONTEMPORAIN, Paris, Desclée de Brouwer, 1949.

L'HOMME ET L'ÉTAT, Paris, PUF, 1953.

NEUF LEÇONS SUR LES NOTIONS PREMIÈRES DE LA PHILOSOPHIE MORALE, Paris, Téqui, 1951.

APPROCHES DE DIEU, Paris, Alsatia, 1953.

L'INTUITION CRÉATRICE DANS L'ART ET DANS LA POÉSIE, Paris, Desclée de Brouwer, 1956.

POUR UNE PHILOSOPHIE DE L'HISTOIRE, Paris, Le Seuil, 1959.

RÉFLEXIONS SUR L'AMÉRIQUE, Paris, Fayard, 1959.

LE PHILOSOPHE DANS LA CITÉ, Paris, Alsatia, 1960.

LA PHILOSOPHIE MORALE, Paris, Gallimard, 1960.

La Responsabilité de l'artiste, Paris, Fayard, 1961.

Dieu et la permission du mal, Paris, Desclée de Brouwer, 1963.

Carnet de notes, Paris, Desclée de Brouwer, 1965.

Le Mystère d'Israël, Paris, Desclée de Brouwer, 1965.

Le Paysan de la Garonne, Paris, Desclée de Brouwer, 1966.

De la grâce et de l'humanité de Jésus, Paris, Desclée de Brouwer, 1967.

De l'Église du Christ, Paris, Desclée de Brouwer, 1970.

Approches sans entraves, Paris, Fayard, 1973.

L'Europe et l'idée fédérale, Paris, Mame, 1993.

ŒUVRES DE RAÏSSA MARITAIN

De la vie d'oraison, hors commerce, 1922.

L'Ange de l'école, Paris, Desclée de Brouwer, 1934.

La Vie donnée, Paris, Raphaël Labergerie, 1935.

Lettre de nuit. La Vie donnée, Paris, Desclée de Brouwer, « Les Îles », 1939.

Les Grandes Amitiés, New York, Édition de la Maison française, 1941.

La Conscience morale et l'état de nature, New York, Éditions de la Maison française, 1942.

Marc Chagall, New York, Éditions de la Maison française, 1943.

Histoire d'Abraham, Paris, Desclée de Brouwer, 1947.

Chagall ou l'orage enchanté, Genève/Paris, Éditions des Trois Collines, 1948.

Portes de l'horizon, Monastère Regina Laudès, Bethleem (Connecticut), 1952.

Liturgie et contemplation avec Jacques Maritain. Bruges, Desclée de Brouwer, 1959.

Notes sur le Pater, hors commerce, Strasbourg, 1961.

Journal de Raïssa, hors commerce, Paris, Desclée de Brouwer, 1962. Publié en 1963 aux mêmes éditions.

Poèmes et Essais, Paris, Desclée de Brouwer, 1968.

CORRESPONDANCES PUBLIÉES

Gilbert Guisan, *C.F. Ramuz. Ses amis et son temps*, tome VI : *1919-1939*, Paris, Bibliothèque des Arts, 1970.

Correspondance Georges Bernanos-Jacques Maritain, in *Correspondance* de Georges Bernanos, tome I : 1904-1934. Paris, Plon, 1971.

Correspondance Péguy-Jacques Maritain, *Amitié Charles Péguy*, n° 176-177, avril-mai 1972.

Correspondance Jacques Maritain-Emmanuel Mounier : 1929-1939, Paris, Desclée de Brouwer, 1973.

Correspondance Charles Du Bos-Gabriel Marcel-Jacques Maritain, *Cahiers Charles Du Bos*, n° 18, mai 1974.

Une grande amitié. Julien Green et Jacques Maritain : 1926-1972, Paris, Plon, 1979.

Un échange de lettres entre Simone Weil et Jacques Maritain, *Cahiers Simone Weil*, n° 3, 1980.

Choix de lettres de Jacques et Raïssa Maritain, *Écrits du Canada français*, n° 49, 1983.

Peter Wust, *Lettres de France et d'Allemagne. Correspondance avec ses amis français*, Paris, Téqui, 1985.

François Mauriac, *Nouvelles lettres d'une vie*, Paris, Grasset, 1989.

Correspondance Charles de Gaulle-Jacques Maritain, *Cahiers Jacques Maritain*, nos 16-17 et 21, avril 1988 et novembre 1990.

Exiles and Fugitives. The Letters of Jacques et Raïssa Maritain, Allen Tate and Caroline Gordon, Louisiana State University Press, 1992.

Correspondance Henry Bars-Jacques Maritain, *Cahiers Jacques Maritain*, n° 24, juin 1992.

Correspondance Jean Cocteau-Jacques Maritain, 1923-1963, Paris, Gallimard, 1993.

The Philosopher and the Provocateur. Correspondance Jacques Maritain-Saül Alinsky. Edité et présenté par Bernard Doering, Université Notre-Dame, 1994.

Geneviève FAVRE - Charles PÉGUY, *Amitié Charles-Péguy*, n° 65, janvier-mars 1994.

Correspondance Cardinal Journet-Jacques Maritain, 1ᵉʳ vol. (1920-1929), Éditions Fribourg-Saint-Paul, à paraître.

BIBLIOGRAPHIE

ALLARD, Jean-Louis, *Jacques Maritain, philosophe dans la cité = A philosopher in the world*, Ottawa, Éditions de l'Université, 1985.

– *Jacques Maritain (1882-1973) : la philosophie et l'enseignement de la philosophie, Justifications de l'éthique*, Bruxelles, Éditions de l'Université de Bruxelles, 1984.

– *Raïssa Maritain (1883-1960), une contemplative dans le monde, Notes et Documents*, nouv. sér., n° 4, octobre 1983.

ALLEN, Edgar Leonard, *Christian Humanism; A Guide to the Thought of Jacques Maritain*, New York, Philosophical Library, 1951.

AMOROSA LIMA, Alceu, « Jacques Maritain », *Revista da Academia Brasileira de Letras*, XXVII, septembre-décembre 1936.

– (sous le pseudonyme de Tristao de ATHAYDE), « Visita a Maritain », *A Ordem*, Rio de Janeiro, 46, 1951. Reproduit de *Tribuna de imprensa*, 2, 9, 16 et 23 juin.

– (sous le pseudonyme de Tristao de ATHAYDE), « Diez horas con Jacques Maritain », *Lectura*, Mexico, 89, 1952 (15 sept.). Paru également dans *Criterio*, XXV (1952); *A Ordem*, XLVI (1952); version française dans *Ecclesia*, février 1953.

– « Maritain et l'Amérique latine », *Revue thomiste*, tome XLVIII, n° 1-2, 1948.

ANCELET-EUSTACHE, Jeanne, *Deux âmes cherchaient la vérité : Jacques et Raïssa Maritain*, Bruxelles, Éditions Foyer Notre-Dame, 1952.

ARCHAMBAULT, Paul, « Jacques Maritain », *Jeunes maîtres : états d'âme d'aujourd'hui*, Paris, Bloud et Gay (Cahiers de la nouvelle journée, 7), 1926.

– « Maritain ou l'antimoderne », *Correspondant*, t. 303, nouv. sér., t. 267, 1926.

ARON, Raymond, *Machiavel et les tyrannies modernes*, Paris, Fallois, 1993.

AVELINE, Claude, *Moi par un autre*, Paris, Pierre Bordas et Fils, 1988.

Barros, Teofanes de, « Maritain e seus inimigos gratuitos », *A Ordem*, Rio de Janeiro, LI, 1954.

Bars, Henry, « Gabriel Marcel et Jacques Maritain », *Cahiers Jacques Maritain*, 19, octobre 1989.

- « Jacques Maritain et Charles Du Bos », *Nova et Vetera*, vol. 53, n° 3, juillet-septembre 1978.

- « L'amitié de Jacques Maritain et de Julien Green », *Cahiers Jacques Maritain*, 1980.

- *La politique selon Jacques Maritain*, Paris, Éditions Ouvrières, 1964.

- « La rencontre avec Jacques Maritain », *Cahiers Jacques Maritain*, 4-5, novembre 1982.

- « Raïssa et Jacques au jour le jour », *Cahiers Jacques Maritain*, 7-8, septembre 1983.

- « Sagesse chrétienne et monde moderne : Maritain et saint Thomas », *Cahiers Saint-Dominique*, n° 16, 1961, CR : anonyme dans *Bulletin thomiste*, t. XI, 1960-1962, n° 3, 1962.

- « Sur le rôle de Bergson dans l'itinéraire philosophique de Jacques Maritain », *Cahiers Jacques Maritain*, 9, avril 1984.

- *Maritain en notre temps*, Paris, Grasset, 1959.

Baruzi, Jean, « Jacques Maritain et la renaissance du thomisme », *Philosophes et savants français du XXe siècle*, Paris, Librairie Félix Alcan, 1926, vol. I.

Bénéton, Philippe, « Jacques Maritain et l'Action française », Paris, Faculté de droit et de sciences économiques, 1970, *Revue française de sciences politiques*, décembre 1973.

Benrubi, Isaak, *Les Sources et les Courants de la philosophie contemporaine en France*, Paris, F. Alcan, 1928, 2 vol., « Le mouvement néo-thomiste », vol. 2.

Berdiaev, Nicolas, *Essai d'autobiographie spirituelle*, Paris, Buchet-Chastel, 1958.

Blanchet, Charles, « De la lumière de l'Orage enchanté à la nuit de l'expérience spirituelle », *Cahiers Jacques Maritain*, 7-8, septembre 1983.

- « Jacques Maritain : la passion de l'intelligence », *Communio* (revue catholique internationale), XIV, 6, novembre-décembre 1989.

- « Jacques Maritain, 1940-1944 : le refus de la défaite et ses relations avec le général de Gaulle », *Cahiers Jacques Maritain*, 16-17, avril 1988.

- « La correspondance Etienne Gilson-Jacques Maritain (1923-1971) », *Cahiers Jacques Maritain*, 23, octobre 1991.

– « Maritain face à la modernité », Paris, France Forum n° 291-292, janvier-mars 1994.

BLOY, Léon, *L'Invendable*, Paris, Mercure de France, 1919.

– *Lettres à ses filleuls : Jacques Maritain et Pierre van der Meer de Walcheren*, Paris, Stock, 1928.

BO, Carlo, « Les degrés de l'intelligence », *Notes et Documents*, nouv. sér., n° 17-18, janvier-juin 1987.

BORNE, Etienne, « Souvenirs d'un commencement », *Recherches et Débats*, n° 19, 1957.

BORTONE, Emilio, *Raïssa Maritain*, Roma, Libreria Editrice Salesiana, 1973.

BOURGEADE, Guillaume, « La Révolution nationale et Charles Péguy », Université Paris IV, 1994.

BRESSOLETTE, Michel, « Jacques Maritain et la guerre civile en Espagne », *Cahiers Jacques Maritain*, 9, avril 1984.

– « Léon Bloy et les Maritain », *Cahiers de l'Herne Léon Bloy*, Paris, L'Age d'Homme, 1988.

BRUCKBERGER, Raymond Léopold, *Ligne de faîte*, Paris, Gallimard, 1942.

BURAC, Robert, *Charles Péguy. La révolution et la grâce*, Robert Laffont, Paris, 1994.

BUSH, William, *Genèse et structure de "Sous le Soleil de Satan"*, Paris, Minard, 1988.

CABANIS, José, *Mauriac, le roman et Dieu*, Paris, Gallimard, 1991.

– *Dieu et la NRF*, Paris, Gallimard, 1994.

CALDERA, Rafael (président du Venezuela), « Personal Testimony », *The New Scholasticism*, vol. XLVI, n° 1, hiver 1972.

CATTAUI, Georges, in « Henri Bergson, essais et témoignages », Neuchâtel. *Cahiers du Rhône*, La Baconnière, 1945.

CHAIGNE, Louis, « Jacques Maritain », *Anthologie de la Renaissance catholique*, vol. II, Paris, Alsatia.

CHAMMING'S, Louis, « Saül Alinsky organisateur et agitateur », *Cahiers Jacques Maritain*, 19, octobre 1989.

CHENAUX, Philippe, « Jacques Maritain et l'esprit des années vingt », *Cahiers Jacques Maritain*, 21, novembre 1990.

– *Paul VI et Maritain*, Rome, Ed. Studium, 1994.

CHIRON, Yves, *Paul VI, le pape écartelé*, Paris, Perrin, 1993.

– *La Vie de Maurras*, Paris, Perrin, 1993.

CHOURAQUI, André, *L'Amour fort comme la mort*, Paris, Robert Laffont, 1990.

COCTEAU, Jean, *Journal 1942-1945*, Paris, Gallimard, 1991.

– *Lettre à Jacques Maritain*, Paris, Stock, 1926.

COHEN, Gustave, *Ceux que j'ai connus*, Paris, Montréal, Éditions de l'Arbre, 1946.

COMPAGNON, Olivier, « Jacques Maritain et les élites d'Amérique Latine », mémoire DEA. Université Paris I, juin 1992.

CONGAR, Yves, « Souvenirs sur Jacques Maritain », *Notes et Documents*, n° 27, avril-juin 1982.

COTTIER, Georges M.-M., « Un théologien ? Non : un philosophe s'occupant de théologie », *Nova et Vetera*, vol. 48, n° 3, juillet-septembre 1973.

DANIELOU, Cardinal Jean, « La Charité de la vérité », *Revue des Deux Mondes*, juin 1973.

DAUJAT, Jean, *Maritain : un maître pour notre temps*, Paris, Téqui, 1978.

DEBRÉ, Robert, *L'Honneur de vivre*, Hermann, Paris, 1974.

DELAPORTE, Jean, *Péguy dans son temps et dans le nôtre*, Union Générale d'Édition, Paris, 1967.

DESTREMAU, Christian et MONCELON, Jean, *Massignon*, Paris, Plon, 1994.

DOERING, Bernard E., *Jacques Maritain and the French Catholic Intellectuals*, Notre-Dame, University of Notre-Dame, 1983.
  – « Action française : Bernanos, Massis, and Maritain », *Notes et Documents*, n° 15, avril-juin 1979.
  – « Introduction to For the Common Good : the Christian Responsibilities in the Present Crisis » *Notes et Documents*, n° 20, juillet-septembre 1980.
  – *Jacques Maritain and the French Catholic Intellectuals*, University of Notre-Dame Press, 1983.
  – « Jacques Maritain and the Spanish Civil War », *The Review of Politics*, vol. 44, n° 4, octobre 1982.

DOOLY, R. Eleanor, « Les Conceptions philosophiques et esthétiques de Raïssa Maritain ». Thèse de doctorat, Université de Paris, Faculté des Lettres et Sciences humaines, 1968.

DU BOS, Charles, *Journal*, tomes IV et V, Paris, Corrêa, 1950, La Colombe, 1954.

DUNAWAY, John M., *Jacques Maritain*, Boston, Twayne, 1978.

FAVRE, Geneviève, « Souvenirs sur Péguy », revue *Europe* n° 182, 183, 184, 1938.

FECHER, Charles A., *The Philosophy of Jacques Maritain*, New York, Greenwood Press, 1969.

FERNANDES, Antonio, *Jacques Maritain : as sombras da sua obra*, Recife, Pernambuco, 1941.

FOUREST, Elisabeth, « Dernier salut à l'Amérique », *Cahiers Jacques Maritain*, 4-5, novembre 1982.

FOWLIE, Wallace, « Maritain the Writer », *Jacques Maritain : the Man and his Achievement*, edited with an introduction by John W. Evans, New York, Sheed & Ward, 1963.

FREI, Eduardo, *Memorias (1911-1934) y Correspondencias con Gabriele Mistral y Jacques Maritain*, Planeta Espajo de Chile, 1989.

FRÈRE MICHEL, « Un demi-siècle d'amitié bénie », *Cahiers Jacques Maritain*, 14, décembre 1986.

FUMET, Stanislas, *Histoire de Dieu dans ma vie*, Paris, Fayard, 1980.

– « Un philosophe français vit et professe aux Etats-Unis », *Le Littéraire*, Paris, 11 février 1950.

GARNIER, Eveline, « Souvenirs sur mon oncle », *Cahiers Jacques Maritain*, 2, avril 1981.

GAROFALO, Gaetano, *Jacques Maritain*, Saggio critico, Resta,1969.

GHIKA, Vladimir, « Une conquête de la philosophie chrétienne : Jacques Maritain », *Documentation catholique*, octobre 1923.

GIDE, André, *Journal 1889-1939*, Paris, Gallimard, 1939.

– « Les Juifs, Céline et Maritain », *La Nouvelle Revue Française*, I, avril 1938.

GILSON, Etienne, « Jacques Maritain au Vatican », *La Vie intellectuelle*, Paris, vol. 13, n° 2, mars 1945.

GIRARD, André, « Jacques Maritain and the Little Brothers of the poors », *The Critic*, vol. XXI n° 4, février-mars 1963.

GREEN, Julien, *Journal*, 15 vol., 1919-1995. Paris, Plon-Le Seuil-Fayard.

– *Œuvres complètes*, Paris, Gallimard, Bibliothèque de la Pléiade, 1973.

GRIFFIN, John Howard, SIMON, Yves R., *Jacques Maritain : Homage in Words and Pictures*, Foreword by Anthony Simon, Albany, Magi Books, 1974.

GRUNELIUS, Antoinette, « Jacques Maritain et Kolbsheim », *Cahiers Jacques Maritain*, 4-5, novembre 1982.

GUENA, Sylvain, « Regards de Jacques Maritain sur le peuple juif », Université de Brest, 1992.

– « Regards de Maritain sur le peuple juif ». Maîtrise d'histoire, Université de Bretagne occidentale, 1992.

– « Un itinéraire de rencontre », *Cahiers Jacques Maritain*, 20 juin 1990.

GUILLEMIN, Henri, *Parcours*, Paris, Le Seuil, 1989.

GUITTON, Jean, *Journal d'une vie*, tome 1, Paris, Desclée de Brouwer, 1976.

– *Un siècle, une vie*, Paris, Robert Laffont, 1988.

GURIAN, Waldemar, « J. Maritain und die Neothomismus », *Deutsch-Französische Rundschau*, Berlin, 1, 1928.

HAGUE, René, « Jacques Maritain », *The London Mercury*, London, XX, mai-octobre 1929.

HERBERG, William, « Jacques Maritain : selections, introduction », *Four existentialist Theologians : Maritain, Berdyaer, Buber, Tillich*, edited by William Herberg, New York, Doubleday, 1958.

HOURDIN, Georges, *Conversation avec Claude Clayman*, Paris, 1974.

HUGO, Jean, *Le Regard de la mémoire*, Arles, Actes Sud, 1983.

– *Journal*, Arles, Actes Sud, 1995.

ISWOLSKY, Helen, *Light before Dusk : a Russian Catholic in France, 1923-1941*, New York, Longmans, Green, 1942.

JACCARD, Pierre, « La mêlée thomiste en France en 1925 », *Revue de théologie et de philosophie*, 2ᵉ sér., t. XIV, n° 58, 1926.

– « La Renaissance thomiste dans l'Église, du cardinal Mercier à M. Jacques Maritain », *Revue de théologie et de philosophie*, Lausanne, 2ᵉ sér., t. XV, 1927.

JOURNET, Charles, « Jacques Maritain théologien », *Nova et Vetera*, vol. 48, n° 3, juillet-septembre 1973.

– « Jacques Maritain, l'homme, le penseur, le chrétien » : conférence prononcée le 7 février 1974 au Centre d'études Saint-Louis de France à Rome, *Nova et Vetera*, vol. 50, n° 1, janvier-mars 1975 ; *Notes et Documents*, n° 10-11, janvier-juin 1978.

KERNAN, Julie, *Our Friend, Jacques Maritain*, New York, Doubleday, 1975.

KOUZNETSOV, Vitali, « La philosophie de Jacques Maritain », *Annales de l'Université de Toulouse-Le Mirail*, vol. 13, 1977.

LACOMBE, Olivier, « À propos de Jacques Maritain », *Humanisme et Foi chrétienne*, Mélanges scientifiques du centenaire de l'Institut catholique de Paris publiés par Charles Kannengiesser et Yves Marchasson, Paris, Beauchesne, 1976.

– « Jacques Maritain et sa génération », *Notes et Documents*, n° 10-11, janvier-juin 1978. Relation présentée au Colloque sur la philosophie de l'éducation selon J. Maritain, Brescia, octobre 1975.

- « Le foyer de Meudon », *Cahiers Jacques Maritain*, 4-5, novembre 1982.
- « Qui est Jacques Maritain ? », *Notes et Documents*, n° 1, octobre-décembre 1975.
- *Jacques Maritain – la générosité de l'intelligence*, Paris, Téqui, 1991.

LACOUTURE, Jean, *François Mauriac*, Paris, Le Seuil, 1980.
- *Profils perdus. 53 portraits contemporains*. Paris, A.M. Métailé, 1983.
- *De Gaulle*, 3 vol. Paris, Le Seuil, 1984, 1985, 1986.
- *Jésuites*, 2 vol., Paris, Le Seuil, 1991-1992.
- *Une adolescence du siècle. Jacques Rivière et la NRF*, Paris, Le Seuil, 1994.

LALOY, J. « D'un siècle à l'autre : Jacques Maritain, 1882-1973 », *Les Quatre Fleuves : cahiers de recherche et de réflexion religieuses*, Paris, n° 17, 1983.

LASSERRE, Pierre, *Mise au point*, Paris, L'Artisan du Livre, 1931.

LE TOUZE, Philippe, « Maritain et Bernanos : une amitié difficile », *Notes et Documents*, n° 28, juillet-septembre 1982.

LEFÈVRE, Frédéric, « Jacques Maritain et Henri Massis », *Une heure avec...*, 2e série, 6e édition, Paris, Éditions de la Nouvelle Revue Française, 1924.

LELEU, Michèle, « L'Architecte Jacques Maritain », *Cahiers Charles Du Bos*, Neuilly-sur-Seine, 1974.

LEROY, Marie-Vincent, O.P., « Les réunions de Kolbsheim », *Cahiers Jacques Maritain*, 4-5, novembre 1982.

LETAMENDIA, Pierre, *Eduardo Frei*, Paris, Éditions Beauchesne, 1989.

LETURMY, M., « Jacques Maritain et le thomisme », Paris, N.R.F. n° 253, 1974.

LUROL, Gérard, « Mounier et Maritain », *Esprit*, nouv. sér., 41e année, n° 430, décembre 1973.

MARGERIE, Bertrand de, « Contemplation, vie politique et amitié conjugale dans la pensée de J. Maritain », *Notes et Documents*, n° 8, juillet-septembre 1977.

MARITAIN, Paul, *Jules Favre, mélanges politiques, judiciaires et littéraires*, Arthur Rousseau, Paris, 1882.

MARSHALL, Elisabeth, « L'âme embrasée » [l'itinéraire spirituel de Raïssa Maritain], *Prier*, n° 108, janvier-février 1989.

MASSIS, Henri, *Au long d'une vie*, Paris, Plon, 1957.
- *L'Honneur de servir*, Paris, Plon, 1935.

- *Maurras et notre temps*, Paris/Genève, La Palatine, 2 vol., 1951.

MAURIAC, François, *Bloc-notes*, 4 vol., Paris, Le Seuil, 1993.

« François Mauriac », *Cahiers de l'Herne*, Paris, 1983.

MAURIN, Maurice, « Jacques et Raïssa Maritain : expérience évangélique et réflexion spirituelle », *Cahiers Jacques Maritain*, 7-8, septembre 1983.

MAYEUR, Jean-Marie, *Des partis politiques à la démocratie chrétienne*, Paris, Armand Colin, 1980.

MAZZOLANI, Matilde, « Quelques souvenirs sur mon "boss" », *Cahiers Jacques Maritain*, 4-5, novembre 1982.

McCOOL, Gerald A., « Jacques Maritain : a Neo-Thomist Classic », *Journal of Religion*, vol. 58, n° 4, oct. 1978.

McINERNY, Ralph, « Merton and Maritain », *Notes et Documents*, n° 19, avril-juin 1980.

MENASCE, Jean de, *La Porte sur le jardin*, Paris, Cerf, 1975.

MERCIER, Lucien, « Jacques Maritain avant Jacques Maritain : un engagement dans le siècle », *Cahiers Jacques Maritain*, 13, juin 1986.

METRAL, Marie-Odile, « À propos de Jacques Maritain : lettre à mes frères chrétiens », *Vie spirituelle*, t. 127, 1973.

MICLEA, Joan, « Un témoignage d'un ami de J. Maritain », *Notes et Documents*, n° 26, janvier-mars 1982.

MILOSZ, Czeslaw, « "À travers le désastre", "Clandestin à Varsovie" : deux textes de Czeslaw Milosz », *Cahiers Jacques Maritain*, 16-17, avril 1988.

MIRIBEL, Elisabeth de, *La Mémoire des silences. Vladimir Ghika, 1873-1954*, Paris, Fayard, 1987.

- *La liberté souffre violence*, Paris, Plon, 1980.

MONTINI, G.B., Préface à « Jacques Maritain », *Tre Riformatori*, Brescia, Morcelliana, 1928.

MORGAN, Charles, *Liberties of the Mind*, New York, Macmillan, 1951.

MOUGEL, René, « À propos du mariage des Maritain : leur vœu de 1912 et leurs témoignages », *Cahiers Jacques Maritain*, 22, juin 1991.

- « Expérience philosophique, spiritualité et poésie chez Raïssa Maritain », in *Simone Weil et Raïssa Maritain*, Institut universitaire oriental de Naples. Casa Editrice, L'Antologia Napoli.

- « Les années de New York : 1940-1945 », *Cahiers Jacques Maritain*, 16-17, avril 1988.

- « Textes de J. et R. Maritain – Bloy et les Maritain – Rencontres : V. Ghika, P. Lamy, E. Michelet », *Cahiers Jacques Maritain*, 18 juin 1989.

MOUNIER-LECLERCQ, Paulette, *Mounier et sa génération : lettres, carnets et inédits*, Paris, Éditions du Seuil, 1956.

MOUTON, Jean, « Meudon, Princeton, Kolbsheim », *Cahiers Jacques Maritain*, 4-5, novembre 1982.

MUGNIER, abbé, *Journal*, Paris, Mercure de France, 1985.

NEF, John U., « Remarks about M. Jacques Maritain at Bishop Sheil's dinner », *Notes et Documents*, n° 27, avril-juin 1982.

NEHER-BERNHEIM, Renée, « Rencontre de deux personnalités d'Eretz Israël vers 1900-1920 : Aaron Aaronsohn et Absalon Feinberg », *Cahiers Jacques Maritain*, 23, octobre 1991.

NGUYEN VAN TAI, Pierre, *De l'antimoderne à l'humanisme intégral*, Rome, Pontifica Universitas Urbaniana, 1980.

NOTHOMB, Jean-François, « Maritain et l'impossible médiation », *Notes et Documents*, nouv. sér., n° 24-25, janvier-août 1989.

NOUAILLE-ROUAULT, Geneviève, « Maritain, Rouault et nous », *Cahiers Jacques Maritain*, 4-5, novembre 1982.

O'CONNOR, Flannery, *L'Habitude d'être*, Paris, Gallimard, 1994.

ORY, Pascal et SIRINELLI, Jean-François, *Les Intellectuels en France de l'affaire Dreyfus à nos jours*, Paris, Armand Colin, 1992.

PARODI, D., « Jacques Maritain », *La Philosophie contemporaine en France*, Paris, Librairie Félix Alcan, 1919.

PAUL VI, « Pages d'inspiration maritainiennes », *Notes et Documents*, n° 12, juillet-septembre 1978.

PAUPERT, Jean-Marie, *Vieillards de chrétienté et chrétiens de l'an 2000*, Pamphlet et prophétie, Paris, Grasset, 1967.

PAVAN, Antonio, « Jacques Maritain. L'avenir des chrétiens au delà du post-moderne ». Milan, Institut international Jacques Maritain. *Notes et Documents*, n° 38, septembre-décembre 1993.

- *La Formazione del pensiero di J. Maritain*, Padova, Edit. Gregoriana, 1967.

- *La Formazione del pensiero di J. Maritain*, Padova, Gregoriana, 1985 (Studi filosofici, 4).

PECCO-BARBA, Gregorio, *Persona sociedad estado. Pensamiento socialy politico de Maritain*, Madrid, Edicusa, 1972.

PÉGUY, Marcel, *Le Destin de Charles Péguy*, Paris, Perrin, 1941.

POSSENTI-GHIGLIA, Nora, « Jacques Maritain et Rouault : aux sources d'une féconde amitié », *Cahiers Jacques Maritain*, 12, novembre 1985.

PROCHASSON, Christophe, *Les Intellectuels, le socialisme et la guerre 1900-1938*, Paris, Le Seuil, 1993.

PRUVOT, Samuel, *Jacques Maritain et la chrétienté*, Université Paris II, 1992.

PSICHARI, Ernest, *Lettres du centurion*, Paris, Conand, 1923.

PSICHARI, Henriette, *Ernest Psichari, mon frère*, Paris, Plon, 1933.
 – *Des jours et des hommes*, Paris, Grasset, 1962.
 – *Les Convertis de la Belle Époque*, préface de Jean Pommier, Paris, Éditions rationalistes, 1971.

QUONIAM, Théodore, « Une confrontation spirituelle : Péguy-Maritain » : conférence donnée à la Société toulousaine de philosophie le 25 novembre 1978. CR : anonyme dans *Études philosophiques*, nouv. sér. 35ᵉ année, n° 1, janv.-mars 1980.

RACZYMOW, Henri, *Maurice Sachs*, Paris, Gallimard, 1988.

RECLUS, Maurice, *Jules Favre*, Paris, Hachette, 1912.
 – *Le Péguy que j'ai connu. Avec cent lettres de Charles Péguy*, Paris, Hachette, 1951.
 – « Témoignage sur Péguy », *La Revue des Deux Mondes*, Paris, n° 13, 1ᵉʳ et 15 juillet 1950.

RIQUET, Michel, « Un anniversaire spirituel », *Études*, t. 291, octobre-décembre 1956.
 – *Le Rebelle discipliné. Entretiens avec Gilles Minella*, Paris, Mame, 1993.

ROUGEMONT, Denis de, *La Part du diable*, Paris, Gallimard, 1982.

ROUQUETTE, Robert, « Filleuls de Léon Bloy : le cheminement spirituel de Raïssa et de Jacques Maritain », *Études*, t. 260, janv.-mars 1949.

ROUSSEAUX, André, « Les Lettres de J. Cocteau et de J. Maritain », *La Revue universelle*, 25, 1ᵉʳ juin 1926.

ROYAL, Robert, *Jacques Maritain and the Jews*, American Maritain Association, University of the Notre-Dame Press, 1994.

SACHS, Maurice, *Le Sabbat : souvenirs d'une jeunesse orageuse*, Paris, Corrêa, 1946.

SARRAUTE, Gabriel, « Un témoignage sur Severini et Maritain. II, La rencontre de Severini et de Maritain », *Nova et Vetera*, vol. 62, n° 3, juillet-septembre 1987.

SCHUMANN, Maurice, « Témoignage », *Cahiers Jacques Maritain*, 16-17, avril 1988.

SCHUSTER, George, N., « Jacques Maritain : Revivalist », *The Bookman*, New York, 10 septembre 1929.

SEAILLES, André, « Jacques Maritain et François Mauriac ou les aventures de la grâce », *Notes et Documents*, n° 28, juillet-septembre 1982.

SERANT, Paul, *Les Dissidents de l'Action française*, Paris, Copernic, 1978.

SERROU, Robert, *Pie XII, le pape-roi*, Paris, Perrin, 1992.

SERTILLANGES, A.D., *Avec Henri Bergson*, Paris, Gallimard, 1941.

SEYDOUX, Roger, « Jacques Maritain à Mexico », *Cahiers Jacques Maritain*, 10, octobre 1984.

SIMON, Yves R., « Jacques Maritain », *Cahiers Jacques Maritain*, 11, juin 1985.

  – « La philosophie dans la foi : extrait des Mémoires d'un philosophe français », *La Nouvelle Relève*, Montréal, vol. I, n° 6, mars 1942.

  – « Mes premiers souvenirs de Jacques Maritain », *Notes et Documents*, nouv. sér., n° 2-3, avril-septembre 1983.

  – « My First Memories of Jacques Maritain », *New Scholasticism*, vol. 56, n° 2, 1982.

  – « La philosophie bergsonienne », *Revue de philosophie*, 31, 1931.

SION, Gilles, *Jacques et Raïssa Maritain ou la passion de l'intelligence*, Université de Lille III, 1986.

STROOBANTS, Ludo, « Maritain et Blondel », *Notes et Documents*, n° 16, juillet-septembre 1979.

SUGRANYES DE FRANCH, Ramon, « Maritain et les Juifs », *Notes et Documents*, nouv. sér., n° 32, septembre-décembre 1991.

SUTHER, Judith, *Raïssa Maritain. Pilgrim, Poet, Exile*, New York, Fordham University Press, 1990.

THARAUD, Jérôme et Jean, *Notre cher Péguy*, 2 vol., Paris, Plon, 1926.

THIBON, Gustave, « À propos de trois récents ouvrages de Maritain », *Revue thomiste*, 38ᵉ année, nouv. sér., t. XVI, 1933.

  – « Du temps à l'éternel », *Cahiers Jacques Maritain*, 4-5, novembre 1982.

  – *Au soir de ma vie*, Paris, Plon, 1993.

TODA, Michel, *Henri Massis. Un témoin de la droite intellectuelle*, Paris, La Table ronde, 1987.

TONQUEDEC, Joseph de, « Jean Cocteau et Jacques Maritain », *Études*, 3ᵉ année, t. 188, juil.-sept. 1926.

VERCORS, *La Bataille du Silence. Souvenirs de Minuit*, Paris, Presses de la Cité, 1967.

WALCHEREN, Pierre, *La Terre et le Royaume*, Paris, Desclée de Brouwer, 1968.

- *Dieu et les hommes*, Paris, Desclée de Brouwer, 1949.
- *Rencontres*, Paris, Desclée de Brouwer, 1961.

WEBER, Eugen, *La France des années 30*, Paris, Fayard, 1995.

WEIL, Simone, MARITAIN, Jacques, « Jacques Maritain et Simone Weil : trois lettres de 1942 », *Cahiers Simone Weil*, t. II, n° 2, juin 1980.

WOODWARD, L., « Jacques Maritain and the American Intellectual Life », *The Critic*, vol. XXI n° 4, février-mars 1963.

ZAPPONE, Domenico, « Une philosophie ouverte. Quatre aperçus sur la philosophie de Jacques Maritain », Louvain, Université catholique, 1963.

ZUNDEL, Maurice, « Jacques Maritain, un homme vierge », *Nova et Vetera*, vol. 49, n° 1, janvier-mars 1974.

ACTES DE COLLOQUES

1. American Maritain Association Publications
   Jacques Maritain : The Man and His Metaphysics, edited by John F. X. Knasas, 1988.
   Freedom in the Modern World : Jacques Maritain, Yves R. Simon, Mortimer J. Adler, edited by Michael D. Torre, 1989, second printing, 1990.
   From Twilight to Dawn : The Cultural Vision of Jacques Maritain, edited by Peter Redpath, 1990.
   The Future of Thomism, edited by Deal W. Hudson and Dennis Wm. Moran, 1992.
   Jacques Maritain and the Jews, edited by Robert Royal, 1994.

2. Université catholique de Milan
   Jacques Maritain oggi, Ed. Vita, Milan, 1983.

3. Mercer University Press
   Understanding Maritain, Philosopher and Friend, edited by Deal W. Hudson et Matthew J. Mancini, 1987.

4. Institut international Jacques-Maritain
   Droits des peuples. Droits de l'homme, publié par le Centurion, Paris, 1984.

5. CIREP
   Jacques Maritain et ses contemporains, Paris, Desclée de Brouwer, 1991.

6. Cerisy

   Jacques Maritain face à la modernité, Toulouse, Université du Mirail, 1995.

7. Revue Thomiste

   Saint Thomas au xxe siècle, Paris, Saint-Paul, 1995.

NUMÉROS SPÉCIAUX

1942, « La Nouvelle Relève » (Montréal), n° 2, décembre : *Hommage à Jacques Maritain.*

1946, « A Ordem » (Rio de Janeiro), n° 35, mai-juin : *J. Maritain.*

1948, « Revue thomiste » (Paris), XLVIII, n° 1-2 : *J. Maritain, son œuvre philosophique.*

1963, *Jacques Maritain : the Man and His Achievements*, edited with an introduction by Joseph W. Evans, New York, Sheed and Wad.

1971, « Revista politica y Espiritu » (Santiago de Chile), n° 328, décembre : *Homenaje a Jacques Maritain.*

1972, « Humanitas » (Brescia), XXVII, n° 8-9, août-septembre : *L'Ultimo Maritain.*

1973, « Vita e Pensiero » (Milano), LV, n° 1, janvier-février : *Maritain novant'anni.*

1973, « Nova et Vetera » (Genève), n° 3, juillet-septembre : *Quelques témoignages sur Maritain.*

1979, « Notes et Documents », n° 14, janvier-mars : *Jacques Maritain et Yves Simon.*

1981, « Revue de l'Université d'Ottawa », University of Ottawa Quaterly (Ottawa), vol. 51, n° 4, octobre-décembre.

1982, « Notes et Documents » (Roma), n° 27, avril-juin : *Le Centenaire de Jacques Maritain.*

1982, « Notes et Documents », n° 27, avril-juin : *Maritain : un maître.*

1982, « Pedagogia e Vita » (Brescia), série 44, octobre-novembre : *La Filosofia dell'educazione.*

1987, « Angelicum » (Roma), vol. 64, fasc. 1 : *Maritain et l'humanisme intégral.*

1993, « Revue des Deux Mondes » (Paris) : *Le Philosophe dans la cité.*

1981-1995, *Cahiers Jacques Maritain.*

Index

A

B

C

D

G

M

R

U

V

W

Z

REMERCIEMENTS

Je veux exprimer ma gratitude à celles et ceux qui m'ont accompagné, éclairé et soutenu tout au long de ce travail.

Sans le concours et l'appui de René Mougel, directeur du Centre Jacques et Raïssa Maritain à Kolbsheim, il m'eût été impossible de mener à bien une telle tâche. J'ai constamment trouvé en lui un conseiller, un guide amical et passionné qui a su orienter et nourrir mes recherches et mes réflexions sans jamais peser sur elles.

Merci également à Dominique Mougel pour sa disponibilité et son sens de l'accueil.

Je dois beaucoup à la confiance et à l'amitié que m'ont témoigné Pierre Sipriot, Sybille Billot, Paule Constant, Claude Durand, Monique Nemer, Chantal Lapicque, tous liés de près à l'aventure de ce livre.

Merci à L.-T. de sa présence.

Réalisation PAO : Dominique Guillaumin

Impression réalisée sur CAMERON par
BRODARD ET TAUPIN
La Flèche

pour le compte des Éditions Stock
23, rue du Sommerard, Paris V^e
en octobre 1995

Imprimé en France
Dépôt légal : Octobre 1995
N° d'édition : 7418 – N° d'impression : 6295M-5
54-07-4362-01/7
ISBN : 2-234-04362-X